JN015417

の自治を担う職員のための 法務能力検定

公式テキスト 2022年度 検定対応

自治体法務検定 公式テキスト 基本法務編

体裁 B5判・480頁　**定価** 3,080円（本体2,800円＋税10%）

編集 自治体法務検定委員会　委員長　塩野　宏（東京大学名誉教授）
編集委員　人見　剛／石川健治／山本隆司／斎藤　誠／能見善久／田中利幸

行政法、地方自治法をはじめ自治体の実務全般に共通して関連を有する法分野である憲法や民法、刑法の知識を網羅し、自治体職員が共通に備えるべき法務の基本的知識を学ぶことができます。

自治体法務検定 公式テキスト 政策法務編

体裁 B5判・384頁　**定価** 3,080円（本体2,800円＋税10%）

編集 自治体法務検定委員会　委員長　塩野　宏（東京大学名誉教授）
編集委員　北村喜宣／山口道昭／礒崎初仁／出石　稔／田中孝男

それぞれの地域にふさわしい政策の実現のために、既存法令や制度の解釈・運用に関する政策法務の知識を基礎から学ぶことができます。

地方公務員制度講義

猪野 積
著

第一法規

カバーデザイン　　　篠　隆二

第８版のはしがき

令和３年６月に国家公務員法等の一部を改正する法律（令和３年法律第61号。以下、「令和３年国公法等改正法」という。）及び地方公務員法の一部を改正する法律（令和３年法律第63号。以下、「令和３年改正法」という。）が国会で成立し、６月11日に公布された。いずれも公務員の定年を65歳まで段階的に引き上げることを柱とするもので、約１年10ヶ月の準備期間を経て、令和５年４月１日から施行される。

この改正は、60歳を超える職員の能力及び経験を本格的に活用するための公務員制度上重要な改正であるので、第７版で会計年度任用職員制度導入を柱とする「地方公務員法及び地方自治法の一部を改正する法律（平成29年法律第29号)」(令和２年４月１日施行。以下、「平成29年改正法」という。）の詳細を紹介してから２年余ではあるが、令和３年改正法による地方公務員の定年引上げ及び関連制度改正の解説を追加することを主目的として、第８版を刊行することとした。その際、平成29年改正法による改正以後の地方公務員法（現行地方公務員法）を「法」と呼ぶ略称は、令和３年改正法による改正（令和５年４月１日）前までに限定し、新たに、令和３年改正法による改正後の地方公務員法を「新法」と略称することとした。また、同様の観点から、令和３年国公法等改正法による改正後の国家公務員法を、新たに「新国公法」と略称することとした。このため、第７版のはしがきに掲載していた凡例中の法令の略称を一部改める必要があり、見直し後の凡例を第８版のはしがきの後に掲載している。その他、ILO第105号条約の批准に伴う罰則規定の一部改正、新判例の追加、統計資料の追加・変更等、この際必要又は適当と考えられる追加・変更を施している。なお、参考資料については、第７版の参考資料６（定年引上げに関する人事院の意見の申出の骨子）を参考資料４に繰り上げ、その後に、令和３年国公法等改正法案の概要を参考資料５－１として、令和３年国公法等改正法による国家公務員法の新旧対照表（定年引上げ関係部分のみ）を参考資料５－２として、令和３年改正法の概要を参考資料６－１として、令和３年改正法による地方公務員法の新旧対照表を参考資料６－２として、令和３年改正法附則（抄）を参考資料６－３として、地方公務員法の一部を改正する法律の運用について（通知）を参考資料６－４として、定年引上げに伴う条例例及び規則例等の整備について（通知）を参考資料６－５として、地方公務員の定年引上げに向けた留意事項について（通知）を参考資料６－６として追加している。一方、第７版で掲載していた会計年度任用職員制度の導入に向けた事務処理マニュアル（第７版参考資料４）、成年被後見人及び被保佐人の欠格条項削除関係資料（第７版参考資料５－１及び５－２）並びに超過勤務命令の上限設定に関する資料（第７版参考資料７－１、７－２及び７－３）については、本書が大部になることを避けるため、この際割愛している。これらの割愛された資料を必要とする読者は、御面倒で恐縮ながら、第７版の参考資料を参照されたい。

版を改めるに当たり、引き続き第一法規株式会社の木村文男氏及びこのたび新たに松本健氏に格別のご協力をいただいている。ここに厚く御礼を申し上げる。なお、本書の初版で述べていたとおり、本書で述べられている見解は、出所が明示されているもの以外はすべて筆者の個人的見解であり、総務省その他の関係行政機関の公式見解ではないことを付言する。

令和４年４月

猪野　積

追記（ご参考までに）

とりあえず令和３年改正法の内容を知りたいという読者の方は、本書中の関係部分を次の順に通覧されるのが便宜かと存じます（掲載頁は、括弧内に関係部分の冒頭の頁数のみを示しています。）。

第８版のはしがき

↓

第２章第５節「４　定年退職」

(1)　定年制度の意義及び定年引上げ

↓

(b)　定年引上げ（89頁）

↓

(4)　再任用（94頁）

↓

(5)　国家公務員の定年引上げと関連制度改正の概要（96頁）

↓

(6)　地方公務員の定年引上げ及び関連制度改正（108頁）

(a)　定年の段階的引上げ（109頁）

(b)　管理監督職勤務上限年齢制（役職定年制）の導入（112頁）

(c)　定年前再任用短時間勤務制の導入（115頁）

(d)　本則上の再任用の廃止と暫定再任用等の存置（116頁）

(e)　勤務延長の存続（118頁）

(f)　60歳に達した職員の給与（118頁）

(g)　60歳に達した職員の退職手当（120頁）

(h)　情報提供・意思確認（120頁）

(i)　検討条項と実施のための準備（122頁）

↓

第３章第９節「４　懲戒処分の手続と運用」

↓

・再任用職員の定年退職前の事由に基づく懲戒処分規定の定年前再任用短時間勤務職員への切り替え（163頁８行目）

↓

第４章第２節「２　分限処分の種類と事由」

↓

・降給の種類への新法第28条の２第１項に規定する降給の追加（172頁４行目及び21行目）

↓

第５章第３節「８　高齢者部分休業」

↓

・定年引上げに際しての高齢者部分休業制度の活用（238頁10行目）

↓

第６章第２節「２　不利益処分の説明書の交付」

↓

⑶　管理監督職勤務上限年齢による「他の職への降任等」の場合の不利益処分説明書の不交付（247頁19行目）

↓

参考資料４（338頁）、参考資料５－１（341頁）、参考資料５－２（342頁）、参考資料６－１（347頁）、参考資料６－２（348頁）、参考資料６－３（366頁）、参考資料６－４（375頁）、参考資料６－５（383頁）、参考資料６－６（427頁）

凡例

本書において次の法令の略称を用いる場合は、それぞれの鍵括弧内の略称のとおりとする。

・地方公務員法の一部を改正する法律（令和３年法律第63号）　「令和３年改正法」
・地方公務員法及び地方自治法の一部を改正する法律（平成29年法律第29号）　「平成29年改正法」
・地方公務員法及び地方独立行政法人法の一部を改正する法律（平成26年法律第34号）　「平成26年改正法」
・令和３年改正法による改正後の地方公務員法　「新法」
・地方公務員法（平成29年改正法による改正以後令和３年改正法による改正前の地方公務員法　現行地方公務員法）　「法」
・平成29年改正法による改正前の地方公務員法　「旧法」
・地方自治法（平成29年改正法による改正以後の地方自治法　現行地方自治法）　「自治法」
・平成29年改正法による改正前の地方自治法　「旧自治法」
・地方公共団体の一般職の任期付職員の採用に関する法律　「任期付職員法」
・公益的法人等への一般職の地方公務員の派遣等に関する法律　「派遣法」
・地方公務員の育児休業等に関する法律　「育休法」
・地方公営企業法　「地公企法」
・地方公営企業等の労働関係に関する法律　「地公労法」
・労働基準法　「労基法」
・労働組合法　「労組法」
・労働関係調整法　「労調法」

- 地方教育行政の組織及び運営に関する法律　「地教行法」
- 教育公務員特例法　「教特法」
- 地方独立行政法人法　「地独行法」
- 国家公務員法等の一部を改正する法律　「令和３年国公法等改正法」
  （令和３年法律第61号）
- 令和３年国公法等改正法による改正後の国家公務員法　「新国公法」
- 国家公務員法（令和３年国公法等改正法による　「国公法」
  改正前の国家公務員法　現行国家公務員法）
- 行政事件訴訟法　「行訴法」
- 行政不服審査法　「行服法」

第７版のはしがき

平成29年11月に本書の第６版を発刊してから２年半近くが経過した。この間、平成から令和に元号が改まったが、第６版発刊当時に予定されていたとおり、会計年度任用職員制度導入を柱とする「地方公務員法及び地方自治法の一部を改正する法律（平成29年５月17日法律第29号）」（以下、「平成29年改正法」という。）が約２年10ヶ月の準備期間を経て、令和２年４月１日（平成32年４月１日）から施行される。

このため、第７版では、第６版で平成29年改正法の公布時を基準日として、平成29年改正法による改正後（令和２年４月１日以後）の地方公務員法を「新法」と呼んで未来形で、同法による改正前の地方公務員法を「法」と呼んで現在形で記述していたものを、同法施行時を基準日として、同法による改正後（令和２年４月１日以後）の地方公務員法を「法」と現在形で、同法による改正前の地方公務員法を「旧法」と過去形での記述に改めるとともに、第６版で維持していた「地方公務員法及び地方独立行政法人法の一部を改正する法律（平成26年法律第34号）」（以下、「平成26年改正法」という。）の施行（平成28年４月１日）前の地方公務員法を「旧法」と略称する記述は、廃止した。同時に、第６版発刊以降の総務省における平成29改正法の施行準備の進展（例えば、会計年度任用職員制度導入等に向けた事務処理マニュアル第２版の通知等）を踏まえた記述に一部改めている。

また、これらの予定されていた改訂に加え、この間、地方公務員制度に関わるいくつかの改正が行われたため、これらを踏まえた記述に改めた。その一つは、働き方改革に伴う時間外労働の上限規制の導入（平成31年４月１日施行）である。二つは、成年被後見人及び被保佐人の地方公務員の欠格条項からの削除である（令和元年12月14日施行）。なお、焦眉の急を要する公務員の定年延長については、本書執筆段階で未だ法改正に至っていないが、その直近の状況を追加記述している。

このため、今回は、主として、平成29年改正法の施行に伴い予定されていた記述の見直しと、その後の制度改正等に伴う記述の見直しの２本立ての改訂内容となっており、それに統計数字の更新等この際適当と考えられる変更を施しているので、両者の見直しを混同しないよう区分してご判読をいただきたい。

なお、このような事情により、第６版のはしがきに掲載していた凡例中の法令の略称を一部改める必要があるため、見直し後の略称による新たな凡例を第７版のはしがきの後に追加している。また、参考資料については、能力実績主義の導入を主たる内容とする平成26年改正法の趣旨は施行後４年を経て周知徹底されているはずであるとの想定の下、第７版では、第６版における参考資料１及び２（平成26年改正法による新旧対照表及び同法附則）並びに参考資料３及び４（人事評価制度に関する研究会報告抜粋）は割愛し、参考資料５及び６（平成29年改正法による新旧対照表及び同法附則）並びに参考資料７（平成29年改正法の運用通知）を参考資料１、２及び３に繰り上げ、新たに、上述の会計年度任用職員制度導入等に向けた事務処理マニュアル第２版の主要部分を参考資料４として、成年被後見人及び被保佐人の欠格条項削除関係資料を参考資料５として、国家公務員の定年延長に関する人事院の意見の申出に関する資料を参考資料６として、超過勤務命令の上限設定に関する資料を参考資料７として追加している。本書が大部になりすぎることを避けるためのやむを得ない入れ替えであるので、平成26年改正法に係る参考資料を見たい方は、御面倒で恐縮ながら、第６版の参考資料１～４を参照されたい。

版を改めるに当たり、引き続き第一法規株式会社の木村文男氏及び倉田浩亮氏に格別のご助力をいただいている。ここに厚く御礼を申し上げる。

令和２年２月

猪野　積

追記（ご参考までに）

とりあえず平成29年改正法の内容を知りたいという読者の方は、本書中の関係部分を次の順に通覧されるのが便宜かと存じます（掲載頁は、原則として関係部分の冒頭の頁数のみを示しています。）。

第６版及び第７版のはしがき

↓

第２章第４節「９　会計年度任用職員」（73頁）

↓

第１章第１節「４　特別職非常勤職員の任用の適正確保」（９頁）

↓

第２章第４節「11　臨時的任用の適正確保」（83頁）

↓

その他の改正関係部分（主要なもののみ。上記第２章第４節「９　会計年度任用職員」における記述と重複するものを含む。）

・条件付採用（64～65頁）

・任期付採用（71頁及び73頁）

・再任用短時間勤務職員への条件付採用適用除外規定の準用（94頁）

・営利企業への従事等の制限の非常勤職員への適用特例（127頁）

・フルタイム会計年度任用職員に関する運営状況の公表（177頁）

・非常勤地方公務員等の報酬又は給与（190頁）

↓

参考資料１、２、３及び４（それぞれ281頁、293頁、294頁、303頁）

凡例

本書において次の左記の法令の略称を用いる場合は、右記の鍵括弧内の略称のとおりとする。

・地方公務員法及び地方自治法の一部を改正する法律（平成29年法律第29号）　「平成29年改正法」
・地方公務員法及び地方独立行政法人法の一部を改正する法律（平成26年法律第34号）　「平成26年改正法」
・地方公務員法（平成29年改正法による改正以後の地方公務員法　現行地方公務員法）　「法」
・平成29年改正法による改正前の地方公務員法　「旧法」
・地方自治法（平成29年改正法による改正以後の地方自治法　現行地方自治法）　「自治法」
・平成29年改正法による改正前の地方自治法　「旧自治法」
・地方公共団体の一般職の任期付職員の採用に関する法律　「任期付職員法」
・公益的法人等への一般職の地方公務員の派遣等に関する法律　「派遣法」
・地方公務員の育児休業等に関する法律　「育休法」
・地方公営企業法　「地公企法」
・地方公営企業等の労働関係に関する法律　「地公労法」
・労働基準法　「労基法」
・労働組合法　「労組法」
・労働関係調整法　「労調法」
・地方教育行政の組織及び運営に関する法律　「地教行法」
・教育公務員特例法　「教特法」
・地方独立行政法人法　「地独行法」
・国家公務員法　「国公法」
・行政事件訴訟法　「行訴法」
・行政不服審査法　「行服法」

第６版のはしがき

平成28年４月に本書の第５版を発刊してまだ１年半であるが、この間平成29年５月に「地方公務員法及び地方自治法の一部を改正する法律」が国会で成立し、５月17日に平成29年法律第29号として公布された。この法律（以下、本書において「平成29年改正法」と略称する。）は、地方公共団体における行政需要の多様化等に対応し、公務の能率的かつ適正な運営を推進するため、地方公務員について、会計年度任用職員の任用等に関する規定を整備するとともに、特別職の任用及び臨時的任用の適正を確保し、併せて会計年度任用職員に対する給付について規定を整備することをその内容とするものである。平成29年改正法の施行期日は、同法による改正が地方公共団体の臨時・非常勤職員の人事管理に大きな影響を与えるため相当の準備期間が必要であるという観点から、平成32年４月１日とされているが、同法附則第２条で施行のために必要な準備等として、任命権者と地方公共団体の長が行うべき準備及び措置並びにこれらに関する総務大臣の助言又は勧告を定めており、同条は公布の日から施行されている。そのようなことから、総務省の施行に向けた作業も段階的に行われていく見込みであるが、本書の地方公務員制度の解説書としての性格上、とりあえず改正内容の大要の紹介をする必要があるため、平成29年８月23日までの総務省の施行に向けた作業状況を踏まえて、第５版に今回の改正の内容等を織り込み、第６版を出版することとした。その際、第５版で「旧法」と称していた「地方公務員法及び地方独立行政法人法の一部を改正する法律（平成26年法律第34号、平成28年４月１日施行）」による改正前の地方公務員法の略称は、同法による改正後まだ間がないので同改正前との対比を分かり易くするため引き続き「旧法」として維持することとし、同法による改正後の地方公務員法（現行地方公務員法）の略称として用いていた「法」をそのまま同法による改正後から平成29年改正法による改正までの地方公務員法の略称として用い、新たに平成29年改正法による改正後の地方公務員法（令和２年４月１日以降の地方公務員法）を「新法」と略称して、短期間における２回の大改正を挟んだ３段階の条文の対比が分かり易くなるよう書き分けた。このため、これらの略称を含め、簡単な凡例をこのはしがきの後に追加している。また、同様の観点から、第５版の参考資料である「地方公務員法及び地方独立行政法人法の一部を改正する法律（平成26年法律第34号）新旧対照条文」等はそのまま参考資料として掲載し、新たに「地方公務員法及び地方自治法の一部を改正する法律（平成29年法律第29号）新旧対照条文」等を参考資料として追加している。なお、平成29年改正法により改正される主要な地方公務員法の条文は３箇所であるが、改正全体の趣旨・背景等は、最も重要な会計年度任用職員（新法22条の２）の部分で一括して説明し、他の関係改正条文の部分ではこれを引用したうえでそれぞれの新条文に固有の内容を説明するようにした。以上のような工夫にもかかわらず、全体としてやや複雑な立て付けとなっている憾があるが、能力実績主義の導入等のための改正と臨時・非常勤職員に関する改正が短期間に立て続けに行われたため、それら全体を俯瞰するために必要な記述構成であることをご理解いただき、御判読をいただきたい。

版を改めるに当たり、引き続き第一法規株式会社の木村文男氏及びこのたび新たに倉田浩亮氏に格別のご助力を頂いている。ここに厚く御礼を申し上げる。

平成29年８月

猪 野　積

追記（ご参考までに）

とりあえず平成29年改正法の内容を知りたいという読者の方は、本書中の関係部分を次の順に通覧されるのが便宜かと存じます（掲載頁は、関係部分の冒頭の頁数のみを示しています。）。

第６版のはしがき

↓

第２章第４節「９　会計年度任用職員」（71頁）

↓

第１章第１節「４　新法による特別職非常勤職員の任用の適正確保」（9頁）

↓

第２章第４節「11　新法による臨時的任用の適正確保」（80頁）

↓

その他の改正関係部分（主要なもののみ。上記第２章第４節「９　会計年度任用職員」における記述と重複するものを含む。）

・条件付採用（62頁）
・任期付採用（69頁及び70頁）
・再任用短時間勤務職員への条件付採用適用除外規定の準用（90頁）
・営利企業への従事等の制限の非常勤職員への適用特例（123頁）
・フルタイム会計年度任用職員に関する運営状況の公表（171頁）
・非常勤地方公務員等の報酬又は給与（24頁及び184頁）

↓

参考資料５、６及び７（320頁）

凡例

本書において次の左記の法令の略称を用いる場合は、右記の鍵括弧内の略称のとおりとする。

・地方公務員法及び地方自治法の一部を改正する法律（平成29年法律第29号）　「平成29年改正法」
・地方公務員法及び地方独立行政法人法の一部を改正する法律（平成26年法律第34号）　「平成26年改正法」
・平成29年改正法による改正後の地方公務員法　「新法」
・平成26年改正法による改正後平成29年改正法による改正前の地方公務員法（現行地方公務員法）　「法」
・平成26年改正法による改正前の地方公務員法　「旧法」
・地方自治法　「自治法」
・平成29年改正法による改正後の地方自治法　「新自治法」
・地方公共団体の一般職の任期付職員の採用に関する法律　「任期付職員法」
・公益的法人等への一般職の地方公務員の派遣等に関する法律　「派遣法」
・地方公務員の育児休業等に関する法律　「育休法」
・地方公営企業法　「地公企法」
・地方公営企業等の労働関係に関する法律　「地公労法」
・労働基準法　「労基法」
・労働組合法　「労組法」
・労働関係調整法　「労調法」
・地方教育行政の組織及び運営に関する法律　「地教行法」
・教育公務員特例法　「教特法」
・地方独立行政法人法　「地独行法」
・国家公務員法　「国公法」
・行政事件訴訟法　「行訴法」
・行政不服審査法　「行服法」

第５版のはしがき

平成26年５月14日の「地方公務員法及び地方独立行政法人法の一部を改正する法律」（平成26年法律第34号）の公布を受け、平成26年11月に本書の第４版を発刊した。同法は、公布の日から起算して２年を超えない範囲内において政令で定める日から施行することとされていたが、能力実績主義の導入等を内容とする重要な改正であったため、取り敢えず改正内容を追加し早期に読者に周知することを主たる目的として、平成26年９月時点までの施行準備状況を踏まえ、第４版を発刊したものである。このため、第４版では、同法による改正後の地方公務員法を「新法」と称してその内容を追記する形で紹介することを原則としていたところである。その後、平成27年９月２日に「地方公務員法及び地方独立行政法人法の一部を改正する法律の施行期日を定める政令」（平成27年政令第313号）が公布され、同法は、平成28年４月１日から施行されることとなった。このため、同年同月を期して、同法による改正後の地方公務員法をベースとした記述に書き改めることを主たる目的として、第５版を刊行することとした。改正後の地方公務員法をベースとした記述に書き改めるに際しては、完全溶け込み方式にすると、却って今回の改正点が分かりにくくなる嫌いがあるので、同法による改正前の地方公務員法を「旧法」と称して、重要な改正個所には、旧法の内容を補足して紹介することとした。その関係で、参考資料１及び２（地方公務員法及び地方独立行政法人法の一部を改正する法律新旧対照条文及び同法附則（抄））は、そのまま継続して巻末に掲載し、読者の便宜に供している。また、その後の施行準備状況等を踏まえ、標準職務遂行能力に関する表の参考例と人事評価記録の参考例の差替え、人事評価実施規程例と人事評価実施要領例の参考資料への追加、行政不服審査法の施行に伴う関係法律の整備等に関する法律（平成26年法律第69号）による地方公務員法の改正、地方自治法の一部を改正する法律（平成26年法律第42号）による地方公務員法の改正、その他の関連法の改正による記述の変更等、この際必要又は適当と考えられる追加・変更を施している。

版を改めるに当たり、本書の出版、校正等につき、引き続き第一法規株式会社の木村文男氏の多大なご協力を頂いている。ここに、厚く御礼を申し上げる。

平成28年1月

猪野　積

第４版のはしがき

平成25年４月に本書の第３版を発刊してまだ１年半であるが、この間本年４月に、長年の懸案であった能力・実績主義の導入等を目的とする「地方公務員法及び地方独立行政法人法の一部を改正する法律」が国会で成立し、５月14日に公布され、２年以内に施行されることとなった。この法律は、地方公務員について、人事評価制度の導入等により能力及び実績に基づく人事管理の徹底を図るとともに、再就職者による依頼等の規制の導入等により退職管理の適正を確保するための措置を講ずること等を内容とするものである。これと同じ内容の地方公務員法等の改正案は、平成19年に同様の内容を有する国家公務員法の改正案とともに国会に提出されていたが、国家公務員法の改正のみが成立し、地方公務員法等の改正案は継続審議を繰り返した後、平成21年７月に廃案となっていた。本書では、その法案要綱を、今後の地方公務員制度の進む方向を示すものとして、初版以来、巻末に参考資料として掲げてきた。その後、民主党政権下で、積み残されていた地方公務員法等の改正案が公務員への労働協約締結権を付与する法案と一体のものとして再度国会に提案されたが、労働協約締結権の付与等についてコンセンサスを得ることができず、一体として平成24年11月に廃案となっていた（その間の経緯の詳細については、本書244頁以下参照）。今回、労働基本権問題と切り離し、平成19年に提案した形で漸く成立を見たものであるが、内容的には昭和56年の定年制度の導入以来の大改正であり、特に人事評価制度の導入は、今後の地方公務員の人事管理全体の基礎となる極めて重要なものである。そこで、今回の改正内容を本文の説明の中に取り込むことを主な修正内容として、第４版を刊行することとした。その際、改正法が未施行であるため、本文溶け込み方式ではなく、平成26年の法律改正による部分を読者に分かるように追記する方式を基本とした。なお、改正の全体像が分かるように、巻末に今回の改正法による新旧対照条文等を参考資料として掲載している。また、雇用と年金の接続のための再任用制度の運用についての政府方針の変遷、憲法改正のための国民投票における公務員の政治的行為の制限の特例規定の整備、配偶者同行休業の導入等に関する追加記述等、この際必要となる変更を施している。

版を改めるに当たり、本書の出版、校正等につき、引き続き第一法規株式会社の木村文男氏の多大なご協力を頂いている。ここに、厚く御礼を申し上げる。

平成26年９月

猪野　積

第３版のはしがき

平成23年４月に本書の改訂版を発刊してまだ２年であるが、平成24年２月には改訂版第２刷を重ね、全国の地方公務員の皆様をはじめとする多くの方々に愛読されていることは、筆者として誠に有難く、かつ、力強く感じているところである。ところでこの間に、地方自治法の２度にわたる改正が行われ、それに応じた記述の小さな変更が必要な個所が多数生じたことに加え、年金の支給開始年齢の引き上げに伴う義務的再任用の制度設計のほか、違法な職員派遣に伴う不当利得返還請求権の放棄議決の有効性、政治的行為の制限違反に対する罰則の適用（国家公務員の場合）及び懲戒処分の裁量の範囲に関するいくつかの最高裁判決等、比較的大きな追加記述が必要な事項が少なからず生じた。また、ここ10年来の懸案事項であった公務員の労働基本権制限見直し議論が決着し、その結論は関係法案の廃案（現行どおり）であったものの、問題の重要性にかんがみ、その顛末と今後の展望をここで整理しておく必要があると考えた。そこで、これらをまとめて変更又は加筆し、第３版として刊行することとした。このうち特に公務員労働基本権制限見直し議論については、その内容も大部にわたるため、第７章第５節の後に「補節　公務員の労働基本権制限見直し議論」を独立の節として追加して記述した。なお、巻末の参考資料に、今回廃案となった地方公務員制度改革関連二法案の概要と全国知事会の地方公務員の新たな労使関係制度に関する決議を追加掲載して、読者の便宜に供している。

版を改めるに当たり、引き続き第一法規株式会社の木村文男氏及びこの度新たに石塚三夏氏に格別のご助力を頂いている。ここに厚くお礼を申し上げる。

平成25年４月

猪野　積

改訂版のはしがき

平成19年11月に本書の初版を刊行してからまだ３年余であるが、この間、地方公務員制度にかかわる改正が少なからず行われた。その主要な点は、次のとおりであるので、この際、これらの改正を盛り込むとともに、初版では記述の不十分であった部分を加筆するなどして、改訂版を刊行することとした。

① 一般社団法人及び一般財団法人に関する法律の施行に伴い、「公益法人等への一般職の派遣等に関する法律」が「公益的法人等への一般職の派遣等に関する法律」に改められ、内容においても所要の改正が行われたこと。

② 同じく一般社団法人及び一般財団に関する法律の施行に伴い、登録職員団体の法人格取得に関する地方公務員法第54条が削除され、職員団体等に対する法人格の付与に関する法律において所要の改正が行われたこと。

③ 労働基準法第18条の２が労働契約法に移される等の労働基準法の改正に伴い、地方公務員法第58条第３項及び第４項（労働基準法の一部適用除外及び読み換え規定）が改正されたこと。

④ 地方自治法第203条を第203条（議員報酬及び費用弁償）と第203条の２（報酬及び費用弁償）に分割する改正が行われたこと。

⑤ 退職後の公務員に在職中懲戒免職を受けるべき行為があったと認めたとき等は、退職金の返納を求めることができる等の改正が行われたこと。

⑥ 公務員の勤務時間が１日につき７時間45分、１週につき38時間45分とされたこと。

⑦　短期介護休暇が設けられる等、特別休暇が充実されたこと。

⑧　非常勤職員にも育児休業が認められる等、育児休業制度が充実されたこと。

なお、第166国会に提出された「地方公務員法及び地方独立行政法人法の一部を改正する法律案」は、第171国会で審議未了廃案となったが、同法案のうち、能力及び実績に基づく人事管理のための改正部分は、今後の地方公務員制度の見直しの方向を示すものと考えられるので、同改正法案の要綱を引き続き巻末に参考資料として掲載している。また、公務員の労働基本権の制限の見直しについて、最近の政府の調査会等で行われている検討の状況等を巻末に〔補遺〕として追記した。

版を改めるに当たり、引き続き第一法規株式会社の木村文男氏及びこの度新たに市田真奈未氏に格別のご助力を頂いている。ここに厚くお礼を申し上げる。

平成23年３月

猪 野　積

はしがき

地方公共団体は、住民の福祉の増進のために行政を行うことを目的とする団体である。地方公務員は、そのような行政目的の達成の手段（資源）として、地方公共団体に勤務する者である。そもそも行政は、国民及び住民の厳粛な信託によるものであり、したがって、国民及び住民の意思に沿って民主的に、また、最少の経費で最大の効果を挙げるべく能率的に運営されなければならない。地方公務員制度とは、地方公共団体の行政が住民福祉の増進という目的のために民主的かつ能率的に運営されるよう、その人的手段である地方公務員についての人事行政上の根本基準を体系的に定めたものであるといえよう。

地方公共団体の行政を現実に執行するのは、地方公務員である。したがって、地方公共団体の行政が民主的かつ能率的に行われるかどうかは、長や管理職から各職場の職員一人一人にいたる地方公務員が、民主的にして能率的な行政のための体系である地方公務員制度に関する知識を十分習得し、日頃の人事管理や組織管理に、また、自分自身の能力開発に実践として生かしていくかどうかにかかっている。本書の目的は、このような地方公務員制度について、その体系的知識の習得を目指している方々や、制度の趣旨や背景を含めさらに研鑽を深めたいと努力している方々に、そのためのテキストを参考として提供することにある。

本書には、他の地方公務員制度の解説書に比し、いくつかの特徴があると考えている。１つは、全体構成を、主として民主的にして能率的な人事行政の体系をわかりやすく解説するという観点から、必ずしも地方公務員法の条文順とせず、独自の体系としている点である。例えば、地方公務員法では補則として規定されている地方公務員への各種法律の適用区分については、地方公務員の取扱区分に関する基本的な問題として、第１章「地方公務員制度の概要」で取り上げている。また、第２章を「地方公務員の任用と離職」として、定年制度を地方公務員の基本的な退職管理制度として任用と一体的に解説するほか、外国人任用を国民主権の問題として相当のスペースを割いて解説している。第３章は「公務秩序の維持」として、地方公務員であるがゆえの服務義務とそれを担保するための懲戒処分を一体として解説している。第４章では、「公務能率の維持・向上」というタイトルの下、広い意味での成績主義の観点から、分限制度、研修を含む職員の能力開発、勤務評定等を一体として解説している。２つには、判例や行政実例を多く引用した点である。地方公務員法は、制定当時の条文はシンプルなものが多く、その実際の解釈・運用に当たっては、多くの行政実例と判決に支えられている。このため、地方公務員制度を正確に理解し運用するために知悉しておくべき判例や行政実例については、若干冗長になることを厭わず、引用に努めた。３つには、地方公務員法の制定経緯や重要な改正経過あるいは運用上の重要課題については、その歴史的・社会的背景やテーマによっては国際的背景まで含めて相当詳しく解説した点である。これは、読者諸兄に制度の趣旨を深く正確に理解していただくことを期待すると同時に、近い将来予想される公務員制度の総合的な改革に関する議論に際し多少でも参考になればとの思いからである。

また、本書執筆終了時点で国会には、「地方公務員法及び地方独立行政法人法の一部を改正する法律案」が提出されている。同法案は、能力及び実績に基づく人事管理のための改正と退職管理の適正確保のための改正とを内容とするものであるが、その施行期日は、退職管理の部分は平成20年12月31日までで、能力・実績主義の部分は公布の日から２年以内でそれぞれ政令で定める日とされていることから、同改正法案の要綱をとりあえず巻末に資料として掲載し、読者の参考に供することとした。

本書の執筆に当たっては、多数の先輩、同僚の方々から貴重な示唆やご教示をいただいており、また第一法規株式会社の木村文男氏の格別のご助力を頂いている。ここに厚くお礼を申し上げる。なお、本書で述べられている見解は、出所が明示されているもの以外はすべて筆者の個人的見解であり、総務省その他の関係行政機関の公式見解ではないことを付言する。

平成19年10月

猪野　積

■ 目　次

4　その後（314）

第１章　地方公務員制度の概要

第１節　地方公務員制度とその対象

１　地方公務員制度の意義

地方公務員法（昭25.12.13法律261、以下、本書において単に「法」ともいう）第１条は、この法律の目的として、「この法律は、地方公共団体の人事機関並びに地方公務員の任用、人事評価、給与、勤務時間その他の勤務条件、休業、分限及び懲戒、服務、退職管理、研修、福祉及び利益の保護並びに団体等人事行政に関する根本基準を確立することにより、地方公共団体の行政の民主的かつ能率的な運営並びに特定地方独立行政法人の事務及び事業の確実な実施を保障し、もつて地方自治の本旨の実現に資することを目的とする。」と規定する。なお、平成26年の「地方公務員法及び地方独立行政法人法の一部を改正する法律（平26.5.14法律34、以下、本書において「平成26年改正法」という）の施行（平成28年４月１日）前は、法第１条中「人事評価」が「職階制」と、「退職管理、研修」が「研修及び勤務成績の評定」とされていた。このように、法は、独自の目的規定を定めているが、地方公務員制度の意義を説明するためには、まず「制度」の対象である「地方公務員」がどのような存在であるのかを明確に認識するとともに、その地方公務員についてこのような独自の体系と内容を有する「制度」を構築する必要性を明らかにする必要がある。

まず、地方公務員の意義と範囲についての厳密な議論は次の２で述べるとして、大筋からいえば、地方公務員とは、地方公共団体という公法人に勤務する者である。同じように、国家公務員とは、国という公法人に勤務する者である。国や地方公共団体のような公法人であれ、公益法人や株式会社のような私法人であれ、法人という組織である以上、その組織の存立目的である業務を達成していくため、常にその目的達成のための手段（資源（注１）参照）として、人、物、金、情報等を組織外から調達し、組織内に配分し、使っていかなければならない。そして、これらの業務遂行手段の調達、配分、活用を行うために、法人の組織のなかには、それぞれの業務遂行手段の種類に応じ、人事管理、財物管理、予算（財務・会計）管理、情報（文書）管理等の管理機能が生じる。これらの管理機能は、法人内のすべての組織に必然的に生じる機能であるが、法人の組織がある程度の大きさになると、法人全体としてこれらを専門的かつ効果的に行うための管理組織が設けられる。地方公共団体でいえば、人事課、管財課、財政課（会計課)、情報管理課（文書課）等である。また、このような管理機能の在り方を含めた地方公共団体の組織や政策全体の管理を行う専門組織として行政管理室等が設けられることもある。地方公務員制度とは、このような地方公共団体の業務遂行手段のうちの「人」の調達、配分、活用方法とその人を管理する組織についての基本的な仕組みの体系であると位置付けることができる。

次に、まずは地方公務員制度をこのように位置付けるとしても、それだけでは法人の目的とその遂行手段の一つである人との関係で、機能的に地方公務員制度の位置付けを説明しただけで、民間企業の人事管理制度に比しての地方公務員制度の特質を十分に説明していない嫌いがある。なぜなら、「人」があらゆる法人に共通の目的遂行手段であるといっても、国や地方公共団体の目的業務は、行政の遂行であり、一般の私法人の目的であるそれぞれの業務とは、その内容や性格を大きく異にするからである。特に、国や地方公共団体は、その行政目的遂行のためには、国民（住民）に対し、その権利を制限し、義務を課する等の公権力の行使をすることが認められており、これは、国の統治権及びそれに由来する地方公共団体の統治権に基づくものである（そのような公権力のそもそもの淵源は、近代民主国家の存立根拠である社会契約に求められる。日本国憲法前文第二センテンス参照)。ここに、公務員制度が、一般民間企業の人事・労務管理制度とは別の仕組みとして、独自の体系と内容を有して存在する必然性が存する。このような一般の私法人とは異なる行政という目的を達成するため、その手段である「人」すなわち、公務員については、国家公務員、地方公務員を通じ、全体の奉仕者として、一般の私法人の従業員とは異なる理念の下に、その調達、配分、活用について特別の仕組みや管理組織が定められている。このような、行政を遂行するという地方公共団体の目的に応じて、その手段である「人」について特別に定められた調達、配分、活用の方法及びその管理組織の基本的仕組みの体系が地方公務員制度である。これを、法第１条の条文に準拠して定義すれば、地方公務員制度とは、“地方公共団体の行政の民主的かつ能率的な運営を保障することを目的として、地方公共団体の人事機関並びに地方公務員の任用、人事評価、給与、勤務時間その他の勤務条件、休業、分限及び懲戒、服務、退職管理、研修、福祉及び利益の保護並びに団体等人事行政に関する根本基準を定めたもの”である。このような特質を有する地方公務員制度について、その内容をその背景となっている理念まで遡って学ぶのが本講義の目的である。

また、ここでは、公務員を機能上の位置付けを明確にするため、法人の目的達成手段の一つである「人」として説明しているが、「人」は、物、金、情報といった他の目的達成手段とは異なり、生きた人間であり、最も有為であるとともに最も不可解な存在でもある。このため、「人」を有効活用するには、常にその人間的側面に留意する必要があることについては、第４章第３節「職員の能力開発」で詳述する。

（注１）　地方公共団体の業務遂行手段としては、人、物、金、情報等の「資源」たる手段（行政組織法上の手段）と、法令や条例及びそれに基づく行政行為等による権力的規制、行政計画、行政指導等の「手法」たる手段（行政作用法上の手段）がある。ここでは、前者の意味で「手段」という用語を用いている。この点については、猪野『行政法講義（総論）』（北樹出版）38頁参照。

２　地方公務員の意義と範囲

１で述べたように、大筋からいえば、地方公共団体という公法人に勤務する者が地方公務員である。法は、第２条において「地方公務員（地方公共団体のすべての公務員をいう。）」と定義している。したがって、都道府県、市町村、特別区、地方公共団体の組合又は財産区に勤務する者は、選挙で選ばれた長や議員であるか任命された者であるかを問わず、正式採用であるか臨時採用であるかを問わず、また、調査員、審議会委員のように非常勤であるか常勤であるかを問わず、地方公共団体に勤務する者は、すべて地方公務員である。ところで、普通に県庁や市役所等で働いている職員の場合、地方公務員であることは明瞭であるが、非常勤で時々に特定の役所仕事に従事する者や在宅の一般民間人が地域への公的な連絡事務を行っているような場合等、その者が地方公務員であるかどうかが必ずしも明らかでない場合が少なくない。このような場合を含め、およそその者が地方公務員であるかどうかについては、その者と地方公共団体が勤務関係にあるかどうかという観点から、次のような基準により判断するのが適当である。

① その者が従事している事務が地方公共団体の事務であるか。
② その者がその事務を行うに際し、地方公共団体の権限ある機関から任命されているか。
③ その者が勤務の対価として、地方公共団体から報酬を受けているか。

このような事実がすべて肯定されるならば、その者を地方公務員として取り扱って差し支えないと考えられる（国家公務員であるかどうかにつき、同様の基準で判断した判例として、東京地判．昭37.6.1及びこれを支持した最判２小．昭42.4.28参照）。ただ、現実には、例えば、「行政連絡員を委嘱する」という趣旨の依頼が口頭で行われていて任命行為があったのかどうか不明であったり、手当額が僅かで勤務の対価としての報酬であるのか事務実費の支給であるのか不明であるケースもある。地方公共団体としては、後日に問題となることを避けるためにも、嘱託とか委嘱という文言を用いて仕事を依頼するときには、文書により、地方公務員として「任命」するのか、地方公務員として任命するのでなく「事務を委託する」あるいは「協力を依頼する」のかを明確にすると同時に、地方公務員として任命するのであれば、地方自治法（昭22.4.17法律67、以下、本書において「自治法」ともいう）第203条の２第５項に基づき、条例に基づく報酬を支給することを明確にしておくことが望ましい。

次に、大筋において、地方公共団体という公法人に勤務する者が地方公務員であるという原則には、２つの例外がある。１つが、地方公共団体に勤務しないが地方公務員とされる特定地方独立行政法人の役職員であり、いま１つが、地方公共団体で勤務しながら国家公務員とされる地方警務官である。

前述したとおり、法は第２条で「地方公務員（地方公共団体のすべての公務員をいう。）」と一旦地方公務員の定義を置きながら、第３条で一般職と特別職の区分の前提となる地方公務員の職に関連し、「地方公務員（地方公共団体及び特定地方独立行政法人〔中略〕の全ての公務員をいう。以下同じ。）」と改めて地方公務員の定義を置き直している。これは、国の独立行政法人制度の発足に伴い平成16年４月に地方独立行政法人制度が発足したことを受け、地方独立行政法人のうち、特定地方独立行政法人の役職員が地方公務員の身分を与えられる（地方独立行政法人法（平15.7.16法律118、以下、本書において「地独行法」ともいう）47条）ことにかんがみ、地方公共団体とは別の法人である特定地方独立行政法人の役職員も地方公務員の範囲に含め、地方公共団体に勤務する地方公務員と基本的に同じ扱いとすることを明らかにしたものである。

また、警察法第56条第１項は、「都道府県警察の職員のうち、警視正以上の階級にある警察官（以下「地方警務官」という。）は、一般職の国家公務員とする。」と規定している。都道府県警察は、文字どおり都道府県の警察であり、そこで勤務する警察官は、国ではなく都道府県に勤務している者であるが、警視正以上の階級にあるもの、すなわち、警視総監、警視監、警視長及び警視正は、国家公務員とされ、国家公安委員会が任免する（警察法49条１項、50条１項、55条３項、62条）。

なお、大日本帝国憲法（以下、本書において「旧憲法」という）の下では、都道府県の主要な職員は、官吏、すなわち国家公務員であったが、昭和22年５月３日、日本国憲法（以下、本書において単に「憲法」という）と同時に地方自治法が施行されるに伴い、従前都道府県に勤務していた官吏は、原則として地方公務員に身分を切り換えられた（自治法附則３条）。しかしその際、自治法附則第８条（現行削除）において、「政令で定める事務に従事する都道府県の職員は、〔中略〕当分の間、なお、これを官吏とする。」とされた。これが、いわゆる「地方事務官等」であり、都道府県に勤務しながら国家公務員の身分を有し、したがってその任免は国の所管大臣が行い、都道府県知事は職務上の指揮監督権を有するもののその実効を期し難い中途半端な制度として、国、地方を通ずる行政改革で常に問題とされてきた。実際に、地方事務官として指定された職種としては、教育公務員、道路運送法等の施行に携わる職員、健康保険法、厚生年金保険法等の施行に携わる職員、職業安定法、雇用保険法等の施行に携わる職員等、時代により変遷があるが、これらの地方事務官等も、逐次、一部は地方公務員への身分の切替えが、一部は国家公務員としての位置付けの明確化が行われ、平成11年７月16日法律第87号（いわゆる地方分権一括法）による地方自治法の改正により、同法附則第８条は削除され、地方事務官制度は、廃止された。

３　一般職と特別職の区分

地方公務員が政治的偏向を持たず、また公務が情実に支配されず、かつ公務の能率的運営を図るため、一般の地方公務員の任用は、「受験成績、人事評価その他の能力の実証」に基づいて行われることになっている（法15条、平成26年改正法による改正前の15条では「人事評価」が「勤務成績」であった）。しかし、地方公共団体の職によっては、その職への任用をこのような成績主義に基づいて行うことが必ずしも適当でない職もある。例えば、知事、市町村長、議員等は、住民の政治的信頼を受けることがその選任の第一条件であり、また、各種審議会の委員等は、その分野の特別の知識経験が豊富なことがその仕事を進めるうえで最も必要なことである。これらの職は、その職への地方公務員の選任につき、住民の選挙、議会の同意、特別の知識経験、特定の資格要件等を必要とする職であり、画一的な一般的能力の実証になじまない職であるといえよう。法は、第３条第３項において、このような職を次のとおり列記し、これらの職を特別職とし、それ以外の職を一般職として、両者を区分している（法３条１項・２項）。

①　就任について公選又は地方公共団体の議会の選挙、議決若しくは同意によることを必要とする職

②　地方公営企業の管理者及び企業団の企業長の職

③　法令又は条例、地方公共団体の規則若しくは地方公共団体の機関の定める規程により設けられた委員及び委員会（審議会その他これに準ずるものを

含む。）の構成員の職で臨時又は非常勤のもの

④　都道府県労働委員会の委員の職で常勤のもの

⑤　臨時又は非常勤の顧問、参与、調査員、嘱託員及びこれらの者に準ずる者の職（専門的な知識経験又は識見を有する者が就く職であって、当該知識経験又は識見に基づき、助言、調査、診断その他総務省令で定める事務を行うものに限る。）

⑥　投票管理者、開票管理者、選挙長、選挙分会長、審査分会長、国民投票分会長、投票立会人、開票立会人、選挙立会人、審査分会立会人、国民投票分会立会人その他総務省令で定める者の職

⑦　地方公共団体の長、議会の議長その他地方公共団体の機関の長の秘書の職で条例で指定するもの

⑧　非常勤の消防団員及び水防団員の職

⑨　特定地方独立行政法人の役員

これら地方公務員法上特別職とされているものは、それぞれ特別の事情により一般職と同じ扱いをすることが適当でないため特別職とされているものであり、これを一口で説明することは、困難であるが、概ね、

①　住民又はその代表の信任によって就任する職

②　地方公共団体の事務にもっぱら従事するのではなく、一定の場合にかぎり地方公共団体の業務を行う者の職

③　その他、特別の知識・経験又は政策的配慮に基づいて任用する職

が、特別職とされているといえよう。このような職は、一般の地方公務員のように受験成績や人事評価等の一般的な能力の実証により選任する（メリットシステム）ことが妥当でなく、また、一般の地方公務員のように定年までの終身職としての身分保障を前提としない（非終身職）等、一般の地方公務員とは、地方公共団体との勤務関係の本質を異にする。この点、行政実例が、「法第３条第３項に掲げる職員の職は、恒久的でない職または常時勤務することを必要としない職であり、かつ職業的公務員の職でない点において、一般職に属する職と異なるものと解せられる」（昭35.7.28自治丁公発９）と述べているのは、特

別職の職の本質をよく表しているといえよう。

このように、特別職に属する地方公務員には、現行地方公務員制度の根幹である成績主義と終身職としての身分保障が妥当しないため、原則として、地方公務員法は、適用しないこととされ（法４条２項）、地方公務員法は、一般職に属する地方公務員に適用することとされている（法４条１項）。すなわち、同項は、一般職に属するすべての地方公務員を「職員」と呼び、地方公務員法は職員にのみ適用することとしている。これに対し、特別職の身分上の取扱いは地方自治法等それぞれの特別職の設置根拠となる法令において個別に定められているほか、個別の法令に根拠がない場合には、自治法附則第５条及び第９条の規定により従前の規定に準ずることとされ、その具体的な取扱いは、地方自治法施行規程で定められている。（以下、本書においては、主として一般職について説明をすることとし、文中「職員」と書いている場合は、一般職の職員を意味する。）。したがって、ある職が特別職に属するか、一般職に属するかは、その職に任用されている者の身分取扱いに大きな差異をもたらすこととなるので、地方公共団体としては、その職の設置に当たり、特別職か一般職かの区分を明確にしておく必要があり、その区分が明らかでないときは、任命権者が、いずれであるかを決定することとなる。しかしながら、旧法第３条第３項第３号が「臨時又は非常勤の顧問、参与、調査員、嘱託員、及びこれらの者に準ずる者の職」と比較的幅広く規定しており、特に「嘱託員」、「及びこれらの者に準ずる者」と不確定概念で規定していたことから、具体的な職が特別職に該るかどうか疑義が生ずるケースが後を断たなかった。以下、旧法下における従前の判例や行政実例で、「嘱託員」又は「これらの者に準ずる者」と認定されていた主要事例を参考までに列記する。

〔判例〕

①　非常勤講師は、法第３条第３項第３号にいう「非常勤の嘱託員に準ずる者」に該ると解するを相当とする。そうすると特別職たる非常勤講師には同法第４条第２項により原則として地方公務員法の適用はないので、被告県教委が非常勤講師たる原告を法第28条、第29条の事由の存しないのに免

職したことは何らの違法はない（昭38. 5. 25水戸地裁）。

② 週２日勤務で、その勤務の対価として「報酬報奨金」が支払われ、その辞令も「非常勤嘱託を命ずる」という「消費生活コンサルタント」は、法第３条第３項第３号にいう特別職である非常勤嘱託員であり、その任用期間が明示されている場合は、その期間の満了と同時に何らの手続を要せず当該嘱託員の身分が失われる（昭57. 11. 24大阪地裁）。

③ 10ヶ月の期間を定めて歴史民俗資料館の専門員として資料の収集、整理保存等の業務を行っていた者は、法第3条第3項第3号の特別職たる臨時嘱託員と認めるのが相当であり、任用期間の満了により当然にその地位を失う（平元. 12. 11最高裁二小）。

〔行政実例〕

① 校医の職は、法第３条第３項第３号の非常勤の嘱託員に準ずる者の職に該当する（昭26. 2. 6地自乙発37）。

② 市町村の公民館長は、その職務内容からみて、常勤のものは一般職、非常勤のものは特別職（法第３条第３項第３号の非常勤の顧問、参与に準ずる者の職）と解する（昭26. 3. 1地自公発51）。

③ 町村の部落駐在員は、法第３条第３項第３号の「これらのものに準ずるものの職」に該当し、特別職に属するものと解せられる（昭26. 3. 12地自公発66）。

４　特別職非常勤職員の任用の適正確保

以上、法第３条に基づく一般職と特別職の区分について述べてきたが、平成29年改正法は、法第３条第３項第３号に括弧書きで「(専門的な知識経験又は識見を有する者が就く職であつて、当該知識経験又は識見に基づき、助言、調査、診断その他総務省令で定める事務を行うものに限る。)」との限定規定（法３条３項３号括弧書き）を追加し、また、同号の次に第３号の２として「投票管理者、開票管理者、選挙長、選挙分会長、審査分会長、国民投票分会長、投票立会人、開票立会人、選挙立会人、審査分会立会人、国民投票分会立会人その他総務省令で定める者の職」との規定（法３条３項３号の２）を追加する改正を行った。これは、後述73頁の「９　会計年度任用職員」の「⑴　平成29年改正法全体概要」で紹介する臨時・非常勤職員に関する改正の３つの柱のうち、特別職非常勤職員の任用の適正確保のための改正である。法第３条第３項第３号の職に就く者は、本来、一般的な能力の実証に基づいて任用するのではなく、その職に必要な特別の知識経験や識見に基づいて任用される者であるが故に特別職とされているのであるが、同号が臨時又は非常勤の「顧問、参与、調査員」に加え「嘱託員及びこれらの者に準ずる者の職」と幅広い不確定な用語で規定しているため、３で参考として紹介した判例や行政実例の傾向も相まって、地方公共団体において、本来なら一般職の職員が従事する仕事の代替や補助を行う者を安易に本号に基づき特別職非常勤として任用する傾向があり、それが臨時・非常勤職員の増加の大きな要因となっていた（平成28年の総務省調査で、臨時・非常勤職員64.5万人のうち特別職非常勤職員が22万人）。このような特別職非常勤職員は、臨時・非常勤職員共通の、常勤職員との不適切な勤務条件格差や繰返し任用によるトラブルの発生（例えば、漫然と繰返し任用された特別職非常勤保育士の再任拒否に対し賠償を命じた東京高裁平19.11.28判決）等の問題のほか、本来一般職として地方公務員法上の服務規定の適用の下に行うべき業務に従事しながら、特別職であるためこれらの規定が直接には適用されず、機密保持等の面で問題が生じていた。このようなことを踏まえて、同号の「臨時又は非常勤の顧問、参与、調査員、嘱託員及びこれらの者に準ずる者の職」について、法第３条第３項第３号括弧書きによる限定がなされたのであり、後述76頁で引用する「6.28運用通知」（巻末の参考資料３）は、当該限定された職以外の職については当該任用根拠により任用することはできないものであるとしている。具体的には、後述78頁で引用する「10.18マニュアル」は、①専門的な知識経験又は識見を有すること、②当該知識経験等に基づき事務を行うこと、③事務の種類は、助言、調査、診断又は総務省令で定める事務であることのすべての要件に該当する職に限定され、これらのいずれかに該当せず、任命権者又はその委任を受けた者の指揮監督下で行われる事務など、法の定める服務等を課すべき者が従事すべき事務については、会計年度任用職員が従事すべき事務として整理する必要があるとする。そのうえで、同マニュアルは、法第３条第３項第３号に該当する職としからざる職を区分し、該当しない職については、平成29年改正法施行後は、会計年度任用職員に移行するなど、その取扱いに留意するよう求めている。具体的には、法第３条第３項第３号に掲げる職は、専門的な知識経験等に基づき非専務的に公務に参画する労働者性の低い職であり、法令に基づき設置されている職種等のうち、顧問、参与、学校薬剤師、学校評議員（以上は、事務としては「助言」に該当）、統計調査員、国民健康・栄養調査員、保険審査会専門調査員、建築物調査員等（以上は、「調査」に該当）、学校医、学校歯科医、産業医（以上は、「診断」に該当）、斡旋員（総務省令で定める「斡旋」に該当）に特別職非常勤職員の範囲を限定し、そのうえで、地方公共団体が独自に設置する職種等に係る特別職非常勤職員についても、同様に限定的な取扱いとし、改正法の趣旨に沿ったものとなるよう適切に対応する必要があるとしている。このような整理を踏まえ、同マニュアルは、一般職とすべき職が特別非常勤職員の職として設定されている場合には、会計年度任用職員制度に移行することとなるとして、例えば、事務補助職員、保育士、勤務医、看護師、臨床心理士、清掃作業員、消費生活相談員、地域おこし協力隊員、集落支援員、国際交流員を、また、教育委員会関係で、学校の講師、給食調理員、外国語指導助手、特別支援教育関係の外部人材、部活指導員、図書館職員、公民館長及び公民館職員、スクールカウンセラー等を、警察本部関係で、警察安全相談員、交番相談員、スクールサポーター、少年補導職員、被害回復アドバイザー、社会復帰アドバイザー、生活相談員を、特別職から一般職に移行するものの例（主なもの）として挙げている（注１）。

また、新法第３条第３項第３号の２の投票管理者等については、従来は、「臨時又は非常勤の顧問、参与、調査員、嘱託員及びこれらに準ずる者の職」に該当するものとされていたが、その職権行使の独立性の高さ等などの特殊性にかんがみ、独立の類型として整理し、明確化したものであると説明されている（6.28運用通知）。

このように、平成29年改正法が施行された令和２年４月１日以降は、前述の

3で述べた特別職のうち、法第3条第3項第3号の特別職非常勤の範囲が厳格に限定されることになり、地方公共団体としては、このような改正の背景にあるこれまでの臨時・非常勤職員の運用実態を見直し、法第3条第3項第3号の趣旨に沿って、特別職非常勤職員の任用の適正を確保する必要がある。

なお、「10.18マニュアル」は、平成29年改正法による改正事項ではない法第3条第3項第2号の法令等に基づく委員及び委員会の構成員の職で臨時又は非常勤のものについて、その具体例を示して、適正な任用・勤務条件の確保という改正法の趣旨を踏まえ、慎重に運用すべきとしている。これによる主な委員の例として、都道府県労働委員会の委員、内水面漁場管理委員会の委員、知事選任の海区漁洋調整委員会の委員と専門委員、民生委員、児童委員、男女共同参画推進委員会の委員、農地利用適正化推進委員が、教育委員会関係では、社会教育委員、図書館協議会の委員、博物館協議会の委員、公民館運営審議会の委員、学校運営協議会の委員、教科書選定委員の委員、スポーツ推進委員等が、警察本部関係では、少年指導委員、猟銃安全指導委員、地域交通安全活動指導委員、警察署協議会の委員等が示されている。

（注1）　以上の整理により、**3**の参考として特別職とされた例として示した判例①～③及び行政実例の②のケースについては、今後は会計年度任用職員（一般職）として取り扱い、行政実例①のケースについては、今後も法第3条第3項第3号の特別職として取り扱うことが明確となったといえよう。しかし、行政実例③の部落駐在員の取扱いは、必ずしも明確ではない。部落駐在員に特化した問答ではないが、この点に関し参考となる「10.18マニュアル」のQ＆Aとして、問1－10と問2－7がある（同マニュアルの50頁と55頁に掲載）。問2－7では、「地方公共団体と地区住民の連絡調整を行う『区長』など、勤務時間の把握が困難である職について、引き続き特別職非常勤職員として任用することは可能か」という問に対し、「改正法により、特別職非常勤となる対象の要件が厳格化された趣旨を踏まえれば、単に勤務時間の把握が困難であるという理由のみで特別職として任用することは適当でない。また、例えば『区長』について地方公務員として任用するのであれば、一般職とすべきであるが、地方公務員として任用するのではなく、文書の回覧・配布などといった業務について委託することも考えられる。」との回答を設定し、一般職として任用するか業務委託方式にするかを状況により

選択できるとするが、特別職としての任用は想定していないように読める。これに対し、問1－10では、「特別職非常勤職員の勤務内容は同一の職名であっても団体ごとに様々で、その中には有償ボランティア的な位置付けになっているケースもあると考えるが、そのようなケースも一般職に移行するのか」という問に対し、「あくまで協力依頼を受けて行うようなボランティア活動に従事する者を地方公務員として任用する必要はないが、会計年度任用職員等として行うべき事務に該当する場合には、その実態に応じて任用することが適当である」（下線は筆者が付記）との回答を設定して、特別職としての任用も否定していないように読める。そもそも、部落駐在員の実態は、多くは地縁による団体（多くは自治会・町内会と称する。区又は区会等と称するものもある。）の長（自治会長、町内会長、区長等）に、過去において部落駐在員という役職名とわずかな手当等を与え、行政と住民の間の連絡調整の労を煩わせているものであり、近時は行政連絡員等の名称も用いられている。それが文字どおり文書の回覧・配布等の労務のみを行政の指揮監督の下で又は依頼に基づき行っているだけであれば、その労務の多寡等により一般職（筆者注、会計年度任用職員を指すと考えられる）として任用するか、業務委託の方式をとることになるであろう。しかし、部落駐在員等とされている自治会長、町内会長、区長等は、地縁による団体の長として、その地域の実情に詳しいだけでなく、長年の各種地域自治組織との交流体験を通じて地域経営に関する専門的知見を有するに至っている者が多く、中には、各種の行政関係委員の推薦を行い、あるいは地域自治行政の在り方について行政に意見を具申する立場にある者も少なくない。そのような地縁による団体の長が部落駐在員等を兼ねている場合には、部落駐在員等という名称にこだわらず、またそのような位置付けを超えて、地域自治行政に関する専門的な知識経験又は識見を有する者として、地方公共団体に「助言」し、又は、「調査」を行う職に任命して法第3条第3項第3号の特別職として有効に活用することが、当該地方公共団体の住民自治の充実に資することになると考える。

5　企業職員

地方公営企業（地方公営企業法（昭27.8.1法律292、以下、本書において「地公企法」ともいう）上は、簡易水道事業を除く水道事業、工業用水道事業、軌道事業、自動車運送事業、地方鉄道事業、電気事業及びガス事業をいう）には、その業務を執行するため管理者が特別職として置かれる（地公企法7条、法3条3項1の2号）が、その管理者の事務を補助する職員を「企業職員」という（地公企法15条）。企業職員は、地方公営企業の管理者によって任命される一般職の地方公務員であり、地方公務員法が原則として適用され、公務員としての任免、分限、懲戒、服務等は一般の地方公務員と基本的には同じ取扱いとなっているが、その職務内容が民間の同種の事業に類似していることから、その勤務条件の決定方式を中心として、できるかぎり民間の勤労者に近い取扱いをすることとし、他の地方公務員とは異なる取扱いがなされている。すなわち、企業職員には、法第５条（人事委員会又は公平委員会の設置及び職員に関する条例の制定）、第８条（人事委員会又は公平委員会の権限。ただし、競争試験及び選考に関する事務等を除く。）、第14条第２項（勤務条件に関する人事委員会の勧告権）、第23条の４から第26条の３まで（給与その他の勤務条件に関する規定等）、第37条（争議行為等の禁止）、第46条から第49条まで（勤務条件に関する措置要求及び不利益処分に関する審査請求）、第52条から第56条まで（職員団体に関する規定）、第58条（地方公務員への労働組合法、労働関係調整法等の全部不適用、労働基準法等の一部不適用等）、第58条の３（等級等ごとの職員の数の公表）等の規定は、適用されない（地公企法39条１項）。そして、企業職員の労働関係については、地方公営企業等の労働関係に関する法律の定めるところによる（地公企法36条）とされ、同法において、企業職員には、争議権は否定されている（同法11条）ものの、労働組合結成権、労働協約締結権を含む団体交渉権が認められているほか、原則として、労働組合法及び労働関係調整法が適用されている。

また、企業職員の給与については、その種類と基準のみを条例で定める等一般の職員とは異なる取扱いがなされ（地公企法38条）、企業職員の政治的行為の制限（法36条）についても、一定の管理的地位にある者以外は、適用が除外されている（地公企法39条２項）。なお、地方公営企業法上の企業職員と地方公営企業等の労働関係に関する法律上の地方公営企業の職員については、その範囲が若干異なることについては、本章第３節**3**において詳述するが、企業職員という職員の範疇を特出しして説明することの意義は、主としてその労働関係について地方公営企業等の労働関係に関する法律を適用して民間労働者に近い取扱いをすることにあるので、以下「企業職員」という用語は、地方公営企業等の労働関係に関する法律（昭27.7.31法律289、以下、本書において「地公労法」ともいう）第３条第４号に規定する「地方公営企業」〔中略〕「に勤務する一般職に属する地方公務員」という意味で用いることとする。

６　単純労務職員

法第57条は、「単純な労務に雇用される者」等、その職務と責任の特殊性に基づいてこの法律の特例を必要とするものについては、別に法律で定めると規定している。同条でいう「単純な労務に雇用される者」が「単純労務職員」と呼ばれている地方公務員であるが、その範囲について行政実例は、旧「単純な労務に雇用される一般職に属する地方公務員の範囲を定める政令」（昭26政令25）の規定に基づいて解釈してさしつかえないとしている（昭38.5.8自治丁公発130）。この政令は、地方公務員法の制定当初は同法の附則第21項に基づき単純労務職員の身分取扱いをとりあえず従前の例によることとされていたことを受け、同項に基づき単純労務職員の範囲を政令で明らかにしたものであるが、その後、単純労務職員の身分取扱いを当面企業職員に準ずるものとする地方公営企業労働関係法の制定に伴い、法附則第21項が削除されたことにより昭和27年９月30日に失効した。しかし、これは、政令の根拠条文の削除という立法技術上の問題で失効したのであり、単純労務職員の範囲を実質的に変更すべき理由があって失効した訳ではないので、単純労務職員の範囲については、その後もこの政令の規定に基づいて解釈してさしつかないとされたものである。この旧政令によると、単純労務職員とは、一般職に属する地方公務員で次に掲げる者の行う労務を行うもののうち技術者、監督者及び行政事務を担当する者以外の者をいうとされている。

①　守衛、給仕、小使、運搬夫及び雑役夫
②　土木工夫、林業夫、農夫、牧夫、園丁及び動物飼育人
③　清掃夫、と殺夫及び葬儀夫
④　消毒夫及び防疫夫
⑤　船夫及び水夫
⑥　炊事夫、洗たく夫及び理髪夫

⑦　大工、左官、石工、電工、営繕工、配管工及びとび作業員
⑧　電話交換手、昇降機手、自動車運転手、機械操作手及び火夫
⑨　青写真工、印刷工、製本工、模型工、紡織工、製材工、木工及び鉄工
⑩　溶接工、塗装工、旋盤工、仕上組立工及び修理工
⑪　①から⑩に掲げる者を除く外、これらの者に類する者

単純労務職員（地公労法第3条第4号の職員を除く。以下同じ。）の労働関係その他身分取扱いについては、地公労法附則第5項により、その労働関係その他身分取扱いに関し特別の法律が制定施行されるまでの間は、同法及び地公企法第38条及び第39条の規定が準用されている。これは、企業職員と同様に、単純労務職員は、公務員ではあるが、民間の勤労者と職務内容が類似しているため、できるかぎり民間の勤労者に近い取扱いをすることとしたのである。したがって、単純労務職員は、争議行為は禁止されているが、労働組合結成権と労働協約締結権が認められ、給与についてはその種類と基準のみを条例で定めることとされ、また政治的行為の制限が適用されない等、基本的に企業職員と同じ身分取扱いとなっている。

7　特定地方独立行政法人の役職員

国において独立行政法人制度が施行されたことに伴い、地方公共団体にも独立行政法人制度を導入するため、平成15年に地方独立行政法人法が制定され、平成16年4月1日から施行された。同法は、地方独立行政法人のうち「その業務の停滞が住民の生活、地域社会若しくは地域経済の安定に直接かつ著しい支障を及ぼすため、又はその業務運営における中立性及び公正性を特に確保する必要があるため、その役員及び職員に地方公務員の身分を与える必要があるもの」として当該法人を設立する地方公共団体が定めるものについては、これを「特定地方独立行政法人」とし、その役員及び職員を地方公務員とした（地独行法2条2項及び47条）。これに伴い、地方公務員法は、第1条に「特定地方独立行政法人の事務及び事業の確実な実施」を同法の目的の一つとして追加し、第3条第1項で特定地方独立行政法人の公務員も地方公務員であることを明らかにし、同第3項に第6号として特定地方独立行政法人の役員を特別職とする

規定を追加した。また、特定地方独立行政法人の職員については、基本的には、企業職員と同様の身分取扱いとすることとされ、このため地方公務員法の一部が適用除外され（地独行法53条）、地方公営企業等の労働関係に関する法律が適用される（地公労法３条２号、３号、４号及び４条）。すなわち、争議権はないものの、労働組合結成権及び労働協約締結権が認められ、政治的行為の制限も一部の管理的職員以外は適用されない等一般の地方公務員とは一部異なる取扱いとなっている。なお、給与については、地方公務員とはされていても地方公共団体の職員ではないため、給与の種類と基準を条例で定めるという地公企法第38条第４項の例によらず、当該法人が職員の給与及び退職手当の支給の基準を設立地方公共団体の長に届け出て、公表するという形で、その透明性を確保する方法をとっている（地独行法51条）。

８　労基法102条適用職員と労基法102条非適用職員及び地公労法適用職員と地公労法非適用職員（現業職員と非現業職員の区分に代えて）

地方公務員制度を解説する際に、現業職員と非現業職員という区分に基づいて説明されることが多い。現業職員、非現業職員という用語は、地方公務員法上の用語ではなく、使う人、使われる場面によって、必ずしも一定ではないが、概ね次の２とおりの意味で使われている。

① 労働基準法（昭22.4.7法律49、以下、本書において「労基法」ともいう）別表第１の第１号から第10号まで及び第13号から第15号までの事業に従事する職員を現業職員とし、それ以外の事業に従事する職員を非現業職員とする。

② 企業職員及び単純労務職員を現業職員とし、それ以外の職員を非現業職員とする。

①は、職員の勤務条件について労働基準法を適用するに際し、労働基準監督機関の権限を労働基準監督官が行うか、法第58条第５項に基づき地方公共団体の人事委員会等が行うかにより区分するものである。そして、労働基準監督官が監督権限を行使する事業に従事する職員の場合、法第58条第３項ただし書きにより、労基法第102条が適用され、労働基準監督官は、刑事訴訟法に規定す

る司法警察官としての職務を行うこととされている。これに対し、②は、その職員の職務内容が民間の勤労者に近いものがあるため、地方公務員法の一部が適用除外され労働組合結成権や労働協約締結権まで認められている職種であるかどうかによる区分である。区分の実質的意義という観点からみると、①は、地方公共団体の職員の勤務条件について、労働基準法上の最低限の基準を保障するための監督を、司法警察官である労働基準監督官が行うか地方公共団体の人事委員会等が行うかという監督区分の問題であり、職員の勤務条件や身分取扱いの実体的な違いによる区分ではない。もっとも、この区分による現業職員に超過勤務を命じるには三六協定が必要であるのに対し、非現業職員には三六協定なしに超過勤務を命じることができるという程度の実体的な取扱いの違いはある（労基法33条３項及び36条、なお（注１）参照）。そうであるとすれば、このような主として監督機関の違いによる区分を現業職員、非現業職員といかにも職員の属性に違いがあるかのごとき呼称で説明するのは必ずしも適切ではないと考えられる。これに対し、②は、他の地方公務員よりも民間の勤労者に近い職務内容であるという特性に応じ、地方公務員法の一部を適用除外し、労働組合結成権及び労働協約締結権まで認められている企業職員と単純労務職員をまとめて現業職員と呼び、それ以外の職員を非現業職員と呼んでいるのであり、勤務条件決定方式と身分取扱いの実体的な違いに基づく区分として、より合理性を有するといえよう。この意味での現業職員という呼称は、旧公共企業体等労働関係法下のいわゆる三公社五現業に由来する。同法下では、三公社（旧国鉄、旧電電公社、旧専売公社）と別に国の経営する５つの企業（郵便等の事業、国有林野事業、印刷事業、造幣事業、アルコール専売事業）が五現業と呼ばれ、これらの現業の業務に従事する国家公務員には、国家公務員法の一部を適用除外し、労働組合結成権及び労働協約締結権を認めていた。これら国の五現業職員に対応する地方公共団体の職種として企業職員について、国の五現業職員と同様の勤務条件決定方式と身分取扱いが地方公営企業法と地方公営企業労働関係法で規定され、単純労務職員も当分の間同様の取扱いとされているのである。したがって、企業職員と単純労務職員を現業職員と呼び、それ以外の職員を非現業職員と呼ぶのは、このような国・地方を通ずる公務員労働法制の整合性の観点からも合理的といえるであろう。ただ、その後の、行政改革、なかんずくアウトソーシングの進展のなかで、国のかつての五現業は、民営化あるいは独立行政法人とされる等して、旧公共企業体等労働関係法という法律の名称自体が特定独立行政法人の労働関係に関する法律と、さらには行政執行法人の労働関係に関する法律と変更されて今日に至っている。地方公務員についても、地方独立行政法人法の制定に伴い、特定地方独立行政法人の職員の勤務条件決定方式と身分取扱いを基本的に企業職員と同様のものとするため、旧地方公営企業労働関係法を地方公営企業等の労働関係に関する法律に改め、同法の対象となる職員に特定地方独立行政法人の職員を含める改正が行われている。それでは、ここに至れば、企業職員と単純労務職員に特定地方独立行政法人の職員をあわせて現業職員と呼称すべきかということになると、躊躇せざるを得ない。なぜならば、現業という用語は、国家行政組織法旧第22条の「現業の行政機関」という用例のように、伝統的に国及び地方公共団体が直接行う事業のうち民間事業に近い性格を有する事業を指す意味で使われてきており、独立行政法人や地方独立行政法人の行う事業のように国や地方公共団体とは別の法人が行う事業まで現業という用語に含めるのは、無理がある（この点で旧公共企業体等労働関係法上も、国とは別の法人格を有する三公社は同法第２条第１項第１号で「公共企業体」として、国の直接経営する事業であるいわゆる五現業は同条同項第２号で「国の経営する企業」として書き分けられていたことを想起されたい。）。したがって、また、特定地方独立行政法人の職員に政策上地方公務員の身分を与え企業職員と同様の取扱いにしたとしても、それが地方公共団体の職員でない以上、特定地方独立行政法人の職員を現業職員という用語に含めるのは、適当ではないと考えられる。

以上により、筆者は、以下、①の意味の用語として現業職員及び非現業職員を用いることは否定し、その代わりに端的に「労基法102条適用職員」及び「労基法102条非適用職員」という用語を用い、また、②の意味の現業職員、非現業職員という用語についてはこれを用いず、企業職員、単純労務職員及び特定地方独立行政法人の職員の三者を合わせて呼ぶ用語として端的に「地公労法適用職員」という用語を用い、それ以外の職員を「地公労法非適用職員」と呼ぶこととして、取扱いの差異に応じた呼称とするとともに、現業職員という不統一な用語の使用による混乱を避けたいと考える（単純労務職員については、地公労法が適用されるのではなく準用されるのでないかという御批判はあると思われるが、略称の便宜のため、「適用」という言葉で一括させていただいた。）。

このような意味で、労基法102条適用職員とは、労基法別表第１第１号から第10号まで及び第13号から第15号までに掲げる事業に従事する職員であり、その事業とは、次のとおりである。

①　物の製造、改造、加工、修理、洗浄、選別、包装、装飾、仕上げ、販売のためにする仕立て、破壊若しくは解体又は材料の変造の事業（電気、ガス又は各種動力の発生、変更若しくは伝導の事業及び水道の事業を含む。）

②　鉱業、石切り業その他土石又は鉱物採取の事業

③　土木、建築その他工作物の建設、改造、保存、修理、変更、破壊、解体又はその準備の事業

④　道路、鉄道、軌道、索道、船舶又は航空機による旅客又は貨物の運送の事業

⑤　ドック、船舶、岸壁、波止場、停車場又は倉庫における貨物の取扱いの事業

⑥　土地の耕作若しくは開墾又は植物の栽植、栽培、採取若しくは伐採の事業その他農林の事業

⑦　動物の飼育又は水産動植物の採補若しくは養殖の事業その他の畜産、養蚕又は水産の事業

⑧　物品の販売、配給、保管若しくは賃貸又は理容の事業

⑨　金融、保険、媒介、周旋、集金、案内又は広告の事業

⑩　映画の製作又は映写、演劇その他興行の事業

⑪　病者又は虚弱者の治療、看護その他保健衛生の事業

⑫　旅館、料理店、飲食店、接客業又は娯楽場の事業

⑬　焼却、清掃又はと畜場の事業

以上の事業を行う地方公共団体の事務所・事業所に勤務する職員の勤務条件については、個々の職員がどのような内容の職務に従事しているかを問わず、労働基準監督官の監督に服し（法58条５項、同旨行政実例昭26.5.1地自公発177号）、労基法第102条が適用される（法58条３項ただし書き）。以上の事業以外の事業を行っている地方公共団体の事務所・事業所、すなわち普通の都道府県庁、市役所、町村役場、総合事務所等や、労基法別表第１第12号の「教育、研究又は調査の事業」に該当する公立学校や試験研究機関等に勤務する職員は、その勤務条件については、労働基準監督機関の職権は、人事委員会又はその委任を受けた人事委員会の委員（人事委員会を置かない地方公共団体においては、地方公共団体の長）が行うこととされており（法58条５項）、労基法第102条は適用されない（法58条３項本文、（注２）参照）。

（注１）　労基法第33条第３項は、同法別表第１第11号、第12号を含め別表記載の全ての事業を除いた官公署について公務のために臨時の必要がある場合に三六協定なしに超過勤務を命じることができるとしているため、ここでいう現業職員以外に第11号及び第12号該当の事業に従事する職員も超勤を命じるのに三六協定が必要になるということになるが、（注２）のとおり第11号該当の事業は地方公共団体ではほとんど考えられず、また第12号該当の事業所の大部分である公立学校の教職員には、公立の義務教育諸学校等の教育職員の給与等に関する特別措置法により三六協定なしで超勤を命じることができるよう読替規定が置かれ、その代わりに教職調整額が支給されることになっているので、ここでいう現業職員の範囲と超勤を命じるのに三六協定が必要な職員の範囲の乖離は、実際にはごく小さなものである。

（注２）　法第58条第３項によれば、労基法別表第１第11号の「郵便、信書便又は電気通信の事業」に従事する職員も労基法102条非適用職員となっているが、これらの業務を地方公共団体が行うことは有線放送等極めて稀であると考えられる。

第２節　地方公務員制度の理念

１　戦前の地方公務員

我が国には、少なくとも江戸時代以降、我が国固有の地域共同体である村や町が実在し、一定の範囲で自治が行われていた。これらの村や町の実在を踏まえて明治21年に市制町村制が、明治23年に府県制が制定され、旧憲法下における我が国の地方行政の仕組みが確立されたが、それは、プロシアを通じ、大革命後のフランスの中央集権的地方自治制度に範をとったため、官治的、中央集権的傾向が強いものであった（注１）。特に、府県は、地方自治体であると同時に、国の地方機関としての役割と性格が強く、その長である知事は、国が任命し、府県の職員の大半は、国の官吏であった。これらの官吏には、地方官官制の下、官吏分限令、官吏懲戒令等が適用されていた。しかし、府県にも若干の固有の職員がおり、市町村の職員は、すべて市町村固有の職員であって官吏ではなかった。これらは、府県吏員、市吏員、町村吏員と称せられるものと、雇用人、嘱託等と称せられるものがあった（注２）。このうち、吏員については、府県制、市制町村制や府県職員服務規律、市町村職員服務規律等で、不完全ながら官吏に準じた制度が設けられていたものの、雇用人、嘱託等については、私法上の雇用契約に任され、公務員としての制度はなかった。その点、都道府県や市町村等に勤務するものは地方警務官を除きすべて地方公務員として地方公務員制度を適用している今日の制度とは異なっていた。このようにしてみると、府県の主要な職員が国家公務員とされ、府県や市町村の固有の職員のなかにも吏員と契約職員が混在するという状況のなかで、戦前の地方行政においては、少なくとも今日のような統一的（見方によっては画一的）な地方公務員制度というものはなかったといってもよいであろう。

（注１）　江戸時代から明治・大正期にかけての我が国地方自治制度の変遷については、猪野「自治制百年の回顧」自治研修1988年４月号及び『地方自治法講義（第５版）』（第一法規）７～11頁参照。

（注２）　内務省事務官であった江口俊夫氏著の「府県市町村吏員」によると、昭和16年当時、府県には、約２万５千人の府県吏員のほか約１万４千人の雇用人と４千人の嘱託が、市町村には、143,715人の市町村吏員と167,226人の雇用人及び嘱託がいたとされている。

２　地方公務員法の成立

昭和22年５月３日、新憲法が施行になるとともに地方自治法が施行された。この法律の施行により、従来は国の地方機関としての性格の強かった都道府県は、市町村と同じく完全な地方自治体となり、都道府県に勤務していた官吏は、第１節の２で述べた地方事務官を除き、地方公務員に身分を切り替えられた（自治法附則３条）。その際、地方公務員の職務権限等主として組織に関する事項は、地方自治法自体において規定されたが、地方公務員の身分取扱いについては、身分切替えに伴う必要最小限の規定を設けるにとどめ、その具体的な取扱いは、当面ほとんど従前の例によるという暫定措置を設けた（自治法附則５条及び９条、自治法施行規程現３条以下）。このような暫定措置をとったのは、地方自治法の施行に先立って、昭和21年11月に米国からフーバー顧問団が来日し、国家公務員制度についての調査検討を開始していたので、恒久的な地方公務員制度をどうするかについては、その検討結果を待って措置することとされたからである。その後、国家公務員法（昭22.10.21法律120、以下、本書において「国公法」ともいう）が昭和22年10月に制定され、昭和22年12月の地方自治法改正で、地方公務員の身分取扱いについては別に法律で定めることが規定され（自治法172条４項、現行法では別の法律が「地方公務員法」と明記されている）、その別の法律の制定期限も定められたが、その最終期限である昭和23年12月までに地方公務員法は制定されなかった。このように地方公務員法の制定が当初の予定よりも遅れた理由は、１つは公務員組合の主導する大規模なストライキが頻発するという当時の社会情勢のなかで、すべての公務員のストライキを禁止する政令第201号が発布され、これを受けて制定されたばかりの国家公務員法の大改正が行われたこと（昭和23年12月）、いま１つは当時の連合軍総司令部（GHQ）との間で、地方公務員に労働基準法を適用すること等につき折衝が難航したことが挙げられている。これらの調整の結果、昭和25年11月に至り、地方公務員法案がまとまり、同年12月国会で可決成立し、昭和25年法律第261号として公布された。ここに、我が国における国・地方を通ずる新しい公務員制度が確立されたといえよう。

３　地方公務員法の基本理念

第１節の１で述べたように、地方公務員法は、地方公共団体の存立目的である行政を遂行するために必要な手段のうち、人、すなわち地方公務員に関し、それを管理する組織としての人事行政機関について、その調達及び配分方法として採用、昇任、降任、転任等の任用制度について、またその活用方法として人事評価、分限、懲戒、服務、研修等について、その根本基準を定めているが、その目的は、これらの人事行政の根本基準を確立することにより地方公共団体の行政の民主的かつ能率的な運営を保障し、もって地方自治の本旨の実現に資することとされている（法１条後段）。このうち、地方自治の本旨の実現は地方公共団体のあらゆる活動の最終目的であることからして、ここで地方公務員法の目的として実体的に意義があるのは、「地方公共団体の行政の民主的かつ能率的な運営〔中略〕を保障」することであり、地方公務員法上の人事行政の根本基準もこの目的に沿ってそれを実現すべく組み立てられているのであり、これが地方公務員法を貫く基本理念であるといってよいであろう。

まず、「民主的な行政運営の保障」とは、地方公共団体の行政が住民や国民全体の利益のために公正に行われることを確保することである。職員は、全体の奉仕者として公共の利益のために勤務すべきものとされていること（法30条、なお、憲法15条２項参照）、職員は信用失墜行為が禁止され（法33条）、秘密を守る義務があり（法34条）、政治的に中立でなければならず、一定の政治的行為を制限されていること（法36条）、地方公共団体には任命権者とは別に中立かつ公平な独立の人事行政機関として人事委員会又は公平委員会を設置するとされていること（法７条～12条）等は、民主的な行政運営を確保するための仕組みといえる。

次に、「能率的な行政運営の保障」とは、地方公共団体の行政が最少の経費で最大の効果を挙げることを確保することである。地方公務員法上、職員の任用は、受験成績、人事評価その他の能力の実証に基づいて行わなければならないこと（成績主義の原則、法15条）、定期的な人事評価の実施とその人事管理の基礎としての活用が義務付けられていること（法23条の２及び23条２項）、職員の給与はその職務と責任に応ずるものとされていること（職務給の原則、法24条）、職務遂行上の一定の支障事由が分限処分の対象となること（法28条）、職員に職務専念義務が課されていること（法35条）、職員には研修の機会が与えられなければならないこと（法39条）等は、能率的な行政運営を確保するための仕組みといえる。

このほか、職員には身分保障があり地方公務員法に定める事由がなければ一方的にその身分を奪われることがないこと（法27条）、職員に法令等及び上司の職務上の命令に従う義務があること（法32条）、職員は争議行為を禁止され（法37条）、営利企業への従事等の制限があること（法38条）等は、民主的な行政運営と能率的な行政運営の両方の要請に基づくものといえよう。また、地方公務員法を一般職に適用し、特別職、特に一定の政治的任用職に適用していないことは、住民や国民のために行政を安定的、継続的かつ能率的に執行しようとする要請と、住民や国民からの新たな政治的要求を政治的任用職を通じて実現しようとする要請の２つの要請を調整し、調和させようとする工夫であり、広い意味で能率的かつ民主的な行政運営を保障するための仕組みといえよう。

このように、地方公務員法は、地方公共団体の行政の民主的かつ能率的な運営を保障することをもって、その目的、すなわち基本理念としており、地方公務員法の個々の条文の解釈や運用に当たっても、常にこの基本理念に立ち返って考えるという態度が望まれる。

第３節　地方公務員に関係のある法令

１　地方自治法及び地方自治法施行規程

地方自治法（昭22.4.17法律67）には、地方公共団体における各種の職及びその職務権限、選任方法等を定める規定がある。しかし、地方公共団体の職員に関する「任用、人事評価、給与、勤務時間その他の勤務条件、分限及び懲戒、服務、退職管理、研修、福祉及び利益の保護その他身分取扱いに関しては、この法律に定めるものを除くほか、地方公務員法の定めるところによる。」（自治法172条４項等）として、地方公務員法で職員の身分取扱いの詳細を定めることを明らかにしている（平成26年改正法による改正前の自治法172条４項では、「人事評価」が「職階制」と、「退職管理、研修」が「研修及び勤務成績の評定」とされていた。）。そして、自治法本則では、原則として非常勤の地方公務員に条例に基づき報酬、費用弁償を、原則として常勤の地方公務員に条例に基づき給料、旅費及び同法所定の手当を支給すること（自治法204条）等を定める（その例外については、後述80頁及び222頁参照）にとどめる一方、同法附則及び地方自治法施行規程で地方自治法施行（昭和22年）に伴う長や職員等の身分の切替え及び地方公務員に関する別の法律（後の地方公務員法）が定められるまでの間の暫定措置を経過規定として定めている。まず、自治法附則第３条で同法施行の際現に都道府県、市町村等の職に在る者は同法による都道府県、市町村等の職にある者とみなし、次に、同第５条で「都道府県知事の補助機関である職員に関しては、別に普通地方公共団体の職員に関して規定する法律が定められるまで従前の都庁府県の官吏又は待遇官吏に関する各相当規定を準用する。ただし、政令で特別の規定を設けることができる。」と、また、同第９条で「地方公共団体の長の補助機関である職員〔中略〕の分限、給与、服務、懲戒等に関しては、別に普通地方公共団体の職員に関して規定する法律が定められるまでの間は、従前の規定に準じて政令でこれを定める。」として、都道府県、市町村の職員とも、地方公務員法が制定されるまでは、基本的には当面従前どおりの身分取扱いをしていくことを明らかにしている。そのうえで、地方自治法施行規程（昭22.5.3政令19）では、例えば、都道府県の職員の服務については、従前の東京都職員服務規律又は道府県職員服務規律の例によるとされ（自治法施行規程10条）、また、都道府県の副知事、専門委員及び監査専門委員の懲戒に関する事務は都道府県職員委員会がつかさどるとされている（自治法施行規程９条）。市町村の職員については、その服務は従前の市町村職員服務規律の例により（自治法施行規程14条）、その懲戒のうち免職及び過怠金については市町村職員懲戒審査委員会の議決を経なければならないとされている（自治法施行規程15条及び12条、16条）。前節２で述べたように、その後昭和25年に別に定める法律として地方公務員法が制定されたため、同法が適用される一般職の地方公務員については、地方自治法施行規程の経過措置は適用がされなくなったのであるが、地方公務員法の適用されない特別職の地方公務員については、その職についての個々の法律に特別の定めがない場合には、現在でもなおこれらの経過措置が適用されているので留意する必要がある。

２　地方公務員法

地方公務員法（昭25.12.13法律261）は、地方公務員制度においては、その基本法としての地位を有する最も重要な法律である。この法律は、特別職に属する地方公務員と一般職に属する地方公務員の区分（第１節**３**参照）をし、特別職については原則として同法を適用しないことを明確にしたうえで、一般職について地方公共団体の人事機関及び職員の身分取扱いに関し統一的・体系的な規定を定めている。したがって、一般職の地方公務員であればどのような職種の地方公務員であれ、原則として地方公務員法が適用され、それぞれの職種についてその職務と責任の特殊性に基づいて地方公務員法に対する特例を必要とするものについては、例えば、企業職員であれば地方公営企業法及び地方公営企業等の労働関係に関する法律、教職員であれば地方教育行政の組織及び運営に関する法律及び教育公務員特例法、警察職員であれば警察法、消防職員であれば消防組織法が特例的に適用されるという関係になっている（法57条）。

３　地方公営企業法及び地方公営企業等の労働関係に関する法律

地方公営企業法（昭27.8.1法律292）は、地方公共団体の経営する企業の組織、財務及び職員の身分取扱い、その他企業の根本基準を定めたもので、そのうちの職員の身分取扱いに関する規定が同法上の企業職員に適用される。また、地方公営企業等の労働関係に関する法律（昭27.7.31法律289）は、地方公共団体の経営する企業及び特定地方独立行政法人とこれらに従事する職員との間の労働関係について定めたもので、地方公営企業又は特定地方独立行政法人に勤務する一般職に属する地方公務員に適用される。ところで、地方公営企業法上は、同法第２条第１項に掲げる７つの事業（うち水道事業については簡易水道事業を除く）が地方公営企業とされ、その地方公営企業に置かれる管理者の補助職員が「企業職員」と呼ばれている（地公企法２条１項・７条・15条）のに対し、地方公営企業等の労働関係に関する法律上は、地方公営企業とは地方公営企業法上の７事業（ただし水道事業については簡易水道事業も含む）に加え、同法第２条第３項に基づく条例等により同法第４章の規定、すなわち、職員の身分取扱いに関する規定が適用される企業も地方公営企業とされ（地公労法３条１号チ）、これらの地方公営企業と特定地方独立行政法人に勤務する一般職に属する地方公務員に地方公営企業等の労働関係に関する法律を適用するとしている（同法３条３・４号及び４条）。したがって、簡易水道事業に勤務する職員及び条例等により地公企法第４章の規定が適用される病院事業等に勤務する職員は、地方公営企業法上の企業職員ではないが、地公労法第３条第４号の職員として同法の適用を受けることとなる。このように、地方公営企業法と地方公営企業等の労働関係に関する法律とで適用対象職員が多少異なるのは、前者は主として公営企業の経理面に着目して定められた法律であるのに対し、後者は職員の労働関係に着目して定められた法律であるからである。本書は、地方公務員の労働関係を含む身分取扱いを解説するものであるので、「企業職員」という用語を、地公企法上のそれではなく、地公労法第３条第４号に規定する「地方公営企業」〔中略〕「に勤務する一般職に属する地方公務員」という意味で用いることは、本章第１節５で述べたとおりである。なお、単純労務職員には、地公企法第38条及び第39条と地公労法が準用され（地公労法附則５項）、また、特定地方独立行政法人の職員には、地公労法が適用される（地公労法３条４号・４条）。この企業職員、単純労務職員及び特定地方独立行政法人の職員の三者を合わせ地公労法適用職員と呼ぶことも本章第１節８で述べたとおりである。

４　地方独立行政法人法

地方独立行政法人法（平15.7.16法律118）は、地方独立行政法人の業務運営、財務会計、人事管理等地方独立行政法人の制度の基本となる事項を定めた法律であるが、地方独立行政法人のうち特定地方独立行政法人の役職員は地方公務員の身分を与えられているため、その身分取扱いについて企業職員に類似した仕組みを採用している。その概略は、本章第１節７で述べたとおりである。そのかぎりで、この法律も地方公務員に関係する法律の一つに加えられる。

５　地方教育行政の組織及び運営に関する法律並びに教育公務員特例法

地方教育行政の組織及び運営に関する法律（昭31.6.30法律162、以下、本書において「地教行法」ともいう）は、教育委員会の設置、学校その他の教育機関の職員の身分取扱い、その他地方公共団体における教育行政の組織及び運営の基本を定めた法律である。教育委員の職務権限、任免、服務等や教育長の職務権限、任免等について定めているほか、特に、県費負担教職員（市町村立学校職員給与負担法第１条及び第２条に規定する職員）について、都道府県教育委員会が市町村教育委員会の内申を待って任命その他の進退を行うものとする等、都道府県又は都道府県教育委員会に特別の役割を認める特例を詳細に定めている。教育公務員特例法（昭24.1.12法律１、以下、本書において「教特法」ともいう）は、教育公務員（地方公務員のうち公立学校の学長、校長、教員及び部局長並びに教育委員会の教育長及び専門的教育職員）について、その職務と責任の特殊性に基づき、その任免、分限、懲戒、服務、研修等について特例を定めたものである。

６　警察法

警察法（昭29.6.8法律162）は、警察の組織を定めたものであるが、そのなかで、特別職に属する地方公務員である都道府県公安委員の任免、服務等について定めているほか、一般職に属する地方公務員である警察官の任免、勤務条件及び服務並びに階級の設置について特例を定めている。なお、同法第56条により、都道府県で勤務する警視正以上の階級にある警察官は国家公務員とされていることは、本章第１節**２**で述べたとおりである。

７　消防組織法

消防組織法（昭22.12.23法律226）は、消防の組織について定めたものであるが、そのなかで、一般職に属する地方公務員である消防職員の任命、階級の設置及び消防職員委員会の設置について特例を定めている。また、消防団員の任命、階級の設置等について特例を定めている。

８　労働基準法

労働基準法（昭22.4.7法律49）は、我が国における労働者の労働条件の最低基準を定めたものである。国家公務員には同法の適用が除外されているが（国公法附則16条)、地方公務員には、原則として労働基準法が適用される。もっとも、労働基準法が地方公務員に適用されるといっても、原則としてであって、その職務の性質により必要な適用除外規定が設けられている（法58条３項、地公企法39条等)。その適用除外の内容は、地公労法非適用職員と地公労法適用職員とで、また、労基法102条非適用職員と労基法102条適用職員とで異なっているので、詳細は、第５章第１節において説明することとする。

9　労働組合法及び労働関係調整法

労働組合法（昭24. 6. 1法律174、以下、本書において「労組法」ともいう）は、労働組合の結成、労働協約を締結するための団体交渉及びその手続等を定めたものであり、労働関係調整法（昭21. 9. 27法律25、以下、本書において「労調法」ともいう）は、労働関係の調整手続を定めたものであるが、これら２法は、地公労法非適用職員には適用されず（法58条１項)、地公労法適用職員には地公労法に定めのないものについて適用される（地公企法39条１項及び地公労法４条)。なお、労働組合法では、特別職に属する地方公務員である都道府県労働委員会の委員の任免、守秘義務等についても規定している。

10　その他の法令

以上、地方公務員に関係する主要な法律についてその概略を述べたが、これらの法律をあえて分類すれば、１及び２は地方公務員に関する基本的な法律（ただし１は地方自治制度に関する基本法の一部として規定)、３から７は地方公務員法に対する職種別の特例を定めた法律、８及び９は労働法規として地方公務員の全部又は一部にも適用される法律であるといえよう。地方公務員に関係する法律は、これ以外に、公益法人等への一般職の地方公務員の派遣等に関する法律、地方公共団体の一般職の任期付任用職員の採用に関する法律、地方公務員の育児休業等に関する法律等、地方公務員に関する特定課題について定めた法律が数多く存するが、これらについてはそれぞれの課題についての説明部分で引用することとする。なお、これらのうち地方公務員等共済組合法（昭37. 9. 8法律152）及び地方公務員災害補償法（昭42. 8. 1法律121）については、特定の専門的な分野に関するものでその内容も大部なものであるので、その説明はそれぞれの専門の解説書に任せることとし、本書では触れないこととする。

第２章　地方公務員の任用と離職

第１節　地方公務員の任用

１　地方公務員の身分と任用

地方公務員法は、「職員の職に欠員を生じた場合においては、任命権者は、採用、昇任、降任又は転任のいずれかの方法により、職員を任命することができる。」（17条１項）として、特定の「職」の存在を前提として、これに具体的な人をあてることをもって任用（任命、（注１）参照）としている。したがって、採用も職員でない者を職員の職に任命することであって、採用により、人は地方公共団体の特定の職に就任すると同時に地方公務員としての身分を取得することとなる。この点、職員の採用によって、人はまず地方公務員としての身分を取得し（任官）、そのうえで具体的な職につけること（補職）が任用であるとする考え方もあるが、上述のように地方公務員法では、特定の職につけることが任用であると理解され、身分と職は一体のものとして観念されている。したがって、休職者も、職を保有する（したがって身分も保有する）が職務に従事していないという位置付けとされており（行政実例昭和36.12・21自治丁公発118）、身分を有するが職を保有しないということではない。また、地方公務員の身分だけを有し職についていないというかつての臨時待命のような仕組み（注２）は、地方公務員法に対する特例の法律で規定しないとできないこととなる。

ところで、任用の対象となる「職」とは、地方公共団体の業務を遂行するために予定されている職務上の個々の地位であり、それぞれの職について、その職務の内容と責任が地方公共団体の規則（多くは「事務分掌規則」と呼ばれる）や各部課の内部規程等で定まっている。任命権者が職員を任命することができるのは、このような職員の職に欠員がある場合に限られるのであるが、この欠員があるということは、職員の任用を予定している職に現に具体的な人があてられていない状態をいう。そして、地方公共団体において職員の職に欠員があるかどうか、あるとしてどの程度あるかは、定数条例上の定数とすでに任用されている実職員数との比較でみることとなる。地方自治法は、「職員の定数は、条例でこれを定める。」と規定している（172条３項）が、条例定数とは、「職」中心の任用体系をとる地方公務員法との関係から、地方公共団体に置かれる「職」の総数を示すものと理解するのが適当である。したがって、条例に定められた定数を超えて行った任用は、存在しない「職」に対して職員をあてたものとして無効な任用と考えるのが適当である。このように理解することにより、地方公共団体の定数管理、ひいては、組織管理をより厳密に行うことが期待される（注３）。

（注１）　任用と任命　　地方公務員法は、「任用」と「任命」という２つの用語を用いている（法15条、22条の３等では任用、法６条、15条の２、17条等では任命）が、任用も任命も特定の職に具体的な人をあてることであり、職につくことと身分の付与が一体のものであると解するかぎり、任用と任命は同義であると考えてよい（同旨、鹿児島重治『逐条地方公務員法』学陽書房、181頁）。なお、今枝信雄氏は、地方公務員法は、任命は職員の職につかせる権限ないしは権限を行使する行為に重点を置き、任用は職員の職につくことないしは引き続いて職員の職についていることに重点を置いて使われているといえるかも知れないとしつつ、いずれにしても両語に本質的な相違はないといってよいとされている（今枝信雄『逐条地方公務員法』学陽書房、164頁）。

（注２）　地方公務員法の一部を改正する法律（昭29.6.22法律192）附則第３項「地方公共団体は、条例で定める定員を超えることとなる員数の職員については、昭和29年度及び30年度〔中略〕において、〔中略〕職員にその意に反して臨時待命を命じ、又は職員の申出に基いて臨時待命を承認することができる。」

（注３）　この点、行政実例は、条例定数超過の任用は、当然に無効とはいえないが、直ちに取り消すべきであるとしている（昭42.10.9公務員第一課長決定）。しかし、本文に述べた理由に加え、行政行為の一般理論からしても、定数条例を超えた任用は、任用の前提としての職が存在しないという重大な瑕疵があり、かつ、条例に違反するという明白な瑕疵があるので、取り消し得るにとどまらず無効と解するのが適当である（結論同旨、前掲・鹿児島『逐条地方公務員法』203頁。なお、同氏は、そのような違法な任用を行ったことについては任命権者に責任があるので、事後に条例定数が増加された場合又は欠員が生じて定数

内として処理することができるようになった場合には、無効の任命が治癒されるものと解すべしとされる。)。

２　任用の法的性質

任用については、従来からその法的性質をどのように考えるか学説上また実務上大きな議論がある。すなわち、これを行政行為とみるか、公法上の契約とみるか、私法上の契約（労働契約）とみるかの争いである。これは、公務員と国や地方公共団体との勤務関係を公法上のものとみるか、私法上のものとみるか、また、公法上のものとみるとして、特別権力関係とみるかどうかということとも関係していた。私法上の契約説は、公務員も勤労者である以上公務員と国や地方公共団体との関係は私法上の労働契約であり、その仕事の特性から一般の勤労者と異なる特例があるに過ぎないとするのである。しかし、公務員は、勤労者であると同時に、全体の奉仕者として公共の利益のために勤務するという勤務関係の特質を有しており（憲法15条２項、国公法96条１項、法30条)、それ故に、国家公務員法及び地方公務員法において、一般の勤労者に比べ手厚くその身分が保障され、一方その労働基本権は一般勤労者に比べ制限されているという特別の取扱いがされているのである。したがって、公務員の勤務関係は、そのような特質に基づく公法上の勤務関係であると理解するのが、実定法の解釈として正しいものと考える。最高裁も、公務員の身分関係を公法関係であるとしている（郵政職員につき昭49. 7. 19最高裁二小、地方公営企業職員につき昭56. 6. 4最高裁一小)。したがって、任用もそのような公法上の勤務関係を設定する効果を生じさせる行為として公法上の行為であるということになる。

次に、任用は、公法上の行為であるとして、公法上の契約であるのか、行政行為であるのか。この点については、学説は相半ばし、実務家は行政行為説が多い。公法上の契約説は、任用そのなかでも特に採用については、任命権者と職員となろうとする者との間の対等な意思の合致により行われるものであることを主たる論拠とするものであるが、その多くは特別権力関係を否定する。これに対し、行政行為説は、任用について任命権者の職員に対する優越的な立場を認めるものであり、その場合も特別権力関係を肯定する説と否定する説がある。このような傾向にあるので、ここで特別権力関係についての説明をしておくこととする。

特別権力関係とは、公法上の特定の目的に必要な限度において、包括的に一方が他方を支配し他方がこれに服従すべきことを内容とする関係をいい、一般権力関係と対比されるものである。特別権力関係の例としては、公務員と国や地方公共団体の勤務関係のほか、国・公立大学における学生の在学関係等があげられている（ただし、国立大学については、その後の独法化により事情が変わっている）。一般権力関係は、国と国民、地方公共団体と住民との関係のように一般統治権に服することにより当然に成立する関係であり、この関係においては法治主義の原理が妥当する。すなわち、行政主体は、法律に基づき（法律の留保の原則）、法律に違反しない範囲で（法律の優先の原則）のみ、その権限を行使できる。これに対し、伝統的な特別権力関係論者によれば、特別権力関係の内部では、特別権力関係設定の目的に必要な範囲内で法治主義の原理のうち法律の留保の原則が妥当しない、すなわち、法律の規定に基づかないで包括的な支配権の発動として命令・強制が可能であり、特別権力関係内の命令・強制行為である以上、司法審査の対象とならないとされる。もっとも、最近の特別権力関係論者は、公務員の勤務関係において何らの法律の根拠なく無制限に公務員の基本的人権を制約する命令・強制をなし得るとするものではなく、あくまで特別権力関係の設定の目的に照らし必要な合理的範囲において命令強制する権限を肯定するものであり、そのような範囲を超えて命令・強制が行われた場合は、職員は当然訴訟による救済を求めることができる（法律の優先の原則違反）とする。これに対し、特別権力関係否定論者は、特別権力関係においては法律の留保の原則が妥当しないという点につき、公務員に対する分限、懲戒、服務等の命令・強制権については、国家公務員法や地方公務員法において詳細に根拠となる規定が置かれており、また、それらの規定に違反する分限・懲戒処分等について訴訟を提起することもできるので、特別権力関係論は、実定法上その論拠（存在意義）を失っていると主張し、これが学説における多数説となっている。しかしながら、人事実務上なお、実定法上根拠のない身分上の命令の必要性が肯定され、その法的根拠として特別権力関係の存在から説明する必要性があることから、また、公務員に対する分限・懲戒処分が基本的には処分権者の裁量に属するということの説明としても、特別権力関係論はなお存在意義があるとする説が根強く残っている。最高裁も、かつて公務員の勤務関係を特別権力関係であると明言したうえで、懲戒処分について任命権者の裁量権を認め（昭32.5.10最高裁二小）、また、組合専従休暇の不承認の行政処分性を認める際に、その承認が特別権力関係内部の行為であると判示している（昭40.7.14最高裁大）。もっとも、全税関神戸事件判決（昭52.12.20最高裁三小。後掲164頁）は、公務員の勤務関係を「単なる労使関係の見地においてではなく、国民全体の奉仕者として公共の利益のために勤務することをその本質的な内容とする勤務関係」として、特別権力関係という用語を用いることなく、懲戒処分における任命権者の裁量を広く認めたが、この判決が特別権力関係を否定したのかどうかについては、評価が分かれている（注）。

このように公務員の勤務関係が特別権力関係であるかどうかについては説が分かれているが、いずれにせよ公務員の勤務関係がこのような広範な命令・強制権とその半面としての強固な身分保障を含む関係であるとすれば、そのような関係を設定する任用（採用）は、行政行為（公権力を行使する行為のうち、直接国民の権利義務を形成し、又はその範囲を確定する法律上の効果を有する行為）であり、公法上の契約（公法的効果の発生を目的とする対等の当事者間の反対方向の意思表示の合致によって成立する公法行為）ではないと考えるのが適当ではないか。このことは、公務員の身分内容について自由な合意により変える余地がないこと、労働基準法の労使対等原則の適用がない（地公労法適用職員を除く）こと、不利益な任用をされたと思う職員は人事委員会等に行政不服審査法による審査請求、すなわち、行政処分の審査請求ができる（法49条の２第１項）扱いとなっていること等からしても、肯定されると考えられる。高裁段階の判例であるが、公務員の任用行為は行政処分であるとするものがある（昭54.3.16名古屋高裁金沢支部、平19.11.28東京高裁）。なお、行政行為であるかどうかを争点としたものではないが、依願免官による退職の効果の発生時期に関連して、「特定の公務員の任免の如き行政庁の処分（下線筆者）については、その意思表示が相手方に到達した時と解する」とした最高裁判決（昭29.8.24最高裁三小）があり、最高裁も、公務員の任用は行政行為であるとの認識の下に公務員の任用に関する問題を処理してきているものと考えられる。

また、任用は行政行為であるので、一般の行政行為のように一方的行為であるのが原則であるが、採用については、これから特別権力関係に入るという場合であり、行政側の都合だけで特別権力関係を設定することはできないので、これから職員になろうとする者の同意を要することは当然であり、その意味で、任用のうち採用は、相手方の同意を必要とする特殊の行政行為であると解する（同旨、田中二郎『新版行政法上』弘文堂、98頁）。これ以外の任用、すなわち、昇任、転任及び降任は、一般の行政行為と同様、本人、すなわち職員の同意は必要ない（行政実例昭42. 11. 9自治公一発57は、企業局から知事部局への出向について当該職員の同意は必要ないとする）。この点、職員が採用時に任命権者の一方的任命権に服することを承知して公務員になることに同意していたことをその後の任用に同意が不要となる理由とする説明もあるが、任用が行政行為であることから、採用後の地方公共団体内部での任用には本人の同意は必要ないという結論は必然的に導かれると考えられる。

（注）　国・公立大学における在学関係等を含めた特別権力関係全体の議論については、猪野『行政法講義（総論）』（北樹出版）54 ～ 57頁を参照されたい。

３　任用の根本基準

地方公務員法は、「職員の任用は、この法律の定めるところにより、受験成績、人事評価その他の能力の実証に基づいて行わなければならない。」（15条、平成26年改正法による改正前の15条では、「人事評価」が「勤務成績」であった。）として、メリットシステム（成績主義）が任用の根本基準であることを明らかにしている。この成績主義が地方公務員法の基本理念の一つである能率的行政運営の要請に基づくものであることは、第１章第２節３で述べたところである。地方公務員法は、更に、競争試験又は選考（競争試験以外の能力の実証に基づく試験をいう）による採用及び昇任（人事委員会規則等で定める職への昇任の場合）の実施（17条の2第1項及び第2項並びに21条の4第1項）、当該競争試験に係る職の属する職制上の段階の標準的な職に係る標準職務遂行能力及び当該競争試験に係る職についての適性を有するかどうかを正確に判定するという競争試験の目的の明確化（20条1項及び21条の4第4項）、採用候補者名簿及び昇任候補者名簿の作成並びに当該名簿に記載された者の中からの採用及び昇任（21条及び21条の4第4項）等を規定し、任用における成績主義の徹底を図っている。

また、地方公務員法は、「全て国民は、この法律の適用について、平等に取り扱われなければならず、人種、信条、性別、社会的身分若しくは門地によつて、又は〔中略〕政治的意見若しくは政治的所属関係によつて差別されてはならない。」（13条）として、平等取扱いの原則を明らかにしている。この平等取扱いの原則は、憲法第14条の法の下の平等原則を地方公務員法の適用について明らかにしたものであって、任用にとどまらず地方公務員制度の解釈・運用の全般に及ぶものであるが、職員の身分取扱いの基本となる任用については、とりわけその根本基準として重要な役割を果たすこととなる。地方公務員法は、このような見地から、競争試験又は選考は中立・公平な機関である人事委員会が行うこととし（18条及び21条の4第4項、人事委員会を置く地方公共団体の場合。人事委員会を置かない地方公共団体の場合は、17条の2第3項括弧書きの読替えにより任命権者が行う。同項は、両者を併せて「人事委員会等」と呼ぶ。後述60頁(2)参照）、競争試験は人事委員会等の定める受験資格を有する全ての国民（昇任試験の場合は、人事委員会等の指定する職に正式に任用された全ての職員）に平等の条件で公開されなければならないとし（18条の2及び21条の4第4項）、受験資格は職務遂行上必要な最少かつ適当な限度の客観的かつ画一的なものであることを要する（19条及び21条の4第4項）として、任用における平等取扱いの原則の徹底を図っている（なお、ここでいう「人事委員会」には、競争試験等を行う公平委員会も含まれる。法17条2項。後述42頁及び60頁**2**の(1)参照）。

第２節　人事機関

１　任命権者と人事委員会・公平委員会

人事機関とは、地方公共団体において人事行政について最終的な権限を有する機関である。地方公務員法は、「第２章　人事機関」として任命権者と人事委員会・公平委員会に関する規定を置いている。両者の関係をみると、任命権者については法第６条に、人事委員会及び公平委員会については法第８条にその基本的な規定が置かれており、これによると、職員の任命、休職、免職、懲戒等を行うことは任命権のなかに包含され、任命権者が直接これを行使するのに対し、人事委員会及び公平委員会は、これらの権限そのものを行使するものではなく、任命権者の人事権の行使が適正に行われることを担保するための諸権限を行使する機関とされている。したがって、地方公共団体の人事行政が円滑かつ適正に運営されるためには、任命権者と人事委員会・公平委員会との相互の協力と信頼が極めて重要であるといえよう。

２　任命権者

法第６条第１項は、任命権者は、法律に特別の定めがある場合を除くほか、地方公務員法並びにこれに基づく条例、地方公共団体の規則及び地方公共団体の機関の定める規程に従い、職員の任命、人事評価、休職、免職及び懲戒等を行う権限を有すると規定する。これが、任命権者の権限であるが、同条で示されている任命、人事評価、休職、免職及び懲戒は例示にすぎず、任命権者の権限は、職員の勤務条件の決定、職員に対する職務命令、職員の服務上の監督等職員の身分取扱い全般にわたる広範囲なもの（いわゆる人事権と同義と考えてよい）であり、それゆえに、それが専横にわたらず適正に行使されるよう、法令、条例、規則等に従うことが地方公務員法で規定され、また、任命権者から独立した委員会である人事委員会や公平委員会に任命権者の人事権の行使をチェックする権限が与えられているのである。なお、法第６条第１項では、任命権者の権限の１つとして例示されている人事評価について、括弧書きでその定義が「任用、給与、分限その他の人事管理の基礎とするために、職員がその職務を遂行するに当たり発揮した能力及び挙げた業績を把握した上で行われる勤務成績の評価をいう。」と明記されている。

法第６条は、任命権者の例として、地方公共団体の長、議会の議長、選挙管理委員会、代表監査委員、教育委員会、人事委員会及び公平委員会、警視総監、道府県警察本部長、消防長を挙げているが、これ以外にも地方公営企業の管理者、特定地方独立行政法人の理事長等の任命権者があり、それぞれの補助部局の職員に任命権者としての権限を行使している。なお、地方公共団体の長は、知事部局や市町村長部局の職員を任命するだけでなく、地方公共団体の統括管理者として、それぞれの法律の根拠に基づき、副知事、副市町村長、会計管理者、出納員その他の会計職員、監査委員、人事委員会又は公平委員会の委員、教育委員会の委員、公安委員会の委員、都道府県労働委員会の委員、農業委員会の委員、消防長、消防団長等の地方公務員を任命（選任）する。

なお、各任命権者は、条例で定めるところにより、毎年、地方公共団体の長に対し、人事行政の運営の状況を報告しなければならず（法58条の２第１項）、長は、これらの報告を取りまとめ、その概要と人事委員会又は公平委員会からの業務状況報告（同条２項）を公表することとされている（同条３項）。

３　人事委員会及び公平委員会

(1)　人事委員会又は公平委員会の設置

都道府県及び指定都市は、条例で人事委員会を必ず設置しなければならない（法７条１項）。このほか人口15万以上の市及び特別区は、条例で人事委員会を設置することができる（同条２項）が、現在人事委員会を設置しているのは和歌山市（なお、東京都の23区は、人事委員会の事務を共同処理するための一部事務組合を設置している）で、その他の市は公平委員会を設置している。人口15万以上の市で人事委員会を設置していないもの並びに人口15万未満の市町村及び地方公共団体の組合は、条例で必ず公平委員会を設置しなければならない（同条２項・３項）。しかしながら、あまりに小さな地方公共団体に一律に公平委員会を独自に設置することを求めることは、効率的な行政執行の観点から適当でない面もあるので、公平委員会を置く地方公共団体は、その職員数、行政組織、財政事情等を勘案し、議会の議を経て定める規約により、他の地方公共団体と共同して公平委員会を置き、又は他の地方公共団体の人事委員会に公平委員会の事務を委託することもできるとされている（同条４項）。

⑵　人事委員会又は公平委員会の委員

人事委員会、公平委員会は３人の委員からなる合議制の機関である（法９条の２第１項）。人事委員会の委員は常勤又は非常勤であり、公平委員会の委員は非常勤である（同条11項）が、いずれも特別職の地方公務員である。任期は、いずれの場合も４年である（同条10項）。委員の選任は、行政委員会としての長からの独立性を保障するため、議会の同意を得て長が選任するとされている（同条２項）。

委員となる者は、地方公務員法上次のような要件が必要とされている（法９条の２第２～５項）。①委員は人格が高潔で地方自治の本旨及び民主的で能率的な事務の処理に理解があり、かつ、人事行政に関し識見を有する者であること。②法第16条第１号、第２号若しくは第４号の欠格事由に該当する者又は法第60条から第63条までの罪を犯し刑に処せられた者は、委員となれないこと。③委員のうち２人が同一の政党に属する者となることとなってはならないこと。

また、地方公共団体の長は、委員に職務上の義務違反等一定の事由があるときは、これを罷免できることとされているが、この場合には、議会で公聴会を開いた上で議会の同意を必要とする（法９条の２第６項）等、長の恣意による罷免が行われないよう慎重な手続が求められている。

さらに、委員は、すべての地方公共団体の議会の議員及び当該地方公共団体の地方公務員の職（附属機関の委員その他の構成員の職を除く）を兼ねることができない（法９条の２第９項）。

⑶　人事委員会又は公平委員会の権限

人事委員会は、地方公共団体の長から独立した行政委員会として、広く人事行政に関し、行政的権限、準司法的権限及び立法的権限を有しているが、公平委員会は、原則として、人事行政の公平性を保障するための準司法的権限とこれに伴う立法的権限のみが認められている。そこで、まず人事委員会の権限について説明した上で、公平委員会の権限に付言する。

(a)　行政的権限

人事委員会の行政的権限は、さらに政策立案的権限、勧告的権限、執行的権限に分けることができる。

ア）政策立案的権限としては、第１に、人事評価、給与、勤務条件、研修、厚生福利制度等の研究を行い、その成果を議会若しくは長又は任命権者に提出する権限、第２に、人事行政に関する事項の調査、人事記録に関することの管理、人事に関する統計報告の作成、任命方法の一般的基準の制定、選考による採用を行う場合及び競争試験又は選考による昇任を行う職の決定、条件附採用期間の延長の決定、臨時的任用の資格要件の決定、営利企業への従事等の許可基準の制定等の調整的権限（任命権者の人事権の発動が適正に行われるよう基礎資料や条件を整える権限）が認められている。

イ）勧告的権限としては、給料表の改定に関する勧告、研修計画の立案等に関する勧告、人事評価の実施に関する勧告、勤務条件の措置の要求の審査の判定結果に基づく勧告のほか、広く人事行政の運営及び給与、勤務時間その他の勤務条件に関し講ずべき措置について勧告することができる。また、人事機関及び職員に関する条例の制定又は改廃に関し、議会及び長に意見を申し出ること、再就職者による依頼等の規制違反に関し任命権者が行う調査について意見を述べることが認められている。

ウ）執行的権限とは人事委員会が自ら完結して実行することができる事務に関するものであり、人事委員会は、職員の競争試験、選考に関する事務、職員の給与支払いの監理に関する事務、職員団体の登録に関する事務を執行するほか、労基法102条非適用職員の勤務条件に関し、労働基準監督機関の職権を行使する。

(b)　準司法的権限

人事委員会の準司法的権限としては、職員の勤務条件に関する措置要求を審査、判定し、必要な措置をとること及び職員の不利益な処分に対する審査請求を審査し、裁決をすることがある。

(c)　立法的権限

人事委員会は、法律又は条例に基づきその権限に属せしめられた事項に関し、人事委員会規則を制定することができる。

(d)　公平委員会の権限

公平委員会は、基本的には人事行政の公平性を保障する人事機関であり、原則として準司法的権限とこれに伴う立法的権限を認められている。すなわち、勤務条件に関する措置の要求を審査し、判定し、及び必要な措置をとること、並びに不利益処分についての審査請求を審査し、裁決をすることがその主たる権限であるが、このほかに特に人事委員会と同様、職員団体の登録に関する事務を執行すること、再就職者による依頼等の規制違反に関し任命権者が行う調査の経過について意見を述べることが、その任務とされている。

なお、公平委員会のあり方については、地方公共団体の人事行政の適確を期すという点でその権能が十分であるかどうかが、公平委員会を置く地方公共団体の規模の問題とあわせ、従前から議論がされていたが、平成16年の地方公務員法の一部改正により第９条に公平委員会の権限の特例として、「公平委員会を置く地方公共団体は、条例で定めるところにより、公平委員会が、〔中略〕職員の競争試験及び選考並びにこれらに関する事務を行うこととすることができる。」との規定が新設され、とりあえず最も公正中立性が要請される競争試験と選考について、地方公共団体が任意に公平委員会の権限を拡大することができることとされた。同条第２項は、これにより職員の競争試験等及び選考の事務を行うこととされた公平委員会を「競争試験等を行う公平委員会」と呼び、法第17条第２項以下で、競争試験等を行う公平委員会を人事委員会に含め、それと同様の任用（地公法第三章第２節）上の権能を認めている。

第３節　任用の制限

１　欠格条項

すべて国民は、地方公務員法の適用について平等に取り扱われなければならず（法13条）、また、採用試験は、人事委員会等の定める受験資格を有する全ての国民に対して平等の条件で公開されなければならない（法18条の２）。しかし、全体の奉仕者としての公務員の本質にかんがみ、一定の状況にある者については、職員たる資格をみとめないことがむしろ合理的である場合がある。地方公務員法は、このような見地から職員に関する欠格条項として、次の４つの場合を定めている（16条１号～４号）。

① 禁錮以上の刑に処せられ、その執行を終わるまで又はその執行を受けることがなくなるまでの者

② 当該地方公共団体において懲戒免職の処分を受け、当該処分の日から２年を経過しない者

③ 人事委員会又は公平委員会の委員の職にあって、地方公務員法第60条から第63条までに規定する罪を犯し、刑に処せられた者

④ 日本国憲法施行の日以後において、日本国憲法又はその下に成立した政府を暴力で破壊する政党その他の団体を結成し、又はこれに加入した者

以上の各号の欠格条項について、留意事項等を述べれば、第１号のうち、「禁錮以上の刑に処せられ、その執行を終わるまでの者」とは、禁錮以上の刑を受けて現にその執行中である者をいい、「その執行を受けることがなくなるまでの者」とは、刑の言い渡しを受けた者で、執行猶予中の者、仮釈放中の者及び執行を受けないまま逃亡中の者をいう。これらの者は、刑の執行を受ける可能性はあるので、確定的に刑の執行を受けることがなくなるまで、すなわち、執行猶予の場合は執行猶予を取り消されることなく猶予期間を満了するまで（刑法27条）、仮釈放の場合は仮釈放を取り消されることなく刑期を満了するまで（同法29条）、逃亡中の場合は刑の時効期間が満了するまで（同法31条）は、職員となることを認めていないのである。

第２号の懲戒処分により免職された者は、服務規律に違反した責任を最も重い免職という形で問われた者であり、全体の奉仕者としての適格性を欠くことは明白であるが、あまりに長期にわたって任用の資格を奪うのは懲戒の効果として酷であり、また本人の反省も期待し得ることも考慮して、２年間に限って任用資格を欠くものとしたのである。この場合、任用資格を失うのは、免職処

分を受けた地方公共団体に対してのみであり、他の地方公共団体がその者を職員として採用することは可能である。

第３号は、人事委員会又は公平委員会の委員は、中立的な人事機関として人事行政の適正な執行に重要な職責を果たす立場にあるため、このような者が地方公務員法違反の罪を犯して刑罰に処せられたときは、その職責からして情状が極めて重いと考えられるので、職員となる資格自体を否定したものである。

第４号については、日本が民主主義国家であり、公務員に憲法遵守義務（憲法99条）がある以上、日本国憲法又はその下に成立した政府を暴力で破壊しようとする者が、公務員となり得ないことは当然である。したがって、本号の欠格条項は絶対的なものであり、一度そのような団体に加入した者は、その後脱退しても、職員となる資格を認められないものである。

なお、従来から本条第１号に欠格条項として規定されていた「成年被後見人又は被保佐人」は、「成年被後見人等の権利の制限に係る措置の適正化等を図るための関係法律の整備に関する法律（令和元年６月14日法律第37号）」による地方公務員法の改正により、削除された（令和元年12月14日施行）。これにより、これらの者についても、採用試験時に、筆記試験や面接等により、標準職務遂行能力や適性を有するかどうかを個別的に審査することとなる。同整備法の全体概要等については、本書第７版の参考資料５－１及び５－２を参照されたい。

欠格条項該当者を誤って任用した場合の法律関係はどうなるか。欠格条項に該当する者は、もともと任用能力を欠いているのであるから、当該任用は、法律上不能な行為であり、当然に無効と解される。その場合に、その者が職員として行った行為の効力等は、どう考えるべきかについて、次のような行政実例がある（昭41. 3. 31公務員課長決定）。

①　欠格者の採用は、当然無効である。

②　この間のその者の行った行為は、事実上の公務員の理論により有効である（瑕疵ある行政行為の解釈）。

③　この間の給料は、その間労務の提供があるので返還の必要はない。

④　退職手当は支給しない。

⑤　共済組合に対する本人の掛け金中、長期の分については、共済組合から本人に返還する。短期の分については、医療給付があったものとして、相殺し返還しない。

⑥　異動通知の方法としては、「無効宣言」に類する「採用自体が無効であるので登庁の要なし」とするような通知書で足りる。

この決定のうち、②については、疑問が残る。その者の行為の相手方の中には、その者が欠格条項該当者であることを知っている者も居る可能性があり、そのような悪意の者に対してまで当該行為の効力を維持する必要性は無いと考えられるので、②については、「この間のその者の行った行為は有効であるが、悪意の者に対しては無効を主張し得る。」とすべきであると考える。

２　外国人の任用

⑴　外国人の公務員就任能力

欠格条項として明文の規定はないが、外国人、すなわち日本国籍を有しない者が日本の公務員になることができるかということが、外国人の公務員就任能力の問題として、国家公務員、地方公務員を通じて議論の的となってきた。この点に関する従来の政府の見解は、以下のとおりである。

⒜　昭28.3.25内閣法制局第一部長回答

一般に、我が国籍の保有が我が国の公務員の就任に必要とされる能力要件である旨の法の明文の規定が存在するわけではないが、公務員に関する当然の法理として、公権力の行使又は公の意思の形成への参画にたずさわる公務員となるためには日本国籍を必要とするものと解すべきであり、他方においてそれ以外の公務員となるためには日本国籍を必要としないものと解せられる。

⒝　昭48.5.28自治公一第28号公務員第一課長回答

〔照会〕

１　地方公務員法上、日本の国籍を有しない者を地方公務員として任用することについて直接の禁止規定は存在しないが、公務員の当然の法理に照らして、地方公務員の職のうち公権力の行使または地方公共団体の意思の形成への参画にたずさわるものについては、日本の国籍を有しないものを任用することはできないと解すべきかどうか。

２　前問と関連して公権力の行使または地方公共団体の意思の形成への参画に携わる職につくことが将来予想される職員（本市においては、一般事務職員、一般技術職員等）の採用試験において、日本の国籍を有しない者にも一般的に受験資格を認めることの適否はどうか。

〔回答〕

１　できないものと解する。

２　適当でない。

(c)　昭和54年４月13日衆議院議員上田卓三君提出質問趣意書に対する政府答弁書

１　政府は、従来から、公務員に関する当然の法理として、公権力の行使又は公の意思の形成への参画に携わる公務員になるためには日本国籍を必要とするが、それ以外の公務員となるためには必ずしも日本国籍を必要としないものと解している。このことは、国家公務員のみならず、地方公務員の場合も同様である。

２　御指摘の前記自治省回答の二の回答は、将来、昇任、転任等により公権力の行使又は公の意思の形成への参画にたずさわる職に就くことが予想される職員についての質問に関するものであるが、これは、これらの職員の将来における昇任、転任等の人事管理の運用に支障をきたさないようあらかじめ適切な配慮がなされるべきことを考慮して行われたものである。

(d)　昭61. 6. 24自治公二第33号公務員第二課長通知

〔保健婦、助産婦、看護婦の国籍要件について〕

１　保健婦助産婦看護婦法に規定されている各職種の本来的業務（保健婦……保健指導、助産婦……助産、妊婦等の保健指導、看護婦……傷病者等に対する療法上の世話、診療の補助）は、専門的、技術的な業務であり、公権力の行使、公の意思の形成への参画に該当するものではない。したがって、地方公共団体において、法に規定された本来的業務を行うものとして、保健婦、助産婦、看護婦を採用する場合には、国籍要件を付する必要はないと考えられる。

2　保健婦、助産婦、看護婦が地方公務員として勤務する場合にその職位によっては、業務の内容が公権力の行使又は公の意思の形成への参画に該当することとなる場合もある。しかしながら、保健婦、助産婦、看護婦として採用されたすべての職員が、そのような業務に常に従事するものとはいえず、むしろそのような職位につく蓋然性は低いことが一般的である。このため、かかる場合についても、その採用に当たり一律に国籍要件を設けることは適当でないと考えられる。

以上を要するに、地方公務員についていえば、政府見解は、地方公務員のうち公権力の行使又は公の意思の形成に参画するもの（以下、「公権力行使等地方公務員」という）には、外国人を任用することができず、それ以外の地方公務員には、外国人を任用することができるとしている。また、それとの関連で、将来公権力行使等地方公務員の職につくことが予想される職種の採用試験において外国人の受験資格を認めることは適当でなく、一方、公権力行使等地方公務員の職につく蓋然性が低い職種の採用試験において一律に国籍要件を設けることも適当でないとしているのである。

このような政府見解に対しては、憲法第14条や法第13条の平等取扱いの原則に違反するとして反対する見解もあり、一部の地方公共団体で、将来公権力行使等地方公務員の職につくことが予想される職種である一般事務職等の採用試験から国籍要件を撤廃するところが現れ、地方行政上の争点となった。そのようななか、在日韓国人で東京都の職員である保健師が、日本国籍がないことを理由に管理職試験の受験を拒否されたことは憲法等に違反するとして、東京都に対し慰謝料の支払い等を請求する訴訟が提起され、注目を集めていたが、平成17年に最高裁で次のような判決が下された。

〔平17．1．26　最高裁大法廷判決（抄）〕

地方公務員のうち、住民の権利義務を直接形成し、その範囲を確定するなどの公権力の行使に当たる行為を行い、若しくは普通地方公共団体の重要な施策に関する決定を行い、又はこれらに参画することを職務とするもの（以下「公権力行使等地方公務員」という。）については、その職務の遂行は、住民の権利義務や法的地位の内容を定め、あるいはこれらに事実上大きな影響を及ぼすなど、住民の生活に直接間接に重大なかかわりを有するものである。それゆえ、国民主権の原理に基き、国及び地方公共団体による統治の在り方については日本国の統治者としての国民が最終的な責任を負うべきものであること（憲法１条、15条１項参照）に照らし、原則として日本の国籍を有するものが公権力行使等地方公務員に就任することが想定されているとみるべきであり、我が国以外の国家に帰属し、その国家との間でその国民としての権利義務を有する外国人が公権力行使等地方公務員に就任することは、本来我が国の法体系の想定するところではないものというべきである。そして、普通地方公共団体が、公務員制度を構築するに当たって公権力行使等地方公務員の職とこれに昇任するのに必要な職務経験を積むために経るべき職とを包含する一体的な管理職の任用制度を構築して人事の適正な運用を図ることも、その判断により行うことができるものであるから、普通地方公共団体がそのような管理職の任用制度を構築したうえで、日本国民である職員に限って管理職に昇任することができるとする措置をとることは、合理的な理由に基づいて日本国民である職員と在留外国人である職員とを区別するものであり、労基法３条にも、憲法14条１項にも違反するものではないと解するのが相当である。

この最高裁判決の事案は、従来の政府見解でも外国人を任用することができるとされている保健師に関する事案であるが、東京都においては管理職に昇任した職員に終始特定の職種の職務内容だけを担当させるという任用管理を行っておらず、管理職に昇任すれば、いずれは公権力行使等地方公務員に就任することが当然の前提とされているので、管理職という職群への任用の前提となる管理職昇任試験に国籍要件を設け、保健師である職員の受験を拒否したところ、それが憲法第14条第１項等に違反するとして訴えられたものである。その意味では、将来、公権力行使等地方公務員の職につくことが予想される職種の採用試験で外国人をどう取り扱うかということと問題の本質を共通にする。そして、その問題の考察の前提として、そもそも地方公務員の職に外国人を任用できるのか、また、任用できない職と任用できる職があるとすればどのような理由に基づき、どのような基準でこれを区分するのかを明確にすることが裁判上必要になったのである。この点に関する、最高裁の結論は、基本的には、従来の政府見解と同じである。しかしながら、外国人が就任することができない公権力行使等地方公務員の定義付けや就任できない理由付け等において、政府見解に比し注目すべき特徴がある。第１に、外国人が就任することができない公権力行使等地方公務員について、政府見解よりもより具体的かつ限定的に定義したことである。まず、政府見解が「公権力の行使……にたずさわる」としている部分については、最高裁は、「住民の権利義務を直接形成し、其の範囲を確定するなどの公権力の行使に当たる行為を行い、……又はこれらに参画することを職務とする」とし、公権力の行使の具体例を示してその意味するところをより判り易く説明するとともに、自ら公権力の行使に当たる行為を行う場合だけでなくそれに参画することも外国人には認められないことを明らかにしている。一方で、政府見解が「公の意思の形成への参画にたずさわる」としている部分については、最高裁は、「普通地方公共団体の重要な施策に関する決定を行い、又はこれらに参画することを職務とする」とし、参画対象についてはあらゆる公の意思形成ではなく、重要な施策に関する決定であることが必要とされ、参画段階については、意思形成過程での参画では足りず、自ら決定するか又は決定に参画することが必要としている。第２に、公権力行使等公務員に外国人が就任することができない理由として、従来の政府見解がどちらかといえば国家主権に力点を置いた説明をしていたのに対し（前出内閣法制局第一部長回答の前身である昭和23年８月17日の法務調査意見長官回答は、その回答理由のなかで「一国が他国人を単にその者との間の行為によって自国の官吏に任命することは、〔中略〕その者の属する国家の対人主権をおかすおそれがある」と述べている）、最高裁は、憲法第１条及び第15条を引用し、「国及び普通地方公共団体による統治の在り方については日本国の統治者としての国民が最終的な責任を負うべきものであることに照らし」として、国民主権の原理を前面に出している。このことは、外国人や専制君主が国民を統治している国であればいざ知らず、国民自らが自らを治めるという民主主義国家体制をとっている国では当然のことであるが、あえて理論的な説明を施すとすれば、民主制とは、国家の統治意思と統治される国民の意思とを一致せしめ「統治する者と統治される者との間に自同性（identity）の関係を持たせようとする原理」（清宮四郎『憲法Ｉ新版』有斐閣、55頁）、すなわち自己統治の原理であるところ、国民でない外国人が統治する側である公務員に就任することは、統治される側の国民との自同性の基礎を失わしめ、自己統治の原理に反することとなるため、統治機能に属する職務に従事する公務員には外国人は就任することができないということである。第３に、公権力行使等地方公務員の職に外国人を任用できないという法理（以下、「公権力行使等地方公務員の法理」という）が最高裁大法廷の判例法という法規範として確立されたわけである（塩野宏教授も『行政法Ⅲ第三版』有斐閣の257頁で同趣旨のことを述べられている）が、これは憲法規範であるのか、法律レベルの規範にとどまるのか。従来の政府見解は行政府の解釈として示されていたため、この点は必ずしも明らかではなかった。この点、最高裁は、この法理の理由として憲法の条文を引用して国民主権の原理を挙げていること、判決の核心部分で「外国人が公権力行使等地方公務員に就任することは、本来わが国の法体系の想定するところではない」として、法律の体系ではなく、憲法を含む「法体系」が想定していないとしていること等からして、公権力行使等地方公務員の法理を基本的には憲法規範として示したものと考えられる。したがって、公権力行使等地方公務員については、基本的には、法律をもってしても外国人の任用を認めることはできないということになる。ただ、ここで「基本的には」と留保をいれるのは、本判決自体「原則として日本の国籍を有する者が公権力行使等地方公務員に就任することが想定されている」として、例外があることを認めているようにも読めるからである。そのような例外が、どのような考え方で、どのような場合に認められ得るのか。公立の大学における外国人教員の任用等に関する特別措置法や旧研究交流促進法を本判決との関係でどう位置付けるかということを含め、今後の研究課題である。

⑵　公権力行使等地方公務員の具体的範囲

最高裁判決にいう公権力行使等地方公務員の定義を分解すると、①住民の権利義務を直接形成し、その範囲を確定するなどの公権力の行使に当たる行為を行い、又はこれに参画することを職務とする地方公務員と、②普通地方公共団体の重要な施策に関する決定を行い、又はこれに参画することを職務とする地方公務員の２つに分かれる。

①については、「住民の権利義務を直接形成し、その範囲を確定する」という部分は、公権力の行使を分かりやすく説明するための例示であり、それだけでは公権力の行使の具体的な範囲を明確にすることはできない。結局は、公権力の行使ということが、講学上、あるいは実定法上どのように用いられているかというところに立ち返って、合理的な解釈によりその範囲を明らかにするほかはない。かくして、公権力の行使に関する通説及び行政事件訴訟法、行政不服審査法、行政手続法等の実定法上の取扱いから判断して、公権力行使等地方公務員の法理にいう「公権力の行使に当たる行為」とは、行政処分（命令、禁止、許可、認可、特許等）と公権力の行使に当たる事実行為（特定の行政目的のために住民の身体や財産に実力を加えて行政上必要な状態を実現させようとする行為）を意味すると解するのが妥当である。このような意味での公権力の行使を行う職は、税務、福祉、保健衛生、自然環境、商工、都市計画、建築基準、農業、農地、林政、漁業、畜産、警察、消防等地方公共団体のほとんどの行政部門にあまねく存在し、行政執行の組織的基盤としての役割を果たしており、公権力の行使を行わない部門として考えられるのは、大括りにいえば純粋の企画部門と内部財務管理部門と公営企業等であろう。また、最高裁は、公権力の行使に当たる行為に参画することを職務とする地方公務員にも外国人を任用できないことを明らかにしているが、これに該当する場合としては、行政処分そのものは行わないがそのための資料や情報収集等の調査を職務とする場合、公権力の行使に当たる事実行為そのものは行わないがその現場において立会いや確認をすることを職務とする場合が考えられる。

②については、「重要な施策」とは何かがまず問題となるが、施策という以上は、日常の内部事務の処理のための決定、例えば職員への超過勤務の命令等は該当しないであろうし、重要な施策であるかどうかもそれぞれの地方公共団体が自らの実情に照らし判断する以外にない。一般的にいって、たとえ少数の対象住民に僅かな予算で行われている事業であっても必要性があって行われているのであれば重要な施策であり、重要でない施策というものはあまり想定できないが、重要な施策とは例えば合併や大規模危険施設の設置の容認のような地方公共団体の存立に関わる重大事項を意味するという論評もある。このように考えると、「重要な施策」という要件は、あまりに相対的にすぎる概念で、②の地方公務員の範囲を画する基準としてはあまり機能しないと考えられる。むしろ、②の定義のなかで重要な意味を有するのは、従来の政府見解が「公の意思の形成への参画にたずさわる」として意思形成過程で参画する職務の地方公務員にも外国人は就任できないとしていたものを、重要な施策の「決定」を行うか「決定」に参画することが必要とした点である。したがって、重要な施策の決定前の企画や準備段階で資料の収集や調査・検討等に従事するにとどまる職であるならば外国人も任用できることとなると考えられる。それでは、施策を「決定」し、又は、決定に「参画」する地方公務員とはどの範囲かといえば、通常は、地方公共団体における施策の意思決定が決裁又は会議で行われるという実態にかんがみ、決裁の場合は、決裁権者が決定者で、決裁文書の起案者をはじめ決裁文書に押印又はサインによりその決定への意思表示を行う者が決定への参画者であり、また、会議の場合は、その決定を行う会議が合議制のものであるならば、会議の構成員全員が決定者で会議の陪席者が決定への参画者となり、合議制のものでないならば、会議の主催者が決定者でその他の出席者が決定への参画者となる。

⑶　公権力行使等地方公務員の法理に反する任用行為の効力

公権力行使等地方公務員の法理は、最高裁判例という形での法規範であるため、地方公共団体において公権力行使等地方公務員の職に外国人を任用した場合は、それは違法な任用行為であり、また、その職への就任能力を有さない者の任用として、法律上不能な行為であり、欠格条項該当者の任用と同様、当然無効と解される。その場合の、事後処理についても欠格条項該当者の任用の場合の行政実例に即して措置すればよいと考えられる。

(4)　最高裁判決を踏まえた外国人の任用管理（注１）

最高裁判決により、外国人を公権力行使等地方公務員に任用できないという法規範は確立されたのであるが、それは個々の任用において公権力行使等地方公務員の職に外国人を任用できない（それは、公務員の任用についての法定附款である）ということを意味するにとどまる。しかしながら、現実の地方公共団体における各職への職務権限の配分は、同じ職場内であっても、公権力の行使等を含むものもあれば、含まないものもある。そして、同じ職員であっても、人事異動により、公権力行使等の職につく場合とつかない場合がある。したがって、地方公務員が身分保障制度の下、通常は、採用に始まり転任と昇任を繰り返してその生涯キャリアーを築いたうえで定年により退職するということを考えた場合、外国人の地方公務員任用の問題は、採用、転任、昇任という任用の段階ごとに立ち現れてくることとなり、したがってまた、最高裁が示した公権力行使等地方公務員の法理も、採用、転任、昇任という任用段階ごとに適用されることとなる（降任についても理論的には同じであるが、稀なことであるので説明から省く）。ということは、法規範上個々の採用、転任、昇任が公権力行使等地方公務員の法理に反してはならないことは当然として、人事実務上、採用段階からその者の将来の転任や昇任において公権力行使等地方公務員の法理に反した任用ができなくなることを考慮に入れ、将来その外国人地方公務員本人のモラールが低下しないよう、また、将来の人事管理の円滑な運営に支障をきたさないよう、採用、昇任及び転任を通じた一貫した外国人公務員任用に関する政策のもとにその任用管理を行っていく必要があるといえよう。前述の、昭和48年５月28日の行政実例で、公権力の行使等にたずさわる職につくことが将来予想される一般事務職員等の採用試験で外国人の受験資格を認めることが適当でないとされたのは、このような観点からであった。すなわち、一般事務職は、地方公共団体の各部署に異動し、公権力行使等地方公務員の職につくことが容易に予想されるなかで、外国人をそのような一般事務職として採用すれば、その外国人だけ将来公権力行使等の職につけることができず、人材の有効活用という面でも、本人のモラールの向上という面でもマイナスとなり、そのようなことが積み重なっていけば、人事全体の円滑な運用にも支障を生ずるおそれがある。したがって、一般事務職については、その採用試験において外国人の受験資格を認めることは適当でないとされたのである。一方、昭和61年6月24日の行政実例では、保健婦、助産婦、看護婦については、その採用に当たり一律に国籍要件を設けることは適当でないとされているが、これはこれらの職種として採用された職員は、公権力行使等地方公務員の職につく蓋然性が低いので、その採用に当たり一律に国籍要件を設けることは適当でないとされたのである。この2つの行政実例を比較検討すると、いずれも職種を判断の単位として、ある職種の地方公務員として採用された職員が、その職種の職員としてその後の転任、昇任を重ねていく場合に、普通に人事異動を行っていれば公権力行使等地方公務員の職につく蓋然性が高いか低いかによって、その採用に当たり、国籍要件を設けることが適当か不適当かを判断していると考えられる。このように職種を単位に公権力行使等地方公務員に任用される蓋然性の高さを判断する手法は、地方公務員の採用試験や選考が職種単位で行われている現状や、ある職種で採用された職員は、通常は、その職種のなかで転任、昇任を重ねていくという実情からみて、合理的であるといえよう。ただ、管理職試験のように職種を超えた職群への任用を前提とする試験の場合は、その職群において公権力行使等地方公務員の職に任用される蓋然性が高いかどうかを判断することとなろう。

それでは、普通に人事異動を行っていれば公権力行使等地方公務員の職に任用される蓋然性の高さをどのような基準で判断するのか。それは、つまるところ、その職種名で呼ばれている職群に属する職の総数中の公権力行使等地方公務員の職の数の割合とその職種に属する職員の平均任用回数との相関関係から割り出される公権力行使等地方公務員の職に任用される確率の高さである。このような確率の認定は、地方公共団体が、それぞれの職員規模、人事ローテーションの実情等の組織と人事運用の実態に即して判断することとなるが、例えば、ある職種において概ね1ポスト3年程度の人事ローテーションを組み、その職員が管理職年齢に到達するまでに概ね6ないし8ポストを経験させるという人事管理を行っている場合、その職種中の職の総数に対する公権力行使等地方公務員の職の数の割合が概ね20%を超えていれば、管理職になるまでに100%を超える確率で一度は公権力行使等地方公務員の職に任用されることとなり、その蓋然性は高いといえるであろう。このようにすれば、公権力の行使に当たる行為を行い又はこれに参画する職員の範囲は地方公共団体によってそれほどの違いはないので、公権力行使等地方公務員に任用される蓋然性の高い職種とされる職種は、自ずから共通のものが挙げられることとなろう。一般事務、土木、建築、農業、農業土木、福祉、環境衛生監視、食品衛生監視、薬務、林業、畜産、水産、消防、公安等の職種がそれである。これに対し、前出の保健師、助産師、看護師のほか、臨床検査技師、栄養士、保育士、技能・労務職等は、公権力行使等地方公務員の職に任用される蓋然性は低い職種といえる。

地方公共団体としては、このようにして自らの職員の職種のうち公権力行使等地方公務員の職に任用される蓋然性の高い職種（以下、「公権力行使等地方公務員職種」という）であるものを明確にした上で、将来の安定的かつ円滑な人事管理を確保しつつ、外国人の公務員任用という時代の要請に応じていくため、要旨以下のような外国人の任用管理に努めることが望まれる。①採用、昇任、転任を通じ、公権力行使等地方公務員の職には外国人を任用することはできないものであり、そのこととの関連において、②公権力行使等地方公務員職種での採用試験や選考、あるいは、将来公権力行使等地方公務員の職に任用される蓋然性の高い職級や職群を対象とする昇任試験や選考においては、その資格として日本国籍を要することとし、一方、③公権力行使等地方公務員職種でない職種での採用試験や選考、あるいは、将来公権力行使等地方公務員の職に任用される蓋然性の低い職級や職群を対象とする昇任試験や選考においては、その資格として日本国籍を要しないこととする。④公権力行使等地方公務員職種でない職種において任用されている外国人を公権力行使等地方公務員職種に転任させることは行わない。また、③において、外国人の受験や応募を認める際には、その蓋然性は低いが念のため、将来、公権力行使等地方公務員の職につくことができないことを予め説明しておくことが、将来の外国人任用をめぐるトラブルを防止するうえで有効であろう。なお、このことは、一部の地方公共団体で行われている一般事務職等の公権力行使等地方公務員職種の採用試験（②）から将来公権力行使職に任用できないとの条件付で国籍条項を撤廃することとは異なることに留意する必要がある。そのような取扱いは、そもそも法定附款である公権力行使等地方公務員の法理を条件とするという点で法的に無意味な条件を付しているというにとどまらず、そのような制限条件を付した外国人を、あえて②の公権力行使等地方公務員職種に採用することにより、将来における人事管理に支障を及ぼすおそれがある点では、無条件で一般事務職等の採用試験から国籍条項を撤廃することと変わらない不適切な対応であるといえよう。

（注１）　外国人任用に関する従来の政府見解、本最高裁大法廷判決及び同判決を踏まえた外国人の任用管理のあり方の詳細については、猪野「公務員任用と国籍（上）（下）」自治研究81巻４号52頁以下、81巻５号73頁以下参照。

第４節　任用の種類と手続

１　任用の種類と標準職務遂行能力

地方公務員法は、職員の職に欠員を生じた場合には、任命権者は、採用、昇任、降任、又は転任のいずれかの方法によって職員を任命することができると規定している（法17条１項）。この、採用、昇任、降任、及び転任が任用の基本類型であり、そのそれぞれの意味は次の⑴から⑷のとおりである（法15条の２第１項１号～４号）。

⑴　採　用

職員以外の者を職員の職に任命すること（臨時的任用を除く）。

⑵　昇　任

職員をその職員が現に任命されている職より上位の職制上の段階に属する職

員の職に任命すること。

⑶　降　任

職員をその職員が現に任命されている職より下位の職制上の段階に属する職員の職に任命すること。

⑷　転　任

職員をその職員が現に任命されている職以外の職員の職に任命することであって前⑵及び⑶に該当しないもの。

⑸　標準職務遂行能力

法第15条の2第1項第5号は、「標準職務遂行能力」について、「職制上の段階の標準的な職〔中略〕の職務を遂行する上で発揮することが求められる能力として任命権者が定めるもの」との定義規定を起こし、地方公務員法は、この職制上の段階の標準的な職に係る標準職務遂行能力と当該任用に係る職についての適性を有することをもって、任用の基準としている（法20条1項、21条の2第1項、21条の3、21条の5）。このように、標準職務遂行能力は、すべての任用の基準となるだけでなく、後述の人事評価における能力評価の基準としても活用されるもので、能力実績主義に基づく人事管理の支柱となる重要なものである。このため、法第15条の2第2項は、標準職務遂行能力を定める標準的な職について、任命権者が職制上の段階及び職務の種類に応じ定めることとし、また、同条第3項で長及び議長以外の任命権者は、標準職務遂行能力及び標準的な職を定めようとするときは、あらかじめ長に協議しなければならないとしている。このように、地方公共団体の任命権者は、法第15条の2第2項に基づき、職制上の段階及び職務の種類に応じ、標準的な職を定め、その標準的な職ごとに標準職務遂行能力を定めることとされているが、平成26年改正法の運用通知（平成26年8月15日付総務省自治行政局長通知）の別紙1において、部長から係員までの6階層の地方公務員の一般行政職の標準職務遂行能力の参考例が示されている（次頁の**表1**のとおり）。

表１　標準職務遂行能力について

（一般行政職）

部長	一　倫理	全体の奉仕者として、高い倫理感を有し、部の重要課題に責任を持って取り組むとともに、服務規律を遵守し、公正に職務を遂行することができる。
	二　構想	所管行政を取り巻く状況を的確に把握し、先々を見通しつつ、住民の視点に立って、部の重要課題について基本的な方針を示すことができる。
	三　判断	部の責任者として、その重要課題について、豊富な知識・経験及び情報に基づき、冷静かつ迅速な判断を行うことができる。
	四　説明・調整	所管行政について適切な説明を行うとともに、組織方針の実現に向け、上司を助け、困難な調整を行い、合意を形成することができる。
	五　業務運営	住民の視点に立ち、不断の業務見直しに率先して取り組むことができる。
	六　組織統率	指導力を発揮し、部下の統率を行い、成果を挙げることができる。
課長	一　倫理	全体の奉仕者として、高い倫理感を有し、課の課題に責任を持って取り組むとともに、服務規律を遵守し、公正に職務を遂行することができる。
	二　構想	所管行政を取り巻く状況を的確に把握し、住民の視点に立って、行政課題に対応するための方針を示すことができる。
	三　判断	課の責任者として、適切な判断を行うことができる。
	四　説明・調整	所管行政について適切な説明を行うとともに、組織方針の実現に向け、関係者と調整を行い、合意を形成することができる。
	五　業務運営	コスト意識を持って効率的に業務を進めることができる。
	六　組織統率・人材育成	適切に業務を配分した上、進捗管理及び的確な指示を行い、成果を挙げるとともに、部下の指導・育成を行うことができる。
室長	一　倫理	全体の奉仕者として、担当業務の課題に責任を持って取り組むとともに、服務規律を遵守し、公正に職務を遂行することができる。
	二　企画・立案	組織方針に基づき、行政ニーズを踏まえ、課題を的確に把握し、施策の企画・立案を行うことができる。
	三　判断	担当業務の責任者として、適切な判断を行うことができる。

	四　説明・調整	担当する事案について適切な説明を行うとともに、関係者と調整を行い、合意を形成することができる。
	五　業務運営	コスト意識を持って効率的に業務を進めることができる。
	六　組織統率・人材育成	適切に業務を配分した上、進捗管理及び的確な指示を行い、成果を挙げるとともに、部下の指導・育成を行うことができる。
課長補佐	一　倫理	全体の奉仕者として、担当業務の第一線において責任を持って課題に取り組むとともに、服務規律を遵守し、公正に職務を遂行することができる。
	二　企画・立案、事務事業の実施	組織や上司の方針に基づいて、施策の企画・立案や事務事業の実施の実務の中核を担うことができる。
	三　判断	自ら処理すべき事案について、適切な判断を行うことができる。
	四　説明・調整	担当する事案について論理的な説明を行うとともに、関係者と粘り強く調整を行うことができる。
	五　業務遂行	段取りや手順を整え、効率的に業務を進めることができる。
	六　部下の育成・活用	部下の指導、育成及び活用を行うことができる。
係長	一　倫理	全体の奉仕者として、責任を持って業務に取り組むとともに、服務規律を遵守し、公正に職務を遂行することができる。
	二　課題対応	担当業務に必要な専門的知識・技術を習得し、問題点を的確に把握し、課題に対応することができる。
	三　協調性	上司・部下等と協力的な関係を構築することができる。
	四　説明	担当する事案について分かりやすい説明を行うことができる。
	五　業務遂行	計画的に業務を進め、担当業務全体のチェックを行い、確実に業務を遂行することができる。
係員	一　倫理	全体の奉仕者として、責任を持って業務に取り組むとともに、服務規律を遵守し、公正に職務を遂行することができる。
	二　知識・技術	業務に必要な知識・技術を習得することができる。
	三　コミュニケーション	上司・同僚等と円滑かつ適切なコミュニケーションをとることができる。
	四　業務遂行	意欲的に業務に取り組むことができる。

２　採用の方法等

⑴　競争試験と選考

人事委員会（競争試験等を行う公平委員会を含む。以下、本節において同じ。法17条２項括弧書き）を置く地方公共団体の職員の採用は、競争試験により行うのが原則である（法17条の２第１項本文）。ただし、人事委員会規則（競争試験等を行う公平委員会を置く地方公共団体においては公平委員会規則。以下、本節において同じ。）で定める場合には、選考によることができる（同項ただし書き）。人事委員会を置かない地方公共団体の採用は、競争試験によるか、選考によるかは、任命権者の裁量にゆだねられている（法17条の２第２項）。したがって、この場合は補充しようとする職員の数及び職務内容、応募者の予想数等の地方公共団体の実情に応じて、最も経済的、能率的に適格者を得られる方法を選択することとなる。

法第17条の２第１項は、選考を「競争試験以外の能力の実証に基づく試験」をいうと定義するが、競争試験も選考も、職員を任用する際にその職務を遂行する能力と適性を有するかどうかを判定することを目的とする点において変わりはない。法第20条第１項は採用試験（採用のための競争試験）について、法第21条の２は選考による採用について、いずれもその職の属する職制上の段階の標準的な職に係る標準職務遂行能力とその職についての適性を有するかどうかを判定することを目的とすると規定する。ただその目的を達成する方法が異なり、競争試験では、不特定多数の受験者が相互に競争関係に立ち、受検者相互間の優劣に基づいて得点が確定されるのに対し、選考の場合は、選考される者は相互に競争の関係に置かれるのではなく、選考の基準に基づいて標準職務遂行能力と適性が必要のつど個々に判定される。いずれもその者が標準職務遂行能力と適性を有するかどうかを正確に判定する手段であり、本質的な差異はない。したがって、選考機関は、選考を選考の基準に拘わらず裁量によって左右することは許されない（昭28.9.7自行公発198公務員課長回答）。

⑵　採用試験の実施

法第18条は、採用のための競争試験を「採用試験」というとして、採用試験又は選考は、人事委員会（人事委員会が置かれていない地方公共団体の場合は任命権者。法17条の２第３項括弧書き。以下、本節において「人事委員会等」という）が行うのが原則であるが、人事委員会等は、他の地方公共団体の機関との協定によって共同して、又は国若しくは他の地方公共団体との協定によりこれらの機関に委託して、採用試験又は選考を行うことができるとする。

採用試験は、人事委員会等の定める受験の資格を有するすべての国民に対して平等の条件で公開されなければならず（公務の平等公開の原則）、したがって、受験資格は、職務の遂行上必要な最少かつ適当な限度の客観的かつ画一的のものでなければならない（法18条の２及び19条）。

通常、年齢、学歴、経歴、あるいは職種によっては免許等が受験資格として定められるが、性別や住所が受験資格として適当かどうかが問題となる。一般の警察吏員の職については男性、看護婦の職については女性に限り、また、特にへき遠の地に勤務する職についてはその近辺に居住する者に限るとする受験資格を定めることはさしつかえないとする行政実例はあるが（昭28. 6. 26自行公発124公務員課長回答）、その後の就労実態や道路事情の変化により一般的には合理性を失っていると考えられる。

法第20条は、採用試験は、受験者が、当該採用試験に係る職の属する職制上の段階の標準的な職に係る標準職務遂行能力及び当該採用試験に係る職についての適性を有するかどうかを正確に判定することをもってその目的とすることとし（同条１項）、具体的な採用試験の方法は、筆記試験その他の人事委員会等が定める方法により行うこととされている（同条２項。平成26年改正法による改正前の20条では、競争試験の方法として、筆記試験により、若しくは口頭試問及び身体検査並びに人物性向、教育程度、経歴、適性、知能、技能、一般的知識、専門的知識及び適応性の判定の方法により、又はこれらの方法を合わせて用いることにより行うとされていた。）。

⑶　採用候補者名簿による採用

人事委員会を置く地方公共団体で採用試験を実施したときは、人事委員会は、試験ごとに、試験において合格点以上を得た者の氏名及び得点を記載した採用候補者名簿を作成しなければならない（法21条１項及び２項。平成26年改正法による改正前の21条２項では、合格者の氏名及び得点をその得点順に記載することとされていた。）。人事委員会を置かない地方公共団体で採用試験を行った場合は、採用候補者名簿を作成することは法律上要求されてはいないが、同様に採用候補者名簿を作成し、それに基づいて計画的に採用することが適当であろう。

採用候補者名簿による採用は、人事委員会が提示するその名簿に記載された者の中から任命権者が行うものとする（法21条３項。平成26年改正法による改正前の21条３項では、採用すべき者１人につき人事委員会の提示する高点順の志望者５人のうちから採用することとされていた。）。人事委員会の提示した者の中からいずれの候補者を採用するかは、任命権者の裁量に任せられる。採用候補者名簿による採用の方法については、地方公務員法の規定によるほか、人事委員会規則で必要な事項を定めることとされている（同条５項）。

なお、選考による職員の採用は、任命権者が、人事委員会等の行う選考に合格した者の中から行うこととされている（法21条の２第２項）。

⑷　採用内定

採用試験に合格した場合、試験実施機関は、採用候補者名簿に登載するとともに通常本人に合格を通知する。しかし、採用試験に合格したことは、採用候補者たる資格を取得したにとどまり、合格通知により採用行為がなされたものでなく、採用する旨の明確な意思表示が任命権者によりなされ、その到達をもってはじめて任用の効果が生ずるものである（昭55.5.1名古屋高裁、昭56.6.4最高裁一小）。また、合格後、採用の準備行為として、任命権者から採用内定者に採用内定通知が送られることが多いが、その法的性格が問題となる。この点につき、最高裁は、地方公務員の採用内定通知は、採用発令の手続を支障なく行うための準備手続としてされる事実上の行為にすぎず、採用内定者に当該地方公共団体の職員としての地位を取得させることを目的とする確定的な意思表示ないしは始期付又は条件付採用行為と目すべきものではないとする（昭57.5.27最高裁一小）。この判決によれば、採用内定通知によって採用内定者が直ちに採用予定日から当該地方公共団体の職員たる地位を取得するものではなく、また、地方公共団体において採用内定者を職員として採用すべき法律上の義務を負うものでもない。したがって、採用内定の取消しは、採用内定者の法律上の地位ないし権利義務に影響を及ぼすものではないので、行政事件訴訟法第３条第２項にいう「行政庁の処分その他公権力の行使に当たる行為」に該当せず、採用内定者においてその取消しを訴求することはできないこととなる。ただ、地方公共団体において、正当な理由がなく採用内定を取り消したときは、他の就職の機会を放棄するなど採用内定者に生じた損害については、地方公共団体において賠償する責任があると考えられる。

３　昇任の方法

平成26年改正法による改正前の地方公務員法では、採用と昇任を一括して、競争試験又は選考によるものとしていた（同法17条３項及び４項）。これに対し、法は、採用のための競争試験を「採用試験」といい、採用試験と採用のための選考の方法について、第18条から第21条の２まで規定し、第21条の３以下に昇任に関する規定を別途起こし、必要に応じて採用に関する規定を準用している。

まず、法第21条の３は、昇任の方法として、職員の昇任は、任命権者が、任用の根本基準（法15条）である職員の受験成績、人事評価その他の能力の実証に基づき行うことを改めて明確にしたうえで、任命しようとする職の属する職制上の段階の標準的な職に係る標準職務遂行能力及びその職の適性を有する者の中から行うと規定している。もっとも、昇任のための競争試験（これを法は、「昇任試験」という）と選考は、任命権者が職員を人事委員会規則で定める職（人事委員会がない場合は、任命権者が定める職）に昇任させる場合に実施されるものとされ（法21条の４第１項）、その人事委員会規則を定めようとするときは、人事委員会は、あらかじめ任命権者の意見を聴くこととされている（同条２項）。そのうえで、昇任試験を実施する場合に採用試験に関する第18条から第21条までの規定が、昇任のための選考を実施する場合に第18条並びに第21条の２第１項及び第２項の規定が準用されている（法21条の４第４項及び第５項）。

４　降任及び転任の方法

降任及び転任については、法第21条の５第１項と第２項で、職員の人事評価その他の能力の実証に基づき、任命しようとする職の属する職制上の段階の標準的な職に係る標準職務遂行能力及びその職についての適性を有すると認められる職に任命し（降任の場合）、又は、そう認められる者の中から行う（転任の場合）との原則規定のみが置かれている。もっとも、降任は、不利益処分に当たるので、別途、法第49条に定める不利益処分に関する説明書の交付が必要である（第６章第２節「不利益処分に関する審査請求」参照）。

５　条件付採用

地方公務員法は、職員の採用は、全て条件付のものとし、当該職員が採用後６ヶ月の間、その職務を良好な成績で遂行したときに正式採用になるとしている（法22条）。これは、採用後の一定期間におけるその者の実際の職務の遂行状況を観察することにより、採用の際、競争試験又は選考により一応実証されている職員の職務遂行能力を、更に確認することにより、地方公務員法の理念である能率的行政運営を達成しようとしているのである。

条件付採用期間中の職員には、法第27条第２項及び第28条第１項から第３項まで（身分保障を前提とした分限処分に関する規定）並びに法第49条第１項・第２項及び行政不服審査法の規定（不利益処分に関する不服申立ての根拠規定）が適用除外されており（法29条の２第１項）、したがって、条件付採用期間中に勤務成績が良好でなく地方公務員として不適格であると判定されたときは、条件付採用期間の満了までに免職するか、満了時に正式採用としない旨の通知をすれば足りることとなる。もっとも、条件付採用期間中の職員について分限処分を行うに当たっても、法第27条第１項の公正の原則は適用されており、また、その分限について条例で必要な事項を定めることができるので（法29条の２第２項）、その限度において条件付採用期間中の身分保証はあることとなる。

条件付採用期間は原則として６ヶ月であるが、この期間において職員が病気などにより勤務日数が少なくなり、そのためその職員の職務遂行能力を確認できないような場合には、人事委員会（人事委員会を置いていない地方公共団体にあっては任命権者）は、条件付採用期間を１年に至るまで延長することができる（法22条後段、17条の２第３項括弧書き）。

平成29年改正法は、旧法第22条が第１項で条件付採用について、第２項から第７項で臨時的任用について規定していたものを、旧法第22条第１項を条件付採用に関する条文として独立させ、その際、旧法では、非常勤職員を条件付採用の対象から除いていたものを、非常勤職員の採用を含め、職員の採用は全て条件付のものとするとともに、条件付採用期間を１年に至るまで延長することは、人事委員会規則（人事委員会のない地方公共団体では、地方公共団体の規則）で定めるところにより行うことができるとする改正を行った（法22条）。そのうえで、会計年度任用職員の条件付採用期間は１月としている（法22条の２第７項）ことについては、後述「９　会計年度任用職員」の⑷の③（79頁）を参照されたい。また、「臨時的任用」は、もともと「採用」に含まれない（法15条の２第１項１号参照）ので、法第22条では単純に削除された。

６　兼職、充て職、事務従事、事務取扱い、事務心得、出向

１で述べたように、採用、昇任、転任及び降任が任用の基本類型であり、地方公共団体で行われる人事発令の大部分は、この４種類の任用と退職発令である。しかし、現実に行われている人事発令の中には、この４種類の任用以外の任用ないしは任用類似行為があり、それらは一部は慣行に基づき、また一部は法令に基づくものもある。ここでは、その代表的なものとして、兼職、充て職、事務従事、事務取扱い、事務心得、出向をみてみよう。

⑴　兼　職

兼職とは、ある職員がその職を保有したまま他の職に任用されることであり、併任、兼務ともいわれる。狭義の意味での兼職は、同一の地方公共団体内におけるものをいい、地方公務員法はこれを特に禁じておらず、それがあり得ることを前提に「職員は、他の職員の職を兼ねる場合においても、これに対して給与を受けてはならない。」と重複給与の支給禁止規定をおいている（24条３項）。また、地方自治法は、地方公共団体の長が、当該団体の委員会等と協議して、自らの補助職員を他の執行機関の補助職員等と兼ねさせることができ

るとしている（180条の３）。広義には、異なる地方公共団体の職を兼ねる場合、国の職を兼ねる場合も兼職と呼ばれることがある。自治法第252条の17や災害対策基本法第29条以下で派遣職員の制度が認められているが、これも広義の兼職といえるであろう。

⑵　充て職

充て職とは、ある職にある職員を、法令等の規定により当然に他の職をも併せて占めるものとする制度である。すなわち、兼職の一種であるが、充てられる職については具体的な任命行為は必要でなく、本来の職に任命すれば自動的に充てられる職を兼ねることとなるものである。例えば、都道府県の選挙管理委員会の規程で、事務局の書記長は市町村課長をもって充てる旨が規定されていると、市町村課長に任命されることによって、当然に選挙管理委員会事務局の書記長を兼ねることとなる。この例の場合、自治法第180条の３により、充て職とすることにつき、長と選挙管理委員会が予め協議しておくこととなる。

⑶　事務従事

事務従事とは、ある職にある職員に対し、他の職の職務を行うことを命ずることをいう。これは、兼職ではなく、職務命令であり、当該職員に具体的に何々の職務に従事すべき旨の職務命令を発すれば足りる。地方自治法は、長が委員会等と協議して、自らの補助職員をして、当該執行機関の事務に従事させることができるとする（180条の３）。

⑷　事務取扱いと事務心得

事務取扱いとは、ある職の職員が欠員となり、あるいは病気や長期出張等で不在となる場合に、暫定的にその職員の上司や同僚に当該職の職務に従事するよう命ずる職務命令であり、事務従事の一種である。これに対し、ある職の職員が欠員となった場合に、暫定的にその下位の職員に発令される事務心得、例えば課長が欠員となった場合に課長補佐を課長心得とする発令は、課長の職務を行う者が課長となるのに必要な経験年数等を満たさぬ場合にとられる発令方式であり、それ自体暫定的な一つの職である。昇任に該当すると考えられる。

⑸　出　向

出向という発令形式は、慣習的に用いられているもので、法律上別段の規定はない。また、その使用例も、同一地方公共団体の異なる執行機関への出向、他の地方公共団体や国への出向、当該地方公共団体の公社や第三セクターへの出向等多岐にわたり、転任、退職、休職、職務命令等に該当する場合がないまぜにして運用されている嫌いがある。行政実例は、同一地方公共団体内部における執行機関相互間の職員の人事交流のための出向発令については容認している（昭26.8.2地自公発318公務員課長回答）。そこで、その場合の出向にしぼって考えると、「出向を命ずる」という出向発令は、元の勤務機関の任命権者の行う任用行為ではあるが、それ自体は独立して完結する任用行為ではなく、出向を命じられた先の受入機関の任命権者の発令（転任、昇任、稀に降任）があって初めて完結する任用行為であると考えられる（昭29.5.27自丁公発84公務員課長回答参照）。したがって、出向発令自体は、一つの独立した行政処分というべきでなく、新しい職への職員の任用、つまり出向先の任命権者の行う発令行為が実質的に独立した行政処分としての意味を持ってくると考えられる。

７　公益的法人等への職員の派遣

地方公共団体が行政を推進していくに際しては、地域開発や地域の活性化等の分野で、地方公共団体の業務と関係の深い公益法人や地方公社等、さらには地方公共団体出資の株式会社と連携して仕事をしていく必要がある場合が少なくない。また、地方においては、これらの法人等に人材が育っていないため、とりあえず地方公共団体の職員をしてこれらの法人等の業務に従事させる必要のある場合が少なくない。このため、従来から、地方公共団体においては、休職、職務専念義務の免除、又は職務命令でこれらの法人等に職員を出向ないし派遣していたが、職員の職務専念義務との関係で問題が多く、住民の批判を招いていた。かといって、職員を退職させて法人等の業務に従事させる方法は、職員の側に不安が多く、あまり活用されなかった。また、派遣された職員が地方公共団体から給与を受けながら派遣先の業務に従事するケースについては、これを違法な公金支出として、派遣元の地方公共団体の長に損害賠償を、派遣先に不当利得の返還を求める住民訴訟が相次いだ（平10.4.24最高裁二小等）。このため、適正かつ透明な手続により、地方公共団体の職員をこれらの法人等に派遣する制度を創設する必要性が高まり、「公益法人等への一般職の地方公務員の派遣等に関する法律」が制定され、平成14年４月１日から施行された。同法は、その後一般社団法人及び一般財団法人に関する法律等の施行（平成20年12月１日）に伴い、派遣対象の一つであった「公益法人」を「一般社団法人及び一般財団法人」と改め、一般地方独立行政法人及び地方公社等と合わせて「公益的法人等」と呼び、法律の名称も「公益的法人等への一般職の地方公務員の派遣等に関する法律」（以下、「派遣法」という）と改める改正を経て今日に至っている。同法は、地方公共団体の職員について、その職を保有したまま公益的法人等に派遣される仕組み（以下、本書において「職員派遣」という）と職員がいったん地方公共団体を退職して特定法人に派遣される仕組み（以下、本書において「退職派遣」という）の２つの方法を規定している。

⑴　職員派遣

①　地方公共団体が職員派遣をすることができる団体は、一般社団法人及び一般財団法人、一般地方独立行政法人、土地開発公社等特別の法律により設立された法人で政令で定めるもの及び自治法第263条の３第１項に規定する地方公共団体の長又は議長の全国的連合組織のうち、その業務の全部又は一部が当該地方公共団体の事務・事業と密接な関係を有し、かつ、当該地方公共団体がその施策の推進を図るため人的援助を行うことが必要であるものとして条例で定めるもの（以下、「公益的法人等」という）である（派遣法２条１項）。

②　職員派遣に当たっては、地方公共団体の任命権者は、あらかじめ派遣先の公益的法人等との間で当該派遣職員の派遣先における報酬、従事すべき業務、派遣期間等を取り決め、当該職員にその取決めの内容を明示して、その同意を得なければならない（派遣法２条２項及び３項）。

③　派遣職員には、原則として、派遣先の公益的法人等が給与を支給し、地方公共団体は給与を支給しない。ただし、派遣職員が派遣先で従事する業務が地方公共団体の委託を受けて行う業務、地方公共団体と共同して行う業務又は地方公共団体を補完しあるいは支援すると認められる業務で、それにより地方

公共団体の事務又は事業の効率的又は効果的な実施が図られるものである場合等には、地方公共団体は、条例で定めるところにより、派遣職員に対し給与を支給することができる（派遣法６条）。

④　派遣期間は、原則３年以内であるが、任命権者が特に必要があると認めるときは、派遣先との合意により、派遣職員の同意を得て、派遣をした日から５年を超えない範囲内で、延長することができる（派遣法３条）。

⑤　派遣職員は、派遣期間が満了したときは、地方公共団体の職務に復帰する。地方公共団体は、派遣職員が職務に復帰した場合における任用、給与等に関する処遇及び将来の退職手当の取扱いについて、部内の職員との均衡を失しないよう、条例で定めるところにより必要な措置を講じ、又は適切な配慮をしなければならない（派遣法５条２項及び９条）。

⑵　退職派遣

①　退職派遣の対象団体は、当該地方公共団体が出資する株式会社のうち、その業務の全部又は一部が地域の振興その他公益の増進に寄与するとともに、当該地方公共団体の事務又は事業と密接な関係を有するものであり、かつ、当該地方公共団体の施策の推進を図るため人的援助を行うことが必要であるものとして条例で定めるもの（以下、「特定法人」という）である（派遣法10条１項）。

②　退職派遣に当たっては、地方公共団体の任命権者は、予め、派遣先の特定法人との間で、当該退職派遣者の派遣先における報酬、従事すべき業務、派遣期間等を取り決めることとし、当該職員にその取決めの内容に従って派遣先の業務に従事するよう要請しなければならない。要請に応ずるかどうかは、職員の任意である（派遣法10条１項及び２項）。

③　退職派遣者には特定法人が給与を支給し、地方公共団体は、給与を支給しない。

④　派遣期間は、退職日の翌日から３年以内で定める（派遣法10条４項）。

⑤　派遣期間が満了したときは、その者が退職したとき就いていた職又はこれに相当する職に係る地方公共団体の任命権者は、その者を職員として採用する（派遣法10条１項）。地方公共団体は、退職派遣者が派遣期間の満了により職

員として採用された場合における任用、給与等に関する処遇及び将来の退職手当についての取扱いについて、部内の職員との均衡を失することのないよう、条例により必要な措置を講じ、又は適切な配慮をしなければならない（派遣法12条１項）。

なお、公益的法人等に職員を派遣しながら、派遣法第６条第２項の手続によらず、派遣先団体に補助金等を支出しその一部を派遣先団体が派遣職員の給与等の人件費に充てていた事例につき、最高裁は、これらの補助金等の支出を、「派遣職員の給与の支給について議会の関与の下に条例による適正な手続の確保等を図るためにその支給の方法等を法定した派遣法の定めに違反する手続的な違法があり、無効である」とした（平24.4.20最高裁二小）。地方公共団体が派遣職員に給与を支給するについては、派遣法第６条第２項に定める要件と手続の厳格な遵守が求められているといえよう（なお、本判決は、住民訴訟の対象である派遣先団体への不当利得返還請求権の議会による放棄議決を、極めて厳格な要件の下に有効としている。その詳細は、猪野『地方自治法講義（第５版）』（第一法規）248～251頁を参照されたい。）。

８　任期付採用

職員の採用については、法第17条に基づく正式任用によるか、後述10の法第22条の３に基づく臨時的任用によることとなるが、第17条に基づく採用は、本来、恒久的な任用であるので、１年を超える臨時的業務があった場合、その必要期間に応じた任期で任用する方法がないこととなる。このため従来から、第17条に基づく採用についても、一定の任期付での採用ができないかということが議論となっていた。これについては、公務員の身分保障と任用制度の趣旨からして、正式任用された職員に任期を付すことは、職員の地位を不安定とするので許されないとする考えもあり得る。しかし、最高裁は、職員の任用は無期限とすることが法の建前であると解すべきであるが、この法の建前は、職員の身分を保障し、職員をして安んじて職務に専念させる趣旨によるものであるので、職員の期限付き任用も、それを必要とする特段の事由が存在し、かつ、それが以上の趣旨に反しない場合は、許されると解している（昭38.4.2最高裁三小)。また、行政実例も、任期を限って採用できる場合があるものと解するとしつつ（昭27.11.24自行公発97)、恒久的な職と認められる職については、期間を限定して職員を任用することは適当でないとしている（昭31.2.18自丁公発26)。

このように、地方公務員の任期付採用については、解釈により極めて例外的に認められていたのであるが、社会経済の発展や地方分権の進展に伴い地方行政の高度化専門化が進む中で、地方公共団体において公務部内では得られにくい高度の専門性を備えた民間の人材を活用する必要性や期間が限定される専門的な行政ニーズへの対応の必要性が高まってきた。そこで、まず、そのような必要性が最も高かった公設試験研究機関の研究業務に従事する職員について、任期を定めた採用及びその勤務条件の特例を定める「地方公共団体の一般職の任期付研究員の採用等に関する法律」（以下、「任期付研究員法」ともいう）が制定され、平成12年７月から施行された。次に、研究員以外の地方公共団体の一般職の職員について、専門的な知識経験又は優れた識見を有する者の任期付採用に関する事項を定めた「地方公共団体の一般職の任期付職員の採用に関する法律」（以下、「任期付職員法」ともいう）が制定され、平成14年７月から施行された。この２つの法律は、いずれも専門的な知識経験等を有する者に限っての任期付採用であったが、平成16年には、より多様で柔軟な任用・勤務形態を認めることにより行政サービスの一層の充実を図りつつ、同時に全体としてより能率的な公務運営の体制を築くという観点から、任期付職員法が改正され、専門的な業務ではないが一定の期間内にかぎり必要となる業務のための任期付採用と、そのような業務のための任期付短時間勤務職員の採用が認められ、同年８月から施行された。なお、任期付研究員法及び任期付職員法の制定は、同様の法律が国家公務員についても制定されたという経緯もあったところであるが、任期付職員法の改正は、地方公共団体固有の必要に基づく独自の改正であった。同法に基づく任期付職員数は、平成31年４月１日で15,227人（うち短時間勤務職員数が6,940人）となっており、後述の「９　会計年度任用職員」で引用する「6.28運用通知」は、任期付職員法第４条又は第５条に基づく「任期付職員については、常勤職員が行うべき業務に従事する者として位置付けられ、３年ないしは５年以内という複数年の任期を設定できるものであり、災害復旧・復興事業への対応をはじめ様々な分野で活用されていること。このため、今後とも職務の内容に応じて適切に活用していただきたいこと。」として、任期付職員の活用を呼びかけている。

以下、任期付職員法について素描する。

⑴　任命権者は、高度の専門的な知識経験又は優れた識見を有する者をその者が有する当該知識経験又は識見を一定の期間活用して遂行することが特に必要とされる業務に従事させる場合には、条例で定めるところにより、職員を選考により任期を定めて採用することができる（任期付職員法３条１項。以下、「特定任期付職員」という）。

⑵　また、任命権者は、専門的な知識経験を有する者を当該知識経験が必要とされる業務に従事させる場合において、次のいずれかの場合に該当するときであって、当該者を当該業務に期間を限って従事させることが公務の能率的運営を確保するために必要であるときは、条例で定めるところにより、職員を選考により任期を定めて採用することができる（以下、「一般任期付職員」という）。

①　その専門的な知識経験を有する職員の育成に相当な期間を要するため、当該知識経験が必要とされる業務に従事させる職員を部内で確保することが一定の期間困難な場合（任期付職員法３条２項１号）

②　その専門的な知識経験が急速に進歩する技術に係るものであること等の理由で、当該業務に当該者が有する当該知識経験を有効に活用できる期間が一定の期間に限られる場合（同３条２項２号）

③　①及び②に準ずる場合として条例で定める場合（同３条２項３号）

⑶　任命権者は、職員を次のいずれかの業務に期間を限って従事させることが公務の能率的運営を確保するために必要である場合には、条例で定めるところにより、職員を任期を定めて採用することができる（任期付職員法４条。以下、「四条任期付職員」という）。

①　一定の期間内に終了することが見込まれる業務

②　一定の期間内に限り業務量の増加が見込まれる業務　等

四条任期付職員の採用方法は、特定任期付職員及び一般任期付職員と異なり、専門的知識経験を有する者の任期付採用ではないため、選考に限定せず、任期のない職員と同様、競争試験又は選考によることとしている。

⑷　任命権者は、①四条任期付職員の従事する業務、②住民への直接提供サービス、③修学部分休業、高齢者部分休業、育児のための部分休業等の承認をうけた職員の業務について、一定の要件下で短時間勤務職員を任期を定めて採用することができる（任期付職員法５条。以下、「任期付短時間勤務職員」という）。任期付短時間勤務職員の採用方法は、四条任期付職員と同じである。

本法に基づく短時間勤務職員は、法第28条の５第１項（新法では、22条の４第１項）に規定する短時間勤務の職（ただし、勤務時間の下限は無い）を占めるものとされており（本法2条2項）、非常勤職員ではあるが、報酬ではなく、自治法第204条に基づき給料及び一部の手当を支給される。なお、平成29年改正法により非常勤職員にも条件付採用に関する法第22条が適用されることとなったため、同法の附則第15条による本法の改正により、本法に基づく短時間勤務職員を旧法第22条第１項の非常勤職員から除くとの読替えを行っていた本法の旧第９条第１項は、読替が必要なくなり、削除された。

⑸　特定任期付職員及び一般任期付職員の任期は、５年を超えない範囲内で任命権者が定める。その任期が５年に満たない場合には、採用した日から５年を超えない範囲内で、その任期を更新することができる。四条任期付職員及び任期付短時間勤務職員の任期は、原則３年（特に必要がある場合として条例で定める場合は５年）の範囲内で任命権者が定める。その任期が、３年に満たない場合には、採用した日から３年を超えない範囲内で、その任期を更新できる（任期付職員法６条・７条）。

９　会計年度任用職員

⑴　平成29年改正法全体概要

平成29年改正法は、条件付採用と臨時的任用を定めていた旧法第22条を、条件付採用に関する法第22条と臨時的任用に関する法第22条の３の二つの条文に分割し、両条文の中間に新たに会計年度任用職員の採用方法等に関する規定として法第22条の２を追加した。同法は、同時に、後述の「11　臨時的任用の適正確保」で述べるように、臨時的任用は「常時勤務を要する職に欠員を生じた場合において」行うことができるとの要件の厳格化を図る改正を行うとともに、第１章第１節「４　特別職非常勤職員の任用の適正確保」で述べたように、旧法第３条第３項第３号に「(専門的な知識経験又は識見を有する者が就く職であって、当該知識経験又は識見に基づき、助言、調査、診断その他総務省令で定める事務を行うものに限る。)」との括弧書きを加え、特別職非常勤の職を限定する改正を行った。これらの改正が、平成29年改正法による地方公務員法の改正の大要であり、３つの柱でもある。これらを直接規定するのは、法第３条、法第22条の２及び法第22条の３であるが、これ以外に関連改正条文が、法で９ヶ条、自治法で４ヶ条となっている。本書巻末には、平成29年改正法による地方公務員法と地方自治法の新旧対照条文を参考資料１として、また、平成29年改正法の附則を参考資料２として掲載しているので、参考に供されたい。これらの改正のうち、会計年度任用職員制度の導入が、いわば大黒柱と言えるものであるので、ここで平成29年改正法の全体の趣旨・背景等を説明することとする。これらの改正が行われた背景には、いわゆる「臨時・非常勤職員」の著しい増加がある。臨時・非常勤職員とは、地方公共団体における非正規職員を総称する意味で使われることが多く、その任用根拠や身分取扱いは地方公共団体によって様々であるが、総務省の指導通知等では、主としてそれぞれの任用根拠から見て次の３つに分類され、その分類に応じた調査集計が行われてきた。１つは、特別職非常勤職員（旧法３条３項３号に規定する臨時又は非常勤の顧問、参与、調査員、嘱託員若しくはこれらの者に準ずる者として任用されていた者）であり、２つは、一般職非常勤職員（一般的に旧法17条に基づき一般職として期限付任用されていた者)、３つは、臨時的任用職員（旧法22条２項又は５項に基づき臨時的任用されていた者）である。総務省の地方公務員の臨時・非常勤職員に関する実態調査によれば、平成28年４月1日現在で、全国の地方公共団体に総数で643,131人の臨時・非常勤職員が存在し、その内訳としては、特別職非常勤職員が215,800人、一般職非常勤職員が167,033人、臨時的任用職員が260,298人となっていた。また、過去４回の調査における総数の状況は、平成17年で45.6万人、平成20年で49.8万人、平成24年で59.9万人、平成28年で64.5万人と増加の一途を辿っていた。これらの臨時・非常勤職員については、教育、子育て等様々な分野で活用されており、当時の現状において地方行政の重要な担い手となっていた反面、その任用根拠が曖昧なことからその身分や勤務条件の取扱いが制度的に不明確で、様々な課題が指摘されてきた。例えば、特別職非常勤職員については地方公務員法が適用されないため守秘義務を始めとする服務上の取扱いが不明確であったり、臨時的任用職員については臨時緊急等の場合に能力の実証を経ないで任用する仕組みであるためこれが濫用されると地方公務員法の能力実証主義がないがしろにされる恐れがある等の制度上の課題に加え、臨時・非常勤職員全体の運用上の問題として、漫然と任期が繰り返し更新されその再任拒否の裁判で当局が損害賠償を命じられるなどの任用をめぐるトラブルが多発したり、同一労働・同一賃金が叫ばれるなかで、同様の業務に従事している常勤職員と比較して不適切な勤務条件の格差があるなどの課題が指摘されてきた。平成29年改正法は、このような課題を解決するため、一般職の会計年度任用職員制度を創設し、任用、服務規律等の整備を図るとともに、特別職非常勤職員及び臨時的任用職員の任用要件の厳格化を行い、会計年度任用職員制度への必要な移行を図り、併せて会計年度任用職員に期末手当の支給を可能として、臨時・非常勤職員の適正な任用・勤務条件を確保する改正を行ったものである。この改正により、従来、制度が不明確であり、地方公共団体により任用・勤務条件の取扱いが区々であったのに対し、統一的な取扱いが定められたことにより、臨時・非常勤職員に関する制度的な基盤となることが期待されていた。その結果、この改正が施行された令和２年４月１日現在の任用根拠別臨時・非常勤職員の人数は、特別職非常勤職員が3,669人、会計年度任用職員（改正前の一般職非常勤職員に対応）が622,306人、臨時的任用職員が68,498人で、総計で694,473人となった（総務省令和２年地方公務員の臨時・非常勤職員に関する調査）。平成28年度に比べ、総数では51,342人増加しているものの、その内訳としては、特別職非常勤職員と臨時的任用職員が大幅に減少する一方で、会計年度任用職員が大幅に増加し、任用の適正化が顕著に進展したことが推察される。

⑵　常勤職員等と臨時・非常勤職員との関係

臨時・非常勤職員の種類ごとにその任用根拠と身分取扱いを明確にして、それ以外の職員と一体として人事運用していくためには、臨時・非常勤職員と常勤職員や非常勤ではあるが本格的業務に従事するとされる短時間勤務職員との相異や関係を明確にして運用する必要がある。この点に関し、「地方公務員法及び地方自治法の一部を改正する法律の運用について」（平成29年６月28日総務省自治行政局公務員部長通知、以下、本書において「6.28運用通知」と略称する。）は、概要次のように述べる（以下の概要説明は、⑶及び⑷における引用部分を含め、同通知本文を要約し、または、意味を変えない範囲内で表現を若干変えているので、同通知本文については本書巻末に参考資料３として掲載しているのでそれによられたい）。

各地方公共団体における公務の運営においては、任期の定めのない常勤職員を中心とするという原則を前提とするべきである。この常勤職員が占める常時勤務を要する職と、非常勤の職については、平成29年改正法施行後は、以下のとおりとする。

１）常時勤務を要する職

以下の①及び②の要件をいずれも満たすものであること。

①　相当の期間任用される職員を就けるべき業務に従事する職であること（従事する業務の性質に関する要件）

②　フルタイム勤務とすべき標準的な業務の量がある職であること（勤務時間に関する要件）

２）非常勤の職

常時勤務を要する職以外の職である。短時間勤務の職は、常勤職員が行うべき業務に従事する職であり、上記１）の①を満たすが、②を満たさないため、非常勤の職に含まれる。

会計年度任用の職は、相当の期間任用される職員を就けるべき業務に従事する職ではなく（①を満たさない）、非常勤であるので、その職務の内容や責任の程度については、常勤職員と異なる設定とすべきである。また、標準的な業務の量に応じ、フルタイムの職（②は満たす）と、パートタイムの職（②も満たさない）がある。以上のような常勤職員等と臨時・非常勤職員の関係については次頁で引用する「10.18マニュアル」の「『職』の整理」図（同マニュアル９頁に掲載）が分かりやすいので、参考に供されたい。

⑶　臨時・非常勤職員全体の任用根拠の明確化・適正化

「6.28運用通知」は、このように常時勤務を要する職と非常勤の職の概念整理をしたうえで、地方公共団体に対し、臨時・非常勤職員全体の任用根拠の明確化・適正化を次のような考え方で進めるよう要請している。

まず、職一般について、個々具体の職の設定に当たっては、就けようとする職の職務の内容、勤務形態等に応じ、「任期の定めのない常勤職員」、「任期付職員」、「臨時・非常勤職員」のいずれが適当かを検討すべきである。その上で、臨時・非常勤職員の職として設定する場合には、以下の区分ごとに任用根拠の趣旨に基づいて行うものとし、かつ、いずれの任用根拠に位置づけるかを明確にすること。

１）会計年度任用職員（法17条及び22条の２）

２）臨時的任用職員（法22条の３）

３）特別職非常勤職員（法３条３項）

特に、従来の特別職非常勤職員及び臨時的任用職員については、対象となる者の要件が厳格化されたことから、会計年度任用職員制度への必要な移行を進めることにより、臨時・非常勤職員全体として任用根拠の適正化を図るべきである。その際、①臨時・非常勤の職の設定に当たっては、現に存在する職を漫然と存続するのではなく、それぞれの職の必要性を十分吟味した上で適正配置に努めるべきこと、②任用根拠の見直しに伴い、職の中に常勤職員が行うべき業務に従事する職が存在することが明らかになった場合には、臨時・非常勤職員ではなく、任期の定めのない常勤職員や任期付職員の活用を検討すること、③会計年度任用職員以外の独自の一般職非常勤職員の任用は、適正な任用・勤務条件を確保するという平成29年改正法の趣旨に沿わない不適当なものであるので避けるべきであること、④単に勤務条件の確保等に伴う財政上の制約を理由として会計年度任用職員制度への必要な移行について抑制を図ることは、適正な任用・勤務条件を確保するという平成29年改正法の趣旨に沿わないものであること、に留意すること。

また、「6.28運用通知」は、その最終頁で、改正法の運用上の留意事項その他円滑な施行のために必要と考えられる事項について、「会計年度任用職員制度の導入等に向けた事務処理マニュアル」（仮称）を定め、別途通知することを予定しているとしており、平成29年８月23日にその第一版を「会計年度任用職員制度の導入等に向けた必要な準備等について」（総務省自治行政局公務員部長通知、総行公第102号等）により、平成30年10月18日に第一版に新たに整理された事項の追加・修正を行った第二版を「会計年度任用職員制度の導入等に向けた事務処理マニュアルの改定について」（総務省自治行政局公務員部長通知、総行公第135号等）により、全国に通知した。本書では、その第二版を「10.18マニュアル」と略称して、以下、必要に応じ引用することとする（本書第７版では、その主要部分を参考資料４として巻末に掲げていたが、第８版では削除しているので、必要とする読者は、第７版の参考資料を参照されたい。また、同マニュアルの全文を参照されたい方は、インターネット上で「総務省地方公務員制度等」で検索すれば、関連サイト（会計年度任用職員制度等）で見ることができる。）。

⑷　会計年度任用職員制度

①　会計年度任用職員の定義と採用手続

法第22条の２第１項第１号は、「会計年度任用の職」を「一会計年度を超えない範囲内で置かれる非常勤の職（第28条の５第１項に規定する短時間勤務の職を除く）」と、同条同項本文で会計年度任用の職を占める職員を「会計年度任用職員」と定義し、同条同項で、会計年度任用職員に、１週間当たりの通常の勤務時間が常時勤務を要する職を占める職員のそれに比し短い時間であるもの（１号）と、１週間当たりの通常の勤務時間が常時勤務を要する職を占める職員のそれと同一の時間であるもの（２号）の２つの類型を設定した。「6.28運用通知」は、前者を「パートタイム」後者を「フルタイム」のものと称している。そして、いずれのタイプについても、同条第１項は、会計年度任用職員の採用は、第17条の２の規定にかかわらず、競争試験又は選考によるものとするとしている。「6.28運用通知」は、この点を、会計年度任用職員の採用方法については、常勤職員と異なり、競争試験を原則とするまでの必要はないと考えられるため、競争試験又は選考とし、具体的には、面接や書類選考等による適宜の能力実証によることが可能であるとしている。

② 任期

法第22条の２第２項は、会計年度任用職員の任期は、その採用の日から同日の属する会計年度の末日までの期間の範囲内で任命権者が定めるとする。「6.28運用通知」は、「この際、従来の取扱いと同様、当該非常勤の職と同一の職務内容の職が翌年度設置される場合、同一の者が、平等取扱いの原則や成績主義の下、客観的な能力の実証を経て再度任用されることはありうるものである」とし、またその場合、改めて条件付採用の対象となるとしている。また、同条第３項は、会計年度任用職員を採用する場合は、その任期を明示しなければならないとし、第４項は、会計年度任用職員の任期が同一の会計年度の末日までの期間に満たないときは、当該職員の勤務実績を考慮した上で、当該期間の範囲内で任期を更新できるとし、これらとの関連で、第６項で、会計年度任用職員の採用又は任期の更新に当たっては、任命権者は、職務の遂行に必要かつ十分な任期を定めるものとし、必要以上に短い任期を定めることにより採用又は任期の更新を反復して行うことのないよう配慮しなければならないとしている。なお、「6.28運用通知」があり得るとする再度の任用について、「10.18マニュアル」は、それは、「同じ職の任期が延長された」あるいは「同一の職に再度任用された」という意味ではなく、あくまで新たな職に改めて任用されたと整理されるべきものであり、当該職員に対してもその旨説明が必要としている。さらに、繰り返し任用されても、再度任用の保障のような既得権が発生するものではないことから、任期ごとに客観的な能力実証に基づき当該職に従事する十分な能力を持った者を任用することが求められるとしている。

③ 条件付採用

平成29年改正法は、前出５（65頁）で述べたとおり法第22条で非常勤職員を含む全ての一般職の職員について条件付採用を適用することとしたうえで、法第22条の２第７項で、会計年度任用職員に対する法第22条の適用について、同条中「６月」とあるのは、「１月」とするとの読み替えを行った。同一会計年度内の採用という短期間の任期であることから、条件付採用期間を短くし、良好な成績で職務を遂行したかどうかの判断を迅速に行おうとする趣旨である。これに対し、法第22条後段の「１年に至るまで」の読み替えがないが、この点について、「10.18マニュアル」は、国の非常勤職員の取扱いとの均衡を考慮し、採用後１月間の勤務日数が15日に満たない場合には、その日数が15日に達するまで（最長任期の末日まで）延長できる旨を規定すべきとしている。

④　服務

会計年度任用職員は、一般職の地方公務員であるので、基本的には常勤の職員に対するのと同じ服務規定（法30条から38条）が適用され、かつ、懲戒処分等の対象となる。ただ、営利企業の従事等の制限については、その勤務実態からしてパートタイムの会計年度任用職員には適用しないこととしている（法38条１項ただし書き）。

⑤　会計年度任用職員に対する給付

フルタイムの会計年度任用職員には、自治法第204条に基づき、非常勤職員ではあるが、給料、旅費及び一定の手当が支給され、パートタイムの会計年度任用職員については、自治法第203条の２第１項及び第３項に基づき非常勤職員として報酬及び費用弁償の支給対象となり、また、非常勤職員ではあるが同条第４項に基づき期末手当を支給することができるとされた。「10.18マニュアル」は、フルタイムの会計年度任用職員の給料水準については、類似する職務に従事する常勤職員の属する職務の級の初号給の給料月額を基礎として、職務の内容や責任、職務遂行上必要となる知識、技術及び職務経験等の要素を考慮して定めるべきとし、パートタイムの会計年度任用職員の報酬水準については、同種の職務に従事するフルタイムの会計年度任用職員に係る給与決定の考え方との権衡等に留意の上、職務の内容や責任、在勤する地域、職務遂行上必要となる知識、技術及び職務経験等の要素を考慮しつつ、職務に対する反対給付という報酬の性格を踏まえて定めるべきとし、また、勤務の量に応じて支給することが適当としている。期末手当については、「10.18マニュアル」は、任期が相当長期にわたる者（６ヶ月以上を目安とする）に対して支給する必要があるとし、その基礎額、支給割合及び在職期間別の割合の取扱い等、具体的な支給方法については、フルタイムの会計年度職員については常勤職員との権衡等を、パートタイムの会計年度職員については常勤職員やフルタイムの会計年度任用職員との権衡等を踏まえて定めるべきとしつつ、例えば週当たり15時間30分未満（週２日に見合う勤務時間未満）の勤務時間の会計年度任用職員に対しては期末手当を支給しないこととする制度も想定されるとしている。また、同マニュアルは、フルタイムの会計年度任用職員に対して支給されるべきその他の手当として、時間外勤務手当、宿日直手当、休日勤務手当、夜間勤務手当、通勤手当、退職手当を挙げており、特殊勤務手当等の職務給的な手当、地域手当、初任給調整手当、特地勤務手当及びへき地手当については、各地方公共団体において、会計年度任用職員の勤務形態、職務の内容や責任、それぞれの手当の趣旨等を踏まえつつ、地域の実情等を踏まえ、適切に判断する必要があるとしている。一方、上記以外の手当については、支給しないことを基本とするとしている。なお、パートタイムの会計年度任用職員について、正規の勤務時間を超えての勤務を命じた場合や休日等の勤務を命じた場合には、時間外勤務手当等に相当する報酬を支給するなど、労働基準法の規定に沿って適切に対応すべきとし、また通勤の費用については、費用弁償として適切に支給すべきとしている。

これらの給料、手当、旅費、報酬及び費用弁償の額並びに支給方法は、条例で定めなければならず（自治法203条の２第５項、204条３項、法24条５項、25条１項）、その際、法第14条の情勢適応の原則や法第24条の職務給の原則（24条１項）、均衡の原則（24条２項）が適用されることになる。

以上の会計年度任用職員に対する給付の全体像については、「10.18マニュアル」の参考資料２「マニュアルにおける会計年度任用職員に対する給付の考え方（全体像）」（同マニュアル102頁に掲載）を参照されるのが便宜である。

⑥　その他の勤務条件

「10.18マニュアル」は、会計年度任用職員の勤務時間について、職務の内容や標準的な職務の量に応じた適切な勤務時間を設定することが必要とし、また、休暇については、労働基準法の適用があるとの前提の下、国の非常勤職員について人事院規則15－15に定められている休暇について、対象者の範囲等も踏まえつつ、必要な制度を確実に整備する必要があるとして、ｉ）有給の休暇として、年次休暇、公民権の行使、官公署への出頭、災害、災害等による出勤困難、災害時の通勤途上危険回避、親族の死亡を、ⅱ）無給の休暇として、産前・産後、保育時間、子の看護、短期の介護、介護、生理日の就業困難、負傷又は疾病、骨髄移植を挙げている。また、育休法に基づく育児休業や部分休業は、勤務期間等一定の条件を満たす会計年度任用職員にも適用されるので、一般職非常勤職員に係る育児休業等に係る条例等を整備していない地方公共団体にあっては、確実に制度の整備を図ることが必要としている。

⑦　フルタイムの会計年度職員に関する人事行政の運営等の状況の公表

平成29年改正法は、旧法第58条の２第１項を改正し、括弧書きで同条の適用を除外していた「非常勤職員」から法第22条の２第１項第２号に掲げる職員を除外することとした（法58条の２第１項）。この結果、フルタイムの会計年度任用職員については、同条による人事行政の運営等の状況の公表の対象となることとなった。これは、フルタイムの会計年度職員は、給料、旅費及び一定の手当の支給対象となり、人件費の管理等の観点から適正な取扱いを確保する必要があることを勘案したものであるので、「6.28運用通知」及び「10.18マニュアル」において公表等に当たってはその趣旨を踏まえて実施することが要請されている。

10　臨時的任用

職員の任用は、本来、法第17条の規定に基づき行われるべきであり、それはもともと恒常的な職すなわち期限の定めのない終身職への任用を原則としている（本節**8**参照）が、これに対し法第22条の３は、任命権者は、常時勤務を要する職に欠員を生じた場合において①緊急のとき、②臨時の職に関するとき、③人事委員会が設けられている地方公共団体において採用候補者名簿及び昇任候補者名簿がないときには、人事委員会を置く地方公共団体においては、人事委員会規則で定めるところにより、人事委員会の承認を得て、人事委員会を置かない地方公共団体においては、地方公共団体の規則で定めるところにより、６ヶ月を超えない期間で臨時的任用を行うことができるとしている（法22条の３第１項及び第４項）。この規定により採用された職員を臨時的任用職員という。緊急のときとは、例えば災害発生時に正規の職員を補充するまでとりあえず要因を充足する必要がある場合である。臨時の職に関するときとは、例えば臨時的任用を行う日から一年以内に廃止されることが予想される職に関する場合である。

臨時的任用の期間は、６ヶ月を超えない期間で更新することができるが、再度更新することはできない（法22条の３第１項及び第４項後段）。その結果、１年を超える臨時的任用はあり得ない。

臨時的任用職員には、法第27条第２項及び第28条第１項から第３項まで並びに法第49条第１項・第２項及び行政不服審査法の規定は、適用除外されている（法29条の２第１項）。これは、臨時的任用職員の任用期間が短期間であるため、正式任用の職員と同じような身分保障をする必要性は少ないとの理由に基づくものであるが、法第27条第１項の公正の原則は適用されており、その分限について条例で必要な事項を定めることができるとされている（法29条の２第２項）ので、その限度において臨時的任用期間中の身分保障はあることとなる。

臨時的任用職員は、正式任用に際してはいかなる優先権も認められるものではないとされている（法22条の３第５項）。したがって、臨時的任用職員を正式任用するときは、改めて競争試験又は選考が行われなければならない。

11　臨時的任用の適正確保

以上、法第22条の３に基づく臨時的任用について述べたが、平成29年改正法は、旧法第22条第１項を条件付採用に関する条文として独立させ（法22条）、その後に会計年度任用職員の採用の方法等に関する規定を追加し（法22条の２）、旧法第22条第２項から第７項までを臨時的任用に関する条文として第22条の３に繰り下げ、その際、臨時的任用については「常時勤務を要する職に欠員を生じた場合」に行うことができることを新たに要件に加え、その対象を限定する改正を行った（法22条の３）。臨時的任用職員は、本来は10で述べたように臨時緊急等の場合に法第17条の正規の任用の手続を経るいとまがないときに特例として任用されるものであるが、従来から、定型的あるいは補助的事務の要員として重宝され、安易に任用され、また、任期６ヶ月、更新６ヶ月以内で１回のみという制限を超えて、繰り返し任用される傾向があり、これが臨時・非常勤職員の増加の最大の要因となっていた（平成28年の総務省調査で、臨時・非常勤職員64.5万人のうち臨時的任用職員が26万人）。このような臨時的任用職員は、臨時・非常勤職員に共通の同様の業務に従事する常勤職員との不適切な勤務条件格差や繰返し任用によるトラブルの発生等の問題の他に、臨時的任用が法第17条以下の能力の実証に基づく採用手続きによらずに任用される特例であるため、これが濫用されると地方公務員法の能力実証主義がないがしろにされ、その増大により行政の質が低下しかねないという構造的問題を有している。このようなことを踏まえて、法第22条の３は、従来の臨時的任用の要件に「常時勤務を要する職に欠員を生じた場合において」臨時的任用を行うことができるという要件を加え（法22条の３第１項及び第４項）、その対象を限定することにしたのである。このような法第22条の３の要件に該当しなくなる従来の臨時的任用職員については、会計年度任用職員制度への必要な移行を進めることにより、任用根拠の適正化を図るべきであるとされている（前述76頁で引用されている「6.28運用通知」）。また、法第22条の３第１項及び第４項の「常時勤務を要する職に欠員を生じた場合」とは、常勤職員の任用を予定し得る地位に現に具体的な者が充当されていない場合であり、したがって、法第22条の３の臨時的任用職員は、フルタイムで任用され、常勤職員が行うべき業務に従事するとともに、給料、旅費及び一定の手当が支給される。給料等の水準については、常勤の職員と同様に法第24条に規定する職務給の原則等の趣旨を踏まえ、職務の内容と責任に応じて適切に決定する必要がある。一方、「非常勤の職」に欠員が生じた場合には任用することができないため、「常勤職員が行うべき業務以外の業務に従事する職」又は「パートタイムの職」への任用は認められない（前述78頁で引用する「10.18マニュアル」）。なお、平成29年改正法は、附則第３条（巻末の参考資料２参照）に、旧法第22条に基づき行われた臨時的任用の期間の末日が平成29年改正法の施行日以後である職員に係る臨時的任用については、なお従前の例によるとの経過措置を置いているが、これは、同条で「（常時勤務を要する職に欠員を生じた場合に行われたものに限る。）」と、平成29年改正法施行後も適法である「常時勤務を要する職に欠員を生じた場合」のみに限定されており、非常勤の職に係る臨時的任用については対象外となっているので、施行日前に行われた非常勤の職に係る臨時的任用については、施行日の前日までを終期として設定することが必要となるとされている（「6.28運用通知」及び「10.18マニュアル」）。

第５節　離　職

１　離職の種類

離職とは、職員が職員としての身分を失うことである。現行の地方公務員制度では、職員の身分と職は一体のものとされているので、職員は、離職により職を離れると同時に職員としての身分を失うこととなる。離職の種類としては、退職、失職及び免職の３つの場合がある。このうち退職には、辞職、任期満了退職及び定年退職の３つがある。地方公務員法上は離職に関する統一的な規定はなく、これらの離職のうち、失職及び定年退職については、それぞれ分限制度の一部として位置付けられており（法28条４項及び28条の２から28条の６）、また、免職は、分限免職及び懲戒免職のことであり、それぞれ分限制度又は懲戒制度の一部として位置付けられている（法28条１項及び29条１項）。これらの離職形態を離職の体系の中で説明するか、それぞれの制度の中で説明するかは一長一短がある。特に、定年制度は、分限の仕組みの基本をなすものであり、その解釈・運用に当たっても分限の性格を踏まえることが強く求められるものではあるが、一方、地方公共団体における職員全体の基本的な退職管理制度として、長期的展望にたった計画的かつ安定的な人事管理を推進するうえで極めて重要な役割を果たすものである。本書では、定年制度のこのような退職管理制度としての重要性と一般性にかんがみ、離職の体系の中で定年退職として説明することとする。また、失職についても失職事由該当者は原則として自動的に職を失うという離職形態としての一般性ゆえに離職の体系の中で説明することとする。これに対し、分限免職及び懲戒免職は、それぞれ分限処分又は懲戒処分の一種として他の分限処分又は懲戒処分と共通の基準、手続、救済手段等をもって行われる個別の処分であり、離職はその結果として生ずるものであるので、分限制度及び懲戒制度の中で説明することとする。

２　辞　職

辞職とは、職員がその意により退職することである。依願退職とも呼ばれる。本人から退職願が提出され、任命権者がこれを承認し退職発令を行うことにより離職の効果を生ずる。任命権者は、職員から退職願の提出があったときは、特に支障がないかぎり、これを承認することとなるが、業務の遂行上退職時期をずらす必要がある場合や、本人に業務遂行上の不正行為が疑われ退職前に事実を確認する必要がある場合等は、これを承認しないことができる。そのための期間が短くて済む場合は、実務的には退職願を一時預かりとして承認時期をずらすか、不正が判明すれば懲戒処分を検討することとなろう。このように、退職願は、本人の退職の意思の表明にとどまり、任命権者としてはこれにより退職発令に向けた準備行為として本人の同意を確認するものとなるのである。職員の任用が行政行為である以上、職員が辞職し地方公共団体との任用関係から離脱する場合も、本人の同意に基づく行政行為である退職発令が行われて初めて離職することとなるのである。この関係で、一旦退職願を出した職員が、退職発令が到達する前に退職願を撤回できるかということがしばしば問題になる。この点につき最高裁は、退職願はそれ自体で独立に法的意義を有する行為ではないので退職発令前はその撤回は原則として自由であるが、退職発令前であっても退職願を撤回することが信義に反すると認められる特段の事情がある場合には撤回は許されないとしている（昭34.6.26最高裁二小）。具体的にいかなる場合が信義に反することとなるかは、個々のケースごとに判断せざるを得ないが、例えば、本人の退職願を信頼して後任の配置のための準備を進めてきた場合等が想定される。特に、後任に内示を行った後の撤回は、信義に反すると認められる場合が多いであろう。

なお、地方公共団体に定年制度が定着した今日においては、かつてのように定年制度に代わる組織的、集団的退職勧奨の必要性はなくなっているが、地方公共団体によっては、職員の新陳代謝の促進や職員構成の合理化等の観点から個別の退職勧奨が行われていることがある。この退職勧奨は、人事当局による退職の慫慂（しょうよう）であって、職員の退職に向けての動機付けにとどまり、これに基づく退職、すなわち勧奨退職は、あくまでも本人の意思に基づく依願退職、すなわち辞職である。したがって、人事当局としては、退職勧奨を行う場合には、退職願の提出に際し、後になってその撤回により人事構想が混乱することのないよう、入念に本人の退職の意思を確認する必要がある。

３　任期満了退職

第４節の**８**で述べたように、職員の任用は無期限であることが原則であるが、会計年度任用職員の場合、臨時的任用の場合及び任期付採用の場合は、職員の任用期間が満了すれば、その任用（任期）が更新されないかぎり、当該職員は期間満了と同時に当然退職する。特に行政行為は必要ないが、確認の意味で辞令を交付することが多いであろう。定年による退職の特例として勤務延長された職員の延長期限が満了する場合（法28条の３）及び再任用された定年退職者等の任期が満了する場合（法28条の４及び28条の５）も同様と解される。

４　定年退職

⑴　定年制度の意義及び定年引上げ

(a)　定年制度の意義と導入の経緯

法第28条の２第１項は、「職員は、定年に達したときは、定年に達した日以後における最初の３月31日までの間において、条例で定める日（以下「定年退職日」という。）に退職する。」と規定する。すなわち、職員は、同条同項の規定により、定年に達したときは、すべからく定年退職日に退職することとなるのである。このように、職員が一定の年齢に達した場合に、そのことだけの理由によって任命権者によるなんらの行政行為を要することなく職員を退職させる制度が、定年制度である。そして、その一定の年齢を定年といい、定年制度による退職を定年退職と呼ぶのである。このような意味での定年制度は、どのような法人であっても、その目的遂行の重要な手段である人について、組織の活力維持のための新陳代謝を図る退職管理制度として不可欠なものである。このため民間企業においては、ほとんどの事業所において定年制度が導入されていたが、公務部門においては、裁判官や国・公立大学の教員等を除き、国家公務員法及び地方公務員法の制定以来長期にわたり定年制度は導入されず、それに代わるものとして組織的、集団的退職勧奨が行われていた。しかしながら、退職勧奨は、本人の退職意思を慫慂する事実上の行為に過ぎず、必ず退職するという制度的保障がない。退職者の数や階層は、採用管理や昇任管理に直結するため、このような退職することについて制度的保障のない組織的、集団的退職勧奨の下では、地方公共団体が計画的かつ安定的な人事管理を行うことについて常に困難がつきまとっていた。このため、計画的退職管理の手法として、公務部門にも定年制度の導入が必要との認識が高まり、昭和56年に国家公務員法と地方公務員法がそれぞれ改正され、昭和60年３月31日から公務部門にも定年制度が導入されたのである。また、当時は急速な高齢化社会の到来を目前にして、従前の若年労働力依存型の雇用慣行を高年齢労働力活用型に改めていくため、50歳代後半が退職年齢の主流であったものを60歳定年を一般化することが国の経済・雇用政策の目標とされ、民間企業の定年年齢も55歳から60歳に向けてシフトする状況にあった。このため、当時、国家公務員、地方公務員とも50歳代後半の勧奨年齢が主流であったものを、国の経済・雇用政策や民間企業の定年年齢の動向との整合性に配慮して、高齢者雇用の促進の観点からも、公務部門に昭和60年に60歳の定年制度を導入することとし、比較的高年齢までの勤務を保障することとしたのである（注１）。

（注１）　地方公務員への定年制度導入の経緯等の詳細については、猪野「地方公務員法の一部を改正する法律（定年制度に関する法律）について」地方自治 409 号参照）。なお当時、定年制を導入する法律の成立からその施行まで４年間の準備

期間が設けられたことにより、50歳台後半の勧奨年齢を2年に一歳引き上げることにより勧奨退職者が出ない年を2年に1回として、当該2年間の各年に2分の1の採用枠を確保する等の方法により、新陳代謝を円滑に確保する運用が行われた（それでも、昭和60年に60歳定年に到達し難い低勧奨年齢であった場合には、昭和60年以降数年間60歳よりも低い暫定定年を設けることも是認された。）。

(b)　定年引上げ

以上のような経緯で導入された60歳定年制も導入後約40年を経過し、更なる少子高齢化の急速な進展と若年労働力人口の減少に伴い、官民を問わず意欲と能力のある高齢者を労働力として活用していくことが社会全体の喫緊の課題となるなか、公務においても複雑高度化する行政課題に的確に対応し質の高い行政サービスを維持していくためには、60歳を超える職員の能力及び経験を本格的に活用していくことが不可欠となってきた。また、この間年金の支給開始年齢が60歳から段階的に65歳まで引き上げられることとなったため、60歳定年のままでは定年退職後無収入の期間が生じ得ることとなり、雇用と年金の接続が官民を通じて切実な課題となってきた。このため、平成30年の人事院の「定年を段階的に65歳に引き上げるための国家公務員法等の改正についての意見の申出」（平成30年8月10日、巻末の参考資料4参照）を受け、令和3年6月に「国家公務員法等の一部を改正する法律」（令和3年法律第61号。以下、「令和3年国公法等改正法」という。）及び「地方公務員法の一部を改正する法律」（令和3年法律第63号。以下、「令和3年改正法」という。）が成立・公布され（いずれも6月4日成立、6月11日公布）、それぞれの法律及びその関連法の改正が、約1年10ヶ月の準備期間を置いて令和5年4月1日から施行されることとなった。これにより、令和5年4月1日から令和13年4月1日にかけて、国家公務員及び地方公務員の定年が60歳から段階的に65歳まで引き上げられることとなったのである。この改正では、前述の人事院の意見の申出を踏まえ、定年の段階的引上げに加え、新陳代謝の確保のための管理監督職勤務上限年齢制（いわゆる「役職定年制」）や、60歳以降の多様な働き方確保のための定年前再任用短時間勤務制を導入する等、関連する改正が多岐にわたって行われている。

本節１の「離職の種類」で述べたように、定年制度は、基本的な退職管理制度ではあるが、それは職員の身分保障に関わる分限に関する事項でもある。このため、定年制度の導入が国家公務員と地方公務員に同時に行われただけでなく、現行法上、地方公務員の定年は国家公務員の定年を基準として定める等、地方公務員の定年制度は国家公務員の定年制度と権衡を保つことが要請されている。今回の改正でもこのような考え方の下、国家公務員法上の定年制度の改正を前提として、それと同様の改正内容となるよう地方公務員法が改正されている。そこで、以下、まず⑵から⑷で、本書第７版までの記述をベースに現行の地方公務員法上の定年制度の解説を行い、次に⑸で、令和３年国公法等改正法による国家公務員の定年引上げと関連制度改正の概要を解説し、そのうえで⑹で、令和３年改正法による地方公務員の定年引上げ及び関連制度改正の内容を解説することとする。なお、⑷の現行の再任用については、今回の改正で再任用が地方公務員法の本則から削除されることとなったこともあり、第７版の記述から大幅に簡略化しているので、年金支給開始年齢の延長に対応する雇用と年金の接続に資するよう定年引上げの代替手段として用いられた再任用の経緯の詳細について知りたい方は、第７版92頁から96頁の「⑶　再任用」を参照されたい。

⑵　定年等の定め方

(a)　原則定年

法第28条の２第２項は、地方公共団体の定年は、「国の職員につき定められている定年を基準として条例で定めるものとする。」と規定する。定年年齢については、地方公共団体の職員の退職管理、ひいては人事管理の基本となるものであるので、地方自治の本旨にも適合するようそれぞれの地方公共団体の条例で定めることとされているのであるが、一方、定年制度は、職員の身分保障に関わる分限に関する事項でもあるので、定年年齢を各地方公共団体が自由に定め得るとすることは適当でなく、地方公務員及び国家公務員を通じて整合性を保つ必要があるという考え方の下に、地方公共団体の定年年齢については国の職員の定年年齢を基準として定めることとされたのである。

国公法第81条の２によれば、国の職員について定められている定年は、原則として60歳であるが、①病院、療養所、診療所等で人事院規則により定められるものに勤務する医師及び歯科医師にあっては65歳、②庁舎の監視その他の庁務及びこれに準ずる業務に従事する職員（労務系統の職員）で人事院規則で定められるものについては63歳、③その他、その職務と責任に特殊性があること又は欠員の補充が困難であることにより定年を60歳とすることが著しく不適当であると認められる官職を占める職員で人事院規則により定められるものについては60歳を超え、65歳を超えない範囲内で人事院規則で定められる年齢を定年として定めることができるものとされている。

地方公共団体が職員の定年を条例で定める場合は、以上の国の職員の原則60歳の定年及び60歳以外の特別の定年（国の特例定年）がそれぞれ基準となるのである。国の職員の定年を基準として定めるということは、国の職員の定年と異なる定年を定めることについて特別の合理的理由がある場合（前掲(1)(a)（注１）の、低勧奨年齢から定年制を導入する場合の止むを得ない暫定定年が想定されていた。）を除いて、それぞれの職員の職に対応する国の職を占める職員の定年と同じ年齢の定年を定めることを意味するものである。このように国の職員の定年を基準にして定められた定年が地方公共団体の職員の原則定年である。なお、地方公共団体には、国にない種類の職も存在する。そのような場合は、一般的な国の職員と地方公共団体の職員の対応関係に基づき、国の原則定年である60歳が基準となる。

(b)　特例定年

以上のように、地方公共団体の職員の定年は、国の職員の定年を基準として定められるのが原則であるが、地方公共団体によっては当該職員の職務と責任に特殊性があること又は欠員の補充が困難であることにより、国の職員につき定められている定年を基準とすることが実情に即さないと認められるときは、当該職員の定年については、条例で別の定めをすることができるとされている（法28条の２第３項）。この規定に基づき定められた定年を特例定年という。ただ、この場合も、国及び他の地方公共団体の職員との間に権衡を失しないように適当な考慮が払われなければならないものとされている（同項後段）。したがって、この規定は、極めて特例的な場合を想定しているものであって、例えば、著しく欠員補充が困難な僻地の医師等が該当すると考えられる。

(c)　定年退職日

法第28条の２第１項は、「職員は、定年に達したときは、定年に達した日以後における最初の３月31日までの間において、条例で定める日（以下「定年退職日」という。）に退職する。」と規定する。したがって、定年退職日は、退職予定者数や新規採用者の採用時期など各地方公共団体の人事管理の実情に応じ弾力的に定めることが可能である。しかしながら、一般的には、定年退職日が個々の職員によりあまりに区々に分かれることは人事管理を適切に行う観点からは望ましいものではないので、その年度に退職する職員がある程度まとまって退職することとなるように定年退職日を設定することが望ましいであろう。また、定年退職日は、定年に達した日からその日以後最初の３月31日までの間のいずれかの日に必ず定められていなければならない。そうでなければ、定年に達しても、実際に退職する日がないことになるからである。

なお、「定年に達したとき」とは、年齢計算に関する法律により、条例で定める定年に応当する誕生日の前日である（昭54.4.19最高裁一小）。したがって、４月１日生まれの職員の場合についていえば、前日の３月31日である。このこととの関係で、４月１日生まれの職員を含め定年制度を完全に実施するためには、必ず３月31日を定年退職日に含めなければならない。なぜならば、ある年の４月１日生まれの職員が定年に達するのは、前日の３月31日であるので、その者が定年に達した日以後最初に迎える３月31日とは定年に達した当該３月31日であり、したがって、その職員にとっては、その３月31日以外に定年退職日はあり得ないからである。

以上(a)から(c)が定年制度の基本的枠組みであるが、地方公共団体は、このような定年制度を必ず定めなければならない。すなわち、職員が定年により退職するという法第28条の２第１項の規定は、直接職員に対して適用されており、地方公共団体がそのための定年制度を定めないことは、地方公務員法違反となる。このように、すべての地方公共団体が定年制度を定めなければならないとされたのは、定年制度が職員の身分保障を前提とした重要な分限事項であるため、国家公務員及び地方公務員を通じた公務員制度全体として整合性のとれたものとするためである。すなわち、職員の身分の根本に係る定年制度について、国家公務員にそれが導入されていながら、地方公共団体がこれを導入するのは任意であるとすることは、立法政策として適当でないとされたのである。したがって、全ての地方公共団体は、法第28条の２第１項に基づいて定年退職日を、同条第２項に基づいて定年を条例で定めなければならない。

⑶　勤務延長

法第28条の３は、任命権者は、条例で定めるところにより、定年により退職すべき職員について、その職員の職務の特殊性又はその職員の職務の遂行上の特別の事情からみてその退職により公務の運営に著しい支障が生ずると認められる十分な理由があるときは、条例で定めるところにより、定年退職日の翌日から１年を超えない範囲内で、その職員を当該職務に従事させるため引き続いて勤務させることができると規定する。そして、勤務延長の期限は、条例で定めるところにより、１年を超えない範囲内で延長することができるが、定年退職日の翌日から起算して３年を超えることができないとされている。

職員の職務の特殊性からその職員の退職により公務の運営に著しい支障が生ずる場合とは、その職員の職務の内容が一般的でないため、その職務を遂行するために必要な知識・能力・経験等を有している者が極めて限られていることから職員の代替性がないような場合をいい、例えば、伝統工芸の業務に従事する職員や離島その他の著しく不便な地に所在する診療所等に勤務する医師等が該当する。

また、職員の職務の遂行上の特別な事情から、その退職により公務の運営に著しい支障が生ずる場合とは、その職員の職務そのものに特殊性があるわけではないが、定年退職日の前後における職務遂行上の状況からみて、その職員が退職し、職務を離れることを許さないような特別の事情が存する場合をいい、例えば大規模なプロジェクトの調査研究に従事中の職員等が該当する。

勤務延長された職員は、退職することなく引き続き同一の職務に従事するので、その身分取扱いは、勤務延長前と基本的に変わるところはない。ただ、昇格については、法律上はともかく、実際上は、勤務延長された職員は、延長前の職務と同一の職務に従事すること、１年以内という期限を切って延長されることから、一般的には考えられず、昇給についても、延長前にすでに高齢職員として昇給停止措置がとられているはずであるので、一般的には考えられない。退職手当及び共済年金の支給基礎となる勤続期間及び組合員期間には、勤務延長された期間が通算される。

⑷　再任用

任命権者は、当該地方公共団体の定年退職者（勤務延長をした後退職した者等を含む。）を、従前の勤務実績等に基づく選考により、１年を超えない範囲内で任期を定め、常時勤務を要する職に採用することができる（法28条の４第１項）。その任期は、条例の定めるところにより、１年を超えない範囲内で更新を繰り返すことができるが、その末日は、再任用された者が条例で定める年齢に達する日以後における最初の３月31日までの間において条例で定める日以前でなければならないとされ、その年齢については、国家公務員について定められている任期の末日にかかる年齢を基準として定めることとされている（法28条の４第２項～４項）。国家公務員の再任用の任期の末日にかかる年齢は、65歳である（国公法81条の４第３項。なお、国家公務員法等の一部を改正する法律（平成11年法律83号）附則４条による当該年齢の平成13年４月から平成25年３月までの61歳から64歳までの経過措置及び同法附則５条２項による経過措置参照）。再任用は、勤務延長とは異なり、定年で一旦退職した職員を再採用するものであるが、昭和60年の定年制度導入当時の再任用（最長３年）は、定年退職者の能力や経験を考慮し、その者を再採用することが公務の能率的運営に役立つという、どちらかといえば地方公共団体側の都合によるものであった。これに対し、平成13年４月に改正された現在の再任用制度は、年金支給開始年齢の60歳から65歳への引上げに伴う60歳代前半の所得の減少又は消失に対応して、定年引上げに代わり60歳代前半の雇用の場を用意するという性格の強いものである。このため、その採用手続は勤務実績等に基づく選考によるものとされ、条件付採用の規定も適用除外され（法28条の4第5項）、老齢基礎年金部分の支給開始年齢の引上げスケジュールに合わせる形で、その上限年齢が引き上げられてきたのである。また、60歳代前半の多様な働き方を可能とするため、常勤の職だけでなく、短時間勤務の職にも再任用することができることとされている（法28条の5。国の再任用短時間勤務職員の勤務時間は、1週間当たり15時間30分から31時間の範囲内とされている。）。もっとも、条文上は、法第28条の4も法第28条の5も「採用することができる」とされており、再任用するかどうかは任命権者の任意とされている。しかし、この点についても、平成25年4月からは基礎年金部分に続き年金の報酬比例部分（公務員の場合は当時の退職共済年金と職域部分）の支給開始年齢も60歳から段階的に65歳に引き上げられていくことに伴い、現行の60歳定年を前提とした任意の再任用制度では、定年退職後に無収入の期間が発生する者が生ずることとなり、雇用と年金の接続が官民を通じて切実な課題となった。このため、平成25年3月に、当面の措置として、現行の任意の再任用制度を活用して、定年退職する職員が年金支給開始年齢に達するまでの間、再任用を希望する職員については再任用するものとすることで確実に国家公務員の雇用と年金を接続するとの方針が決定され（平成25年3月26日閣議決定）、地方公務員についても同様の方針が決定された（平成25年3月29日総務副大臣通知）。この結果、現在では、義務的再任用としての運用が行われている（以上の再任用の制度上及び運用上の変遷の詳細については、本書第7版92頁から96頁参照）。しかし、これは、年金支給開始年齢と定年年齢との乖離を穴埋めするための次善の策であり、急速な少子高齢化に対応し、高齢者の能力や経験を生かした公務運営を行っていくためには、本格的な定年引上げに踏み切ることが公務員行政上の喫緊の課題として期待されていた。そのようななか、漸く国家公務員法及び地方公務員法が改正され、遅ればせながら65歳定年が公務員法の本則に導入されたことにより、雇用と年金の接続の役割を担わされてきた再任用制度は、本則上はその役割を終え、本則の65歳定年との整合性の観点から令和5年4月1日以降本則から削除され、経過的に65歳となる年度の末日までの間にある退職者について暫定再任用等が附則で措置されることとなったのである（後述⑸の(d)及び⑹の(d)参照）。

なお、常勤の再任用職員の給料は、国の再任用職員の給料に準じ、各地方公共団体の条例において、それぞれの職種の給料表で各等級ごとに簡素な給料体系が定められている。手当については、職務に関する手当等は支給することになるが、長期継続雇用を前提とした生活関連手当や人材確保の観点からの手当は、支給されない。また、短時間勤務の再任用職員は、非常勤ではあるが、その短時間勤務の間は常勤職員と同様の本格的業務に従事するものであるので、自治法第204条に基づき、勤務時間に応じた給料と一部の手当が支給される。

⑸　国家公務員の定年引上げと関連制度改正の概要

(a)　定年の段階的引上げ

平均寿命の伸長や少子高齢化の進展を踏まえ、豊富な知識、技術、経験等を持つ高齢期の職員を最大限に活用するため、人事院の「意見の申出」（平成30年）に鑑み、令和３年国公法等改正法は、職員の原則としての定年を60歳から65歳に引き上げる改正を行った。すなわち、同法による改正後の国家公務員法（以下、「新国公法」という。）第81条の６第２項本文は、「定年は、年齢60年とする」とする原則定年に関する国公法第81条の２第２項本文を、「定年は、年齢65年とする」と改めた。また、国の特例定年を各号列記で定めていた同項ただし書きを、新国公法第81条の６第２項ただし書きは、各号列記方式ではなく「その職務と責任に特殊性があること又は欠員の補充が困難であることにより定年を年齢65年とすることが著しく不適当と認められる官職を占める医師及び歯科医師その他の人事院規則で定める職員の定年は、65年を超え70年を超えない範囲内で人事院規則で定める」と改めた。そのうえで、新国公法附則第８条第１項は、令和５年４月１日（同法施行日）から令和13年３月31日までの間（以下、⑸及び⑹において「経過期間」と略称する。）における同法第81条の６第２項の規定の適用について、同項全体につき、次の左欄の年月日で区分された期間（以下、⑸及び⑹において「区分期間」と略称する。）ごとに、同項中の「65年」を次の中欄の年齢と、同項ただし書き中の「70年」を次の右欄の年齢とする経過的・段階的読み替えを規定した。

令和５年４月１日から令和７年３月31日まで	61年	66年
令和７年４月１日から令和９年３月31日まで	62年	67年
令和９年４月１日から令和11年３月31日まで	63年	68年
令和11年４月１日から令和13年３月31日まで	64年	69年

これにより、経過期間中、国の職員の原則定年は、令和５年度から６年度（第一区分期間）は61歳、令和７年度から８年度（第二区分期間）は62歳、令和９年度から10年度（第三区分期間）は63歳、令和11年度から12年度（第四区分期間）は64歳、そして経過期間を過ぎた令和13年度以降は本則により65歳と、２年に１歳、段階的に65歳まで引き上げられていくことになる（新国公法附則８条１項により読み替えられる同法81条の６第２項本文）。また、新国公法第81条の６第２項ただし書きの職員の定年については、経過期間中、各区分期間ごとに段階的に61、62、63、64歳を超え66、67、68、69歳を超えない範囲内で人事院規則で定めていくことになる（新国公法附則８条１項により読み替えられる同法81条の６第２項ただし書き）。そして、令和13年度以降は本則により、65歳を超え70歳を超えない範囲内で人事院規則で定めることになる。

さらにそのうえで、新国公法は、附則第８条第２項から第５項で、従来の国の特例定年が定められている国公法第81条の２第２項各号に掲げる職員に相当する職員として人事院規則で定める職員に対する新国公法附則第８条第１項の読替の特例を定めている。そのうち地方公務員に影響のある医師及び歯科医師（国公法81条の２第２項１号、現在65歳）の定年については、新国公法第81条の６第２項ただし書きについてのみ、第一区分期間に定年を66歳とし、第二区分期間から第四区分期間は65歳を超え各期間ごとに段階的に67歳、68歳、69歳を超えない範囲内で人事院規則で定めるとの読替の特例を定めている。これにより、国公法第81条の２第２項第１号に掲げる医師及び歯科医師に相当する職員として人事院規則で定める職員の定年については、第一区分期間に66歳となり、第二区分期間以降その上限が段階的に２年に１歳引き上げられていくことになった（新国公法附則８条２項による同法81条の６第２項ただし書きの読替の特例）。その後、人事院規則11－８（職員の定年）の全部改正（令和４年２月18日公布）により、新国公法附則第８条第２項の規定により読み替えて適用される同法第81条の６第２項ただし書きの人事院規則で定める職員は、同法附則第８条第２項の人事院規則で定める職員のうち、刑務所、入国者収容所、地方厚生局、国の行政機関の内部部局の医療業務を担当する部署等の医師及び歯科医師が対象とされ、これらの職員の定年については経過期間中２年に１歳段階的に引き上げられ、令和13年４月１日以降70歳となることとされたが、それ以外の病院又は診療所等の医師及び歯科医師の定年は65歳（変更なし）とされることとなった。また、同じく地方公務員に影響のある労務系統の職員（国公法81条の２第２項２号、現在63歳）の定年については、新国公法第81条の６第２項全体について、65歳を第一区分期間から第三区分期間は63歳、第四区分期間は64歳と、また、同項ただし書きにつき、各区分期間ごとに上限年齢を段階的に66歳、67歳、68歳、69歳を超えない範囲内で人事院規則で定めるとの読替の特例を定めている。これにより、国公法第81条の２第２項第２号に掲げる庁舎の監視その他の庁務及びこれに準ずる業務に従事する職員に相当する職員として人事院規則で定める職員については、経過期間中も新国公法第81条の６第２項本文の適用を受け、その定年は、第一区分期間から第三区分期間までは63歳、第四区分期間は原則定年と同じ64歳、令和13年４月１日以降は本則本文により65歳となることが原則となった（新国公法附則８条３項による同法81条の６第２項の読替）。その後、上記人事院規則の全部改正により、新国公法附則第８条第３項の人事院規則で定める職員として、①守衛、巡視等の監視、警備等の業務に従事する職員、及び②用務員、労務作業員等の庁務又は労務に従事する職員が規定され、上限年齢内の特例定年が定められなかったことから、これらの職員について、この原則どおりの定年引上げとされることとなった。

以上の国家公務員の定年の段階的引上げの関係条文については、巻末の参考資料５－２（国家公務員法等の一部を改正する法律新旧対照表（定年引上げ関係部分のみ））を参照されたい。

(b)　管理監督職勤務上限年齢制（役職定年制）の導入

令和３年国公法等改正法は、組織活力を維持するため、管理監督職勤務上限年齢制（いわゆる役職定年制）を導入した。任命権者は、俸給の特別調整額適用官職及びこれに準ずる官職として人事院規則で定める官職並びに指定職（医師・歯科医師その他の職務と責任に特殊性があり又は欠員の補充が困難である官職として人事院規則で定める官職を除く。以下、「管理監督職」という。）が管理監督職勤務上限年齢（原則60歳、事務次官等は62歳、職務と責任の特殊性や欠員補充の困難性がある人事院規則で定める管理監督職は60年を超え64年を超えない範囲内で人事院規則で定める年齢。新国公法81条の２第２項）に達した日の翌日から同日以後の最初の４月１日までの間（以下、「異動期間」という。）に、管理監督職以外の官職又は管理監督職勤務上限年齢が当該職員の年齢を超える管理監督職（以下、「他の官職」という。）への降任又は降給を伴う転任（以下、「他の官職への降任等」という。）をするものとする（管理監督職勤務上限年齢による降任等。新国公法81条の２）。ただし、異動期間に、新国公法の他の規定により他の官職への昇任、降任若しくは転任をした場合又は管理監督職を占めたまま勤務延長をした場合は、この限りでない（同条１項ただし書き）。同時に新国公法は、管理監督職勤務上限年齢制の徹底を期するため、勤務上限年齢に達している者を管理監督職に任命できないとしている（新国公法81条の３）。

以上の特例として、人事院規則で定める職務遂行上の特別の事情や欠員の補充の困難により公務に著しい支障が生ずる事由があるときは、当該職員を異動期間の末日の翌日から１年を超えない期間内で異動期間を延長し、当該管理監督職を占めたまま勤務させることができる（新国公法81条の５第１項及び２項。定年退職日までの期間内に限り、かつ、最長３年まで更新可）。すなわち、そのような例外的な事情がある場合には、他の官職への異動期間の延長という形ではあるが、例外的に当該管理監督職に継続して勤務することができるとされている。また、特定管理監督職群（職務内容が相互に類似する複数の管理監督職で欠員を容易に補充できない年齢別構成等の特別の事情がある人事院規則で定める管理監督職。以下、

「特定管理監督職群」という。）に属する管理監督職員の他の官職への降任等で、当該特定管理監督職群に属する管理監督職員の欠員補充困難により公務に著しい支障が生ずる人事院規則で定める事由があるときには、当該管理監督職員を異動期間の末日の翌日から１年を超えない期間内で異動期間を延長し、当該管理監督職を占めたまま勤務をさせるか、又は、当該管理監督職員が属する特定管理監督職群の他の官職に降任し、若しくは転任することができる（新国公法81条の５第３項及び４項、更新可）。

以上の管理監督職勤務上限年齢制は、前述の人事院の意見の申出によれば、「新陳代謝を確保し組織活力を維持するため、当分の間、役職定年制を導入」とされていたものである。すなわち、令和５年度以降65歳定年となる令和13年度までの間、２年に１歳定年が引き上げられることに伴い、２年に１回定年退職者が出ないことになる。その場合に、60歳を超えることとなる管理監督職が管理監督職のまま勤務を継続するとすると、管理監督職ポストは限られていることから、それに後続する職員層の管理監督層への昇任の機会が奪われ、ひいては若手職員の昇進の遅れにつながり、職員全体の新陳代謝が阻害されることになりかねない。そのような人事の硬直化とそれによる職員の士気の低下を避けるため、現在の定年である60歳に到達した管理監督職については、原則として、管理監督職ポストから外れることとしたものであり、当面の定年引上げに伴う副作用を軽減するためのものとして、やむを得ない制度導入であるといえよう。しかし、(i)で後述するように、これを本則上の恒久的な制度とするのは、立法政策として再検討する必要があると考える。

その後、人事院規則11－11（管理監督職勤務上限年齢による降任等）が制定され（令和４年２月18日公布）、管理監督職に含める官職と含めない官職、60歳以外の上限年齢を定める官職、異動期間の延長事由、特定管理監督職群を構成する官職（例：国税局の部長から税務署の署長、副署長等まで）、その他、他の官職への降任等に当たって遵守すべき基準等が定められた。

(c)　定年前再任用短時間勤務制の導入

60歳以降の国家公務員の多様な働き方を可能とするため、令和３年国公法等改正法は、定年前再任用短時間勤務制を導入した。任命権者は、年齢60年に達した日以後に退職をした者（以下、「年齢60年以上退職者」という。）であって、定年退職日相当日（当該短時間勤務の官職に係る定年退職日相当日をいう。以下、(c)において同じ。）を経過していない者を、従前の勤務実績等に基づく選考により、短時間勤務の官職（1週間当たりの勤務時間が同種の職務の常勤官職の1週間当たりの勤務時間に比し短い官職）に採用することができるとされ（新国公法60条の2第1項）、これを定年前再任用短時間勤務職員と呼んでいる（同条2項）。定年前再任用短時間勤務職員の勤務時間は、令和3年国公法等改正法による改正後の「一般職の職員の勤務時間、休暇等に関する法律」第5条第2項で、1週間当たり15時間30分から31時間の範囲内とされている。この定年前再任用短時間勤務職員の任期は、採用の日から定年退職日相当日までとされている（新国公法60条の2第2項）。年齢60年以上退職者のうち、定年退職日相当日を経過していない者以外の者を当該短時間勤務の官職に採用することはできず、また、定年前再任用短時間勤務職員を常時勤務を要する官職に昇任し、降任し、又は転任することはできない（同条3項及び4項）。

その後、人事院規則8－21（年齢60年以上退職者等の定年前再任用）が制定され（令和4年2月18日公布）、定年前再任用希望者に明示する事項及びその同意等、年齢60年以上退職者の定年前再任用に関し必要な事項が定められた。

(d)　本則上の再任用の廃止と暫定再任用等の存置

令和3年国公法等改正法は、定年退職者の再任用を規定する国公法第81条の4及び第81条の5を削除した。現在の国公法上の再任用は、年金の支給開始年齢の65歳までの引上げに対応して、定年引上げに代えて60歳で定年退職した者の雇用を年金支給開始年齢まで確保しようとする性格の強いものとなっているので、65歳を定年年齢とする新国公法第81条の6の下では必要のない条文となるため、本則上の条文の整合性の観点から削除されたものである。しかし、定年の段階的引上げ前の定年退職者及び引上げ経過期間中の定年退職者については、年金の支給開始年齢に到達していないため、無収入の期間が生ずる可能性があることは従来と同様であるので、雇用と年金の接続の観点から、定年から

65歳までの間の経過措置として、現行と同様の再任用制度が存置された。すなわち、①任命権者は、令和３年国公法等改正法の施行日（令和５年４月１日）前に国公法第81条の２第１項の規定により退職した者等のうち、年齢65年に達する日以後の最初の３月31日（以下、「年齢65年到達年度の末日」という。）までの間にある者であって、当該採用しようとする官職の国公法第81条の２第２項の定年に達している者を、１年を超えない範囲内で当該官職に採用することができる（令和３年国公法等改正法附則４条１項）。また、②令和14年３月31日までの間、任命権者は、施行日以後に新国公法第81条の６第１項の規定により退職した者等のうち、年齢65年到達年度の末日までの間にある者であって、当該採用しようとする官職の「新国家公務員法定年」に達している者を、１年を超えない範囲内で当該官職に採用することができる（同改正法附則４条２項）。なお、同改正法附則第４条第３項は、これらの再任用の任期の更新及び上限（65歳到達年度の末日以前）について、附則第５条は、短時間勤務への再任用の経過措置について定めている。これらの経過措置によって採用（再任用）される職員は、「暫定再任用職員」と呼ばれる（同改正法附則３条４項）。また、同改正法の施行日前に国公法第81条の４第１項又は第81条の５第１項に基づき既に再任用されていた職員についても、事情は同様であるので、これらの職員は「旧国家公務員法再任用職員」と呼ばれ、同改正法の施行日に同改正法附則第４条第１項又は第５条第１項の規定により採用（再任用）されたものとみなされ、その任期は、施行日における旧国家公務員法再任用職員としての任期の残任期間と同一の期間とするとされている（同改正法附則６条）。

その後、人事院規則11－12（定年退職者等の暫定再任用）が制定され（令和４年２月18日公布）、暫定再任用されることを希望する者にあらかじめ明示される事項、任期の更新についての当該暫定再任用職員の同意等、暫定再任用に関し必要な事項が定められた。

(e)　勤務延長の存続

勤務延長（定年による退職の特例）については、令和３年国公法等改正法によっても基本的には現行制度が維持されているが、勤務延長の要件をより詳細に人事院規則で定める事由として各号列記したことと、定年退職日まで役職定年の特例として異動期間が延長された管理監督職員について、勤務延長の期限は当該職員が占めている管理監督職に係る異動期間の末日の翌日から起算して3年を超えることができない等とされていることに留意が必要である（新国公法81条の7）。なお、令和3年国公法等改正法の施行日前に国公法第81条の3第1項又は第2項により勤務延長され、その延長期限が施行日以後に到来する職員（「旧国家公務員法勤務延長職員」と呼ばれる。）については、その延長期限が到来するまでの間は、従前の例による等の経過措置が置かれている（令和3年国公法等改正法附則3条5項及び6項）。

(f)　60歳に達した職員の給与

人事院の「意見の申出」に基づき、当分の間、職員の俸給月額は、職員が60歳（国公法81条の2第2項2号及び同項3号に掲げる職員に相当する職員として人事院規則で定める職員については、それぞれ63歳及び60歳を超え64歳を超えない範囲内で人事院規則で定める年齢）に達した日後の最初の4月1日（特定日）以後は、60歳前の70％に減額される。すなわち、現行の定年に達した日後における最初の4月1日以後は、当該職員に適用される俸給表の俸給月額のうち当該職員の属する職務の級及び当該職員の受ける号俸に応じた額に100分の70を乗じて得た額が支給されることとなる（令和3年国公法等改正法による改正後の一般職の職員の給与に関する法律（以下、「新給与法」という。）附則8項）。これは、人事院の「意見の申出」によれば、民間企業の60歳台前半層の年間給与水準が60歳前の約70％となっていること等によるものである。なお、①臨時的職員その他の法律による任期を定めて任用される職員及び常勤を要しない職員、②国公法第81条の2第2項第1号及び第3号に相当する職員として人事院規則で定める職員、③新国公法第81条の5第1項又は第2項に規定する異動期間が延長された管理監督職員、④新国公法第81条の6第2項ただし書きに規定する職員及び⑤新国公法第81条の7第1項又は第2項の規定により勤務している職員については、この規定は適用除外されている（新給与法附則9項）。

また、管理監督職勤務上限年齢制（役職定年制）により他の官職に降任等をされた職員については、特定日に新給与法附則第８項により当該職員の受ける俸給月額（特定日俸給月額）が異動日の前日に当該職員が受けていた俸給月額に100分の70を乗じて得た額（基礎俸給月額）に達しない場合には、当分の間、特定日以後、新給与法附則第８項の規定により当該職員の受ける俸給月額のほか、基礎俸給月額と特定日報酬月額との差額に相当する額を俸給として支給する（新給与法附則10項）。これは、役職定年による降任等をされた職員については、降任等による俸給月額の減額に加え、当該職員が降任等により格付けされている級号俸の俸給月額の100分の70への減額が重なり、大きな減額となることを考慮して、役職定年前の100分の70との「差額」を俸給として支給することとしたものである。ただし、当該差額と当該職員の受ける俸給月額の合計額は、当該職員の属する職務の級の最高号俸の俸給月額を超えることができない（新給与法附則11項）。

なお、これらのこの取扱いは、「当分の間」とされているが、令和３年国公法等改正法の附則第16条第２項及び第３項において、政府の検討条項として、

①　60歳前後の給与水準が連続的なものとなるよう、国家公務員の給与制度について、人事院において公布後速やかに行われる昇任・昇格の基準、昇給の基準、俸給表に定める俸給月額その他の事項についての検討の状況を踏まえ、令和13年３月31日（定年引上げの完成の前）までに所要の措置を順次講ずること

②　①の検討のため、公布後速やかに標語の区分など人事評価について検討を行い、施行日までに所要の措置を講ずること

が規定されている。

定年前再任用短時間勤務職員の給与については、現行の再任用短時間勤務職員と同じ取扱いとなる。すなわち、現在各職種の俸給表で職務の級ごとに定められている再任用職員の俸給月額が定年前再任用短時間勤務職員の「基準俸給月額」に置き換えられ（新給与法別表１～別表10）、当該定年前再任用短時間勤務職員に適用される俸給表の職務の級に応じた基準俸給月額に、当該定年前再任用短時間勤務職員の勤務時間を38時間45分で除して得た数を乗じた額が、当

該定年前再任用短時間勤務職員の俸給月額となる（新給与法8条12項）。

(g)　60歳に達した職員の退職手当

60歳（現行の特例定年が定められている職員に相当する職員については、当該特例定年の年齢）に達した日以後定年前にその者の非違によることなく退職した者に対する退職手当の基本額については、自己都合による退職等の場合の退職手当の基本額に関する規定である国家公務員退職手当法第3条第1項によらず、当分の間、定年退職等の場合の退職手当の基本額に関する同法第4条第1項及び第5条第1項を準用することとされている（令和3年国公法等改正法による改正後の国家公務員退職手当法（以下、「新退手法」という。）附則12項及び13項。ただし、同14項に一部適用除外規定あり。）。60歳に達した日以後に定年前の退職を選択した職員が不利にならないよう、当分の間、「定年」を理由とする退職と同様に退職手当を算定することとしたものである。

また、管理監督職勤務上限年齢制による降任等により俸給月額が減額される場合は、退手法第5条の2の俸給月額の減額改定に該当せず、また、(f)の特定日以後に俸給月額が7割水準とされる場合も、退手法第5条の2の俸給月額の減額改訂に該当しないものとされ（新退手法附則15項）、いわゆる「ピーク時特例」が適用される。

(h)　情報提供・意思確認

このように、令和3年国公法等改正法により、職員の定年が引き上げられることにより、より高齢まで長期にわたり勤務することができることになる反面、上記のように、職員にとってはその生涯設計に大きな影響をもたらす任用上、給与上の制度改正が行われることになる。このため、新国公法附則第9条は、任命権者は、当分の間、職員が年齢60年（現行の特例定年対象職員についてはその定年年齢。ただし、現行の65歳特例定年の職員等は対象としない。）に達する日の属する前年度において、人事院規則で定めるところにより、新給与法附則第8項から第16項までの規定による職員の俸給月額を引き下げる特例措置及び新退手法附則第12項から第15項までの規定による年齢60年到達後定年前に退職した場合の退職手当の基本額を定年退職の場合と同額とする特例措置その他の当該職員が年齢60年に達する日以後に適用される任用、給与及び退職手当に関する措置の内容その他の必要な情報を提供するとともに、同日の翌日以後における勤務の意思を確認するよう努めるものとするとしている。

その後、人事院規則１－78（年齢60年に達する職員等に対する情報の提供及び勤務の意思の確認）が制定され（令和４年２月18日公布）、情報の提供及び意思の確認の対象から除かれる職員、意思の確認のための十分な期間の確保、確認事項（引き続き常勤の職員として勤務する意思、退職する意思、定年前再任用短時間勤務職員として勤務する意向等）等、情報の提供及び勤務の意思の確認に関し必要な事項が定められた。

また、とりわけ、これらの諸制度の変更が施行される令和５年４月１日に向けて、実施のための準備措置として、令和３年国公法等改正法附則第２条第２項は、同法の施行日の前日（令和５年３月31日）までの間に、施行日から令和６年３月31日までの間に年齢60年に達する職員（国公法81条の２第２項の定年が年齢60年である職員に限る。）に対し、新国公法附則第９条の規定の例により、同条に規定する給与に関する特例措置及び退職手当に関する特例措置その他の当該職員が年齢60年に達する日以後に適用される任用、給与及び退職手当に関する措置の内容その他の必要な情報を提供するものとするとともに、同日の翌日以後における勤務の意思を確認するよう努めるものとするとしている。この規定は、令和３年国公法等改正法の公布の日（令和３年６月11日）から施行された。

(i)　検討条項

令和３年国公法等改正法は、附則第16条で、①国家公務員の人事管理の状況等に鑑み、必要があると認めたときの管理監督職勤務上限年齢制と定年前再任用短時間勤務制の検討と所要の措置、②60歳前後の給与水準に連続性を持たせるための所要の措置、③人事評価における標語区分等の検討と所要の措置の３つを検討条項として規定している（この規定も、同法の公布日施行）。このうち、②と③については(f)でも触れたところであり、事務的に当然必要となることであるが、①のうち管理監督職勤務上限年齢制の再検討は、立法政策上の大きな課題であると考える。それは、そもそも役職定年制を今回の改正で国家公務員法の本則で規定することが妥当であったのかという問題である。今回の定年引上げの本来の趣旨が60歳を超えることとなる高齢公務員の能力と経験を活用して質の高い行政サービスを維持していくということにあるのであれば、役職定年制は、２年に１回定年退職者が出なくなることにより新陳代謝が阻害され後続の職員の昇任等に支障が生ずることとなるという定年引上げ期間中の人事の硬直化と士気の低下を避けるための暫定的な措置に止め、この制度は、新国公法の本則で規定せずに、経過期間中の当面の経過措置として附則で規定する方が妥当であったのでないか。前述の人事院の「意見の申出」も、「当分の間、役職定年制を導入」としている（下線は、筆者記入）。それは、将来的に65歳定年制を前提とした人事管理の定着により役職定年制がなくても職員の新陳代謝の確保が可能となるとの想定の下に、「当分の間」の導入とされたものと考えられる。それにもかかわらず、令和３年国公法等改正法がこれを本則上の恒久的な制度とした理由は、必ずしも定かではないが、令和３年国公法等改正法案の概要（巻末の参考資料５－１参照）中の管理監督職勤務上限年齢制の理由説明で人事院の意見にあった「新陳代謝を確保し」という部分が削除され、「組織活力を維持する」という部分のみが強調されていることが、この間の事情を伺わせる（ちなみに、地方公務員法の改正案の概要では、人事院の「意見の申出」のとおり「新陳代謝を確保し」と明記されていた。巻末の参考資料６－１参照。なお、この参考資料は、地方公務員法の改正案中の施行期日が令和４年４月１日から令和５年４月１日に国会で修正されたため、成立した法律の概要版を用いているが、「新陳代謝を確保し」と明記されている点は、同じである。）。しかしながら、定年引上げを経過的・段階的なものとしながら、その弊害を防止するために導入される管理監督職勤務上限年齢制を恒久的なものとすることは、目的に比べ過剰な手段を講ずる政策であり、バランスを失する。そもそも、今回の定年引上げの本来の趣旨からすれば、管理監督職として良好な勤務成績を上げてきた職員については、60歳を超えることとなっても原則として引き続き管理監督職としてその能力と経験を発揮して勤務させることにより組織活力を維持することを、あるべき恒久的な制度として希求すべきである。管理監督職勤務上限年齢を60歳で固定化すると、今後60歳台前半の管理職への能力本位での任用が困難となり、長期的には公務の能率的運営に支障を生ずる事態となることも予想される。60歳を超える職員は原則として従来の管理監督職から外し、一部の管理監督職員のみが60歳を超えても留任できるとする管理監督職勤務上限年齢制を恒久的な制度として導入するということは、60歳台前半の職員はそれより若い職員に比べ能力が劣るという前提に立っているように思われ、それは、今回の定年引上げの本来の趣旨と相容れない発想に基づく過剰な対策であると思われる。そのような政策に基づく制度は、近代的な公務員制度の根幹であるメリットシステムの理念を空洞化しかねない運用を招くリスクがある。令和３年国公法等改正法附則第16条第１項で、管理監督職勤務上限年齢による降任等の検討と所要の措置が規定されているのも、このような懸念があるためと考えられる。早期に、管理監督職勤務上限年齢制の附則による経過措置への位置付け変更が行われることを期待したい。

⑹　地方公務員の定年引上げ及び関連制度改正

⑴で述べたように、定年制度は、退職管理制度であると同時に職員の身分保障に関わる分限に関する事項でもあるため、現行法上、地方公務員の定年制度は国家公務員の定年制度と権衡を保つことが要請されている（法28条の２第２項及び３項、28条の４第４項等）。また、60歳を超える職員の能力及び経験を活用していく必要があることや、年金支給開始年齢の引上げに対応して年金と雇用の接続を図っていく必要があることも、地方公務員と国家公務員は、同様の状況にある。このため、令和３年国公法等改正法による国家公務員の定年引上げ及び関連諸制度の改正と同様の改正が地方公務員制度上も求められ、令和３年改正法が成立し、一定の準備期間を置いて、令和５年４月１日から地方公務員についても定年の段階的引上げと、関連諸制度の改正が行われることとなった。もっとも、前述の権衡原則から地方公務員の定年は国家公務員の定年を基準として条例で定めるとされており、現行地方公務員法上も定年年齢そのものは規定されておらず（法28条の２第２項）、令和３年改正法による改正後の地方公務員法（以下、「新法」という。）第28条の６第２項でもその構造は変わっていない

ことから、新国公法上の本則の「65年」等の定年や附則の「61年」から「64年」等の経過期間中の定年そのものは、「基準」の中で読み込まれ、法律上の改正条文としては出てこない（必要ない）ことに留意されたい。同様に、地方公務員の給与等の勤務条件については、国家公務員等との均衡の原則の下で条例で定めることとされている（法24条２項、４項及び５項）ので、新給与法や新退手法上の関連制度改正に相当する改正は、地方公務員法ではなく各地方公共団体の条例により行われることになる。地方公務員の定年制度と国家公務員の定年制度のこのような相違点に留意していただいたうえで、以下、⑸の国家公務員制度の改正項目に沿った形で、地方公務員の定年引上げ及び関連制度改正について解説する。

⒜　定年の段階的引上げ

まず、定年による退職の基本条文である法第28条の２は、新法においては、第28条の６に繰り下げられる。これは、新法により導入される管理監督職勤務上限年齢制（役職定年制）が、分限処分に関する法第28条の後に新法第28条の２から第28条の５まで規定されることによるものである。そして、新法第28条の６第２項は、従来どおり「定年は、国の職員につき定められている定年を基準として条例で定める」と規定するため、⑸の⒜で述べた新国公法第81条の６第２項本文の国の職員の原則としての定年である「65年」と同項ただし書きの「65年を超え70年を超えない範囲内で人事院規則で定める定年」が、地方公務員の定年の本則上の基準（すなわち、令和13年度以降の基準）となる。また、その定年への経過期間中の段階的引上げについては、新法附則第21項に、「令和５年４月１日から令和13年３月31日までの間における第28条の６第２項の条例で定める定年に関しては、国の職員につき定められている当該期間における定年に関する特例を基準として、条例で特例を定めるものとする」との規定を置いている（この条例で定める「特例」は、特例定年という意味での「特例」ではなく、経過期間中の定年の特例という意味での「特例」であることに留意されたい。）。これにより、まず、国の特例定年が定められていない一般の地方公務員の定年は、国家公務員と同様に、経過期間中に各区分期間ごとに２年に１歳段階的に引き上げていくことになる。この点につき、「地方公務員法の一部を改正する法律の運用について」（令和３年８月31日総行公第89号、総行女第40号、総行給第55号、総務省自治行政局公務員部長通知。以下、「8.31運用通知」という。巻末の参考資料６－４参照）は、その記の「第２　定年の引上げ」において、「国家公務員の定年の段階的な引上げは以下の表のとおり行われることとなっており、特別の合理的理由がない限り、各地方公共団体はこの内容により条例を定める必要があること。」として、次の表を示している。

期　間	定　年
令和５年３月31日まで	60歳
令和５年４月１日から令和７年３月31日まで	61歳
令和７年４月１日から令和９年３月31日まで	62歳
令和９年４月１日から令和11年３月31日まで	63歳
令和11年４月１日から令和13年３月31日まで	64歳
令和13年４月１日から	65歳

次に、新国公法第81条の６第２項ただし書きの特例定年の対象となる医師及び歯科医師に相当する職員については、国家公務員のそれを基準として、第一区分期間に66歳とし、第二区分期間から第四区分期間は各期間ごとに65歳を超え段階的に67歳、68歳、69歳を超えない範囲内で、国が定める定年を定めることとなる。また、現在は国の特例定年が定められている労務系統の職員（現在63歳）の定年については、国家公務員のそれを基準として、第一区分期間から第三区分期間は63歳、第四区分期間は64歳を定年として定めていくことになる（国家公務員に関する(5)の(a)参照）。これらの者の定年の基準となる国家公務員の定年に関して、「8.31運用通知」には記するところがないが、総務省自治行政局公務員部の職員連名による解説記事「地方公務員法の一部を改正する法律（令和３年法律第63号）について（その１）」（総務省自治行政局公務員課編『地方公務員月報』令和３年８月号45頁）は、その51頁「イ　特例定年（新法第28条の６第３

項及び附則第22項)」において、「それぞれの定年引上げは以下のように段階的に行われる。(新国家公務員法附則第８条第２項、第３項。新国家公務員法において特例定年の対象にならない医師・歯科医師であって従前から65歳定年の対象であった者については定年年齢の変更はない。)」として、次の表を掲げている。

期　間	65歳定年とすることが著しく不適当な官職を占める医師等の定年年齢の上限	庁舎監視等従事職員の定年年齢
令和５年４月１日から令和７年３月31日まで	66歳	63歳
令和７年４月１日から令和９年３月31日まで	67歳	63歳
令和９年４月１日から令和11年３月31日まで	68歳	63歳
令和11年４月１日から令和13年３月31日まで	69歳	64歳（アと同じ）
令和13年４月１日から	70歳	65歳（アと同じ）

(猪野注) この表中、第一区分期間の「66歳」は、上限年齢ではなく法定年齢である。また、第四区分期間以降の「(アと同じ)」の「ア」とは、同解説記事中50頁の「ア　定年引上げ(新法第28条の６第２項及び附則第21項)」における当該区分期間の国の原則定年のことである。なお、この表及びそれに関連する同解説記事の記述の部分は、地方公務員の定年の基準となるべき国の特例定年に対応するものであるので、国の定年を基準とすることが実情に即さない場合の地方公務員法独自の特例定年に関する「新法第28条の６第３項及び附則第22項」に関する「イ」ではなく、国の定年を基準とする「新法第28条の６第２項及び附則第21項」に関する「ア」において記述するべきであったと考える。

また、地方公共団体が新法第28条の６（法では第28条の２）第３項で、国の職員につき定められている定年を基準として定めることが実情に即しないとして当該職員の定年について別の定め（地方公共団体独自の特例定年）をしている場合は、新法附則第22項で、令和５年４月１日から令和13年３月31日までの間、条例で特例を定めることができるとの経過的救済規定を置いている。このため、前記解説記事も、その51頁の「イ　特例定年（新法第28条の６第３項及び附則第22項）」において、この場合、必要に応じて特例定年の年齢を変更し、また、変更に伴う経過措置を定める条例改正を要すると注意喚起している。この場合には、国及び他の地方公共団体との間に権衡を失しないよう適当な考慮が払われなければならないとされている（同項後段）。

このように、基本的に２年に１歳の刻みで段階的に定年を引き上げていく手法は、定年制導入時の当時の50歳台後半の勧奨年齢を60歳まで２年に１歳引き上げていく運用と同じ考え方に基づくものである（前掲⑴ⓐの（注１）参照）。すなわち、定年年齢を引き上げた年度は定年退職者が出ないことになるので、基本的には、職員定数を増加しない限り退職者数に応じた翌年度の正規職員の新規採用ができなくなる。これを避けるため、２年に１歳定年を引き上げることにより、定年退職者が出ない年を２年に一度とし、最低でも各年半数の新規採用を可能とし、定年退職者が出ないことによる悪影響を緩和し、職員の年齢構成の平準化と職員定数の適正管理に資そうとするものである。今回の改正では、後述の定年前再任用短時間勤務制の導入等の措置も講じられているので、定年引上げの年においても、ある程度退職者が出ることが予想されるので、人事当局としては、定年引上げの期間中、職員の意向と各職種の業務量を適確に把握したうえで、これらの関連制度も総合的に勘案して、一定の新規採用を継続的に確保しつつ職員の年齢構成の平準化を図りながら、業務量に応じた適切な定員管理に努める必要がある。「8.31運用通知」も、「総務省としても、今後、地方公共団体の検討状況を踏まえ、定年引上げ期間中の一時的な調整のための定員措置の基本的な考え方を整理し、定年引上げに係る定員管理に関する留意点を示すことを予定している」としている。

ⓑ　管理監督職勤務上限年齢制（役職定年制）の導入

令和３年改正法は、組織の新陳代謝を確保し、組織活力を維持するため、地方公務員について、新法第28条の２から第28条の５で、新国公法に規定する国家公務員の管理監督職勤務上限年齢制（役職定年制）と同様の仕組みを導入した。まず、新法第28条の２第１項本文は、「任命権者は、管理監督職〔中略〕を占める職員でその占める管理監督職に係る管理監督職勤務上限年齢に達している職員について、異動期間（当該管理監督職勤務上限年齢に達した日の翌日から同日以後における最初の４月１日までの間をいう。以下この節において同じ。）〔中略〕に、管理監督職以外の職又は管理監督職勤務上限年齢が当該職員の年齢を超える管理監督職〔中略〕への降任又は転任（降給を伴う転任に限る。）をするものとする」と規定する。この役職定年の対象となる管理監督職については同項括弧書きで、地方公務員制度に即し、「地方自治法第204条第２項に規定する管理職手当を支給される職員の職及びこれに準ずる職であつて条例で定める職」とし、勤務上限年齢については同条第２項で、新国公法第81条の２第２項が60歳等の年齢を直接に規定しているのに対し、地方公共団体の条例で定めるものとし、そのいずれについても同条第３項で、国及び他の地方公共団体との間に権衡を失しないように適当な考慮が払われなければならないとしている。「8. 31運用通知」は、対象となる管理監督職の範囲については、

① ②を除き管理職手当を支給されるすべての職員の職及びこれに準ずる職（地方独立行政法人の職のうち自治法上の管理職手当を支給される職員の職に相当する職などが想定される）としつつ、
② 国の制度との均衡の原則に則り、職務と責任に特殊性があること又は欠員の補充が困難であることにより管理監督職勤務上限年齢制を適用することが著しく不適当と認められる職については、対象範囲から除外することが考えられる

としている。

また、同通知は、勤務上限年齢についても、

① ②を除き60歳とする必要があるとしつつ、
② 国の制度との均衡の原則に則り、職務と責任に特殊性があること又は欠員の補充が困難であることにより上限年齢を60歳とすることが著しく不適当と

認められる管理監督職については、61～64歳とすることが考えられるとしている。

次に、新法第28条の２第４項は、同条第１項本文の規定による他の職への降任又は転任（以下、「他の職への降任等」という。）に関し必要な事項は、条例で定めるとしている。これは、分限処分の手続及び効果は条例で定めなければならないとする法第28条第３項との整合を図ったものと考えられる。このことに関連し、そもそも役職定年制に関する規定を、新法で第28条の２から第28条の５の位置に置いたのは、役職定年制が本人の意思にかかわらず一定の年齢に到達することにより他の職への降任等を行うものとして、法律に基づく特別の分限処分であるという性格を有すると解されることから、本則に規定するとすれば、分限処分に関する一般規定である法第28条の後で定年制度の前の位置が適切とされたものと考えられる。もっとも、これを恒久的な制度として本則に規定することが立法論として疑問があることは、(5)の(i)で述べたとおりである。

さらに、新国公法と同様、新法第28条の５第１項及び第２項で、管理監督職勤務上限年齢に達した職員の他の職への降任等により、その職務の遂行上の特別の事情や職務の特殊性を勘案して公務の運営に著しい支障が生ずると条例で定める事由がある場合の異動期間の延長（当該管理監督職への留任）が例外的に認められているほか、同条第３項及び第４項で、新国公法第81条の５第３項と同様、特定管理監督職群に属する管理監督職を占める職員の他の職への降任等により、当該特定管理職群に属する管理監督職の欠員補充が困難となり公務の運営に支障が生ずると条例で定める事由がある場合の異動期間の延長（当該管理監督職への留任又は当該特定管理監督職群に含まれる他の管理監督職への転任若しくは降任）の特例が規定されている。なお、「特定管理監督職群」については、人事委員会規則（人事委員会を置かない地方公共団体においては、地方公共団体の規則）で定めるとしている。「8.31運用通知」は、これらの新法第28条の５に基づく異動期間の延長等の特例を「特例任用」と呼び、これらは、前述の管理監督職からの除外や勤務上限年齢の例外が対象となっている職の性質（職務・責任の特殊性や欠員補充の困難性）に対応したものであるのに対し、対象となっている職員又は職員グループの性質（職務遂行上の事情や降任等に伴う欠員補充の困難性）に対応するものであると説明している。新法第28条の5第1項による特例任用は、異動期間の末日の翌日から1年を超えない期間内で行われ、更に1年を超えない期間内で更新は可能であるが、最長でも異動期間の末日の翌日から起算して3年を超えることはできない（同条2項）。新法第28条の5第3項による特例任用も更新は可能であり、最長定年退職日まで延長することができる（同条4項には、最長制限規定がない。）。

なお、新法第28条の2第1項には、新国公法第81条の2第1項と同様「ただし、異動期間に、この法律の他の規定により当該職員について他の職への昇任、降任若しくは転任をした場合又は第28条の7第1項の規定により当該職員を管理監督職を占めたまま引き続き勤務させることとした場合は、この限りでない」とのただし書きが置かれている。

(c)　定年前再任用短時間勤務制の導入

令和3年改正法は、地方公務員の60歳以降の多様な働き方を可能とするため、新国公法と同様の定年前再任用短時間勤務制を導入し、条例年齢以上退職者で定年退職日相当日（当該短時間勤務の職に関する定年退職日相当日をいう。以下、(c)において同じ。）を経過していない者を、従前の勤務実績その他の人事委員会規則で定める情報に基づく選考により、短時間勤務の職に採用することができるとした（新法22条の4第1項）。対象となる退職者の年齢要件が、新国公法第60条の2第1項で年齢60年以上退職者（60歳に達した日以後に退職をした者）とされているのに対し、新法第22条の4第1項では、条例年齢以上退職者（条例で定める年齢に達した日以後に退職をした者）とされている。そして、その条例で定める年齢は、新国公法第60条の2第1項に規定する年齢を基準として定めるものとするとされている（新法22条の4第2項）。これは、地方公共団体における定年の定め方（新法28条の6第2項）との整合を図ったものと考えられるが、この制度の趣旨が60歳以降の多様な働き方を可能とするためであることからすれば、地方公共団体は、条例で「60年」と定めることになると考えられる。定年前再任用短時間勤務職員の任期は、採用の日から定年退職日相当日までである

(新法22条の４第３項)。また、これらの者を採用できる「短時間勤務の職」とは、「当該職を占める職員の１週間当たりの通常の勤務時間が、常時勤務を要する職でその職務が当該短時間勤務の職と同種の職を占める職員の１週間当たりの通常の勤務時間に比し短い時間である職をいう」と定義されている(新法22条の４第１項括弧書き)。これは、法第28条の５で規定されている再任用短時間勤務の職の定義を、新法では本則上から再任用に関する規定が削除されることもあり、新法上で最初に短時間勤務の職を規定することが適当な新法第22条の４で規定し直したものである。その具体的勤務時間は、従来同様、国の定年前再任用短時間勤務職員と同じ１週間当たり15時間30分から31時間の範囲内である。その給与も、現行の再任用短時間勤務職員と同様、非常勤ではあるが、地方自治法第204条に基づき、勤務時間に応じた給料と一部の手当が支給される。

職員は、61歳以上に定年が引き上げられた後は、60歳に達した後も定年退職日まで勤務することができることは当然であり、その前に退職して選考により定年前再任用短時間勤務職員として採用され勤務する道を選ぶかどうかは、本人が自主的に判断することである。したがって、この制度は、定年引上げと関連せざるを得ないものではあるが、定年制度の一部ではない。そのため、新法における条文の位置は、定年制度とは別に、「第二節　任用」の最終条文に置かれている。「8.31運用通知」は、「定年前再任用短時間勤務制は、定年引上げにより65歳までフルタイムで勤務することが原則となる中で、定年退職者等を採用する現行の再任用制度とは異なり、職員が短時間勤務を希望する場合に本人の意思により一旦退職した上で採用される仕組みであり、任命権者が定年前再任用短時間勤務を強要し、職員の意思に反して定年前再任用短時間勤務の職に採用することはできないものである」としている。

(d)　本則上の再任用の廃止と暫定再任用等の存置

令和３年改正法は、令和３年国公法等改正法と同様、定年退職者の再任用を規定する法第28条の４、法第28条の５及び法第28条の６を削除した。これは、国の職員の定年である65歳を基準として、条例で65歳の定年を定めることとなる新法第28条の６第２項の下では、定年引上げに代えて60歳で定年退職した者の雇用を年金支給開始年齢まで確保しようとする現行再任用制度は必要なくなることから、本則上の条文の整合性の観点から削除されたものである。しかし、定年の段階的引上げ前の定年退職者及び引上げ期間中の定年退職者については、年金の支給開始年齢に達していないため、無収入の期間が生ずる可能性があることは従来と同様であるので、雇用と年金の接続の観点から、定年から65歳までの間の経過措置として、現行と同様の再任用制度が存置された（令和3年改正法附則4条から7条）。その際、その対象となり得る者を、国の場合は「年齢65年到達年度の末日」までの間に有る者であって定年に達している者と規定しているが、地方公共団体では定年を条例で定めることとなっていることとの兼ね合いから、条文上は「条例で定める年齢」（以下、「特定年齢」という。）に達する日以後における最初の3月31日（以下、「特定年齢到達年度の末日」という。）までの間に有る者であって定年に達している者と規定している。すなわち、①任命権者は、令和3年改正法の施行日前に法第28条の2第1項の規定により退職した者等のうち、特定年齢到達年度の末日までの間に有る者であって、当該採用しようとする職に係る法第28条の2第2項及び第3項の規定に基づく定年に達している者を、1年を超えない範囲内で当該職に採用することができる（令和3年改正法附則4条1項）。また、②令和14年3月31日までの間、任命権者は、令和3年改正法施行日以後に新法第28条の6第1項の規定により退職した者等のうち、特定年齢到達年度の末日までの間にある者であって、当該採用しようとする職の「新地方公務員法定年」（新法28条の6第2項及び3項の規定に基づく定年をいう。）に達している者を、1年を超えない範囲内で当該職に採用することができる（同改正法附則4条2項）。そして、その特定年齢は、国の職員につき定められている令和3年国公法等改正法附則第4条第1項に規定する年齢（65年）を基準として定めるものとするとされている（同改正法附則4条4項）。なお、同改正法の附則第4条第3項は、これらの再任用の任期の更新及び上限（特定年齢到達年度の末日以前）について、同附則第5条は、地方公共団体の組合における再任用について、同附則第6条は短時間勤務への再任用について、同附則第7条は、組合における短時間勤務への再任用について、経過措置を定めている。これらの経過措置によって再任用された職員は、「暫定再任用職員」と呼ばれる（同改正法附則９条２項）。また、同改正法の施行日前に法第28条の４第１項、第28条の５第１項又は第28条の６第１項若しくは第２項に基づき既に再任用されていた職員についても、事情は同様であるので、これらの職員は「旧地方公務員法再任用職員」として、同改正法の施行日に同改正法附則第４条、第５条、第６条又は第７条の規定により採用（再任用）されたものとみなされ、その任期は、施行日における旧地方公務員法再任用職員としての残任期間と同一の期間とするとされている（同改正法附則８条１項及び２項）。

(e)　勤務延長の存続

勤務延長（定年による退職の特例）については、令和３年改正法によっても基本的には現行制度が維持されているが、勤務延長の要件を条例で定める事由としてより詳細に各号列記したことと、定年退職日まで役職定年の特例として異動期間が延長された管理監督職員について、勤務延長の期限は当該職員が占めている管理監督職に係る異動期間の末日の翌日から起算して３年を超えることができない等とされていることに留意が必要である（新法28条の７）。また、令和３年改正法の施行前に法第28条の３により勤務延長され同改正法の施行日以後にその勤務延長の期限が到来する職員は、「旧地方公務員勤務延長職員」として、当該期限までの延長勤務については、なお従前の例によるとされ、その期限が到来したときに新法第28条の７に掲げる事由があるときは、条例で定めるところにより、１年を超えない範囲内で期限を延長できる等の経過措置が置かれている（令和３年改正法附則３条５項及び６項）。

(f)　60歳に達した職員の給与

地方公務員の給与は、生計費並びに国及び他の地方公共団体の職員並びに民間企業の従事者の給与その他の事情を考慮して条例で定めることとされている（法24条２項及び５項）。この均衡の原則は、地方公務員の給与は、国家公務員の給与に準ずることによって実現されるものとして運用されている（第５章第２節の**２**「(2)　均衡の原則」参照）。したがって、60歳に達した地方公務員の給与についても、民間企業の60歳台前半層の給与水準に鑑み導入された国家公務員の定年引上げに伴う給与制度の改正に準じて、各地方公共団体において条例で定めることとなる。「8・31運用通知」も、その「第６　給与」の冒頭で、「条例を定めるに当たっては、地方公務員法第24条第２項に規定する均衡の原則に基づき、国家公務員の給与の取扱いを考慮し、特に以下の事項に留意のうえ適切な措置を講じられたい」としている。

（１）国家公務員において、当分の間、職員の俸給月額は、職員が60歳（現行の特例定年が定められている職員に相当する職員として人事院の規則で定める職員については、当該特例定年の年齢）に達した日後における最初の４月１日（以下、「特定日」という。）以後、当該職員に適用される俸給表の俸給月額のうち、当該職員の受ける号俸に応じた額に100分の70を乗じて得た額とされている（以下、「俸給月額７割措置」という。）。また、管理監督職勤務上限年齢制により降任等をされた職員であって、引き続き同一の俸給表の適用を受ける職員については、当分の間、特定日以後、俸給月額７割措置を適用した上で、降任等される前の俸給月額の７割と降任等された後の俸給月額の７割との差額に相当する額を俸給として支給することとされている。

地方公共団体においては、原則としてこれらの国家公務員の取扱いに基づき、条例を定める必要があること。

（２）なお、国家公務員において、定年引上げ前の定年年齢が60歳を超え64歳を超えない年齢とされている職員に相当する職員については、60歳を超えても、特定日の前日までは俸給月額の10割が支給されることとされている。

（３）また、①臨時的職員その他の法律により任期を定めて任用される職員及び常勤を要しない職員、②定年引上げ前の定年年齢が65歳とされている職員に相当する職員として人事院の規則で定める職員、③管理監督職を占める職員のうち、「職務の遂行上の特別の事情」又は「職務の特殊性による欠員補充の困難性」により、管理監督職勤務上限年齢を超えて、引き続き同職を占める職員等については、60歳超の職員であっても上記に該当する職員である限りにおいて、俸給月額７割措置が適用されず、俸給月額の10

割が支給されることとされている。

（４）地方公共団体においては、（２）及び（３）の国家公務員の取扱いを考慮し、条例において措置を講じることが考えられるものであること。

なお、⑸の(f)で言及した令和３年国公法等改正法附則第16条第２項及び第３項に規定する国家公務員の給与水準の連続性や人事評価における標語区分等についての検討結果が、地方公務員に影響してくることを想定しておく必要がある。

(g)　60歳に達した職員の退職手当

退職手当も給与の一種であるので、均衡の原則に基づき、地方公務員についても、国家公務員と同様、60歳に達した日以後に定年前の退職を選択した職員が不利にならないよう、退職手当を算定する必要があり、また、管理監督職勤務上限年齢制により降任等をされる職員に加え、特定日以後の給与月額が７割に減額される職員についてもいわゆるピーク時特例を適用する必要がある。このため、「8.31運用通知」も、「国家公務員において、職員が60歳（現行の特例定年が定められている職員に相当する職員については、当該特例定年の年齢）に達した日以後、その者の非違によることなく退職した者に対する退職手当の基本額は、当分の間、勤続期間を同じくする定年退職と同様に算定することとされている。また、定年の引上げに伴う俸給月額の改定は、国家公務員退職手当法第５条の２に規定する俸給月額の減額改定には該当しないものとして、減額前の俸給月額が退職日の俸給月額よりも多い場合に適用される退職手当の基本額の計算方法の特例（いわゆる「ピーク時特例」）の適用対象とすることとされている。地方公共団体においては、これらの国家公務員の取扱いを考慮し、条例において適切な措置を講じられたいこと。」としている。

(h)　情報提供・意思確認

このように、令和３年改正法で職員の定年が引き上げられることにより、より高齢まで長期にわたり勤務することができることになる反面、60歳に達した日後の最初の４月１日以降は給料が60歳時点の70％になり、管理監督職は原則

60歳で役職定年制により他の職に降任等をされ、一方、60歳に達した日以後に退職をして定年退職相当日まで定年前再任用短時間勤務職員として勤務する道を選ぶこともでき、また、60歳に達した日以後の定年前の退職による退職手当は定年による退職として取り扱われるという、職員にとっては、その生涯設計に大きな影響をもたらす任用上、給与上の改正が行われることとなる。このため、新法附則第23項は、任命権者は、当分の間、職員が条例で定める年齢に達する日の属する年度の前年度において、当該職員に対し、条例で定めるところにより、当該職員が当該条例で定める年齢に達する日以後に適用される任用及び給与に関する措置の内容その他必要な情報を提供するとともに、同日の翌日以後における勤務の意思を確認するよう努めるものとするとしている。そして、その条例で定める年齢は、国の職員について定められている新国公法附則第9条に規定する年齢（原則60年）を基準として定めるものとするとしている（同法附則25項）。とりわけ、新法の実施のための準備等に関する条文である令和3年改正法附則第2条（この規定は、同法の公布日である令和3年6月11日に施行された。）は、その第3項で、これらの諸制度の変更が施行される令和5年4月1日に向けて、実施のための準備措置として、任命権者は、同法の施行日の前日（令和5年3月31日）までの間に、施行日から令和6年3月31日までの間に条例で定める年齢に達する職員（法28条の2第2項の規定に基づく定年が当該条例で定める年齢である職員に限る。）に対し、新法附則第23項の例により、当該職員が当該条例で定める年齢に達する日以後に適用される任用及び給与に関する措置の内容その他の必要な情報を提供するとともに、同日の翌日以後における勤務の意思を確認するよう努めるものとするとしている。その条例で定める年齢は、令和3年国公法等改正法附則第2条第2項の年齢（60年）を基準として定めるものとするとしている（令和3年改正法附則2条4項）。

これを受け、「8.31運用通知」は、「今般の法改正により、定年の引上げ、管理監督職勤務上限年齢制など、60歳以降に適用される任用や給与がこれまでと異なるものとなることから、次年度に60歳に達する職員に対し、定年前再任用短時間勤務制や管理監督職上限年齢制、給与引下げの措置等の60歳に達する日以後に適用される任用、給与及び退職手当に関する措置の内容などについて丁寧な情報提供を行うとともに、職員が60歳に達する日の翌日以後の勤務の意思を確認するよう努めること」とし、念のため、「また、60歳以降の勤務の意思を有していない職員については、別途、辞職の手続をとる必要があること。」としている。

(i)　検討条項と実施のための準備

令和３年改正法附則第11条は、政府は、国家公務員に関する管理監督職勤務上限年齢制又は定年前再任用短時間勤務制についての検討状況に鑑み、必要があると認めるときは、地方公務員に係るこれらの制度について検討を行い、その結果に基づいて所要の措置を講ずるものとするとしている。いずれの制度も、初めて公務員制度に導入される仕組みであり、地方公務員の年齢別構成や人事管理への状況等に鑑み、実際に円滑に導入され定着していくかどうか、その運用状況を見極め、政府として必要な場合は見直しを行うこともあり得ることを示したものであろう。このうち、管理監督職勤務上限年齢制の附則による経過措置への位置付け変更が期待されることは、(5)の(i)において述べたところである。この点について付言すると、地方公務員の場合、定年制導入当時も、昭和56年から昭和60年の準備期間中に勧奨退職年齢を２年に１歳引き上げる等の運用が行われ（前掲(1)(a)の（注１）参照）、それにより当時50歳台後半の勧奨年齢が主流であった勧奨退職が昭和60年度台の初頭には60歳定年に円滑に移行していったという実績があるということである。すなわち、当時、今回の役職定年に相当するような制度的対応はとられなかったが、しかるべき新陳代謝の下、組織活力を維持しつつ退職年齢の引上げが行われたということである。もちろん今回は、当時と異なり、退職年齢の引上げが５歳で、引上げ経過期間が10年と長いということと、そもそも勧奨年齢という運用上の年齢ではなく定年という法制度上の年齢の引上げであることから、新陳代謝の促進のために役職定年制による制度的対応が必要であることは否定できない。しかし、一定期間中の退職年齢の引上げという本質的に同じ事象に対し、その一時的な弊害を防止するために、恒久的な管理監督職勤務上限年齢制により管理職としての勤務上限年齢を引上げ前の退職年齢に固定するという対策が継続されると、近い将来60歳台前半の能力本位の任用が困難となり、特に小規模な地方公共団体では、かえって組織活力が減退し、円滑な人事管理に支障を来すこととなるおそれがある。(5)の(i)において述べた、新国公法上の管理監督職勤務上限年齢制の早期の見直しを切に望むところである。

令和３年改正法が施行される令和５年度から段階的定年引上げが完成する令和13年度にかけては、原則としての定年でいえば、定年が61歳から65歳に向け２年に１歳段階的に引き上げられていくため、(a)で述べたように、２年に１回定年による退職者が出ないこととなり、基本的にはその分の新規採用枠が２年に１回なくなることになるので、それを２年に分けて最低でも各年半数の新規採用枠を確保しなければならない。この間、地方公共団体の職場には、定年引上げにより60歳を超え65歳までの間で引き続き勤務している職員（役職定年で降任等をされた職員と特例として異動期間を延長された管理監督職員等を含む。）、定年前再任用短時間勤務職員、暫定再任用職員等任用根拠の異なる60歳超の職員が併存して勤務することになる。任命権者としては、これらの高齢職員のそれぞれの任用形態に応じてその知識経験等を最大限に活用しながら、必要な行政サービスを安定的に供給するため業務量に応じた職員数を確保し、全体としての職員の年齢構成の可能な限りの平準化を図りつつ、能率的な人事管理を行うという難しい舵取りを求められることになる。

このため、令和３年改正法附則第２条は、第１項で、実施のための準備として、新法の規定による職員の任用、分限その他の人事行政に関する制度の適正かつ円滑な実施を確保するため、任命権者は、長期的な人事管理の計画的推進その他必要な準備を行うものとし、地方公共団体の長は、任命権者の行う準備に関し必要な連絡、調整その他の措置を講ずるものとすると、任命権者と長の責務を明らかにしている。実務的には、新法の趣旨・内容の適切な理解の下に、まず必要な条例や人事委員会規則等を整備したうえで、同条第３項に基づき、令和３年改正法の施行日（令和５年４月１日）の前日までに、令和５年４月１日から令和６年３月31日までの間に60歳に達する職員への的確な情報提供と勤務意思の確実な確認を求めていくことが当面の大仕事となるであろう。そのような目前の準備作業に資するべく、総務省は、令和４年３月18日に「定年引上げに伴う条例例及び規則例等の整備について」（総務省自治行政局公務員部長通知。以下、「3.18整備通知」と略称する。）を通知した。同通知は、令和３年改正法による制度改正により必要となる改正条例例と改正規則例等を示したものであり、別紙１として「職員の定年等に関する条例（案）」（昭和56年10月８日自治公一第46号で示された条例準則の新旧対照形式による改正条例例）を、別紙２として同改正例による改正後の新定年等条例案を、別紙３として職員の勤務時間、休暇等に関する条例（案）等いくつかの条例における再任用短時間勤務職員から定年前再任用短時間勤務職員への引用換え等の改正（例）、及び、職員の降給に関する条例（例）における降給の種類への新法第28条の２第１項に規定する降給の追加のための改正（例）が添付されている。本書巻末の参考資料６－５においては、同通知の本文と別紙１を掲載しているので、参考に供されたい。別紙２については別紙１と内容的に重複するため、また、別紙３については本書を大部なものとしないため割愛している。

この「3.18整備通知」で示された改正条例例及び改正規則例は、内容的には、⑸の各項目で説明した人事院規則の改正に準じた条例及び規則の整備の例を示したものであるが、国は、今回の改正の各項目別に関係する人事院規則の改正又は新たな人事院規則の制定を行ったのに対し、この改正条例例は、定年の引上げ、管理監督職勤務上限年齢制、定年前再任用短時間勤務制及び情報提供・勤務意思の確認等を一括して「職員の定年等に関する条例」として示している。定年前再任用短時間勤務制が新法上は分限ではなく任用の節に位置付けられていることからすると、条例制定の法制理論上は若干強引な憾はあるが、定年引上げに関連する事項を総合的に規定して実務上の便宜を図った案として、是とすべきであろう。

同通知本文は、大きく「第１　改正条例例」と「第２　改正規則例」に分かれ、第１の１において、令和３年改正法で条例に委任された事項を規定した改正条例例を説明するほか、関連する人事院規則等の内容で改正条例例に規定していない事項に関し留意点を示し、各地方公共団体において実情に応じ条例、規則等で規定されたいとしている。「第２　規則改正例」では、定年の引上げに伴い規則で定めるべき事項について規則の新設又は改正を求めている。これらのうち、「第１　改正条例例」の１の⑹の③において、新定年等条例案附則第６項の規定による情報提供・意思確認について、人事院規則の規定内容を踏まえ、情報の提供及び意思の確認を行う時期、提供すべき情報、並びに勤務意思の確認を行う期間及び確認事項に関し詳細な留意点が示されているので、地方公共団体においては、実情に応じ条例、規則等で規定し、令和３年改正法附則第２条第３項に基づき令和４年度中に行わなければならない情報提供・意思確認の例として活用することが急がれる。なお、退職手当に関する規定整備例については、今後制定が予定されている国家公務員に関する政令の公布後に、別途通知するとしている。

また、令和３年改正法附則第２条は、第２項で、総務大臣は、新法の規定による任用、分限その他の人事行政に関する制度の適正かつ円滑な実施を確保するため、必要があると認めるときは、地方公共団体の任命権者の準備及び長の措置について技術的な助言又は勧告を行うことができるとしている。その一環として、前述のように総務省から「8.31運用通知」や「3.18整備通知」等が発せられ、令和３年改正法の運用に当たっての留意事項や条例・規則の規定整備例が示される等、地方公共団体における定年引上げの円滑な実施に向けて技術的助言等が行われてきたところであるが、令和３年改正法の施行（令和５年４月１日）が１年後に迫った令和４年３月31日、総務省は、改めて、「地方公務員の定年引上げに向けた留意事項について」（総務省自治行政局公務員部長通知。以下、「3.31留意事項通知」という。巻末の参考資料６－６参照）を発し、制度施行まで及び制度施行当初の各年度にかけての留意事項を示し、令和５年度から各団体において定年引上げが確実かつ円滑に施行されるよう、条例規則の整備など必要な準備の実施を重ねて要請した。同通知は、令和４年度から令和６年度にかけて次のような事項が生ずることを前提にして、計画的な検討・準備を行う必要があるとしている。

○令和４年度においては、令和３年改正法附則第２条に基づき、令和５年度中に現行の定年年齢に達する職員に対し、情報提供・意思確認が開始される。

○令和５年度においては、定年が61歳に引き上げられ、60歳に達した職員が定年前再任用短時間勤務を選択できるようになり、60歳に達した管理監督職員が管理監督職勤務上限年齢制の対象となる。また、年度末に定年退職者が発生しない。

○令和６年度においては、４月１日異動を原則とした場合、前年度に定年前短時間勤務職員として採用された職員の多くが年度当初から勤務を開始し、同じく、前年度に60歳に達した管理監督職員の多くが管理監督職勤務上限年齢制による降任等を受ける。また、前年度定年退職者が生じず引き続き在職することによる新規採用への影響が生じ得る。

そのうえで、「3.31留意事項通知」は、各団体において、令和４年度及び５年度に高齢期職員の活躍を推進するための取組を重点的に取り組む必要があるとして、

①　高齢期職員の職務の検討

②　適切な情報提供・意思確認の実施

③　高齢期職員のモチベーションの維持のための取組や職場環境の整備

④　高齢期職員の多様な事情に応じた対応

を取り上げ、それぞれの留意点を示している。さらに、同通知は、各団体における施行に向けた推進体制の整備を要請したうえで、その他留意事項の中で、特に定年引上げ期間中の雇用と年金の接続に言及し、「定年引上げ期間（令和５年４月１日から令和13年３月31日まで）に定年退職する職員〔中略〕が再任用を希望する場合は、『地方公務員の雇用と年金について』（平成25年３月29日総務副大臣通知）に準じて、当該職員を公的年金の支給開始年齢に達するまでの間、再任用（改正法附則第４条から第７条までの規定による暫定再任用）するものとする」としている。なお、「8.31運用通知」でも触れられていた「定年引上げ期間中の定員管理に関する留意点」については、引き続き、総務省での検討を経て、改めて通知する予定であるとしている。地方公共団体としては、これらの通知

等に加え、今後総務省から逐次発出される技術的な助言・勧告等にも留意し、これらを踏まえ、定年引上げ及び関連諸制度の実施に努める必要がある。参考までに、本文で引用していないものも含め、今回の定年引上げに関連して、これまでに総務省から示されている資料や文献の一覧は、次のとおりである（◎印のものは、総務省ウェブサイト「地方公務員制度等」の「高齢対策」において全文を見ることができる。）。

○福田直「地方公務員の定年引上げ　～改正法案の概要について～」地方公務員月報令和２年７月号
○令和３年６月11日「地方公務員法の一部を改正する法律の公布について（通知）」
◎地方公務員法の一部を改正する法律に関する説明会資料（令和３年６月25日）
○深沢裕治「公務員の定年引上げとライフプラン（年金）について」地方公務員月報令和３年７月号
◎令和３年８月31日「地方公務員法の一部を改正する法律の運用について（通知）」
○岡本泰輔・神谷美来・徳岡さゆり・田巻志子「地方公務員法の一部を改正する法律（令和３年法律第63号）について（その一）（その二）」地方公務員月報令和３年８月号・９月号
◎質疑応答集第４版（令和４年２月15日）
◎令和３年12月28日通知「定年引上げに伴う条例例及び規則例等の整備の概要について」
◎令和４年３月18日「定年引上げに伴う条例例及び規則例等の整備について（通知）」
◎令和４年３月31日「地方公務員の定年引上げに向けた留意事項について（通知）」

このうち、深沢裕治総務省大臣官房企画官が寄稿された「トピックス　公務員の定年引上げとライフプラン（年金）について」中の表「年金の支給開始年齢と公務員の定年」は、年金の支給開始年齢引上げと公務員の定年引上げの年次比較のみならず、現行の再任用、暫定再任用及び定年前再任用短時間勤務の年次別状況を理解するのに分かりやすく、極めて有用であるので、ここに引用し、次頁に再掲させていただく。

年金の支給開始年齢と公務員の定年

区分 年度	年金（公務員）の支給開始年齢			公務員の定年年齢		（参考） 再任用の形態
	定額部分 （老齢基礎年金）	報酬比例部分	生年月日		生年月日	
平成25年度（2013）	65歳	61歳	−	60歳	S28.4.2～29.4.1	再任㉖㉗㉘㉙㉚
26年度（2014）	↓	↓	S28.4.2～29.4.1	↓	S29.4.2～30.4.1	再任㉗㉘㉙㉚①
27年度（2015）	↓	↓	S29.4.2～30.4.1	↓	S30.4.2～31.4.1	再任㉘㉙㉚①②
28年度（2016）	↓	62歳	−	↓	S31.4.2～32.4.1	再任㉙㉚①②③
29年度（2017）	↓	↓	S30.4.2～31.4.1	↓	S32.4.2～33.4.1	再任㉚①②③④
30年度（2018）	↓	↓	S31.4.2～32.4.1	↓	S33.4.2～34.4.1	再任①②③④、暫再⑤
令和元年度（2019）	↓	63歳	−	↓	S34.4.2～35.4.1	再任②③④、暫再⑤⑥
２年度（2020）	↓	↓	S32.4.2～33.4.1	↓	S35.4.2～36.4.1	再任③④、暫再⑤⑥⑦
３年度（2021）	↓	↓	S33.4.2～34.4.1	↓	S36.4.2～37.4.1	再任④、暫再⑤⑥⑦⑧
４年度（2022）	↓	64歳	−	↓	S37.4.2～38.4.1	暫再⑤⑥⑦⑧⑨
５年度（2023）	↓	↓	S34.4.2～35.4.1	61歳	−	−
６年度（2024）	↓	↓	S35.4.2～36.4.1	↓	S38.4.2～39.4.1	前短⑥、暫再⑦⑧⑨⑩
７年度（2025）	↓	65歳	−	62歳	−	−
８年度（2026）	↓	↓	S36.4.2～37.4.1	↓	S39.4.2～40.4.1	前短⑦⑧、暫再⑨⑩⑪
９年度（2027）	↓	↓	S37.4.2～38.4.1	63歳	−	−
10年度（2028）	↓	↓	S38.4.2～39.4.1	↓	S40.4.2～41.4.1	前短⑧⑨⑩、暫再⑪⑫
11年度（2029）	↓	↓	S39.4.2～40.4.1	64歳	−	−
12年度（2030）	↓	↓	S40.4.2～41.4.1	↓	S41.4.2～42.4.1	前短⑨⑩⑪⑫、暫再⑬
13年度（2031）	↓	↓	S41.4.2～42.4.1	65歳	−	−
14年度（2032）	↓	↓	S42.4.2～43.4.1	↓	S42.4.2～43.4.1	前短⑩⑪⑫⑬⑭
15年度（2033）	↓	↓	S43.4.2～44.4.1	↓	S43.4.2～44.4.1	前短⑪⑫⑬⑭⑮

注）１　年齢は年度末年齢。

２　年金の支給開始年齢は特定警察職員等を除く一般職の場合。定年年齢は国家公務員準拠で定めた場合。

３　「再任用の形態」欄は以下による。なお、丸数字は年度を表す。

「再任」：現行の再任用制度（フルタイム・短時間）

「前短」：定年前再任用短時間勤務制度（短時間）

「暫再」：経過措置による（暫定）再任用制度（現行の再任用制度と同じ。）

※【表の見方】

例えば、「S40.7月生まれ」の者の年金支給開始は、原則として、65歳となる令和12年度（令和12年８月分から）となる。

一方、63歳となる令和10年度末（令和11年３月31日）をもって定年退職となるが、この場合、65歳まで（令和11年度及び12年度）は暫定再任用が可能。なお、60歳に達した日以後定年までは、定年前再任用短時間勤務とすることも可能。

５　失　職

法第28条第４項は、「職員は、第16条各号（第２号を除く。）のいずれかに該当するに至つたときは、条例に特別の定めがある場合を除く外、その職を失う。」と規定している。これに該当して離職する場合を失職と呼んでいる。失職は、本人の意思にかかわりなく、法第28条第４項所定の事由に該当することにより自動的に職員としての身分を失うことをいう。なんらの行政行為を要しない点において辞職や免職と異なり、また画一的に身分を失うのではなく特定の事由に該当することによって身分を失う点で任期満了退職や定年退職と異なる。失職の個別の事由として地方公務員法に掲げられているものは、元々欠格条項の事由であり（本章第３節１参照）、これらに該当する者は職員となれない者であるので、既に職員となっている者がこれらに該当することとなった場合には、自動的にその職を失う、すなわち身分を失うとされているのである。このように、法的には自動的に身分を失うものではあるが、失職を確認する意味で辞令書を交付することは差し支えないし、その方が適当であろう。なお、法第28条第４項の失職事由から法第16条第２号が除かれているのは、懲戒免職を受ければそのことにより職員としての身分を失うので、失職の規定を適用する必要がないことと、懲戒処分としての離職を優先させることを明確にするためであると考えられる。

法第28条第４項は、条例で特別の定めをすれば、失職事由に該当しても失職しないとすることができることを認めている。この運用として、職員が交通事故を起こし、禁錮以上の刑に処せられた場合、すなわち法第16条第１号に該当した場合に、平素の勤務成績を勘案し、情状により失職にしない旨の特例条例を制定することの適否が問題となることがある。しかし、全体の奉仕者として住民の信託を受けて公務に従事する公務員について、本来公務員として不適格であることを定める欠格条項は厳格に運用されるべきであり、特例条例を設けることができる場合は、自ずから一定の制約があると考えるべきであろう。交通事故を起こし禁錮以上の刑に処せられるようなケースは、事故の態様や本人の過失の度合いからして、相当な非難を受けるべき場合であると考えられる。

悲惨な交通事故の多発が大きな社会問題となっている今日、率先して範を示すべき公務員に、このような特例措置を講ずることは、住民感情が許さないと考えるべきであろう。行政実例も、このような取扱いについて、「一般的には適切なものとは考えられない」としている（昭34.1.8自丁公発４）。

６　退職管理の適正確保

職員は、退職すると離職の効果として地方公共団体との任用関係はなくなり、守秘義務を除き（法34条１項後段）、権利義務関係は消滅する。しかしながら、退職の前後を通じ、職員であること又はあったことにより、地方公共団体の公益を害することがないよう、その退職管理を適正に行う必要がある。そのような必要が生ずる場面は、主として２つある。１つは、退職前の非違行為が退職後に発覚する場合である。いま１つは、職員が退職後に就いた（又は就くこととなる）営利企業等と退職前の職務との関係で公務の公正性が疑われる場合である。いずれも、国家公務員について深刻な問題となり、その対策が法律改正により講じられ、同様の問題が生じ得る地方公務員についても、近年相次いで制度上の対策が採られた。

⑴　退職後の非違行為の発覚

職員が退職した後になって、その職員が在職中に懲戒処分に相当する非違行為を行っていたことが発覚した場合、その職員は離職により既にその地方公共団体との権利義務関係から離脱しているため、これに対し懲戒処分を行うことはできない。したがって、職員の退職に当たっては、在職中にそのような非違行為がなかったかどうかを確認して退職発令を行うこととなるが、特に定年前あるいは任期途中で辞職の承認を求めてきた場合には、そのような背景がないかどうかを入念に調査し、そのような事実が確認された場合には、辞職を承認せず、必要な懲戒処分等を行うことが必要となる。問題は、そのような事実が確認されないまま退職し、退職後に事実が発覚した場合の退職手当の取扱いである。この点については、従前から、退職者にまだ退職金を支払っていないうちにその者が在職中の刑事事件に関し逮捕される等した場合は、退職手当の一時差止めをすることができ、また、退職手当を支給した後であっても、在職中の非違行為が発覚して刑事事件で起訴され禁錮以上の刑に処せられた場合は、退職手当の返還を求めることができることとされていた。しかしながら、国家公務員を事務次官で退職し退職手当の支給を受けた者が、在職中の収賄の罪に問われて逮捕起訴された事件を契機に、判決の確定まで退職金の返還請求ができないのは適当でないとの世論が高まり、平成20年に国家公務員退職手当法が改正され、退職し退職手当の支給を受けた者について、在職中に懲戒免職処分を受けるべき行為があったと認められるときは、退職手当管理機関（通常は、退職当時の任命権者等）は、退職後５年以内、退職手当の全部又は一部の返納を命ずる処分を行うことができることとされた。その場合、退職手当恩給審査会に諮問することとされている。これを受け、地方公務員については、退職手当条例において同様の改正を行うよう通知がなされた（平21.3.31）。同通知では、地方公共団体で返納命令処分を行う場合、人事委員会を置く地方公共団体の場合は、人事委員会の附属機関として退職手当審査会を置きそれに諮問するか、人事委員会そのものに法第８条第１項第12号の条例に基づく権限として審査を行わせるかは、いずれでもよいとされ、人事委員会を置かない地方公共団体の場合は、長の附属機関として退職手当審査会を置くことが適当とされている。

なお、この改正と同時に、在職中に懲戒免職に当たる非違行為があったと認められる者が死亡退職金を受けている場合には、その死亡退職金を受給した遺族に対し返納命令処分ができる、との改正が行われた。

⑵　営利企業等への再就職者による依頼等の規制等

地方公務員法第３章第６節の２は、「退職管理」として、第38条の２から第38条の７まで、再就職者による依頼等の規制等の退職管理の適正を期すための条文が置かれ、第５章には、あわせて関係の罰則が規定されている。これは、再就職者が離職後も現役の公務員に対して、その影響力を行使することにより、職務の公正を損ねるおそれがあることから規制されているものであり、国家公務員の取扱いに準じて、平成26年改正法により導入されたものである。その主な内容は、以下のとおりである。

法第38条の２第１項によれば、職員（臨時的任用職員、条件付採用期間中の職員及び非常勤職員（短時間勤務の職を占める職員を除く）を除く。以下136頁まで同じ）であった者で離職後に営利企業等（営利企業及び営利企業以外の法人（国、地方公共団体等を除く）をいう。以下同じ）の地位に就いている者（以下、「再就職者」という）は、離職前５年間に在職していた地方公共団体の執行機関の組織若しくは議会の事務局若しくは特定地方独立行政法人（以下、「地方公共団体の執行機関の組織等」という）の職員又は特定地方独立行政法人の役員（以下、「役職員」という）等に対し、当該地方公共団体若しくは当該特定地方独立行政法人と当該営利企業等若しくはその子法人との間で締結される売買、貸借、請負その他の契約又は当該営利企業等若しくはその子法人に対して行われる行政手続法第２条第２号に規定する処分に関する事務（以下、「契約等事務」という）であって離職前５年間の職務に属するものに関し、離職後２年間、職務上の行為をするように、又はしないように要求し、又は依頼してはならない（本条以下で用いられる「営利企業」の用語の意義については、「営利企業への従事等の制限」における説明を参照されたい。後述156頁以下）。また、同条第４項によれば、再就職者のうち、離職５年前の日より前に長の直近下位の内部部局の長又はこれに準ずる職に就いていた者は、契約等事務であって離職前５年以前の職務に属するものに関しても、離職後２年間、職務上の行為をするように、又はしないように要求し、又は依頼してはならないとされている（同条８項によれば、地方公共団体は、地方公共団体の組織の規模その他の事情により、再就職者のうち、国の部課長級の職に相当する職として人事委員会が定める職に離職５年前の日より前に就いていた者について、条例で同様の制限を定めることができるとされている。）。さらに、同条第５項によれば、再就職者は、在職していた地方公共団体の執行機関の組織等の役職員等に対し、当該再就職者が就いている営利企業等と当該地方公共団体又は当該特定地方独立行政法人との間の契約等事務であって自らが決定したものに関しては、期間の制限なく、職務上の行為をするように、又はしないように要求し、又は依頼してはならないとされている。もっとも、これらの３つの規定（第８項の規定に基づく条例が制定されている場合は、当該条例の規定を含む）は、次に掲げる場合は、適用しないとされている（法38条の２第６項１号～６号）。また、退職手当通算予定職員であった者であって引き続いて退職手当通算法人の地位に就いている者及び派遣法第10条第2項に規定する退職派遣者は、「再就職者」から除かれている（法38条の2第1項・2項・3項）。

① 試験、検査、検定その他の行政上の事務であって、法律の規定に基づく行政庁による指定若しくは登録その他の処分（以下、「指定等」という）を受けた者が行う当該指定等に係るもの若しくは行政庁から委託を受けた者が行う当該委託に係るものを遂行するために必要な場合、又は地方公共団体若しくは国の事務事業と密接な関連を有する業務として人事委員会規則（人事委員会を置かない地方公共団体においては地方公共団体の規則。以下、②、⑥において同じ）で定めるものを行うために必要な場合

② 行政庁に対する権利若しくは義務を定めている法令の規定若しくは地方公共団体若しくは特定地方独立行政法人との間で締結された契約に基づき、権利を行使し、若しくは義務を履行する場合、行政庁により課された義務を履行する場合又はこれらに類する場合として人事委員会規則で定める場合

③ 行政手続法第2条第3号に規定する申請又は同条第7号に規定する届出を行う場合

④ 自治法第234条第1項に規定する一般競争入札若しくはせり売りの手続又は特定地方独立行政法人が公告して申込みをさせることによる競争の手続に従い、売買、貸借、請負その他の契約を締結するために必要な場合

⑤ 法令の規定により又は慣行として公にされ、又は公にすることが予定されている情報の提供を求める場合（一定の日以降に公にすることが予定されている情報を同日前に開示するよう求める場合を除く）

⑥ 再就職者が役職員（これに類する者を含む）に対し、契約等事務に関し、職務上の行為をするように、又は、しないように要求し、又は、依頼することにより公務の公正性の確保に支障が生じないと認められる場合として人事委員会規則で定める場合において、人事委員会規則で定める手続により任命権者の承認を得て、再就職者が当該承認に係る役職員に対し、当該

承認に係る契約等事務に関し、職務上の行為をするように、又は、しないように要求し、又は、依頼する場合。なお、この場合の承認申請の様式例が、平成26年８月15日付総務省自治行政局長通知別紙５で示されている。

一方、職員は、上記①から⑥までに掲げる場合を除き、再就職者から前記の３つの規定（８項の規定に基づく条例が制定されている場合は、当該条例の規定を含む。）により禁止される要求又は依頼を受けたときは、人事委員会規則又は公平委員会規則で定めるところにより、人事委員会又は公平委員会にその旨を届け出なければならないとされている（法38の２第７項。この届出の様式例が、前記自治行政局長通知の別紙６で示されている。）。

以上の３つの規定（法38条の２第８項の規定に基づく条例が制定されている場合は、当該条例の規定を含む）のいずれかに違反して、かつ、職務上不正な行為をするように、又は、相当の行為をしないように要求し、又は、依頼した再就職者は、１年以下の懲役又は50万円以下の罰金に処せられる（法60条４号・５号・６号及び７号）。また、そのような要求又は依頼を受けた職員であって、そのような要求又は依頼を受けたことを理由として、職務上不正な行為をし、又は相当の行為をしなかった者も、１年以下の懲役又は50万円以下の罰金に処せられる（同条８号）。なお、不正な行為をするように、又は、相当の行為をしないように要求し、又は依頼はしていないが、これらの３つの規定（法38条の２第８項の規定に基づく条例が制定されている場合は、当該条例の規定を含む）に違反して契約等事務に関し、職務上の行為をするように、又はしないように要求し、又は依頼した者については、刑罰ではないが、10万円以下の過料が課される（法64条）。

また、再就職者による依頼等の規制とは別に、次のいずれかに該当する職員は、３年以下の懲役に処するものとされている（法63条）。これは、国公法第112条に対応して、不正な行為をすること等を見返りとする再就職あっせん及び求職活動並びにその関連行為を罰則により禁止したものである。

①　職務上不正な行為（当該職務上不正な行為が、営利企業等に対し、他の役職員をその離職後に、若しくは役職員であった者を、当該営利企業等若しくはその子法人の地位に就かせることを目的として、当該役職員若しくは役職員であった者に関

する情報を提供し、若しくは当該地位に関する情報の提供を依頼し、若しくは当該役職員若しくは役職員であった者を当該地位に就かせることを要求し、若しくは依頼する行為、又は、営利企業等に対し、離職後に当該営利企業等若しくはその子法人の地位に就くことを目的として、自己に関する情報を提供し、若しくは当該地位に関する情報の提供を依頼し、若しくは当該地位に就くことを要求し、若しくは約束する行為である場合における当該職務上不正な行為を除く。②において同じ）をすること若しくはしたこと、又は相当の行為をしないこと若しくはしなかったことに関し、営利企業等に対し、離職後に当該営利企業等若しくはその子法人の地位に就くこと、又は他の役職員をその離職後に、若しくは役職員であった者を、当該営利企業等若しくはその子法人に就かせることを要求し、又は約束した職員

②　職務に関し、他の役職員に職務上不正な行為をするように、又は相当の行為をしないように要求し、依頼し、若しくは唆すこと、又は、要求し、依頼し、若しくは唆したことに関し、営利企業等に対し、離職後に当該営利企業等若しくはその子法人の地位に就くこと、又は他の役職員をその離職後に、若しくは役職員であった者を、当該営利企業等若しくはその子法人の地位に就かせることを要求し、又は約束した職員

③　②の不正な行為をするように、又は相当の行為をしないように要求し、依頼し、又は唆した行為の相手方であって、②の要求又は約束があったことの情を知って職務上不正の行為をし、又は相当の行為をしなかった職員

本条中の第１号括弧書きは、地方公共団体が後述の法第38条の６第１項に基づき条例等により国公法第106条の２第１項又は第106条の３第１項に相当する規制（不正な行為をすること等を見返りとしない再就職あっせん又は求職活動に対する規制）を設けた場合に、それらの行為自体（括弧書き中の「当該職務上不正な行為」）は、本条第１項冒頭の「職務上不正な行為」とならず、本条による罰則は適用されないことを明確にするために規定されたものである。国公法第112条第１号では、括弧書きで「第106条の２第１項又は106条の３第１項の規定に違反する行為を除く」とされている。この場合に、当該規制に違反した職員は、懲戒

処分の対象になり得る。

その他、法第38条の２の規定による規制違反行為の疑いに係る任命権者の人事委員会又は公平委員会への報告義務（法38条の３）、任命権者による規制違反行為の調査（法38条の４）、人事委員会又は公平委員会による任命権者に対する規制違反行為の調査要求（法38条の５）等の再就職者による依頼等規制違反監視手続が定められているほか、地方公共団体は、国家公務員法中退職管理に関する規定の趣旨及び当該地方公共団体の職員の離職後の就職の状況を勘案し、退職管理の適正を確保するために必要と認められる措置を講ずるものとされている（法38条の６第１項。国公法では、地公法には定められていない、不正な行為をすることを見返りとしない再就職あっせん及び在職中の求職活動の規制、再就職状況の公表等が定められている。）。また、地方公共団体は、必要な場合は、職員であった者で条例で定める者が、条例で定める法人の役員その他の地位であって条例で定めるものに就こうとする場合又は就いた場合には、離職後条例で定める期間条例で定める事項を条例で定める者に届け出させることができるとされている（同条２項。法65条によれば、この条例に違反した者に対し、10万円以下の過料を課する旨の規定を設けることができるとされている。）。

第３章　公務秩序の維持

第１節　服務の根本基準

法第30条は、「すべて職員は、全体の奉仕者として公共の利益のために勤務し、且つ、職務の遂行に当つては、全力を挙げてこれに専念しなければならない。」と規定する。このことは、憲法第15条第２項により、すべての公務員について、法律の規定をまつまでもなく当然に当てはまることであるが、地方公務員法は、これが職員の服務の基本であることにかんがみて、特に明記したものである。そして、法第31条から第38条までの職員の服務に関する具体的な規定は、すべてこの服務の根本基準を敷衍したものである。すなわち、全体の奉仕者として公共の利益のために勤務するという根本基準からは、法令等に従う義務（法32条前段）、信用失墜行為の禁止（法33条）、秘密を守る義務（法34条）、政治的行為の制限（法36条）が求められ、職務の遂行に当たって全力でこれに専念するという根本基準からは、上司の職務上の命令に従う義務（法32条後段）、職務専念義務（法35条）が求められるのである。また、争議行為の禁止（法37条）及び営利企業への従事等の制限（法38条）は、この２つの根本基準双方の要請によるものと考えられる。

また、地方公務員の服務については、勤務時間内に限って守るべき義務か、勤務時間の内外を問わず守るべき義務かを明らかにする意味で、職務上の義務と身分上の義務とに分類することが行われる。これによると、法令等及び上司の職務上の命令に従う義務（法32条）及び職務専念義務（法35条）が職務上の義務であり、これらは職員が職務を現実に遂行するに当たって守るべきものであるのに対し、信用失墜行為の禁止（法33条）、秘密を守る義務（法34条）、政治的行為の制限（法36条）、争議行為等の禁止（法37条）及び営利企業への従事等の制限（法38条）は、身分上の義務であって、勤務時間外も、休暇、休職、停職等の場合においても、職員たる身分を有するかぎり守るべきものとされている。なお、秘密を守る義務は、職員が離職した後においても適用される。

本章では、以上の服務義務を地方公務員法の条文の順に説明するが、争議行為等の禁止については、職員の労働基本権の一環として、団結権及び交渉権と一緒に説明する方が適当であると考えるので、本章では説明せず、第７章で説明することとする。

第２節　服務の宣誓

法第31条は、「職員は、条例の定めるところにより、服務の宣誓をしなければならない。」と規定する。服務の宣誓は、全体の奉仕者として公共の利益のために勤務する公務員としての覚悟の表明と誓約である。この条例については、準則が示されており（昭26. 1. 10地自乙発３）、これによると、新たに職員となった者は、任命権者又は任命権者の定める上級の公務員の面前において、宣誓書に署名してからでなければ、その職務を行ってはならないこととされており、その宣誓書の様式が示されている。そのうち、警察職員及び消防職員以外の一般の職員の宣誓書様式は、次のとおりである。

「私は、ここに、主権が国民に存することを認める日本国憲法を尊重し、且つ、擁護することを固く誓います。私は、地方自治の本旨を体するとともに公務を民主的且つ能率的に運営すべき責務を深く自覚し、全体の奉仕者として誠実且つ公正に職務を執行することを固く誓います。」

これは、準則中の様式であり、地方公共団体によって多少文言の違いはあるかもしれないが、地方公務員の服務の真髄と心構えの基本を簡潔に表した名文であり、地方行政に従事する者は、生涯忘れてはならない約束であるといえよう。

第３節　法令等及び上司の職務上の命令に従う義務

１　法令等に従う義務

職員は、その職務を遂行するに当たって、法令、条例、地方公共団体の規則及び地方公共団体の定める規程に従わなければならない（法32条前段）。国、地方公共団体を問わず、その行政の執行がその行政に関する法規に従って行われなければならないことは、法治主義の原則から当然のことであるが、本条は、現実に地方公共団体の行政執行に携わる職員の服務として、法令等の規定に従って職務を行うべきことを明文化したのである。それは、法律及びこれに基づく政省令や条例及びこれに基づく規則・規程が、国民や住民の代表機関である国会や議会の議決又はその委任に基づき制定されたものであることに照らし、全体の奉仕者として公共の利益のために勤務するという職員の服務の根本基準を、国民や住民の総意を示すこれらの法令等に従って職務を遂行すべき職員の服務義務として具体化したのである。

本条は、職員が「その職務を遂行するに当つて」法令等に従うことを求めている。したがって、ここで遵守すべしとされている法令等とは、その職務の遂行に関係する法令等である。それは、その執行しようとする業務に関する行政法令であることが多いであろうが、刑法の収賄規定、職務執行に必要な自動車運転を行う場合の道路交通法規等も該当する。これに対し、職員が職務遂行に関係なく一市民として守らなければならない法令等は、ここでいう法令等には該当しない。そのような法令違反は、信用失墜行為の禁止違反として全体の奉仕者たるにふさわしくない非行として取り扱われることとなる。

２　上司の職務上の命令に従う義務

職員は、その職務を遂行するに当たって、上司の職務上の命令に忠実に従わなければならない（法32条後段）。これは、職務専念義務に基づいて職務を遂行する職員に対し上司が与える具体的な業務遂行の目標や方法等についての命令に拘束力を持たせ、地方公共団体の各組織が一体となって能率的に業務を遂行することを可能とするために、上司の職務上の命令に従う義務を職員の服務として明文化したものである。

職務上の命令が有効に成立するためには、次のそれぞれの要件を満たしていることが必要である。

①　権限ある上司から発せられたものであること。ここで上司とは、その職員との関係において、これを職務上指揮監督する権限を有する者、すなわち職

務上の上司をいう。上司には、職務上の上司と身分上の上司があり、通常は両者は一致するが、例えば、知事部局の職員が教育委員会の事務に従事することを命じられた場合は、知事は身分上の上司であり、職務上の上司は教育長であるので、職務上の命令は、教育長又はその委任を受けた上席の教育委員会の職員が発することとなる。権限のない上司、例えば、農林部長が総務部人事課長に発した指示は、職務上の命令たりえない。また、上下の関係にある２以上の上司が異なる職務上の命令を発した場合には、上位の上司の職務上の命令が優先する。

②　職務に関するものであること。職務上の命令は、その職員の職務に関するものでなければならない。例えば、通常の場合、総務部財政課の職員に児童福祉に関する事務を命ずることは、職務上の命令たりえない。もっとも、職員の職に割り当てられる職務の内容は、必ずしも固定的ではなく、事務分掌規則等で示された職務に加え、個別の職務上の命令で特命的な仕事を命ずることもあり得る（前出の例でいえば、財政課の職員に対し、児童虐待の実態を理解させるため、双方の上司で協議のうえ一定期間児童相談の補助業務に従事することを命ずる場合）ので、職員の職務に関して発せられた命令であるかどうかは、個々のケースにおいて具体的に判断する必要がある。

③　実行可能なものであること。職務上の命令は、法律上又は事実上の不能を命ずるものであってはならない。例えば地方税の納税済みの者に対する差押えを命ずる命令（法律上の不能）や消滅した物件の収用を命ずる命令（事実上の不能）は、職務上の命令たり得ない。

以上の職務上の命令の有効要件に関連して、部下が上司の職務上の命令を審査することができるかどうかが問題となる。この点に関し、最高裁は、「職員が上司の職務命令を違法であるとして、その命令への服従を拒否し得るのは、一件明瞭な形式的適法性を欠く場合に限るべく、実質的な内容に立ち入って審査しなければ容易に適法か違法か判明しない場合には、職員にその適否を審査する権限はなく〔中略〕、ただ職務上の上司に対してこれに関する意見を述べることができるに過ぎないものと解する」との原則論を明らかにし（昭51.5.21最高裁大）、さらに、「職務命令は、発令者が職務上の上司であること、受命者の職務に関するものであること、その内容が法規に抵触しないことの要件を具備することを要するところ、これらの要件の欠缺が重大且つ明白な場合には、かかる職務命令は拘束力を有せず、受命公務員は、自ら職務命令の無効を判断することができ、これに服することを要しない」と、職員が職務上の命令を審査し、拒否できる場合の基準を肯定した（昭53.11.14最高裁三小、昭49.5.8東京高裁）。これは、重大かつ明白な瑕疵のある行政行為は当然無効とする行政行為の瑕疵に関する理論を応用したもので、職員が職務上の命令を拒否できる場合の基準として妥当なものといえるであろう。上司の職務上の命令にこのような重大かつ明白な瑕疵があることは、通常は考えられないが、例えば、悪質な上司が入札予定価格の漏洩を命じたり、自動車運転手に制限速度違反の運転を命ずることは、重大かつ明白な瑕疵のある職務上の命令として無効であり、職員はこのような命令に従ってはならず、そのような命令に従った職員は、その行為と結果について責任を問われることとなる。これに対し、職務上の命令に取消しの原因となる瑕疵があるにとどまるとき、あるいは有効な命令であるかどうか疑義があるにとどまるときは、職務上の命令は有効であると取り扱われ、職員は上司に意見を述べることはできるが、その職務上の命令が権限ある機関によって取り消されるまでは、その命令に従わねばならない。

３　身分上の命令

法第32条後段の命令は、職員がその職務を遂行するに当たって従わなければならない職務上の命令であるが、行政実務家は、これ以外に公務員の勤務関係が特別権力関係であることに基づき、職務の遂行とは直接関係のない身分上の命令を肯定し、身分上の命令については、職務上の上司と身分上の上司のいずれもが発し得るとする（前掲・鹿児島『逐条地方公務員法』等）。この説に立つ場合は、法第32条に基づく職務上の命令と特別権力関係に基づく（法律の規定に基づかない）身分上の命令の両方を併せて職務命令と呼ぶこととなる。これらの説は、ここに、法律の留保の原則によらないで、法律に根拠を有しない命令・強制関係を含む特別権力関係を認める実質的理由の一つを見出すのである。そして、身分上の命令の具体例として、①名札着用の命令、②制服の着用命令、③特定の職員に職務の必要上公舎に入居するよう命ずること、④職務上の見解を公表する場合に上司の許可を得るよう命ずること、⑤職員徽章（バッジ）の着用命令、⑥過度の飲酒を慎むよう命ずること、等が挙げられている。確かに、これらは公務員の服務規律を確保するために必要な命令ではあるが、これらをすべて身分上の命令として説明しなければ発することができないかということについては疑義がある。これらのうち、①、②、③及び④は、職務上の命令として十分説明可能であると考えられる。例えば、名札の着用命令は、勤務時間中にその職員の氏名や所属を明らかにすることにより責任を持って職務を遂行するための職務上の命令と理解することができる。これに対し、⑤は、職員は常に職員徽章を身に付け、その身分を明らかにしておくために命じられるものであり、勤務時間の内外を問わず、また、職務の遂行と関係なく着用を命じられているものである。それは、職員に対し、その地方公共団体の職員として常に公務員としての誇りと自覚をもって行動するようにという趣旨で着用を命じられているのであり、法第32条の職務上の命令では説明ができないものである。⑥についても、過度の飲酒が翌日の勤務に差し支えないようにという観点からの命令なら、職務上の命令と説明することができるが、その職員が過度の飲酒と酩酊を繰り返し飲食店や隣近所に迷惑をかけ、地域社会のなかで顰蹙を買っているという状況にある場合に、その改善のために過度の飲酒を慎むよう命ずることは、必要なことではあるが、職務上の命令では説明ができないであろう。同様のことは、賭け事に耽って散財し、友人・知人に借金を頼み回っている職員に対して賭け事への没頭を控えるよう命ずることについても当てはまるであろう。このように、全体の奉仕者として公共の利益のために勤務するという公務員の基本的性格からして、職務遂行の場面を離れても、地方公共団体と職員の間の特別権力関係に基づき合理的な範囲内で、法第32条に定めのない身分上の命令を発する必要がある場合はあるといえよう。その場合、職員は、職務上の命令の場合と同様、その身分上の命令が重大かつ明白な瑕疵を有する場合はこれに従ってはならない（例えば、政治的行為の制限に違反して特定の候補者への投票の勧誘運動をすることを命ずるが如し）が、そうでなければ従う義務があることとなる。

第４節　信用失墜行為の禁止

法第33条は、「職員は、その職の信用を傷つけ、又は職員の職全体の不名誉となるような行為をしてはならない。」と規定する。これは、全体の奉仕者として公共の利益のために勤務するという公務員の基本的性格にかんがみ、地方公共団体の住民の信託を得て公務に従事する職員について、信用失墜行為を行ってはならないという倫理上の行為規範を、法律上の規範として規定したものである。

地方公共団体における行政は、実際には個々の職員によって実施されるのであるから、職員の行為が地方公共団体の行為として住民に理解されることが多い。したがって、職員が非行や不行跡を行ったときには、たとえそれが職務の執行に関係がない職員個人としての行為であっても、当該職員が占めている職自体の信用を傷つけるばかりでなく、地方公共団体の職全体の信用を失わしめることとなる。このように、職員の非行や不行跡が公務の信用を損なうのは、そのような行為が職員という身分を通じて公務の信用に影響をもたらすからであるので、信用失墜行為の禁止は、勤務時間の内外を問わず、また、職務に関係してなされたか否かを問わず適用されるものである。

どのような行為が職員の職の信用を傷つけ、又は職員の職全体の不名誉な行為に該当するかは、社会通念に基づき個々のケースに応じて具体的に判断することとなる。そして、この信用失墜行為の禁止に違反したときは、状況にもよるが、多くは法第29条第１項第３号の「全体の奉仕者たるにふさわしくない非行のあつた場合」に該当し、懲戒処分の対象となるものと考えられる。職員が職権濫用罪や収賄罪など職務に関係した犯罪を犯すことは、その職員の職そのものの信用を傷つけるとともに、当該地方公共団体全体の信用を損なう典型的な例である。自家用車を飲酒運転して人身事故を起こす等、職務に関係しない一般犯罪を犯すことも、同様である。また、刑罰に該当しなくても、道徳的に強い非難を受けるスキャンダルの当事者となったとき、来庁者に対し著しく粗暴な態度をとったとき、前節３で言及した⑥ないしその類似ケース等も、信用失墜行為となることがあるであろう。このような個別事例については、それぞれの状況に応じ健全な社会通念に従い個々に判断せざるを得ないが、それは任命権者の恣意的な判断を許すものではなく、客観的に見て妥当なものでなければならない。

第５節　秘密を守る義務

１　秘密の意義

法第34条第１項は、「職員は、職務上知り得た秘密を漏らしてはならない。その職を退いた後も、また、同様とする。」と規定する。秘密とは、一般に了知されていない事実であって、それを一般に了知せしめることが一定の利益の侵害になると客観的に考えられるものをいうとされている（行政実例昭30. 2. 18自丁公発23）。行政は、基本的に透明な手続で執行されるべきであり、その有する情報は可能な限り公開されるべきではあるが、行政が有する事実に関する情報の中には、それが一般に了知されることにより、私人の個人的法益や公の秩序等の公的利益を害するものもある。このような国民の個人的法益や公的利益を守ることも、社会全体の公共の利益を守るために必要なことであるため、このような事実についてはこれを秘密として一般に了知させないこととし、それを職員の服務義務として規定して、個人的法益や公的利益の保護を図ることとしたのである。

具体的にどのような事実が秘密に該当するかは、個々の事実について、個人的法益又は公的利益の保護の必要性とその事実を公開する公益上の必要性とを比較考量して判断することとなる。行政組織においては、秘密に属する事項であることを示すために、書類や資料に㊙といった符号等を印すことが行われるが、最高裁は、国公法第100条第１項にいう秘密であるためには、国家機関が単にある事項につき形式的に秘密扱いの指定をしただけでは足りず、実質的にもそれを秘密として保護するに値すると認められるものでなければならないとする（昭52.12.19最高裁二小、昭53.5.31最高裁一小）。いわゆる形式秘だけでは足りず、実質秘であることを要するとするのである。地方公共団体としては、実質的に保護する必要がある事実を秘密として取り扱うよう努め、形式秘と実質秘の乖離を可能な限りなくす情報管理を求められているといえよう。このようにして秘密として取り扱うこととされた事実を職務上知り得た職員は、これを漏らしてはならず、また、離職して職員でなくなってからも漏らしてはならないとされているのである。

２　職務上知り得た秘密と職務上の秘密

法第34条第１項では、「職務上知り得た秘密」について漏らすことを禁止し、第２項においては「職務上の秘密」について証人、鑑定人等として発表するときに任命権者の許可を要するとしている。職務上の秘密とは、その職員の職務上の所管に属する秘密をいうのに対し、職務上知り得た秘密とは、その職員の職務上の所管に属する秘密に加え、より広く職務執行上知り得た秘密をいう。例えば、他の職員の所管に属するが事務の調整上知った事実、教員が生徒の家庭訪問の際に知ったその家庭の私的な内部事情等も含まれる。地方税法第22条により地方税に関する事務に従事している者が漏らしてはならないとされている「その事務に関して知り得た秘密」も同義であると解されている。

３　「漏らす」の意義

秘密を、「漏らす」とは、秘密を一般に了知せしめること、又は、一般に了知せしめる恐れを生じさせることをいう。不特定多数に了知せしめることは、漏らすことの典型であるが、了知せしめる相手が単数であっても、その者から一般に了知される恐れがあるため、「漏らす」ことに該当する。その者が一般に了知せしめる結果は、必要ない。また、了知せしめる方法は、文書による伝達、口頭での伝達、資料の手交、電子媒体による伝達等いかなる手法によるかを問わない。秘密に属する文書を外部の者が読んでいるのを、その文書の管理責任者が（故意に）黙認することも「漏らす」に該当すると解する。

４　職務上の秘密の発表の許可

法第34条第２項は、「法令による証人、鑑定人等となり、職務上の秘密に属する事項を発表する場合においては、任命権者（退職者については、その退職した職又はこれに相当する職に係る任命権者）の許可を受けなければならない。」と規定する。秘密はそれを漏らすことにより一定の利益を侵害するものであるが、他の法令によるより大きな公益上の理由があってそれを公表しなければならない場合もある。本項と次項は、そのための調整規定である。法令により証人、鑑定人等となる場合としては、民事訴訟法第190条以下、刑事訴訟法第143条以下、自治法第100条、議院における証人の宣誓及び証言等に関する法律等がある。任命権者は、職員からこれらの法令による証人、鑑定人等として職務上の秘密に属する事項の発表を許可するよう求められた場合には、法律に特別の定がある場合を除く外、許可を拒むことができない（法34条３項）。法律の定めとしては、例えば、自治法第100条では、議会から公務員の秘密に属する証言や記録の提出を求められた官公署が、その提出が公の利益を害する旨の声明をすることによって、提出を拒むことができるとして、秘密の保護の要請と秘密の公表の要請との調整を図る方法がとられている。職員としては、発表の許可がない限り職務上の秘密に属する事項を発表することはできない。許可がないことにより発表できないのであるから、証言拒否等の責任は生じない。なお、本項により発表の許可を要するのは、職務上の秘密であるので、職務上の秘密に属しない職務上知り得た秘密については、法令による証人・鑑定人となって発表する場合には、任命権者の許可を要しない。

５　罰　則

法第34条第１項又は第２項の規定に違反して秘密を漏らした者は、１年以下の懲役又は50万円以下の罰金に処せられる（法60条２号）。これらの者が退職者でなく職員であれば、服務規律違反で懲戒処分の対象にもなるのは当然である。

第６節　職務専念義務

１　職員の基本的義務としての職務専念義務

法第35条は、「職員は、法律又は条例に特別の定がある場合を除く外、その勤務時間及び職務上の注意力のすべてをその職責遂行のために用い、当該地方公共団体がなすべき責を有する職務にのみ従事しなければならない。」と規定する。これは、職員は職務の遂行に当たっては全力を挙げてこれに専念しなければならないとする服務の根本基準（法30条）を、職員の職務遂行上の最も基本的な義務として具体化したものである。また、このように職務専念義務が職員の最も基本的な義務であることに加え、公務は、国民、住民の信託に基づくものであり、その費用は国民、住民の負担によって賄われているのであるから、任命権者としてもみだりに職務専念義務の例外を認めることは許されず、法律又は条例に特別の定めがある場合に限って、例外的に職務専念義務が免除されることを規定しているのである。「職務上の注意力のすべてをその職責遂行のために用い」とは、職員が持つ身体的、精神的活動のすべてをその職務に集中するという意味である。民営化前の電電公社の事案に関する判決であるが、勤務時間中のプレート着用闘争について「身体的活動の面だけからみれば作業の遂行に特段の支障はなかったとしても、精神的活動の面から見れば注意力のすべてが職務の遂行に向けられなかったものと解されるから、職務上の注意力のすべてを職務遂行のために用い職務のみに従事すべき義務に違反」するとしたものがある（昭52.12.13最高裁三小）。

２　職務専念義務が免除される場合

職務専念義務が免除される「法律又は条例に特別の定がある場合」としては、それぞれ次のような場合がある。

⑴　法律に定めがある場合

①　法第26条の２の規定により修学部分休業の承認を受けたとき。

②　法第26条の３の規定により高齢者部分休業の承認を受けたとき。

③　法第26条の５の規定により自己啓発等休業の承認を受けたとき。

④　法第26条の６の規定により配偶者同行休業の承認を受けたとき。

⑤　法第27条又は第28条の規定により休職処分を受けたとき。

⑥　法第29条の規定により停職処分を受けたとき。

⑦　法第55条の２の規定により職員団体の在籍専従職員としての許可を受けたとき。

⑧　法第55条第８項に規定する適法な交渉に出席するとき。

⑨　地方公務員の育児休業等に関する法律に基づく休業の承認を受けたとき。

⑩　労働基準法に基づく休暇

⑪　労働安全衛生法第68条に基づく病者の就業禁止

⑵　条例に基づく場合

①　休日・休暇に関する条例に基づく休日（国民の祝祭日）又は休暇

②　職務専念義務の免除に関する条例に基づく場合

ⅰ）　研修を受ける場合

ⅱ）　厚生に関する計画の実施に参加する場合

ⅲ）　感染症の予防又は家畜伝染病の予防のための通行遮断の場合

ⅳ）　風水震火災その他の非常災害による交通遮断

ⅴ）　風水震火災その他の非常災害による職員の現住居の滅失又は破壊の場合

ⅵ）　交通機関の事故等の不可抗力の原因による場合

ⅶ）　裁判員、証人、鑑定人等として国会、裁判所、地方公共団体の議会その他の官公署に出頭する場合

ⅷ）　選挙権その他の公民としての権利を行使する場合

職務専念義務を免除された職員への給与の支給については、まず法律等で制度上給与を支給すべし、あるいは、すべきでないとしている場合は、それに従う。給与を支給すべきものとしては、年次有給休暇、分限処分による休職の大部分等がある。これに対し、給与を支給してはならないものとしては、修学部分休業、高齢者部分休業、自己啓発等休業、配偶者同行休業、育児休業、懲戒

処分である停職、在籍専従、勤務時間中の組合活動（法55条の２第６項、ただし、条例で特別の定めをしたときは、支給することができるとされている）がある。このような法律等で明確な定めがない場合には、給与条例の定めるところによることとなる。

第７節　政治的行為の制限

１　政治的行為の制限の趣旨

法第36条は、職員の一定の政治的行為を制限している。詳細は、後述するが、職員が政党の結成等に関与することを禁止する（法36条１項）とともに、特定の政治的目的を有する特定の政治的行為を禁止している（同条２項）。また、職員に政治的行為をするように第三者が働きかけることを禁止し（同条３項）、更に、職員が、そのような違法な働きかけに応じなかったことにより不利益な取扱いを受けることがないようその地位を保障している（同条４項）。

このように職員の政治的行為が制限されている理由は２つある。１つは、公務員が全体の奉仕者であり一部の奉仕者ではない（憲法15条２項）ことから、その政治的中立性を確保し、職員の携わる行政が一党一派の利益に偏ることなく、中立公正に行われることを確保することにある。いま１つは、職員の政治的中立性を確保することにより、職員自身を政治的影響から保護し、その身分を保障することにある。職員の政治的行為が自由であれば、職員は政党等から政治活動を求められ、その協力度に応じて身分取扱いが左右されかねず、スポイルズシステムの弊害とされるいわゆる政治的任用の横行を招き、現行任用制度の根本基準である成績主義は崩れ去り、民主的かつ能率的行政運営が困難となる恐れがあるのである。

一方、公務員も国民として、集会、結社及び言論、出版その他一切の表現の自由を保障する憲法第21条の適用を受けているので、上記のような理由でその政治的行為を制限することが、公務員の基本的人権を侵害するものとして憲法第21条に、また公務員を一般の国民と不当に差別するものとして憲法第14条に違反するのではないかということが問題となる。この点につき最高裁は、国家公務員である郵政職員の事案である全逓猿払事件で、要旨、次のとおり判示している（昭49.11.6最高裁大、なお（注１）及び（注２）参照）。この判決の論旨は、地方公務員の政治的行為の制限についても、基本的に妥当する。

公務員の政治的中立性を損なう恐れのある政治的行為を禁止することは、それが合理的で必要やむを得ない限度にとどまるものである限り、合憲である。公務員に対する政治的行為の禁止が上記の限度にとどまるものであるか否かを判断するには、禁止の目的、この目的と禁止される政治的行為との関連性、政治的行為を禁止することにより得られる利益と禁止することにより失われる利益との均衡の３点の検討が必要である。もし公務員の政治的行為のすべてを放任すれば、公務の党派的傾向を招き、行政の中立的運営に対する国民の信頼が損なわれ、政治的党派の行政への不当な介入を容易に許し、行政の能率的で安定した運営が阻害される事態に至る。ゆえに禁止の目的は正当であり、この目的と禁止される政治的行為の間には合理的関連性が認められる。また、一定の政治的行為を禁止しても、それは単に行動の禁止に伴う限度での間接的、付随的な制約にすぎず、禁止により得られる利益は、行政の中立的運営とこれに対する国民の信頼を確保するという国民全体の共同利益であるから、利益の均衡を失していない。したがって、国家公務員法による政治的行為の制限は、憲法に違反しない。

（注１）　全逓猿払事件判決の詳細については、猪野「国家公務員の政治的行為の制限が合憲であるとされた事例」地方公務員月報138号47頁以下参照。

なお、本判決は、政治的行為の制限に違反した国家公務員への罰則（地方公務員は、罰則はない）の適用に関する事案、すなわち刑事被告事件である。本判決では、本文に引用した国家公務員の政治的行為の制限自体が憲法21条に違反するかどうかという論点とは別に、制限に違反した者に対する罰則が憲法21条のほか31条や41条等に違反するかどうかも論点となり、４名の裁判官が違反するとの反対意見を述べているが、多数意見は憲法に違反しないとしている。

（注２）　近時、最高裁は、政治的行為の制限に違反して政党の機関誌等を配布したとして国家公務員法違反の罪に問われた２つの事案につき、同法の罰則規定に係る人事院規則14－７（政治的行為）６項７号、13号（５項２号）は、それぞれが定

める行為類型に文言上該当する行為であって公務員の職務の遂行の政治的中立性を損なうおそれが実質的に認められるものを当該各号の禁止の対象となる政治的行為と規定したものと解するのが相当とし、そのような解釈の下に、管理的地位にない国家公務員によって行われた配布行為を無罪とし、管理職的地位にある国家公務員によって行われた配布行為を有罪とした（平24.12.7最高裁判二小）。これは、国公法及び人事院規則が定める政治的行為制限違反に対する罰則を限定的に解釈することによって、それが憲法に違反しないとする結論を導くものであって、かつて全逓猿払事件判決以前の下級審判決にみられた限定解釈論（適用違憲論も本質的に同じ）に外ならない。同判決自体は、全逓猿払事件判決とは事案が異なり、限定解釈ではなく、構成要件の厳格解釈であると言葉を言い換えているが、犯罪構成要件の明確性による保障機能を損なう等の批判を免れることはできず、大法廷判決である全逓猿払事件判決との整合性を問われることとなるであろう。また、このように、条文の文言に該当する行為のうち非管理的地位の公務員による行為を適用除外する取扱いをするのであれば、地公企法第39条第２項（後述155～156頁）のように、条文上明確に適用を除外することを規定すべきであり、解釈により同様の結果をもたらすことは、司法権による立法権の侵害として憲法違反であるとの批判を受けることとなるであろう。

２　政治的行為の制限の内容

⑴　政党の結成等への関与の禁止

職員は、政党その他の政治的団体の結成に関与し、若しくはこれらの団体の役員となってはならず、又はこれらの団体の構成員となるように、若しくはならないように勧誘運動をしてはならない（法36条１項）。これらの行為は、法第36条第２項で禁止される特定の政治的目的を有する特定の政治的行為と異なり、政治的目的の有無を問わず、また、区域の如何を問わず禁止される。「結成に関与する」とは、例えば、発起人となること、準備委員となって発起人を補佐して推進的役割を果たすこと、又はこれらの行為のために労力、金品等を提供し、その目的達成を容易ならしめるようにすること等一切の援助行為を包含する。「役員となってはならない」ので、政治的団体の役員以外の構成員、例えば単なる党員になることは差し支えない。「勧誘運動」とは、不特定多数の者を対象にして組織的、計画的に、構成員となる決意又はならない決意をさせるよう促す行為をいう。したがって、たまたま限定された少数の友人に入党を勧めることは、勧誘「運動」に当たらない。

なお、これらの政治的行為の制限は、職員がその身分を有するかぎり適用されるものであり、勤務時間の内外を問わず、また、休職、停職、在籍専従の許可等で職務に従事していない者も制限される。また、職員団体が政治的行為を行うことは自由であるが、職員団体の行為が同時に個々の職員の行為となる場合には、当該職員が政治的行為の制限を受けることとなる（行政実例昭26.4.2地自公発127）。これらのことは、次の特定の政治的目的を有する特定の政治的行為の制限についても同様である。

⑵　特定の政治的目的を有する特定の政治的行為の禁止

法第36条第２項は、特定の政治的目的と特定の政治的行為を具体的かつ詳細に規定し、職員がそのような政治的目的をもってそのような政治的行為を行うことを禁止している。これは、職員も国民として、集会、結社及び言論、出版その他一切の表現の自由が基本的には保障されているので、全体の奉仕者として国民全体の共同利益のためにその政治的行為に制限を課す場合も、包括的な制限とせず、必要最小限のものとなるよう限定的に規定をしたものである。この規定を分解すると、２つの政治的目的と５つの政治的行為が規定されている。

⒜　政治的目的

ⅰ）　特定の政党その他の政治的団体又は特定の内閣若しくは地方公共団体の執行機関を支持し、又はこれに反対する目的

特定の内閣若しくは地方公共団体の執行機関は、現在及び将来のものを意味するものであり、過去のものは含まれない。地方公共団体の執行機関とは、地方公共団体の機関で、その所掌事務を独立して執行する権限を有するものをいい、地方公共団体の長、教育委員会、選挙管理委員会、人事委員会、公平委員会、監査委員、公安委員会、労働委員会、収用委員会、農業委員会等を指す。また、支持し又は反対する「目的をもつて」といい得るためには、支持し又は

反対する対象が特定されていることが必要であり、そのためには対象が具体的かつ明確に表示されていなければならない。

ⅱ）　公の選挙又は投票において特定の人又は事件を支持し、又はこれに反対する目的

公の選挙又は投票とは、法令に基づく選挙又は投票で、広く国民又は住民一般が直接参加するものをいい、国会議員、地方公共団体の長、議会議員の選挙等又は最高裁判所の裁判官の任命に関する国民審査、地方公共団体の議会の解散、議員や長の解職等の投票並びに一の地方公共団体のみに適用される特別法の賛否の投票（憲法95条）等が該当する。直接請求に関する署名を成立させ又はさせないこと並びに条例の制定・改廃及び事務監査の請求は含まれない。「特定の人」とは、正式の立候補届出により候補者としての地位を有するに至った者をいい、まだ候補者としての地位を有していない者は含まれない。「事件」とは、法令の規定に基づき正式に成立した地方公共団体の議会の解散、国会において議決された一の地方公共団体のみに適用される特別法等をいう。

なお、憲法第96条に基づく憲法改正の承認のための国民投票も法第36条第１項の「公の投票」に該当し、その憲法改正案は「特定の事件」に該当する。したがって、憲法改正のための国民投票において、その憲法改正案を支持し、又は反対する目的をもって、法第36条第２項各号に該当する行為を行うことは、地方公務員の政治的行為の制限に違反することとなる。しかしながら、憲法改正という国民にとっての重大事項については、公務員といえども、純粋な勧誘行為や意見表明にとどまるものは認めるべきであるという観点から、平成26年に日本国憲法の改正手続に関する法律が改正され、公務員は、国会が憲法改正を発議した日から国民投票の期日までの間、国民投票運動（憲法改正案に対し賛成又は反対の投票をし又はしないよう勧誘する行為をいう）及び憲法改正に関する意見の表明をすることができるとの政治的行為の制限に関する特例が設けられた（同法100条の２）。この結果、憲法改正のための国民投票については、法第36条第２項第１号の勧誘運動は許容されている（ただし、選挙管理委員会の委員及び職員、裁判官、検察官、公安委員、警察官等は、在職中、国民投票運動ができないとされ、

その違反については、６月以下の禁錮又は30万円以下の罰金が科される。同法102条及び122条）。

(b)　政治的行為

法第36条第２項は、職員が(a)で述べた目的をもって行うことを禁止される政治的行為を、第１号から第５号まで各号列記している。そしてこれらの政治的行為のうち、第１号から第３号まで及び第５号に掲げる政治的行為については、当該職員の属する地方公共団体の区域（当該職員が都道府県の支庁若しくは地方事務所又は指定都市の区若しくは総合区に勤務するものであるときは、当該支庁若しくは地方事務所又は区若しくは総合区の所管区域）外において、行うことができることとしている。これは、地方公務員の場合、基本的には、その所属する地方公共団体の所管区域内で業務に従事し、また従事する業務も当該地方公共団体内の事業であるので、公務の政治的中立性に対する住民の信頼を保護する必要性は、当該地方公共団体の区域内において大きく、その区域外においては、職員の政治的中立性を損なう恐れは小さいと考えられたのであろう。ただし、第４号に掲げる行為については、地方公共団体の区域外でも禁止されることは、後述のとおりである。なお、第５号では、条例で禁止される政治的行為を追加できる旨が定められているが、職員の基本的人権にかかわる事柄であるので、そのような条例を制定することについては、その必要性を含め十分に慎重であるべきである。以下、法第36条第２項第１号から第４号について述べる。

ⅰ）「公の選挙又は投票において投票をするように、又はしないように勧誘運動をすること」

「勧誘運動」の意味は、(1)で述べたところと同じであるが、勧誘運動に該当するかどうかについて、行政実例で取り扱われたケースとして、職員が選挙事務所で勤務時間外に無給で経理事務の手伝いをすることは該当せず、勤務時間外に無給で候補者のポスターを貼付することは該当するおそれがあるとされ、職員が特定候補の推薦人として選挙公報に氏名を連ねることも該当するとされている。また、職員が、たまたま限られた少数の知人に特定候補者への投票を勧めることは、公職選挙法の適用は別として、勧誘「運動」には該当しないとされている。なお、「投票するように、又はしないように」とは、投票の棄権も含む。

ⅱ）「署名運動を企画し、又は主宰する等これに積極的に関与すること」

「署名運動」とは、不特定又は多数の者を対象として組織的、計画的に、その共同の意向を表示する手段としてその意向を明示した文書に署名するよう勧誘する行為をいうものである。したがって、単に数人の友人に限定してその署名を求める行為は該当しない。「積極的に関与する」とは、署名運動の企画、主宰のほか、企画、主宰する者を助け又はその指示を受けて署名運動において推進的役割を演じることをいい、単なる援助は含まれない。

ⅲ）「寄附金その他の金品の募集に関与すること」

「募集に関与する」とは、募集計画を企画し、実施を主宰し、指導し、具体的に寄附金等の供与、交付を勧誘し、これを受領し又は募集計画の立案に助言を与え、その募集を援助する等の行為をいう。寄附金等を与えることは含まれない。

ⅳ）「文書又は図画を地方公共団体又は特定地方独立行政法人の庁舎（特定地方独立行政法人にあつては、事務所。以下この号において同じ。）、施設等に掲示し、又は掲示させ、その他地方公共団体又は特定地方独立行政法人の庁舎、施設、資材又は資金を利用し、又は利用させること」

「庁舎、〔中略〕施設等」とは、地方公共団体が使用し又は管理する建造物及びその付属物をいい、固定設備であることを要しない。したがって、自動車も含まれる。公営住宅も該当する。本号に該当する行為については、職員は、当該地方公共団体の区域外であっても、禁止される。地方公共団体の施設や資金等の資産は、言わば住民の共有の財産ともいうべきものであり、そのようなものを政治的な目的のために利用することは、いずこの地方公共団体の職員が行うにせよ、住民の地方公共団体の行政の中立性に対する信頼を著しく損なうと考えられたものであろう。

３　企業職員、教育公務員等の特例

企業職員のうち、政令で定める基準に従い地方公共団体の長が定める職にあ

る者を除き、政治的行為の制限は適用されない（地公企法39条２項）。この政令（昭和40年政令278）によると、地方公営企業の管理者及び職制上これを直接補佐する職その他一定の管理的職が除かれる職の基準として示されている。特定地方独立行政法人についても、同様に、政令で定める基準に従い理事長が定める職にある者を除き、法第36条の規定は適用除外されている（地独行法53条２項及び同法施行令13条）。なお、単純労務職員については、地公労法附則第５項によって、地公企法第39条第２項が準用されているが、地方公共団体の長が定める職の基準を定める政令が制定されていないため、すべて法第36条が適用除外されている。むしろ、単純労務職員については、その政治的行為を制限することを、法は予想していないと考えるべきであろう。

これに対し、公立学校の教育公務員については、教育を通じて国民全体に奉仕するという職務とその責任の特殊性に基づき、その政治的行為の制限については、当分の間、国家公務員の例によるとされている（教特法18条１項）。その結果、公立学校の教育公務員については、一般の地方公務員よりも広く政治的行為が制限され、また、特定の政治的目的を有する特定の政治的行為の制限も、当該地方公共団体の区域を超え全国的に禁止される。ただし、国家公務員法の罰則の適用は除外されている（同条２項）。

第８節　営利企業への従事等の制限

１　営利企業への従事等の制限の趣旨

法第38条第１項は、「職員は、任命権者の許可を受けなければ、商業、工業又は金融業その他営利を目的とする私企業（以下この項及び次条第１項において「営利企業」という。）を営むことを目的とする会社その他の団体の役員その他人事委員会規則〔中略〕で定める地位を兼ね、若しくは自ら営利企業を営み、又は報酬を得ていかなる事業若しくは事務にも従事してはならない」と規定する。平成26年改正法による改正前の法第38条では、見出し中に「営利企業等」という用語を用いながら、本文中には「営利企業」という用語自体は存しなかった。このため、平成26年改正法により、営利を目的とする私企業の例示を示すことにより営利企業の概念を具体的に示すとともに、そのような「営利企業への従事」と、営利・非営利を問わず報酬を得て事業又は事務に従事することを「等」として区分することにより、「営利企業」という用語を法第38条の２第１項以下で独立して使用できるようにしたものである。このような営利企業への従事等の制限の趣旨は１つには、職員は全体の奉仕者として公共の利益のために勤務しなければならないものであるため、一部の利益を追求する営利企業に関与することは職務の公正を害するおそれがあること、いま１つは、職員は職務の遂行に当たっては全力を挙げてこれに専念しなければならないので、他の事業や事務に従事することにより職務の専念に悪影響を及ぼすおそれがあることによるものである。したがって、職員の全体の奉仕者たる性格に反することなく、かつ、職務の専念に悪影響を及ぼさない場合においては、職員が営利企業への従事等をすることをすべて禁止するまでの必要はない。このため、任命権者の許可があれば、この禁止を解除することができることとしているのである。

したがって、営利企業への従事等の許可（以下、「営利企業従事等許可」と略称する）は、職員が当該営利企業への従事等をしても、当該営利企業への従事等により職員が属する地方公共団体との間に利害関係が生ずるおそれがなく、かつ、職務の公正を妨げるおそれがないこと、職務遂行上能率の低下を来すおそれがないことを主旨として、許可するかどうかを判断することとなる。その際、職員が公共の利益のために勤務する存在であることから、職員の品位を著しく損なうような営利企業への従事等でないことを判断の要素とすることは差し支えないと考えられる。なお、人事委員会は、任命者間で不均衡が生じないよう、その規則で許可基準を定めることができるとされている（同条２項）。

また、営利企業への従事等が勤務時間中である場合は、本条に基づく営利企業従事等許可とは別に、法第35条に基づく職務専念義務の免除を受けなければならない。営利企業従事等許可と職務専念義務の免除は、それぞれ目的を異にするものであるので、営利企業従事等許可があれば当然に職務専念義務の免除がなされるものではなく、逆に、職務専念義務の免除がなされれば当然に営利企業への従事等ができるというものでもない。例えば、休職中又は停職中の職員は職務専念義務はないが、その間営利企業に従事等するのに営利企業従事等許可が必要なことは当然である。ただ、職員が在籍専従の許可を受けたときは、休職扱いとなり職務専念義務が免除されるが、いかなる給与も支給されないことが法律で定められている（法55条の２第５項）ので、その職員が専従する職員団体から報酬を受けることは当然に予定されているともいい得ることから、在籍専従の許可と同時に営利企業従事等許可もなされたものと解されている（自治省公務員第一課決定昭43.12在籍専従制度関係問答問13）。

２　営利企業従事等許可が必要な行為

①　営利団体の役員等の地位を兼ねること

職員は、営利企業を営むことを目的とする会社その他の団体の役員その他人事委員会規則（人事委員会を置かない地方公共団体においては地方公共団体の規則）で定める地位を兼ねるには、任命権者の許可を受けなければならない。

「役員」とは、会社の場合でいえば、取締役、監査役のような業務の執行又は業務の監査について責任を有する地位にある者及びこれらの者と同等の権限又は支配力を有する地位にある者をいう。その他人事委員会規則等で定める地位としては、営利団体の顧問、評議員、清算人等が考えられる。農業協同組合、消費生活協同組合等の非営利団体の役員等になることは差し支えないが、その対価として報酬を受ける場合は、③により営利企業従事「等」許可が必要である。

②　自ら営利企業を営むこと

「営利企業」とは、業種、業態を問わない。農業であっても、個人企業であっても、営利を目的とする私企業であるかぎり該当する（農業につき、行政実例昭26.5.14地自公発204）。自家用の作物を作ることは、該当しない。

③　報酬を得て事業又は事務に従事すること

報酬を得て事業又は事務に従事することは、たとえ営利を目的としないものであっても、許可が必要である。「報酬」とは、給料、手当等の名称のいかんを問わず、労務、労働の対価として支給あるいは給付されるものをいう。労務、労働の対価ではない給付、例えば、職員が住職として受ける布施（行政実例昭26.6.20地自公発255）、講演料や原稿料などの謝金等は、報酬には該当しないと解されている。

3　教育公務員の特例等

教育公務員は、教育に関する他の職を兼ね、又は教育に関する他の事業若しくは事務に従事することが本務の遂行に支障がないと任命権者において認める場合には、給与を受け又は受けないで、その職を兼ね、又はその事業若しくは事務に従事することができる。この場合においては、人事委員会が定める許可の基準によることを要しない（教特法17条）。

また、平成29年改正法は、旧法第38条に、非常勤職員については同条による営利企業への従事等制限を適用除外する改正を追加した。その際、短時間勤務の職を占める職員及び法第22条の2第1項第2号のフルタイムの会計年度任用職員については、適用除外から除く（適用する）としている（法38条1項ただし書き）。

第9節　懲戒処分

1　懲戒処分の意義

懲戒処分とは、職員の一定の義務違反に対する道義的責任を問うことにより、公務における規律と秩序を維持することを目的とする行政処分である。懲戒処分は、公務員の勤務関係においてその秩序を維持するために科される制裁であるが、それが職員に不利益をもたらすものであるため、「公正でなければならない」とされ（法27条1項）、また、職員の身分保障の見地から、「職員は、この法律で定める事由による場合でなければ、懲戒処分を受けることがない。」とされ（同条3項）、具体的には、法第29条第1項で懲戒事由が限定的に列挙されているところである。なお、特別職に属する地方公務員の懲戒については、それぞれの職の設置を定めている法律に特別の規定があればそれに従い、特別の規定がなければ地方自治法附則及び地方自治法施行規程の定めるところによる。

２　懲戒処分の事由

懲戒処分は、次の３つのいずれかに該当する場合に行われ（法29条１項）、これらの場合に該当しないかぎり、職員は、懲戒処分に付されることはない。

① 地方公務員法若しくは同法第57条に規定する特例を定めた法律又はこれに基づく条例、地方公共団体の規則若しくは地方公共団体の機関の定める規程に違反した場合

② 職務上の義務に違反し、又は職務を怠った場合

③ 全体の奉仕者にふさわしくない非行のあった場合

３　懲戒処分の種類

職員が２のいずれかの事由に該当するときは、任命権者は、これに対し戒告、減給、停職又は免職のいずれかの懲戒処分をすることができる（法29条１項本文）。

それぞれの意義等は、次のとおり。

① 戒告　　職員に対し、懲罰として、職員の規律違反の責任を明確にし、今後そのようなことがないようその将来を戒める処分である。

② 減給　　職員に対し、懲罰として、一定期間その給料の一定割合を減額して支給する処分である。例えば、給料の10分の１を３ヶ月減ずるという処分である。減給については、地公労法適用職員については、労基法第91条が適用される（地公企法39条等による法58条の適用除外）ため、その減給は、１回の額が平均賃金の１日分の半額を超え、総額が一賃金支払期における賃金の総額の10分の１を超えてはならないという制限がかかる。

③ 停職　　職員を懲罰として一定期間職務に従事させない処分である。例えば、３ヶ月間の停職を命ずるという処分である。停職になると、その期間中、職員は職務に従事することができず、給与は支給されない。

④ 免職　　職員の意に反して、懲罰として、職員の職すなわち職員の身分を失わせる処分である。分限免職と区別するために、懲戒免職と呼ぶことが多い。懲戒免職になると、原則として退職手当は支給されず、また、懲戒免職処分を受けたときから２年間は、当該地方公共団体の職員となるこ

とができない（法16条２号）。

職員の義務違反に対する懲戒処分としては、この４種類の処分があるだけである。しかし、現実にはこれらの懲戒処分だけでなく、職員の義務違反に対し訓告、厳重注意等の措置がとられることがある。これは、職員に何らかの義務違反はあったが直ちに懲戒処分を科すほどの情状ではない、さりとて、不問に付するのは適当ではないといった場合に、深く本人の反省を求めるとともにその改善向上に資するために行われる矯正措置である。このような措置が、懲戒処分の種類を定めた法第29条第１項との関係で許されるかについては、同項の定める処分は、職員の義務違反に対する制裁としての懲戒処分の種類を定めているものであるので、これらの訓告や厳重注意等の措置が、懲戒処分としての制裁的実質をそなえないものであれば差し支えないものと解されている（行政実例昭34.2.19自丁公発27）。

４　懲戒処分の手続と運用

法第29条第４項は、「職員の懲戒の手続及び効果は、法律に特別の定がある場合を除く外、条例で定めなければならない。」と規定する。これについては、条例準則として「職員の懲戒の手続及び効果に関する条例（案）」が示されている。これによれば、懲戒処分は、その旨を記載した書面を当該職員に交付して行わなければならず、減給は１日以上６ヶ月以下給料及びこれに対する勤務地手当の合計額の10分の１以下を減ずることとされ、停職は１日以上６ヶ月以下とされている。

このように懲戒処分は、書面の交付によって行われる要式行為であるので、この要式を欠く処分は無効である。また、要式行為である懲戒処分の効力の発生時期は、意思表示の一般原則に従い、書面が相手方に到達したときである。具体的には、相手方がこれを現実に了知したとき、又は了知し得べき状態におかれたときに効力を生ずる。通常は、懲戒処分辞令書を本人に手交することで効力を生ずるが、本人が辞令の受領を拒否することもあるので、その場合は辞令書を郵送する必要があり、本人の自宅に郵送された時点で効力を生ずることとなる。郵送する場合は、確実を期するため、配達証明と内容証明付で行うことが適当である。職員の所在が不明の場合に、これに対し辞令をどのようにして到達させるかが問題となる。行政実例は、所在不明となった職員について分限又は懲戒処分を行うに当たり、民法第97条の２（現98条）に基づく公示送達の手続によるか、辞令及び処分説明書を家族に送達するとともに処分の内容を公報及び新聞紙上に公示する方法等の手続によれば、一般的には当該処分又は処分説明書の内容が被処分者において了知し得べき状態におかれるものと解せられるので、いずれの方法によるも差し支えないとしている（昭30.9.9自丁公発152）。最高裁は、所在不明県職員について、懲戒免職処分辞令書等を家族へ交付するとともに、処分内容の県公報への登載及び当該公報の所在不明職員の最後の住所への送付を行った事案につき、一般的には免職処分が県公報に掲載されたことをもって直ちに効力を生ずると解することはできないとしつつ、その県において従前よりそのような手続により所在不明者に対する免職処分が行われてきているので所在不明職員もそのような方法により処分が行われることを了知し得たはずであるという理由で、懲戒免職処分の効力を認めた（平11.7.15最高裁一小）。このように具体的事案による紛議を招かぬよう、労を厭わず民法の公示送達の手続によるのが適当である。また、懲戒処分は不利益処分であるので、懲戒処分を行う場合には、地公労法適用職員の場合を除き、不利益処分に関する説明書を必ず交付しなければならない（法49条）。ただし、この説明書は不利益処分の不服審査についての教示をするにとどまるものであり、誤ってそれを交付しなかったとしても処分自体の効力に影響はない（昭39.4.15自地公発21）。

懲戒処分は、職員に対してその義務違反についての責任を問う制裁であるので、職員が離職し職員でなくなった後は、これを行うことはできない。したがって、一度退職した者がその後何らかの事情で再び当該地方公共団体に採用されたとしても、以前勤務していたときの懲戒事由に基づいて後の任用関係で懲戒処分に付すことはできない。ただし、法第29条第２項は、職員が任命権者の要請に応じて、一旦退職して、他の地方公共団体の地方公務員、国家公務員又は地方公社等の職員となり、あるいは、自らの地方公共団体の特別職となって、引き続いて当該退職を前提として職員として採用されたときは、従前当該地方公共団体の職員として在職していた当時の懲戒事由に基づいて懲戒処分を行うことができるとしている。これは、いわゆる退職出向を挟んでその前後に引き続いて同一地方公共団体に勤務する場合に、たまたまその間に退職出向があることにより懲戒権を行使できないとすることは極めて公平を失するため、平成11年の国家公務員法の改正に合わせて行われた地方公務員法の改正で措置された仕組みである。同条第３項は、定年退職者等が再任用された場合の退職前の在職期間中の懲戒事由についても同様の取扱いとしている。なお、令和３年改正法は、再任用の本則からの削除に伴い、同項を定年前再任用短時間勤務職員の退職前の在職期間中の懲戒事由に基づく懲戒処分規定に改める（新法29条３項）とともに、暫定再任用職員について、これを定年前再任用短時間勤務職員とみなして、新法第29条第３項の規定を適用することとしている（令和３年改正法附則８条６項）。

また、職員には、労基法第20条の解雇予告制度が適用されているため、懲戒免職を行うときは、職員の責に帰すべき事由に基づくものであるとして、30日前の解雇予告又は30日分の賃金支払いを不要とするための行政官庁の認定を受けておかなければならない（労基法20条）。この場合の、行政官庁とは、地公労法適用職員及び労基法102条適用職員については労働基準監督署であり、労基法102条非適用職員のうち、人事委員会が置かれている地方公共団体の職員については人事委員会又はその委任を受けた人事委員会の委員、人事委員会が置かれていない地方公共団体の職員については地方公共団体の長である（昭41.12.6自治公発80）。

５　懲戒処分と裁量権

懲戒は、公正でなければならない（法27条）ことから、職員に懲戒事由がある場合、具体の事案の状況に即し、任命権者としては、懲戒処分を行うかどうか、行うとしてどのような処分を選択するかの判断を迫られることとなる。実際には、処分の原因となる事実の軽重を基礎に、他の同種事案との均衡、これまでの勤務実績等の本人の情状、他の職員や社会に及ぼす影響等を考慮して適切に判断しなければならないが、その際、任命権者にどの程度の裁量権があるのか、換言すれば、懲戒処分の取消しの訴えを提起された場合に取り消されることのない判断の幅は、どの程度であるのかが問題となる。この点につき最高裁は「およそ、行政庁における公務員に対する懲戒処分は〔中略〕所謂特別権力関係に基づく行政監督権の作用であって、懲戒権者が懲戒処分を発動するかどうか、懲戒処分のうちいずれの処分を選ぶべきかを決定することは、その処分が全く事実上の根拠に基づかないと認められる場合であるか、若しくは社会観念上著しく妥当を欠き懲戒権者に任された裁量権の範囲を超えるものと認められる場合を除き、懲戒権者の裁量に任されているものと解するのが相当である」と、公務員の勤務関係が特別権力関係であることを理由として、懲戒処分に関する任命権者の裁量権を幅広く認める判断を示している（昭32.5.10最高裁二小）。その後も、特別権力関係という用語は使用していないが「公務員に対する懲戒処分は、〔中略〕単なる労使関係の見地においてではなく、国民全体の奉仕者として公共の利益のために勤務することをその本質的な内容とする勤務関係の見地において〔中略〕公務員関係の秩序を維持するため、科される制裁である」との前提にたち、懲戒処分を行うかどうか、いかなる処分を行うかは、懲戒権者の裁量に任されていると解すべきであり、この裁量は、恣意にわたることはできないが、懲戒権者がこの裁量権を行使して行った懲戒処分は、社会観念上著しく妥当を欠いて、裁量権を付与した目的を逸脱し、濫用したと認められる場合でない限り、違法とならないと同趣旨の判旨が示されている（昭52.12.20最高裁三小）。またこの判決は、懲戒処分の判断は、平素から庁内の事情に通暁し部下職員の指揮監督の衝にあたる者の裁量に任せるのでなければ、到底適切な結果を期待することができないとして、裁判所が懲戒処分の適否を審査するに当たっては、懲戒権者と同一の立場に立って、すなわち自らが懲戒権者であるかのような立場で判断すべきではなく、専ら裁量権を濫用したと認められる場合に限り違法であると判断すべきとして、懲戒権者の判断を尊重する姿勢を示している。これは、最高裁が、任命権者の裁量処分である懲戒処分については、裁判所は行政事件訴訟法第30条に基づき踰越濫用型審査に徹すべきで、判断代置型審査をしないように戒めた判決であるといえよう。その後、最高裁では、同趣旨の判決が繰り返されており（平2.1.18最高裁一小）、懲戒処分が第一次的には任命権者の裁量に属するという判例理論は、定着したものとなっている。したがって、任命権者としては、事実に照らし、客観的にみて社会通念上妥当と考えられる処分を行っていれば、事実とその地方公共団体の実情に最も通暁した者の行った懲戒処分として、裁判所も裁量権の範囲内にあるものとして尊重をすることとなると考えられる。もっとも、その後、事故を伴わない酒気帯び運転に対する懲戒免職処分が、裁量権の濫用であるとして取り消される判決が相次いでおり、留意を要する。その一つである平成21年9月18日の最高裁判決の事案においては、免職処分を取り消した高裁判決（平21.4.24大阪高裁）を確定した最高裁判決を受け、被告の市が免職処分を停職９ヶ月に改めている。これらは、妥当な判示と考えられるが、公立学校の教職員の卒業式における国歌斉唱の拒否行為に対し行われた減給処分を裁量権の濫用であるとした最高裁判決（平24.1.16最高裁一小）は、疑問である。この減給処分は、過去の懲戒処分の対象とされた非違行為と同様の非違行為を再び行った場合は量定を加重するという教育委員会の量定方針に従って、当該教員がその２年前の入学式の服装及びそれに関係する職務命令違反で戒告処分を受けていたためとられた減給処分である。本判決は、減給処分がもたらす不利益の大きさを考えると、戒告１回の処分歴があることのみを理由に減給処分を選択することは重きに失するとしているが、このような短期間に同様の職務命令違反を繰り返す職員については戒告処分を繰り返すだけではその後の職務命令違反を防止する効果は期し難いとして一段階重い減給処分を選択した任命権者の判断は、その合理的な裁量の範囲内にあると考えられる。この判決の論旨は、前頁の昭和52年12月20日の最高裁第三小法廷等の判旨と明らかに矛盾し、行政庁の裁量処分について裁判官が自らを任命権者の位置において判断代置型審査を行ったものとして、行政事件訴訟法第30条に違反する疑いが強い。最高裁として早い機会に大法廷を開き、小法廷間の判例統一を図るという観点から、改めて懲戒処分の裁量基準と司法審査の在り方に関する明確な判断を示すことが望まれる。なお、その後最高裁は、公立学校の卒業式において、式場外の受付業務を終えて式場内に入り、出入口付近に着席したまま国家を斉唱しなかった教職員に対する減給処分を任命権者の裁量の範囲内とした高裁判決（平28.10.24大阪高裁）について、被処分者からの上告を退け、判決を確定させている（平29.3.30最高裁一小）。これにより、同じ第一小法廷が、本質的にはほぼ同様の事案である卒業式における国家斉唱拒否行為に対する減給処分について、裁量権の濫用に関する判断を異にすることとなったが、これをもって第一小法廷サイドが最高裁判例の統一の方向に歩み寄ったと評価できるかどうか、なお今後の判決に注目する必要がある。

６　懲戒処分に対する救済

懲戒処分は、職員にとって意に反する不利益処分であるので、懲戒処分を受けそれに不服がある職員は、人事委員会又は公平委員会に対し、審査請求をすることができる（法49条の２）。審査請求は、処分があったことを知った日の翌日から起算して３月以内にしなければならず、また処分が行われた日の翌日から起算して１年を経過したときは、することができない（法49条の３）。人事委員会又は公平委員会は、審査請求を受理したときは、その事案を審査し、その結果に基づいて懲戒処分を承認し、修正し、又は取り消す（法50条３項）。この場合、懲戒処分の修正は、軽減する修正はできるが、重くする修正はできず、また、懲戒処分を分限処分に変更することはできない。人事委員会又は公平委員会の審査結果に不服のあるときは、裁判所に出訴することができる（法51条の２）。

懲戒処分に対する救済策として、懲戒処分の撤回ができるかという問題があるが、懲戒処分は処分時に認定された事実に基づき行われる行政処分であり、それに瑕疵がなければその後の事情の変更に基づく撤回はあり得ない性格のものであるので、懲戒処分を行った任命権者といえども、これを撤回することはできない（同旨、昭50.5.23最高裁二小、昭46.11.25大阪高裁）。それに取り消し得る瑕疵がある場合には、人事委員会、裁判所等の権限ある機関により取り消されて初めてその効力を失う。懲戒処分に重大かつ明白な瑕疵がある場合は、当該処分は無効であり、任命権者においてそのことを確認する措置をとることはあるが、それは撤回とは異なる。また、既に行われた懲戒処分を、将来に向けて消滅させることもできない（昭26. 8. 27地自公発366）。このような取扱いは、法第29条第４項の懲戒の効果として条例に委ねられているとは考えられず、このような制度を設けるためには具体的な法律の根拠を必要とするからである。同様の理由により、懲戒処分の執行猶予ができるように条例で規定することもできない（昭27. 11. 18自行公発96）。執行猶予するような情状があるのであれば、任命権者の裁量として処分を行わないことで足りる。

なお、公務員等の懲戒免除等に関する法律第２条により、政府は、大赦、又は復権が行われる場合においては、政令で定めるところにより、国家公務員等に対し、懲戒の免除等を行うことができることとされており、その場合には同法第３条により、地方公共団体も、地方公務員で懲戒処分を受けた者に対して将来に向かってその懲戒を免除すること及び懲戒事由には該当しているがまだ懲戒処分を受けていない地方公務員に対して懲戒を行わないことができるとされている。これまで、同法による免除が発動された例としては、平和条約の効力発生に伴う懲戒免除、沖縄の復帰に伴う懲戒免除、昭和天皇の崩御に伴う懲戒免除の３つがある。同法に基づく懲戒の免除により懲戒処分に基づく既成の効果は変更されるものではないが、地方公務員となる資格、競争試験又は選考を受ける資格等は将来に向かって回復される（同法６条・７条）。

第４章　公務能率の維持・向上

第１節　公務能率と成績主義

地方公共団体の行政の能率的運営は、その民主的運営と並んで地方公務員法の基本理念である（法１条）。行政の能率的運営とは、最少の経費で最大の行政効果を挙げることであり、その基本理念を実現するため、職員の任用は、受験成績、人事評価その他の能力の実証に基づいて行わなければならないとされており（法15条）、これを成績主義（メリットシステム）と呼んでいることは、第２章で述べたとおりである。すなわち、能力の実証に基づき、優秀な人材を調達・配分・登用していくことにより、少数精鋭で能率的な行政を行う組織的基盤が整えられるのであり、このため特に任用について成績主義の原則が地方公務員法上明記されているのである。このように、成績主義は主として任用の根本基準として用いられ、特にスポイルズシステムに対するメリットシステムという使い方の場合は、米国における歴史的経緯にかんがみ猟官任用に対する試験任用という意味で使われることが多い（注１）。しかし、この能力ある職員による行政の能率の維持・向上、すなわち公務能率の維持・向上ということは、行政の能率的運営のため、任用の分野のみでなく人事管理のあらゆる分野で希求されるべき目標であるといえよう。このため、地方公務員法は、職員の勤務条件の基本である給与は、その職務と責任に応ずるものでなければならないとして、能力を実証して昇進すればそれに応じた給与上の処遇を受ける職務給の原則を規定し（法24条１項）、職員の勤務成績がよくない（必要な能力の実証ができていない）か、一定の能率的でない状態がある場合にはこれを分限処分に付することができることとし（法28条）、職員の能力開発の一環として、任命権者は、職員がその勤務能率を発揮・増進するため研修を行うこととされ（法39条）、職員をその業績や能力の客観的判断に基づき処遇するため、任命権者は、人事評価を行いその結果に応じた措置を講じなければならないとされている（法23条の２第１項及び23条の３）。これらは、成績主義（能力主義）を職員の処遇に反映し、又は、成績主義を支えあるいは保障することにより、能率的行政運営、すなわち公務能率の維持・向上に資するための仕組みであり、すべて、広い意味での成績主義（能力主義）に関する規定といえるであろう。職務給の原則は、給与に関することであるので、第５章で説明することとし、ここではそれ以外の３つの事項を順次説明する。

（注１）　米国におけるスポイルズシステムとメリットシステムの相克の歴史については、猪野『諸外国の公務員制度』第一法規、７頁以下参照。

第２節　公務能率の維持と分限

１　分限の意義

すべて職員は、全体の奉仕者として公共の利益のために勤務し、職務の遂行に当たっては、全力を挙げてこれに専念しなければならない。このため、職員が、政治情勢の変化や外部からの圧力等の事情があっても、自分の身分上のことは心配することなく、誠心誠意その職務に打ち込めるよう、その意に反する不利益な身分上の変動をもたらさないことが地方公務員法で明記されている。すなわち、法第27条第２項は、「職員は、この法律で定める事由による場合でなければ、その意に反して、降任され、若しくは免職されず、この法律又は条例で定める事由による場合でなければ、その意に反して、休職されず、又、条例で定める事由による場合でなければ、その意に反して降給されることがない。」と規定している。同項と次項の「職員は、この法律で定める事由による場合でなければ、懲戒処分を受けることがない。」との規定により、職員は、法律又は条例に定める事由に該当するのでなければ、その身分を失ったり、不利益な処分を受けることはないとして、その身分が保障されているのである。

地方公務員法は、このような職員の身分保障を前提として、分限に関わる事項として、①分限処分の事由、手続、及び効果に関する規定（法28条１項～３項）、②職員の失職に関する規定（同条４項）、及び③定年制度に関する規定（法28条の２～28条の６）を定めている。これらは、いずれも職員の身分保障を前提としつつも、そのような場合にまで職員の身分を保障することが公務能率を維持するうえで支障がある場合に、職員の意にかかわらず不利益な身分変動をもたらすものであり、その意味で身分保障の限度を定めたものといえるであろう。その根底には、公務能率を向上させる場合だけでなく、それを維持することについても、行政の能率的運営を図るため、広い意味での成績主義（能力主義）を徹底しようという思想があるのである。従来、「分限」とは、「身分保障そのものを意味する」（前掲・鹿児島『逐条地方公務員法』426頁）とか、「分限とは、職員の身分保障を前提として、その身分上の変化に関する基本的な事柄を総称する概念である」（片山虎之介『地方公務員の定年制度詳解』ぎょうせい、27頁）と説明されてきたが、前者の定義では実定法上身分保障が行われない場合も「分限」の一部として規定されていることから狭すぎ、後者の定義では懲戒処分も含まれてしまうため広すぎる嫌いがある。前述のように分限を職員の身分保障と行政の能率的運営との調整の役割を担うものと捉え、身分保障と分限処分と失職と定年制度を過不足なく収める定義としては、「分限とは、職員の身分保障と公務能率の維持の見地からのその限度とを定めたものである。」とすることが適当であると考える。このような意味での分限のうち、定年制度と失職については、離職の体系の重要な一環として説明したところであり、ここでは分限処分について説明する。

２　分限処分の種類と事由

⑴　分限処分の種類

分限処分とは、職員の身分保障を前提としつつ、公務能率の維持の見地から、一定の事由がある場合に、職員の意に反する身分上の変動をもたらす処分をいう。同じく職員の意に反する身分上の変動をもたらす処分である懲戒処分が、職員の義務違反に対する道義的責任を問い公務秩序を維持するために行われるものであるのに対し、分限処分は、公務能率の維持の見地から行われる処分であり、職員の道義的責任を明らかにするものでない点で、懲戒処分とは異なり、また、同じ分限でも、行政処分を要さずに当然に身分を失う定年退職及び失職とも異なるのである。

法第27条第２項は、分限処分の種類を免職、降任、休職、降給に限定するとともに、それぞれの処分事由の根拠について、免職及び降任については地方公務員法で、休職については地方公務員法又は条例で、降給については条例で定めたものに限ることとしている。なお、令和３年改正法は、降給についても休職と同様、地方公務員法又は条例で定める事由に限ると改正した（新法27条２項、後掲④参照）。

① 免職　　分限処分としての免職とは、公務能率の維持の見地から職員の意に反してその職を失わせる処分である。懲戒処分による免職と区分するため分限免職と呼ばれる。分限免職の場合は、懲戒免職と異なり、退職手当は支給される。

② 降任　　降任とは、職員をその職員が現に任命されている職より下位の職制上の段階に属する職員の職に任命する処分である。それは、任用の方法の一つである降任でもあるが、職員に不利益を与える任用方法であるので、分限処分ともなるのである。

③ 休職　　休職とは、職員を職を保有したまま一定期間職務に従事させない処分である。懲戒処分である停職が無給であるのと異なり、大部分は有給である。

④ 降給　　降給とは、職員が現に決定されている給料の額よりも低い額の給料に決定する処分である。降号（同一級内の下位の号給への変更）と降任を伴わない降格（同一の給料表の下位の職務の級への変更。例えば、５級の課長補佐から４級の課長補佐への変更）とがある。なお、「3.18整備通知」の別紙３中の職員の降給に関する条例（例）の改正（例）は、新法第28条の２第１項に規定する他の職への転任に伴う降給を、新たな降給の種類として追加している。

⑵　分限処分の事由

⒜　免職又は降任の事由

法第28条第１項は、分限免職又は降任の事由として、次の４つの場合を定める。

①　人事評価又は勤務の状況を示す事実に照らして、勤務実績がよくない場合（１号）　　勤務実績がよくない場合であるかどうかは、任命権者が職員の勤務実態に即し客観的に判断すべきであり、そのためには人事評価の結果、出勤状況を示す出勤簿、勤務状況に関する現記録等の客観的資料に基づいて行われなければならない。本号により、人事評価により低位の評価を受けた場合には、それが分限免職又は降任の契機となることが明文化されたといえよう。

②　心身の故障のため、職務の遂行に支障があり、又はこれに堪えない場合（２号）　　職員の心身に故障があるため職務に支障が生ずる場合は、多くは病気休暇、病気休職で対応されることとなろうが、それぞれ一定の期間制限があるため、それを超えるような長期の療養が必要な場合や客観的に見て回復の見込みがない場合には、分限免職に付することもやむを得ないとされているのである。心身の故障がある場合に、仮にその心身の故障に堪え得る職があるなら降任により対応することも理論的には可能であるが、その場合も、当該職員の人事評価その他の能力の実証に基づき、標準職務遂行能力及び適性を有すると認められる職に降任しなければならない（法21条の５第１項）。

③　①及び②のほか、その職に必要な適格性を欠く場合（３号）　　いかなる場合がこれに該当するかは個々のケースごとに判断することとなるが、最高裁は、その職に必要な適格性を欠く場合とは「当該職員の簡単には矯正することのできない持続性を有する素質、能力、性格等に起因してその職務の円滑な遂行に支障があり、又は支障を生ずる高度の蓋然性が認められる場合をいうものと解される」としている（昭48.9.14最高裁二小）。その職員の個々の行為や態度等の適格性のみならず、それらの一連の行為や態度等からその職に不適格であることが定着していて容易に矯正できないかどうかを個別に判断する必要があるということである。

④　職制若しくは定数の改廃又は予算の減少により廃職又は過員を生じた場合（４号）　　本号に基づく降任又は免職は、地方公共団体側の一方的な

事情に基づくものではあるが、廃職又は過員が生じているにもかかわらず、それに相応する職員を職にとどめおくことは、地方公共団体全体の公務能率を低下させることとなるため、公務能率の維持の観点から、降任又は免職の事由とされているのである。その意味では、この分限事由のみは、成績主義（能力主義）に基づかない地方公共団体側の事情によるものではあるが、その実際の運用に際し、具体的に誰をどのような順番で降任又は免職にするかについては、可能なかぎり成績主義、すなわち能力の実証の多寡に基づいて行うことが、公務能率の維持の観点から望ましい。行政実例は、「法28条１項４号による処分に際して具体的に何人を対象とするかについての一般的合理的基準としては、同項１号から３号までに規定する事項が考えられるものではあるが、法的には、法の原則規定に抵触しない限りにおいて任命権者の裁量を許すもの」であるとしている（昭27.5.7地自公発137）が、このような事項に該当する職員がいない場合（それが通常であると思われる）には、法第13条や第27条第１項の範囲内で、能力実証の多寡に応じ、降任され又は免職される職員を決めざるを得ないと考えられる。この点、米国の地方公共団体で予算の減少等に対応するため行われているレイオフ（一時解雇）において、職級、勤務期間、採用時の成績等がレイオフ順位を決める要素とされていることは、若干形式的にすぎる嫌いはあるが、１つの参考になると考えられる（注１）。今後は、本号の運用についても、人事評価の結果を活用していくことが、検討されるべきであろう。なお、この分限事由に基づいてその職を離れた職員の復職について、人事委員会（人事委員会を置かない地方公共団体にあっては任命権者）は、復職の資格要件、手続等の必要事項を定めることができるとの規定がある（法17条の２第３項）（注２）。

(b)　休職の事由

法第28条第２項は、職員をその意に反して休職にできる場合として、次の２つの事由を定める。

①　心身の故障のため、長期の休養を要する場合（１号）　いわゆる病気

休職であるが、その期間は、職員の分限に関する手続及び効果に関する条例（案）準則によれば、３年を超えない範囲内で任命権者が定めるものとされている。

② 刑事事件に関し起訴された場合（２号）　いわゆる起訴休職であり、職員が起訴された段階では犯罪人ではないことはもちろんであるが、公判への出廷等により公務への影響が生ずることがあること、住民の公務への信頼に影響することも考えられることから、休職事由とされているのである。上記準則によれば、その期間は、当該刑事事件が裁判所に係属する間とされている。

（注１）　米国の地方公共団体におけるレイオフ制度とその実施状況等については、前掲・猪野『諸外国の公務員制度』31頁以下又は同「サクラメント市のレイオフ制度(1)(2)」自治研究58巻５号79頁以下・７号92頁以下参照。

（注２）　これは、地方公務員法制定当時に、当時の連合軍総司令部（GHQ）の修正要求により挿入された規定である。その経緯や現代における活用如何については、（注１）掲載中の猪野「諸外国の公務員制度」50頁以下及び同「サクラメント市のレイオフ制度（2)」自治研究58巻７号94頁以下参照。

３　分限処分の手続と運用

法第28条第３項は、「職員の意に反する降任、免職、休職及び降給の手続及び効果は、法律に特別の定めがある場合を除くほか、条例で定めなければならない。」と規定している。これを受けて、各地方公共団体では、職員の分限の手続及び効果に関する条例が制定されているが、その準則によれば、分限免職はその旨を記載した書面を交付して行うこと、心身の故障のため降任、免職又は休職に付する場合は、医師２名を指定してあらかじめ診断を行わせること、休職者は休職期間中職を保有するが職務に従事しないこと等が定められている。休職処分に付された職員の給与については、給与条例の定めるところによるが、病気休職については、それが公務上のものである場合は期間中100％、それ以外の場合は原則１年間、結核性疾患の場合のみ２年間80％を支給し、刑事休職については60％を支給することとされている。このほか、書面の交付を欠く分限処分が無効であること、分限処分の辞令の到達については民法の意思表示の到達の一般原則に従うこと、処分対象の職員の所在が不明な場合は、公示送達の方法によることができること、職員に対し不利益処分の理由説明書の交付が必要なこと等は、懲戒処分の手続で述べたところと同じである。

分限免職への労基法第20条（解雇予告）の適用については、懲戒免職と異なり分限免職は必ずしも本人の責に帰すべき事由に基づくものではないので、30日前に解雇予告をするか、30日分以上の平均賃金を支払う必要がある。ただ、分限免職の場合は、退職手当が支払われるため、解雇予告手当が退職手当に含まれることが明確にされていれば、別途予告手当を支払う必要はなく、現に、各地方公共団体の退職手当条例では、労基法第20条による予告手当が退職手当に含まれている旨の規定と、退職手当が予告手当に満たない場合にはその差額を退職手当として支給する旨の規定があり、結果として、30日前に解雇予告をすることなく分限免職をすることができることとなっている。

4　分限処分の救済

分限処分も、職員の意に反する不利益処分であるため、職員は、これに対し、人事委員会又は公平委員会に不服申立てをすることができ、その結果に不服があるときは、裁判所に出訴できることは、懲戒処分と同じである。詳細は、懲戒処分の説明を参照されたい。

5　分限処分と懲戒処分の関係

以上述べてきたように、分限処分と懲戒処分はその目的と性格を異にする処分であるが、現実には、その接点において両者の関係が問題となることが少なくない。その1つは、同一の事実に基づいて懲戒処分と分限処分の双方を行うことができるかどうかである。行政実例は、このような場合「当該職員に対し、いずれの処分を行うかは、任命権者の裁量による」としている（昭28.1.14自行公発12）が、正確には、いずれか一方の処分を行うか、両者を行うかは、任命権者の裁量によるとすべきものである。例えば、職務上の命令違反がくり返され同時に職に必要な適格性を欠くこととなっている場合、懲戒処分に付して命令違反の責任を明らかにすると同時に、その職に必要な適格性を欠くものとして降任処分とすることはあり得る。次に、懲戒事由と分限事由の両方の事由に該当する職員がいた場合、懲戒免職と分限免職、停職と休職のように、職員の身分を失わせる、あるいは職務に従事させないという同じ効果を生じさせる処分を重ねて行うことができるかどうかが問題となる。懲戒免職と分限免職については、一方の処分が先行すれば他の処分をする余地がなくなるので重ねて処分する必要性がない。ただ、懲戒事由と分限事由が同時に顕在化し、懲戒事由としてみて懲戒免職に相当する事案であるにもかかわらず、その制裁を軽減する意味で分限免職にすることは許されない。停職と休職については、給与を支給するか否かの点で効果が異なり、また職務に従事させないという効果は同じであっても、それは一方の処分により他の処分の効果が顕在化しないだけであり、仮に一方の処分が取り消されれば他の処分による効果は顕在化することとなるので、重ねて処分することはできるし、その必要もあると解する。

第３節　職員の能力開発

１　職員の自己実現を目指して

能率的な行政運営を保障することは、民主的な行政運営を保障することとならんで、地方公務員法の基本理念である。行政を能率的に運営するとは、住民福祉の増進について、最少の経費で最大の効果を挙げることである（自治法２条14項）。したがって、ここで重要なことは、地方公共団体の行政運営における能率の向上、すなわち公務能率の向上とは、単なる労働生産性の向上を意味するのではなく、それに加えて、行政施策の効果が挙がり、住民の福祉が増進されるものでなければならないということである。例えていえば、ある公共施設を造る場合に、いかに安い経費で立派な建物を短期間で造るかということも大切であるが、その施設が住民に使われないのでは行政効果が挙がった、すなわち公務能率が向上したとはいえないということである。その施設が住民の需要にマッチしたものであり、使いやすく、住民に愛されるものであって初めて、最少の経費で最大の効果が発揮され、能率的行政運営が行われたといえる。このような意味での能率的行政運営が行われるかどうかは、行政運営の最も重要な手段である地方公共団体の職員、実際に地方公共団体の施策を企画立案し、

図１　人間の基本的欲求の階層構造

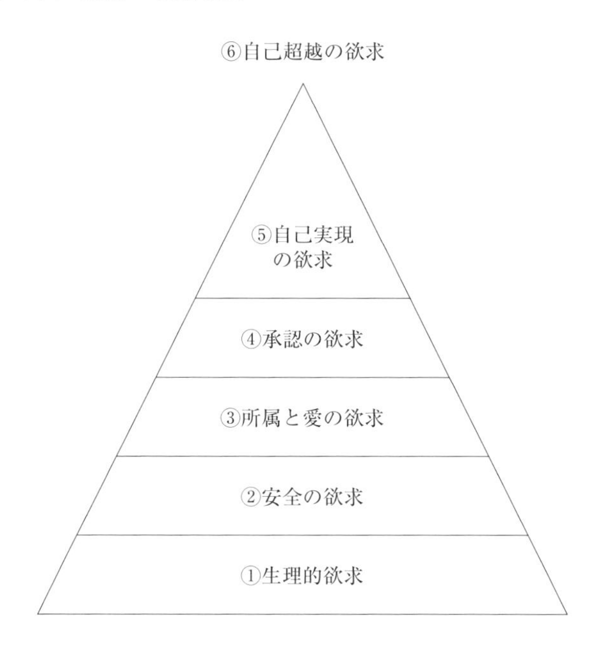

実施し、管理する職員の能力のいかんにかかっているといっても過言ではない。したがって、公務能率を向上させていくためには、行政の担い手である職員一人一人が十分にその能力を発揮し、成果を挙げていくことが必須の条件となる。

ところで、職員の能力、すなわち人間の能力というものをどう考えるかということは、人間観そのものにつながるもので、いろいろな見方がある。人間には生まれながらにしてその者に定められた能力があり、それ以上のものにはなり得ないという見方もある一方、人間は、磨けば磨くほどその能力を向上させ、無限の可能性を切り開いていくという見方もある。ここでは、後者に与する考え方の代表として、アメリカの心理学者A.H.マズロー（1908～1970）の「欲求段階説」に沿った説明をすることとする。これは、人間は、大脳生理学に基づく心の段階的欲求が動機となって、新たな能力を生み出していくという考え方である（**図１**参照）。

人間は、まずその基本的欲求として、①生理的欲求――食欲、睡眠、性欲等――と、②安全の欲求――平穏に生きたい、将来のために物を蓄えておきたい――を有している。これは、脳幹部の力によるもので、動物としての基本的欲求である。次に、人間は、社会的動物といわれるように、何らかの集団の一員となり、そこで人を愛し愛されたいという欲求、すなわち、③所属と愛の欲求（社会的欲求ともいう）を有する。これは、大脳辺縁系の力といわれ、類人猿には程度の差はあれ、見られる力である。人間は、さらに、④承認の欲求（自我の欲求ともいう）を有し、人に認められたい、地位や名誉を得たいという気持ちを有する。これは、新皮質前頭葉の力といわれ、人間に特有のものといわれる。そして最後に、人間は、⑤自己実現の欲求を有するとされる。これも、新皮質前頭葉の力といわれ、自己の持てる力をすべて発揮してなり得る人間になりたい、人類の一員として立派に生きていきたいという欲求であり、この欲求が満足される状態になれば、人間は、仕事でいえば、物欲や名誉欲などにとらわれず、自由な発想で本来の目的に沿った最良の仕事ができる状態になるといえる。これが更に透徹すると、このマズローの５段階の欲求階層のうえに、⑥自己超越の欲求が満たされる状態に昇華する。これは、自己の欲求を超越して、自分のことはどうでもよく、ひたすら世のため人のためを願うという気持ちであり、政治家や行政家の望ましい大成した姿といえるであろう。マズローは、人間は皆このような五段階の欲求を潜在的に有しているものであり、したがって、できるかぎり高い段階の欲求を充足するよう動機付けを行うことにより、その能力を限りなく高めていくことができると主張したのである。同時代のアメリカの経営学者D.マグレガー（1906～1964）は、このマズローの主張に着目し、これを企業経営に応用して、有名なＸ理論（人間は、本来怠惰な生きものであり、強制しなければ働かないとする考え方）に対するＹ理論による人間観を完成させ、それに基づき人間に仕事の目標を明確に受容させるならば、組織と個人の統合がはかられ、経営目的は実現されると主張したのである。そのＹ理論の３項目目で、「自我の欲求や自己実現の欲求の満足といった最大の報酬が得られるならば、人間は企業目標の達成に献身的に努力する」とされている。行政組織の場合でも、職員は、地方公共団体が行政目的を達成するための手段ではあるが、それは、金、物、情報等と異なり、生きている人間である。したがって、職員を最大限に活用し、能率を向上させていくためには、人間としてのこのような欲求を満足させ、その能力を開発していくことが不可欠である。自己超越の状態に至ることは、なかなか至難の業であるかもしれないが、地方公共団体としては、すべての職員が自己実現の欲求を満足でき、組織全体としても最高の能率が発揮できるよう人事管理上、あるいは、業務管理上の努力をしていくことが望まれるところである。以下、このような意味での職員の能力開発の手法について若干説明する。

2　研修の充実

職員には、その勤務能率の発揮及び増進のために、研修を受ける機会が与えられなければならない（法39条1項）。研修は、任命権者が行い、地方公共団体は研修に関する基本的な方針を定めるものとされている（同条2項・3項）。

研修には、大きく分けて、職場外研修（OFF—JT、off the job training）と職場研修（OJT、on the job training）がある。職場外研修は、通常、職員研修所等、庁舎外で行われている研修で、集合研修ともいわれ、経験年数別に、あるいは階級別に、初任者研修、係長研修、管理職研修等が行われ、また、業務別の専門能力の向上を目的に、税務事務の研修、会計事務の研修、秘書業務の研修等が行われている。

これに対し、職場研修は、職員がその職場において、その仕事を通じて研修効果を生じさせることをいうものであり、本人の心がまえと同時に、職場の上司、特に管理職が研修効果を高めるために重要な役割を果たすことになる。地

図2　システム思考のサイクル

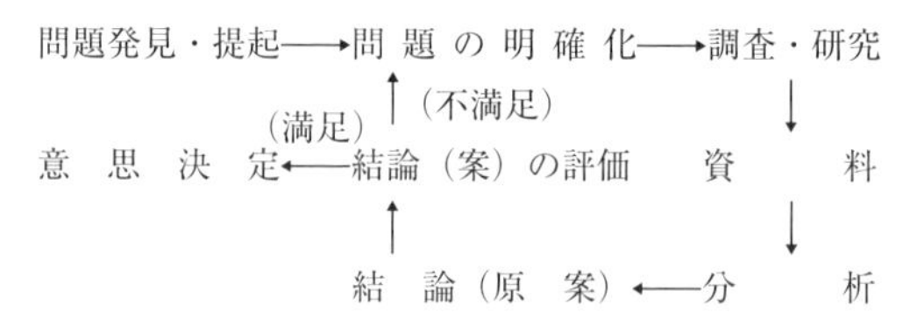

方公共団体の職場は、住民の生活と直結する仕事をしているため、常に新たな問題が提起され、具体的な解決が求められるケースが後を絶たず、その意味では、格好の研修教材の宝庫でもあるといっても過言でなく、よき上司・同僚に恵まれれば、職場研修を通じて、職員がその問題解決能力を開発・向上させ、新たな政策を形成する機会は、多いにあると考えられる。

このようなことから、近時の地方公務員の研修においては、地方分権の推進のなかで、特に、職員の政策形成能力、問題解決能力を高める研修の必要性が強く指摘されている。政策形成能力・問題解決能力を開発するためには、課題発見能力を高め、現状分析能力を高める必要がある。すなわち、前例踏襲主義に陥ることなく、常に「なぜそうなのか」を、自分の頭で考える姿勢の涵養が大切である。これらの能力を開発するには、システム思考のサイクル（**図２**参照）を身に付け、自己の日常の仕事のなかで、常にこのような思考（作業）を繰り返す習慣をつけることが有効である。

このような思考や作業のなかで、結論案（解決案）が適切であるかどうかを評価する際には、能率論で使われる目的と手段の均衡が有効な尺度となることがよくある。すなわち、施策の目的とその遂行手段を比較し、目的に比べて手段が小さすぎれば無理が生じ、目的に比べて手段が大きすぎれば無駄が生じ、目的と手段が均衡していると判断できる解決案が、無理もなく無駄もなく、最も能率的な（適切な）解決策であるということである（注１）。

また、政策形成能力や問題解決能力を身に付けるためには、創造性（アイディア）を開発することも、大切である。創造性を発揮できるようにするためには、創造性の発揮を妨げている要因を取り除かなければならない。一般に、創造性の発揮を妨げる精神的制約要因は、３つあるといわれる。１つは、認識の関（関所の意味、以下同じ）と呼ばれるもので、問題の所在に気が付かない、間違った気の付き方をするというものである。２つは、文化の関と呼ばれるもので、既存の知識にとらわれてカタにはまってしまうというものである。３つは、感情の関と呼ばれるもので、他人に対し感情的になって興奮し考え方が固定したり、自分に対する劣等感や無気力から新たな発想が生まれないというものである。それぞれの関所をクリアするための留意点としては、①認識の関の場合は、一見平易なことも分かりきったことと考えないこと、表面上似ているから同じだと考えないこと、部分にとらわれて全体を見失わないこと、自分で作った条件に縛られないこと等である。②文化の関の場合は、先入観にとらわれないこと、統計や数字を過信せずその背後にある事情をよく考えること、直感も時には大切にすること等である。③感情の関の場合は、一つのことにこだわらないこと、特定の人に対して感情的にならないこと、ゆとりと気力と自信を持つこと等である。

さらに、新しいアイディアを生み出したり、困難な問題の解決方策を探る方法として、ブレーン・ストーミングやKJ法もよく使われる。ブレーン・ストーミングは、会議方式で、テーマを示し、参加者から思いつくままにアイディアを発言してもらい、それを記録しておいて、そのなかから、あるいは、その組合せ等により新しい施策や問題の解決策を見い出す方法である。また、KJ法（この方法を編み出した川喜多二郎氏の頭文字をとったもの）とは、特定のテーマにつき複数の者がカードにより提出したアイデアを体系化し、あるいは、個人が思いついたことをそのつど紙切れにメモしておき、それをまとめて並べ直して見直してみて、そのなかから、又は、その組合せ等により、新たな施策の体系や問題の解決策を見い出していく方法である。

これらの政策形成能力・問題解決能力の開発手法は、職員研修所等でも教えられているが、そこで手法は学ぶにしても、どちらかといえば職場において、現実に起きている問題を素材に、上司と部下が一体となって仕事の実践を通じ身に付けていくのに適しており、職場研修の格好の手法といえる。

（注１）　能率論における能率の意義については、産業能率短期大学出版部「新事務能率ハンドブック」３～４頁参照。

３　ジョブ・ローテーションの実施

人は、いろいろな仕事を経験することにより成長する。それは、仕事の分野により、それぞれに蓄積された先人の知恵、仕事の合理的な進め方、問題解決の手法等があり、問題意識のある職員であれば、それらに気付き、それを身に付け、新しい仕事に応用することができるようになるからである。また、人にはそれぞれ適性があり、いくつかの仕事を経験しているうちに自分に最も適している仕事を見い出すことも可能となる。したがって、人事管理当局としては、専門職としてその道を極めることを期待されている職員を除き、できる限り多くの職員に、いろいろな仕事を経験する機会を計画的に与えることが、職員の能力を開発していくうえで、人事管理上の重要な施策となる。

実際に、多くの地方公共団体では、一般事務職や一般技術職等について、概ね３年程度を目途に、異なる仕事につくように人事異動をしていることが多い。また、本庁と出先機関の双方を経験できるように配慮することも行われている。これを、ジョブ・ローテーションと呼び、採用された職員が、採用後15年から20年で、５ないし７程度の仕事を経験し、その経験の幅を広げるとともにその職員に適した仕事を見い出し、その能力開発と生涯のキャリア形成に資するよう運用されている。このようなジョブ・ローテーションを、職員のきちんとした履歴管理のもとに計画的に進めていくことが、職員の能力開発を促進し、組織全体としての公務能率を向上させることとなる。

４　職員参加の促進と目標管理

⑴　職員参加の促進

職員は、日常的に公務に従事しているのであるから、改めて職員参加ということをいう必要はないのかもしれない。しかし、組織が大きくなってくると、個々の職員、特にヒラ職員は、係のなかで自分に割り当てられたルーティン・ワークのみを処理するのに追われ、組織全体のなかでの自分の存在意義を見い出すことができず、仕事に対する意欲も減退していくことにもなりかねない。このため、職員の公務運営への参加意欲を高めるとともに、その成果を活用して効率的な事務運営を推進することを目的として、多くの地方公共団体が、職員提案や小集団活動（QC活動）に取り組んでいる。これらの活動に当たって重要なことは、管理当局がその意義をよく理解し、有意義な改善意見についてはこれを顕彰するとともに、実施できるものは必ず実施するように努めることと、職員に改善意見の発表の場を与えることである。このような活動を通じ、職員が自らの仕事につき、また、地方公共団体の仕事全体との関係につき、その必要性を再認識するとともに、よりよい職務遂行のための見直しを考えることにより、その能力を開発していくことが期待される。

⑵　目標管理

職員の自発的な能力開発を促し、能率的な行政運営を図っていくという観点から、その地方公共団体全体の業務あるいは部課単位の業務について目標管理を行っていくことも重要である。目標管理とは、前述のマグレガーのＹ理論の人間観に立って、アメリカの経営学者P.F.ドラッカー（1909～2005）が提唱した経営管理論で、日本の民間企業において多く用いられているが、企業の業務について、一定期間の達成目標を、労働者の参加を得て作成し、その目標に向かって日常の業務を労働者が中心となって管理し、上司がアドバイスをして随時目標との乖離をチェックし、また、必要があれば目標の時点修正をしながら目標を達成していこうとする経営活動のことである。公務の場合、数値をもって目標を定められない分野が多いため、民間の経営活動ほどクリアに目標管理をしにくいという面はある。しかし、地方公共団体の総合計画の策定や各部門における業務計画の策定に当たり、可能なかぎり職員の参加を得て、定量化できる部分は定量化し、定量化できない部分は定性的な表現で目標を策定し、上

図３　マネージメント・サイクル

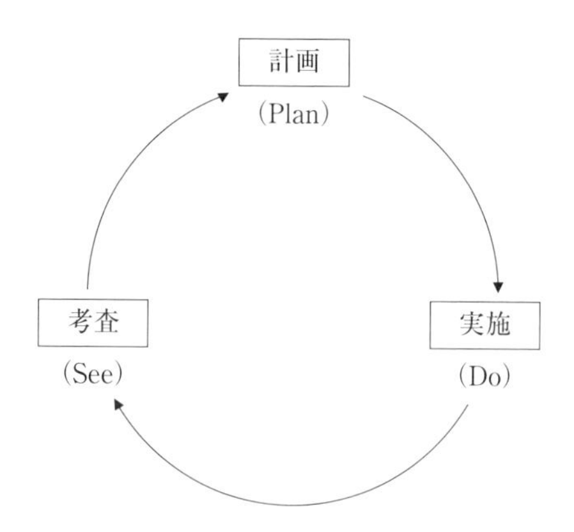

司と職員が一体となって、その目標達成に向けて努力していくという業務管理手法をとることは、計画的で能率的な業務遂行に役立つだけでなく、職員の主体的な能力開発にもおおいに資するものといえる。このような目標管理を実施するに当たって肝腎なことは、その地方公共団体全体の業務目標（それは多くの場合、総合計画、その実施計画といった形で示される）と、各部課の業務目標と、個々の職員の業務目標とが一つの体系として示されなければならないということである（目標の連鎖）。そのことにより、職員は、自らの仕事とその目標につき、地方公共団体の業務全体のなかでの位置付け、社会との関わりのなかでの役割等を明確に認識し、その目的を積極的に受容して、自己実現に向け努力することが期待されるのである。また、目標管理による業務遂行を行う場合には、いわゆるマネージメント・サイクル（**図３**参照）の手法により、組織としても、職員としても、事業遂行状況をチェックすることが必要であり、また、有効である。すなわち、Plan（計画）→Do（実施）→See（考査）を適切に繰り返すことにより、目標の適切かつ効果的な達成と、職員及び組織全体の能率の向上が図られることとなる（注１）。

（注１）　地方公共団体における行政改革の推進のための新たな指針の策定について（平17.3.29総務事務次官通知）においては、従来のマネージメント・サイクルを一歩進め、PDCA（Plan Do Check and Action）サイクルとし、これに基づき地方公共団体の行政組織運営全般の点検を行うよう促している。

第４節　人事評価

１　勤務評定から人事評価へ

平成26年改正法による改正前の法第40条は、「勤務成績の評定」との見出しのもと、第１項で「任命権者は、職員の執務について定期的に勤務成績の評定を行い、その評定の結果に応じた措置を講じなければならない」とし、第２項で「人事委員会は、勤務成績の評定に関する計画の立案その他勤務成績の評定に関し必要な事項について任命権者に勧告することができる」と規定していた。これが、勤務成績の評定（以下、「勤務評定」という）の根拠規定であり、任命権者は、勤務評定を行い、その結果を職員の任用、昇給、勤勉手当等の処遇に反映することが義務付けられていたのである。しかしながら、実際には、都道府県と政令指定都市ではすべて実施されているものの、市町村では、勤務評定の実施率は60パーセント台にとどまっており、また、実施をしている団体においても、勤務評定の結果を職員の任用に活用している団体は半数程度に、昇給・勤勉手当に反映している団体は4割程度にとどまっていた（総務省平成25年度勤務成績の評定の実施状況等調査結果）。このように、地方公共団体において、必ずしも勤務評定が定着しているとは言い難い状況にあったが、これは、客観的にして公正な勤務評定が行われているかどうかについて、職員の十分な信頼が得られていないところに最大の理由があったと考えられる。このため、従来より各方面から、勤務評定の運用について、主としてその信頼性を確保するという観点から、様々な改善意見が寄せられ、本書の初版から第3版においても、

① 評定手続、評定要素、評定基準等を明文化し、公表すること
② 複数の者による多面的評価に努めること
③ 評定者に対する評定訓練を徹底すること
④ 勤務評定の実施に際し、自己申告を合わせて行わせること
⑤ 組織風土も勘案の上、評定結果の本人開示と苦情対応手続を検討すること
⑥ 目標管理による業績評価を検討すること

等を提案してきたところである（本書第3版では、123頁から125頁）。

このため、近年、少なからぬ地方公共団体で、新たに勤務評定を実施し、また、すでに平成21年に国家公務員に導入された新たな人事評価等を参考にして勤務評定の見直しを図る等、勤務評定の実施とその改善に向けた動きも顕著になっていたところであるが、このような動向をさらに地方公共団体全体に及ぼし、能力実績主義の人事管理のバックボーンとなる新たな評価制度を確立すべく、平成26年改正法により、従来の勤務評定に代わり、新たに人事評価が導入されることとなったところである。このため、平成26年改正法による改正前の勤務評定に関する第40条は削除となり、新たに第23条（これは、階制に関する

条文であったが、平成26年改正法により職階制は廃止された）から第23条の4にかけて、人事評価に関する規定が設けられた。

従来の勤務評定と新たな人事評価の違いは、通常次のように説明される。第1に、勤務評定は人事管理のツールとしての位置付けが明確でないのに対し、人事評価は「任用、給与、分限その他の人事管理の基礎とする」ことが明確にされ（法6条及び23条2項）、任用は「受験成績、人事評価その他の能力の実証」に基づいて行うとされ（法15条）、分限免職及び降任は「人事評価〔中略〕に照らして、勤務実績がよくない場合」等にすることができるとされた（法28条1項）、第2に、勤務評定は、評価方法が必ずしも明確でないのに対し、人事評価は、能力評価と業績評価の方法により行われることが制度として明確に定められ（法6条）、その結果、評価項目と評価基準も自ずから明確となる、第3に、人事評価の根本基準として、人事評価は公正に行われなければならないことが明確に定められた（法23条1項）ことに対応し、勤務評定では、評定が一方的に行われ、被評定者に評定内容が知らされることがなかったのに対し、人事評価においては、評価に際し被評価者からの自己申告が行われ、評価結果も被評価者に開示され、また、勤務評定では、評定結果に対する苦情対応の仕組みがなかったのに対し、人事評価では、評価結果に対する苦情相談・苦情処理が用意される、等である。そして、そのような相違の結果として、勤務評定よりも人事評価の方が、透明性と公平性が確保された公正な評価の仕組みとしてより客観性と信頼性が高く、かつ、能力実績主義の人事管理に資する仕組みとしてより有効であるので、これまでの勤務評定に代えて、人事評価を導入する必要があるとされたのである。

もっとも、従来の勤務評定にしても、地方公務員法の基本理念の1つである能率的行政運営を保障するため、成績主義に基づく人事管理に資するために制度化されていたものであり、勤務評定も人事評価もいずれも法第6条にいう「勤務成績の評価」であって、その本質を異にするものではない。上述の勤務評定と人事評価の相違として強調される点も、従来から勤務評定の運用改善の要点として指摘されてきたものであり、現に少なからぬ地方公共団体において、勤務評定制度の下におけるその見直しとして実施されてきていたところである。それならば、新たな人事評価も、勤務評定の運用改善として行えばよいのであって、地方公務員法上、あえて勤務評定を削除して、人事評価を新設するという改正を行った理由は何かということになるが、それは、勤務評定の地方公務員制度における位置付け等が法律上不明瞭であるが故に、地方公共団体全体としては、実施の徹底を欠き、また、必ずしも人事管理の基礎として十分活用されてこなかったという、制度としての不徹底とそれに伴う運用の不徹底にあったといえよう。このため、新法では、上述のように、人事評価の定義や地方公務員制度上の位置付け、人事評価の方法、人事評価の公正実施と人事管理の基礎としての活用という根本基準等、人事評価の基本的枠組みを地方公務員法上明確にすることにより、人事評価がすべての地方公共団体で実施され、その人事管理の基礎としての活用が徹底して行われることを期しているといえよう。新しい酒（能力実績主義に基づく評価）は、古い革袋（勤務評定）ではなく、新しい革袋（人事評価）に盛れ、ということであろう。

２　人事評価の体系

１で述べたように、人事評価について、法は、まず第６条で「任用、給与、分限その他の人事管理の基礎とするために、職員がその職務を遂行するに当たり発揮した能力及び挙げた業績を把握した上で行われる勤務成績の評価をいう」と定義付ける。その上で、法第23条は、人事評価は公正に行わなければならず、任命権者は、人事評価を任用、給与、分限その他の人事管理の基礎として活用するものとするとの人事評価の根本基準を定め、第23条の２で、人事評価の実施に関し、任命権者が定期的に人事評価を行うべきことと、人事評価の基準及び方法等の人事評価に関し必要な事項は任命権者が定めることを規定する。この他、法では、人事評価が任用に必要な能力の実証の重要な要素となること（法15条）、任命権者は人事評価の結果に応じた措置を講じなければならないこと（法23条の３）、人事評価の実施に関し人事委員会が任命権者に勧告できること（法23条の４）、人事評価に照らして勤務実績がよくない場合が分限処分事由となること（法28条１項１号）等が定められている。このように、人事評価に関し必要な事項は、基本的には任命権者において定めることとされているので、地方公共団体においては、これらの地方公務員法の規定に沿って、それぞれの実情に応じ、人事評価の仕組みを自主的に定めることとなる。そこで、これらの新法上の人事評価に関する諸規定を踏まえ、既に実施されている国家公務員の人事評価や先行的に人事評価に取り組んでいる地方公共団体の例、人事評価に関する各種の研究成果（平成21年３月「地方公共団体における人事評価の活用等に関する研究報告書」、平成23年３月「地方公共団体における人事評価制度の運用に関する研究会報告書」、平成26年２月（国家公務員に関する）「人事評価に関する検討会報告書」、平成26年10月「地方公共団体における人事評価制度に関する研究会中間報告」）等を参考にして、以下人事評価の基本的な体系を素描する。

⑴　人事評価の方法

法上、人事評価は、職員がその職務を遂行するに当たり発揮した能力を把握した上で行われる勤務成績の評価（以下、「能力評価」という）と職員がその職務を遂行するに当たり挙げた業績を把握した上で行われる勤務成績の評価（以下、「業績評価」という）の２つの方法により行われることとされている（法６条）。

①　能力評価

能力評価は、評価期間中に職員が職務遂行の中で現実にとった行動を、評価項目とその項目ごとに求められるべき行動に照らして、当該職員が発揮した能力の程度を評価するものであり、その評価項目は、職員の任用が受験成績、人事評価その他の能力の実証に基づき行われなければならないとされていることから、標準職務遂行能力（前述57頁参照）として求められる項目と行動に照らし、職制上の段階の標準的な職ごとに定められることとなる。前出の「地方公共団体における人事評価制度に関する研究会中間報告」（以下、「中間報告」という）では、その際、職員のどのような実際の行動を見て判断したらよいのか分かりやすくするための「着眼点」が評価項目と行動ごとに示されている。参考までに、一般行政職の標準職務遂行能力の一覧表（前出58～59頁の**表１**）中の課長の標準職務遂行能力を基に同中間報告中に示された課長級の能力評価記録書の例（評語付与方式）は、次頁の**表２**のとおりである。同記録書例中の評価

表２　人事評価記録書（一般行政職・課長）例

評価期間	平成　年　月　日～平成　年　月　日

被評価者	所属：	職名：

期末面談	平成　年　月　日

１次評価者	所属・職名：	氏名：
２次評価者	所属・職名：	氏名：
確認者	所属・職名：	氏名：

（Ⅰ　能力評価）

評価項目及び行動／着眼点	
＜倫理＞ １　全体の奉仕者として、高い倫理感を有し、課の課題に責任を持って取り組むとともに、服務規律を遵守し、公正に職務を遂行する。	
①責任感	全体の奉仕者として、高い倫理感を有し、課の課題に責任を持って取り組む。
②公正性	服務規律を遵守し、公正に職務を遂行する。
＜構想＞ ２　所管行政を取り巻く状況を的確に把握し、国民の視点に立って、行政課題に対応するための方針を示す。	
①状況の構造的把握	複雑な因果関係、錯綜した利害関係など業務とそれを取り巻く状況の全体像を的確に把握する。
②基本方針の明示	市（町村）や住民の利益を第一に、内外の変化を読み取り、課としての基本的な方針を示す。
＜判断＞ ３　課の責任者として、適切な判断を行う。	
①最適な選択	採り得る戦略・選択肢の中から、進むべき方向性や現在の状況を踏まえ最適な選択を行う。
②適時の判断	事案の優先順位や全体に与える影響を考慮し、適切なタイミングで判断を行う。
③リスク対応	状況の変化や問題が生じた場合の早期対応を適切に行う。
＜説明・調整＞ ４　所管行政について適切な説明を行うとともに、組織方針の実現に向け、関係者と調整を行い、合意を形成する。	
①信頼関係の構築	円滑な合意形成に資するよう、日頃から対外的な信頼関係を構築する。
②折衝・調整	組織方針を実現できるよう関係者と折衝・調整を行う。
③適切な説明	所管行政について適切な説明を行う。
＜業務運営＞ ５　コスト意識を持って効率的に業務を進める。	
①先見性	先々で起こり得る事態や自分が打つ手の及ぼす影響を予測して対策を想定するなど、先を読みながらものごとを進める。
②効率的な業務運営	業務の目的と求められる成果水準を踏まえ、超過勤務の縮減、経費の節減等時間や労力の面から効率的に業務を進める。
＜組織統率・人材育成＞ ６　適切に業務を配分した上、進捗管理及び的確な指示を行い、成果を挙げるとともに、部下の指導・育成を行う。	
①業務配分	課題の重要性や部下の役割・能力を踏まえて、組織の中で適切に業務を配分する。
②進捗管理	情報の共有や部下の仕事の進捗状況の把握を行い、的確な指示を行うことにより業務を完遂に導く。
③能力開発	部下のコンディションに配意するとともに、適切な指導を行い能力開発を促すなど、部下の力を引き出す。

【全体評語等】

１次評価者	
（所見）	（全体

評語付与方式

	氏名：

	１次評価記入日：平成　　年　　月　　日
	２次評価記入日：平成　　年　　月　　日
	確　認　日　：平成　　年　　月　　日

自己申告		１次評価者		２次評価者 （任意）
	（コメント：必要に応じ）	（所見）	（評語）	

	２次評価者	
評語）	（所見）	（全体評語）

項目及び行動が課長に求められる標準職務遂行能力であり、そのそれぞれについて複数の着眼点が示されている。このように標準職務遂行能力を踏まえて定められた評価項目及び求められるべき行動等に照らして、職員が実際に職務上とった行動がこれに該当するかどうかを評価することにより、任命権者は、その結果に基づき当該職員がその職に係る標準職務遂行能力を有しているか否かを判定することとなり、これを任用、給与、分限その他の人事管理の基礎として的確に活用することが期待されるのである。この意味で、標準職務遂行能力は、任用、給与、分限等の人事管理と人事評価を有機的に連携させて能力実績主義の人事運用を行うための基本コンセプトであり、任命権者は、その的確な設定と運用を心がけなければならない。評価の結果、同中間報告の人事評価実施要領例（評語付与方式）では、評価項目ごとに評価の結果を示す評語（個別評価）を付すほか、能力評価の結果を総括的に示す評語（全体評価）を付すものとされ、課長級以下の場合、それぞれ、s、a、b（通常）、c、dとＳ、Ａ、Ｂ（通常）、Ｃ、Ｄの５段階評価となっている。なお、同中間報告では、評語付与方式のほか、数値化方式も参考例として示されている。

②　業績評価

業績評価は、公務能率の向上や評価結果の客観性、納得性を確保するとともに、評価結果を人材育成に活用する観点から、評価者と被評価者とで予め目標を設定した上でその達成度を評価する方法によることが適当とされる。即ち、職位に応じて当該ポストにある職員が評価期間ごとに果たすべき役割を目標等の形で明確にし、それがどのくらい達成されたかという観点から評価が行われる。これは、前出の業務管理手法である目標管理（183～185頁参照）を、人事評価に応用するものであり、したがって、評価期間の開始に際し、上司である評価者と部下である職員が一体となって目標等を定めることにより、当該職員が当該評価期間中に果たすべき役割を確定することが必須となる。また、当該職員の目標を定めるに当たっては、所属する組織の目標を踏まえて行われる必要がある。参考までに、前出の中間報告中の業務評価記録書の例は、194頁の**表３**のとおりであり、一人の職員につき、最大で４つまでの業務内容（役割）

について、いつまでに、何を、どの水準まで達成するかという具体的な目標を定めるとともに、目標以外の取組事項や突発事態への対応等も勘案できるように設計されている。なお、この記録書例では、業務内容ごとにその目標の困難度、重要度を設定できるように設計されているが、これは、困難な目標となっている業務内容（前例のない業務、著しく莫大となる業務、著しく短期に仕上げることとなる業務等）やその職員の業務上特にウエイトが高い目標となっている業務内容について、評価を付す際に考慮することができるようにするため、必要に応じ設定することができるものである。評価の結果、中間報告中の人事評価実施要領例では、目標を定めることにより役割を確定された業務内容ごとに評価の結果を示す評語（個別評語）を付すほか、業績評価の結果を総括的に示す評語（全体評価）を付すものとされ、課長級以下の場合は、それぞれ、s、a、b（通常）、c、dとＳ、Ａ、Ｂ（通常）、Ｃ、Ｄの５段階評価となっている。

⑵　人事評価の手続（評価のフロー）

①　人事評価に関する定め

人事評価の基準及び方法に関する事項その他人事評価に関し必要な事項は、任命権者が定めることとされている（法23条の２第２項）。これらを定める形式については、法上は特別の定めはない。人事評価は、任命権者の人事権の行使として行われるものであり（同条１項及び法６条１項）、その専属的な権限に属すると考えられるので、任命権者である長や行政委員会等の執行機関の権限に属する事務に関して定める法形式である規則若しくは規程（自治法15条１項、138条の４第２項）によるか、又は、内部的な事務処理の要領等を定める規程（訓令）、要綱等によることとなる。人事評価の信頼性を高めるため、評価基準や評価方法等を公表し、その透明性を確保すべきであるという観点からすると、少なくともその骨格となる部分は、住民への公布を伴う規則（規程）の形式により定めることが望ましいとも考えられるが、人事評価に関する事務のこのような性格に鑑みると、人事評価に関することを議会が定める条例で規定すべきではない。なお、人事評価に関し必要な事項を任命権者（議会の議長を除く）が定める場合、あらかじめ地方公共団体の長に協議しなければならないとされて

表３

評価期間	平成　年　月　日～平成　年　月　日

被評価者	所属：	職名：	氏名：

期首面談	平成　年　月　日
期末面談	平成　年　月　日

1次評価者	所属･職名：	氏名：	1次評価記入日：平成　年　月　日
2次評価者	所属･職名：	氏名：	2次評価記入日：平成　年　月　日
確認者	所属･職名：	氏名：	確　認　日：平成　年　月　日

（Ⅱ　業績評価：共通）

【1　目標】

番号	業務内容	目標（いつまでに、何を、どの水準まで）	困難	重要	自己申告（達成状況、状況変化その他の特筆すべき事情）	1次評価者		2次評価者（任意）
						（所見）	（評語）	
1								
2								
3								
4								

被評価者	所属：	職名：	氏名：

【２　目標以外の業務への取組状況等】

番号	業務内容	自己申告 （目標以外の取組事項、突発事態への対応等）	１次評価者
			（所見）

【３　全体評語等】

１次評価者		２次評価者	
（所見）	（全体評語）	（所見）	（全体評語）

いる（法23条の２第３項）。

②　評価の実施権者等

人事評価は、任命権者が行わなければならない（法23条の２第１項）。すなわち、人事評価の実施権者は、任命権者である。ただ、他の人事上の諸権限と同様、実際にはその補助職員が人事評価の事務に従事する。まず、第一次的な評価を行う評価者は、被評価者の業務上の監督者の中から指名される。この他、組織の大きさ等にもよるが、通常は、より上位の監督者の中から調整者（二次評価者）が指名され、評価者が行った評価に不均衡があるかどうかという観点から、調整（二次評価）を行う。実施権者（実施権を任命権者から委任された者を含む。以下同じ）は、調整後の人事評価書の提出を受け、必要があれば再評価又は再調整を行わせ、その必要がなければ、実施権者の確認をもって評価が確定する。また、評価や調整の負担軽減又は精度向上の観点から、評価補助者又は調整補助者が指名されることもある。

なお、被評価者は、「職員」である（法23条１項、23条の２第１項）。すなわち、地方公務員法上の一般職の地方公務員であり、条件付採用期間中の職員、任期付き任用職員、短時間勤務職員、会計年度任用職員等も含まれるが、特別職の地方公務員は含まれない。

③　人事評価の標準的フロー

任命権者は、職員の執務について定期的に人事評価を行わなければならない（法23条の２第１項）。したがって、職員の執務サイクルの一定期間を評価期間として、定期的に人事評価を繰り返すことが求められており、その際、業績評価と能力評価という２つの方法の異なる評価を並行して有機的に連携させて実施する必要がある。このため、中間報告中の人事評価実施規程例では、能力評価は評価期間を４月１日から翌年の３月31日までの１年間とし、これに対し、業績評価は４月１日から９月30日まで及び10月１日から翌年３月31日までの２期間とする例と、４月１日から翌年３月31日までの１年間とする例の２つを示している。

以上のような業績評価と能力評価の並行実施との想定の下に、業績評価と能力評価を併せた人事評価の標準的な流れ（フロー）を示せば、**図4**のとおりとなる。

図4　人事評価の標準的な流れ

期首面談（目標等の設定）
↓
業務遂行
↓
達成状況等の自己申告
↓
評価・調整・確認
↓
評価結果の本人開示
↓
期末面談（指導・助言）

人事評価の最初のステップとして、評価者は、業績評価の評価期間のそれぞれの期首において、被評価者と面談の上、業務に関する目標を定めること等により、当該評価期間において被評価者が果たすべき役割を確定する。その際、評価者は、組織目標との整合性等に留意し、何を、いつまでに、どのような水準まで達成するのか、できるだけ具体的に目標を定める。地方公共団体の仕事の中には、定型的なルーティン・ワークも少なくなく、具体的な目標設定に馴染まないという意見もあるが、そのようなものについても、事務改善への取組目標の設定や事務処理の迅速化目標の設定等により、可能な限りの目標設定に努める。「地方公共団体における人事評価の活用等に関する研究報告書」（平成21年3月）では、次のような定型的な部門における目標設定の実例が紹介されている（同報告書147頁及び148頁から抜粋）。

例1　印鑑登録業務の統一的な事務処理を図るため、○月末までに過去に判断に窮した事例や近隣団体の実例等の収集を行い、それらを基にした事務処理マニュアルを作成する。

例2　建築確認審査の処理期間短縮について、年度末までに、審査体制の見直しを行うことにより、消防同意案件を除き概ね○日以内の処理を行う。

例3　各地域のごみ置場設置条件の不均衡を把握するため、○月までにごみ収集所台帳のデータベースを完成させ、設置条件の見直しの是非について、部内で成案を得る。

次に、評価者は、評価期間を通じ、被評価者の職務行動等の把握に努める。これは、日常の業務管理の中で行われているものであり、評価のための特別の観察を行うものではないが、期末の評価に備え、批評価者の顕著な行動等については、備忘のためのメモ等を残しておくことが、適正な評価と部下に対する指導・助言に有効である。また、突発的な事態や状況の変化により目標等に変更や追加が必要になる場合がある。そのような場合は、目標管理本来の趣旨に立ち戻り、被評価者と共通の認識の下に、目標の修正・追加等を行う。

評価に先立ち、評価者は、評価の参考とするため、被評価者に対し、当該被評価者の発揮した能力及び挙げた業績に関する被評価者自らの認識について、申告を行わせる。中間報告書中の人事評価実施要領例によると、この自己申告は、能力評価においては、自らの評価期間中の行動等について、評価項目及び行動に記載された行動等を安定的にとることができていたかどうかの観点から振り返り申告することとされており、業績評価においては、期首に設定した目標等について、どこまでできたか、どのような役割を果たしたか等を記載するとともに、状況変化その他の特筆すべき事情があればそれを記載することにより、申告することとされている。また、期首に設定した目標以外の取組事項、突発事態への対応等があった場合には、その業務遂行状況について記載することとされている。

評価者は、この自己申告記入済みの人事評価シートを受け取り、記載内容についての被評価者への必要な確認、補助評価者からの情報収集、期中の被評価者の職務執行状況等の整理等を行った上で、評価を行うこととなる。中間報告中の人事評価実施要領例によると、能力評価においては、評価項目及び行動ごとに着眼点として示した事項を参考に、求められる職務行動を安定してとることができていたかどうかについて、５段階の評語を付すことにより、個別評価する（個別評語の付与）。そして、評価項目及び行動ごとの評価を踏まえ、求められる職務行動が全体として安定的にとられていたかどうかについて、５段階の評語を付すことにより、全体評価を行うことされている（全体評語の付与）。業績評価においては、期首に設定したそれぞれの目標等ごとに、期中の職務活動の結果としてどの程度達成できたか等を判断し、さらに業務遂行に当たっての重点事項等を明らかにしていた場合はそれを踏まえて、５段階の評語を付すことにより、個別評価する（個別評語の付与）。その際、必要に応じて困難度を考慮する。そして、目標等ごとの評価に目標以外の業務への取組状況等も加味し、総合的に、当該期に当該ポストにある者に求められた役割を果たしたかどうかという観点から５段階の評語を付すことにより、全体評価を５段階で行うこととされている（全体評語の付与）。その際、必要に応じて重要度を考慮する。

その後、調整者による調整、実施権者による確認を経て、評価が確定すると、評価結果の本人開示が行われる。評価結果の本人開示は、評価の信頼性を高めるとともに、評価結果を職員への具体的な指導・助言につなげて職員の主体的な取組を促し、能率的な行政運営に資するために行われる重要なものであるが、勤務評定にはなかった新たな取組であり、開示の範囲については、その内容、対象等について、それぞれの地方公共団体において、実情に応じた慎重な考慮が必要である。中間報告中の人事評価実施規程例では、一次評価者が被評価者の能力評価及び業績評価の結果を当該被評価者に開示するものとするとの原則規定を置きつつ、その実施要領例の中では、被評価者の開示を希望しないかどうかの意見を確認すること、全体評語を原則開示とすること等が示されている。国家公務員の場合、開示内容は、能力評価・業績評価それぞれの全体評語を含まなければならないが、それ以上にどこまでの内容を開示するかは、各府省が定めることとされている。また、全体評語の開示も、それを希望しない職員及び警察職員等のうち全体評語の開示により業務遂行に著しい支障を生ずるおそれがある職員として実施権者が指定するものについては、開示しないことができるとされている。しかし、これらの職員についても、全体評語が中位より下（Ｃ又はＤ）のものについては開示しなければならないこととされている。開示の時期・方法としては、期末面談との関係で、評価結果確定後にまず開示のみ行う方法と、評価結果確定後における期末面談の際に合わせて行う方法がある。

評価結果の開示後又は開示にあわせ、評価者は、被評価者と期末面談を行い、能力評価及び業績評価の結果とその根拠となる事実に基づき、被評価者に指導・助言を行う。この期末面談は、人事評価が任用、給与、分限「その他の人事管理」の基礎とする（法６条１項）とされているように、評価結果に基づき上司である評価者と部下である被評価者の間のコミュニケーションを促進し、職員が主体的にその業務改善と自らの能力開発に取り組むことにより、人事評価を組織としての公務能率の向上につなげるために行われるもので、人事管理のスキームとしての人事評価の有効性を高めるための重要なステップである。したがって、そこで行われる指導・助言は、評価を受けた職員が、それを契機として自ら主体的に能力開発に取り組むことにつながるよう、実際の評価事実（とった行動や業務上の成果）を基にそのような評語を付した根拠を説明する等、できる限りきめ細かに説明するとともに、次の評価期間に向けて具体的な改善点や期待する行動をアドバイスする等、丁寧に行う必要がある。また、開示を希望しない被評価者についても面談は行い、評価者は、自己申告の内容、評価項目、目標等に沿って意見交換を行い、具体的にコメントする等、可能な限りきめ細かい指導・助言を行う。なお、十分に話し合っても、被評価者が、納得しない場合には、苦情相談・苦情処理の方法があることを教示の上、面談を終了することもやむを得ない。

(3)　苦情相談・苦情処理

人事評価の公平性・透明性を担保し、その信頼性を高めるためには、評価結果に対する被評価者からの苦情に対応する仕組みが存在することが望ましい。評価結果を本人に開示する仕組みとなっている場合は、それに応じた苦情対応の仕組みは、必須であるといってよい。このため、国家公務員の場合、職員に開示された能力評価及び業績評価の結果に関する苦情並びに人事評価一般に関する苦情について、苦情相談と苦情処理の仕組みが設けられている。苦情相談は、開示された評価結果のほか、人事評価に関する手続その他人事評価に関する苦情について、幅広く対象にし、いつでもその申出をすることができることとされている。しかし、苦情相談のみでは、再評価・再調整の手続にはつながらない。苦情処理は、開示された評価結果に関するもの及び苦情相談で解決されなかったもののみを受け付け、このうち開示された評価結果について審査の結果適当でないと判断された場合には、実施権者は、評価者に再評価を行わせ、又は調整者に再調整を行わせることとされている。地方公共団体の場合、規模の大きさによるが、一般的には、苦情相談に相当するものは各部局の総括課が、苦情処理に相当するものは本庁の人事担当課が担当するのが適当であろう。

３　人事評価実施上の留意事項

以上のように、人事評価は、従来の勤務評定に比べ、公平性や透明性の確保された公正な評価システムとして、より信頼性の高い設計となっているといってよいが、実際にそのような公正で信頼性の高い評価システムとして定着するかどうかは、今後の運用の如何にかかっている。どのように精密に設計された制度でも、それを運用するのが人間である以上、運用を行う当事者が、制度の趣旨や内容を十分に理解して、的確かつ効果的に運用を行うのでなければ、制度は、絵に描いた餅となりかねない。そのような観点から、人事評価を信頼性の高い評価システムとして定着させていくために、運用上重要なポイントとなると考えられる留意事項を、３点指摘しておくこととする。

⑴　人事評価制度の趣旨、内容等の周知・徹底

これまでの勤務評定は、人事に係ることであるので内部的機密事項であるとの意識の下、その評価項目や評価基準は明らかにされないまま、人事管理当局とその補助組織の内部において処理され、評定結果も本人には知らされず、それが職員の処遇にどのように反映されるのかも不明のまま、いわばブラックボックスの中で処理されることが多かった。これが、勤務評定に対する職員の不信感を高め、実効的な勤務評定が徹底しない大きな原因となっていたといえる。新たな人事評価の実施に当たっては、その反省の上に立ち、人事評価の当事者である評価する側及び評価される側の双方に対し、人事評価の方法、評価項目、評価基準等を幅広く周知し、その地方公共団体における期待される職員像についての共通認識を醸成する等、人事評価の公正な実施に向けての環境整

備を行うことが不可欠である。その際、人事評価の必要性についての職員の理解を深めるためには、人事評価制度の趣旨、なぜそのような仕組みになっているのかという理由まで遡って、丁寧に説明する必要がある。公正な人事評価を行うことは、職員自身の処遇の公正を確保するため必要なものであり、また、職員の能力開発とモラールの向上に資するものであることを十分説明し、納得を得る必要がある。そのためには、例えば、前出のマズローの欲求段階説やマグレガーのＸ・Ｙ理論（前出179頁参照）に示された考え方に基づき、人材育成基本方針等において職員の自己実現に向けた人事行政の基本スタンスを明確に示し、また、業績評価のフレームについて、ドラッカーの目標管理論の由来（前出184頁参照）まで遡って説明するといった工夫をすることも、職員の理解を深める有効な方法であると考える。理想でいえば、そのような周知・徹底の結果、職員全体が、人事評価を自己のキャリア形成やライフプランの確立にも役立つものとして積極的に受容し、人事評価の過程に進んで参加する組織風土が醸成されることが望まれる。なお、人事行政全体に対する住民の信頼を高める意味において、人事評価の仕組みや実施状況を住民に公表することが望ましい（法58条の２参照）。

⑵　評価者訓練の実施

人事評価が公正に行われるためには、評価者によって評価の視点が異なり、評価結果に不公平が生じないよう、評価者に対して評価者訓練を実施する必要がある。そもそも、部下の能力や実績を適正に評価し、その育成を図っていくことは、管理監督者として必要な資質であり、また、その重要な職務である。そのような観点から、人事評価の導入時には評価者全員を対象に、その後は新任の管理監督者を中心に、人事評価が必要な理由、人事評価の仕組み等の基本研修から、能力評価における行動観察記録の要領、業績評価における具体的な目標設定の仕方、人材育成的な評価結果の開示及び面談の技法等、実務的な訓練まで、人事当局が中心となって、講義や実例演習等の方法により、評価者訓練を行う必要がある。その際、勤務評定において評定者が陥りやすい主観的傾向とされたハロー効果（特定の評定項目の評価が他の評定項目に影響を与え、全体として優秀又は不良の判断をしてしまう傾向)、中心化傾向、寛大化傾向等についても学び、特に、開示を伴う人事評価において陥りやすいと考えられる寛大化傾向に陥らないよう、中位評価（B）と上位評価（AとS）の境界の目線合せ（評価基準のあてはめ方を同等レベルにそろえること)、下位評価（CとD）を付与された職員への開示時の面談技法等、実際に評価者が遭遇する困難課題に沿った訓練内容となるよう留意する必要がある。

⑶　人事管理の基礎としての活用の徹底

勤務成績の評価は、その結果が実際の人事管理に活用されて初めてそれを行う意義があるのであり、評価のための評価に終わるのであれば、無用の長物に堕すこととなる。したがって、人事評価が信頼性の高いものとして定着していくためには、それが人事管理の基礎として有効に活用されなければならない。このため、人事評価の定義自体に「任用、給与、分限その他の人事管理の基礎とするため」とその目的が明記され（法6条)、また、人事評価の根本基準として、「任命権者は、人事評価を任用、給与、分限その他の人事管理の基礎として活用する」ことが明記された（法23条2項）のである。

①　給与への活用

給与については、勤勉手当や昇給等への活用がある。勤勉手当は、基礎額に期間率と成績率を乗じて算出することによりその勤勉度に応じて支給されることとなっているところ、その成績率の決定に際し、直近の業績評価の結果を活用するのである。具体的には、業績評価の評価結果が上位の者から順に、勤勉手当上の特に優秀又は優秀の成績区分となるよう決定するのである。また、昇給については、1年単位で決定するものであるので、直近の能力評価と業績評価（業績評価の評価期間が半年である場合は、直近の連続する2回の業績評価）の評価結果が上位のものから順に高い昇給区分（8号、6号）となるよう決定するのである。そのことと関連して、絶対評価か相対評価かという課題がある。すなわち、人事評価の方式としては、絶対評価（他者との比較でなく、評価基準との関係のみでその者を評価する方式）と、相対評価（予め評価段階ごとの分布率を定め分布率に従って相対的に評価する方式）とがある。国家公務員については、絶対評価方式が採用されている。それは、評価結果の開示を受ける被評価者の士気や動機付けの観点から、他者との比較よりも評価基準に照らした評価結果を示す絶対評価の方が適切であると考えられたためであろう。しかしながら、一方で給与については、給与原資との関係で勤勉手当の成績区分や特別昇給に一定の枠があるため、現実問題として、絶対評価を行った後で、何らかの相対化が必要となることが多い。その場合、人事当局としては、そのような給与上の相対化のための調整により人事評価自体の公平性に疑義を来さないよう、評価結果と給与上の処遇結果の連動関係が分かりやすい合理的な相対処理の仕組みにするように努め、また、その仕組みを評価者及び被評価者の全体に明示するのが適当である。地方公共団体においては、組織の規模や職員数の状況等により職務の内容や困難度に応じた客観的調整等を行うことが可能であれば、人事評価の段階で客観的な相対評価を行い、その結果をそのまま給与上の処遇に連動させることも考えられるところである。

②　任用・分限への活用

任用についても、法第15条は、「受験成績、人事評価その他の能力の実証に基づいて行わなければならない」と、人事評価の結果が、その決定の重要な要素であることを明らかにした。もっとも、例えば昇任については、人事評価の結果のみで昇任が決まるわけではなく、昇任試験を行う場合はその成績も踏まえ、また、想定されるポストへの適性（法21条の３は、それも明記する）や人材育成方針との兼合い等全体的な人事管理計画との整合性なども考慮のうえ決定されることとなるが、その際、法第15条の趣旨を踏まえ、過去複数年の人事評価の結果が所定の要件を満たす者の中から適任者を昇任させるという運用を行っていくことが適当であろう。なお、等級別定数との兼合い等により、昇任枠が限られている場合に、人事評価において絶対評価方式をとれば、昇任枠との関係で相対化する必要が生ずるという課題があることは、給与への活用の場合と同様である。

また、分限への活用としては、人事評価に照らして勤務実績がよくない者に対する分限処分として（法28条１項１号）、能力評価及び業績評価の結果の双方が最下位の者に対して降任又は免職の契機とすることとなる。その場合、当該職員に対し、注意・指導を繰り返し行い、必要に応じて担当職務の見直し、特別研修等の改善を図っても、なお同様の状態が継続する場合に、警告書を発し、弁明の機会を与える等の慎重な手続を経て、処分を決定する必要がある。

③　人材育成への活用

人事評価は、元々その評価基準と評価プロセスが人材育成に資するべく設計されており、したがって、人事評価の実践を通じて、評価者と被評価者の共同作業により、人材育成の効果が期待できる。能力評価の評価基準となる標準職務遂行能力の設定は、いわばその地方公共団体における期待される公務員像を明らかにするものであり、標準職務遂行能力を的確に設定することにより、いわゆるコンピテンシー評価（優秀な成績を挙げる職員の行動特性に基づく評価）が可能となることとなる。また、業績評価において設定される目標等は、地方公共団体全体の目標の中でその職にある職員に期待される役割である。これらが明確にされることにより、職員は、地域社会や住民にとって理想的な公務員となるべく、自らの使命と役割を自覚し、自己実現に向けて努力する環境が整えられるのである。また、自己申告、目標設定、評価結果の開示と期末面談等のプロセスを通じ、公務運営への参加意欲を高め、自己の職務行動を点検することにより、効果的、主体的な能力開発を進めることができるのである。評価者と被評価者は、人事評価の有するこのような人材育成機能を十分認識し、人事評価をＯＪＴの一環と位置付けて、密接なコミュニケーションの下に実施していくことが望まれる。このように、人事評価の適切な実施自体が、人材育成の効果をもたらす機能を果たすことに加え、人事評価の評価結果を研修や人事異動等に活用することにより、人材育成の効果を上げることができる。例えば、評価結果に基づき各職員の得意分野の能力向上や弱点克服のための研修受講を勧め（研修必要点の発見）、評価結果の傾向分析に基づき新たな研修体系を構築する等、職員研修の充実・強化につなげることができる。また、評価結果に基づき、職員の能力や意欲に基づく人事の適正配置を行い、計画的なキャリア形成に向けて支援する等、計画的・長期的な人材育成につなげることができるのである。このように人事評価は、まさに人材育成のための知恵と素材の宝庫ともいえるものであり、地方公共団体としては、その適切かつ積極的な活用が望まれるところである。

（注）人事評価についても、平成26年８月15日付総務省自治行政局長通知において、その運用上の留意事項等が示されているところである。また、本文中で随時紹介したように、平成26年10月10日には、主として人事評価未導入団体の参考となることを念頭に、「地方公共団体における人事評価制度に関する研究会中間報告」を紹介する形で、人事評価実施規程例、人事評価実施要領例等が情報として提供されている。本書第６版の巻末には、これらの一部を参考資料３及び参考資料４として掲げていたので、参考にされたい。

第５節　定員管理

１　定員管理の基本

地方公務員の総数及びその最近の推移は、**図５**のとおりである。地方公共団体の職員の定数は、その団体の条例で定められる（自治法172条３項本文、191条２項、200条６項等）。ただし、県費負担教職員の定数は、都道府県の条例で定められる（地教行法41条）。なお、地方警務官の定数は、全都道府県警察を通じてその総数を警察法施行令で定める（警察法57条）。臨時又は非常勤の職員の定数は、条例で定めなくてもよく（自治法172条３項ただし書き）、また、常勤の職員であっても、休職者は、定数外職員として取り扱っても差し支えない（昭27.2.23地自公発50）。

定員管理の目的は、少数精鋭の実現により行政の能率的運営を行うことにある。その点では、地方公務員法の基本理念と一致する。ただ、ここでよく認識しておく必要があるのは、定員管理は、地方公務員制度と関係はするが、地方公務員制度そのものではなく、すぐれて行政管理の問題であるということである。すなわち、定員管理は、政策管理、事務管理、組織管理、人事管理等の総決算として、地方公共団体の行政管理（マネージメント）の一環として行われるべきものであると認識してかかる必要がある。このことを若干敷衍して述べれば、以下のとおりである。

図５　地方公共団体職員数の状況

（総務省資料）

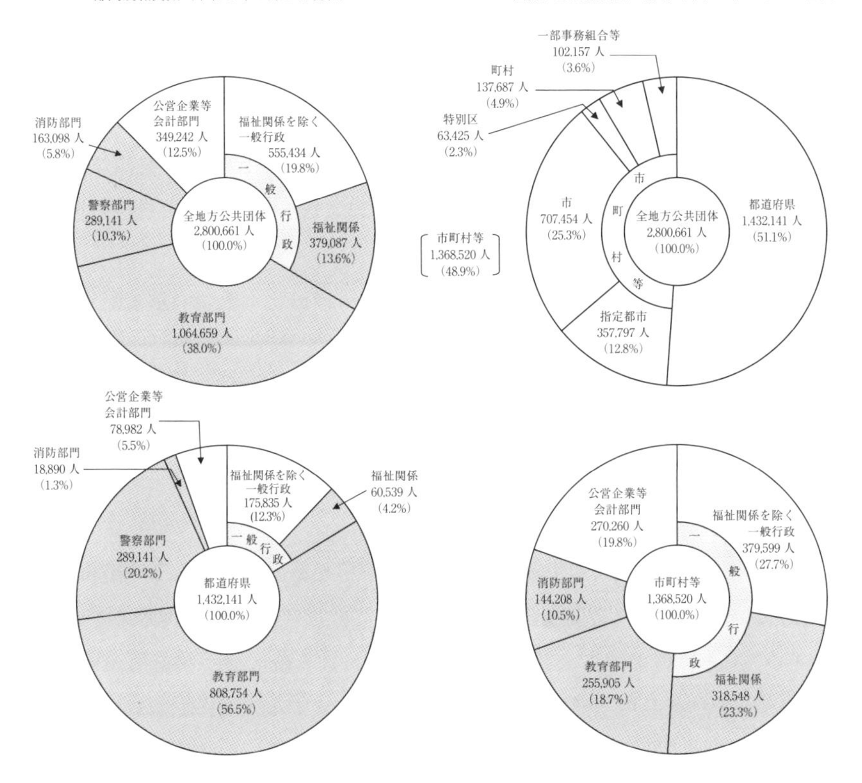

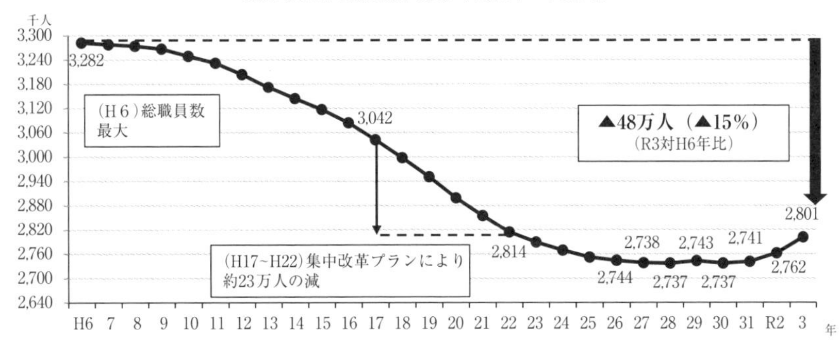

①　政策管理、すなわち政策の選択の問題としては、必要最低限の行政需要を充足したうえで、地域住民の新たなニーズを満たすべく、予算と人員とのかねあいのなかで、どのような施策を最少の経費で最大の効果を挙げるよう選択するかということであり、その決定や評価に際しては、政策評価、施策評価が重要な役割を果たすことになる。

②　事務管理の問題としては、地方公共団体が行うべき事務事業について、事務手続の簡素合理化、民間委託、共同処理等による省力化・人員負担の軽減、事務事業の整理合理化等をすすめる必要がある。

③　組織管理の問題としては、組織の複雑化、硬直化、権限の重複配分をできるだけ避け、簡素で効率的な組織編制に努める。

④　人事管理の問題としては、適材適所の配置、職員の能力開発、職員参加の促進等による勤労意欲の喚起等を通じ、職員の潜在的能力を最大限に引き出して、組織全体の公務能率を向上させる。

２　定員管理の技法

定員管理の技法は、大別すると、事務量の測定を基礎として、その事務量を効率的に処理するのに必要な人員数を算定する方法（事務量測定方式又はミクロ方式という）と、他の地方公共団体の現実の職員数を統計的手法を用いて処理し、モデルを作成して当該団体の必要人員数を算定する方法（他団体比較方式又はマクロ方式という）とがある。そのための活用資料として、総務省から地方公共団体の類似団体別職員数や定員モデルが示されている。

事務量測定方式における事務量の測定は、まれにストップウオッチを用いてゼロベースで行われることもあるが、多くは過去の経験則に基く個別業務ごとの事務量の積上げで行われており、地方公共団体内の各業務によほど精通し、かつ、職務分析能力に長けたベテラン職員が行うのでなければ、必ずしもあるべき定数が算定されるとは限られず、そのための作業量も相当なものとなる。他団体比較方式は、算定作業自体は比較的に少なくて済むが、そもそもこの方式により算定される職員数は、あるべき職員数でなく、世間相場として現にある数である。したがって、定員管理の参考資料としておおいに活用できるものではあるが、他の地方公共団体との政策の相違を反映しにくく、また、財政事情の悪化による定数削減が必要な場合等には、そのまま使えるものではない。結局のところ、どの地方公共団体にもそのまま通用する定員管理方式はないのであって、地方公共団体としては、諸々の定員管理技法を参考としながら、自らの置かれている社会経済状況と業務の状況を踏まえ、その創意工夫により、行政管理上の最重要課題として定員の抑制に取り組んでいく必要がある（同旨、坂弘二『地方公務員制度　第７次改訂版』（学陽書房）90～92頁）。

第６節　人事行政の運営等の状況の公表等

法第58条の２は、法第58条の３に規定するもののほか、職員の任用、人事評価、給与、勤務時間その他の勤務条件、分限及び懲戒、服務、退職管理、研修並びに利益の保護等人事行政の運営の状況について、条例で定めるところにより、毎年、任命権者が地方公共団体の長に報告し、長は、その報告をとりまとめ、その概要と同条第２項に基づく人事委員会又は公平委員会からの業務状況報告を公表しなければならないとしている。これは、成績主義や勤務条件条例主義の下、地方公共団体の人事行政の運営状況に関する情報を住民に明らかにし、地方公共団体の人事行政の適切な運営に資そうとするものである。同条により公表される人事行政の運営対象となる「職員」については、臨時的に任用された職員及び非常勤職員（短時間勤務の職を占める職員及びフルタイムの会計年度任用職員を除く。）は、除かれている（法58条の２第１項括弧書き）。短時間勤務職員とフルタイムの会計年度任用職員が「職員」に含められているのは、いずれも非常勤職員ではあるが、給料、旅費及び一定の手当が支給されるため、人件費の管理等の観点から適正な取扱いを確保する必要があることを勘案したものである（フルタイムの会計年度任用職員に関する人事行政の運営等の状況の公表の趣旨等については、第２章第４節「９　会計年度任用職員」の「⑷　会計年度任用職員制度」の⑦（82頁）参照）。

第５章　勤務条件

第１節　勤務条件の意義と労働基準法の適用関係

1　勤務条件の意義

地方公務員法は、第３章の第４節において、そのタイトルを「給与、勤務時間その他の勤務条件」として、給与をはじめとする勤務条件の決定原則等を定めている。「給与、勤務時間その他の勤務条件」という用語は、地方公務員法上は、第３章第４節以外でも、第８条、第14条、第46条、第55条及び第58条の２でも用いられている。このうち、給与と勤務時間は、勤務条件の例示であって、問題は、勤務条件とは何であり、どの範囲までをいうのかということである。この点につき、法制意見は、勤務条件とは「職員が地方公共団体に対し勤務を提供するについて存する諸条件で、職員が自己の勤務を提供し、又はその提供を継続するかどうかの決心をするにあたり一般的に当然考慮の対象となるべき利害関係事項であるものを指す、と解するのが相当である」としている(昭33. 7. 3法制局一発19)。

地方公務員法は、第14条において、「地方公共団体は、この法律に基いて定められた給与、勤務時間その他の勤務条件が社会一般の情勢に適応するように、随時、適当な措置を講じなければならない。」として、勤務条件について情勢適応の原則を定めている。これは、職員の給与、勤務時間その他の勤務条件が職員の勤労者としての基本的権利であることから、それが社会一般の情勢、すなわち我が国の社会、経済、労働の全体状況や地方公共団体の地域的事情等に常に適合するよう管理することを地方公共団体の義務とすることにより、職員の勤務条件を保障しようとするものである。また、そうすることが同時に、優秀な人材を職員として確保するうえでも、公務能率を向上させるうえでも、必要なことであり、情勢適応の原則は、地方公共団体の人事管理上、常に配慮しなければならない重要事項であるといえよう。したがって、地方公共団体の長等の任命権者、人事委員会及び公平委員会はもとより、意思決定機関である議会も、この情勢適応の原則に基づいて職員の勤務条件を決定しなければならないのである。

また、職員の勤務条件の決定方式については、地公労法非適用職員と地公労法適用職員で相違がある。詳細は第７章で説明するが、地公労法非適用職員の場合は、「職員の給与、勤務時間その他の勤務条件は、条例で定める。」（法24条５項）とされ、勤務条件法定主義がとられているのに対し、地公労法適用職員の場合は、職員の勤務条件は基本的に団体交渉の結果締結される労働協約等で定められ、条例では給与の種類と基準のみを定めることとされている（地公労法７条、地公企法38条４項等）。

２　職員の勤務条件と労働基準法

第１章で述べたとおり、職員には労働基準法が原則として適用される。労働基準法は、労働条件の最低基準等を定めた法律である（労基法１条）ので、地方公共団体の人事管理当局は、条例等で定める職員の勤務条件が、いやしくも労働基準法に違反することがないよう、その適切な管理に努めなければならない。労働基準法は、労働条件一般についての共通原則と諸定義を定めた総則にはじまり、労働契約、賃金、労働時間、休憩、休日及び年次有給休暇、年少者、妊産婦等、技能者の養成、災害補償、就業規則、寄宿舎、監督機関等に関する諸規定と罰則を定めているが、地方公務員法等は、これが地方公務員に適用されるとの前提に立って、必要に応じてその一部を適用除外している。その際、その適用除外の仕方は、大きく２つに分かれる。１つは、地公労法非適用職員（企業職員、単純労務職員及び特定地方独立行政法人の職員以外の職員）であり、これについては、労働基準法中、地方公務員制度に適合しないと考えられる規定と地方公務員法に特別の定めがある規定が適用除外され（法58条３項本文）、そのうえで、労基法102条適用職員（労基法別表１の１号から10号まで及び13号から15号までの事業に従事する職員）又は地方公務員災害補償法の適用を受けない職員について、適用除外された規定の一部を適用することとしている（法58条３項ただし書き）。いま１つは、地公労法適用職員であり、これについては、その民間

表４　労働基準法の適用区分一覧表

労働基準法条文	項　　目	地公労法 非適用職員	地公労法 適用職員
１条	労働条件の原則	○	○
２条	対等決定	×	○
３条～14条１項	総則、労働契約	○	○
14条２項・３項	有期契約労働者の雇止めの基準	×	×
15条～23条	労働契約、解雇、退職	○	○
24条１項	賃金支払い３原則	×	○
24条２項～32条	賃金、労働時間	○	○
32条の２	１ヶ月単位の変形労働時間制	○（注１）	○
32条の３～32条の３の２	フレックスタイム	×	○
32条の４～32条の４の２	１年単位の変形労働時間制	×	○
32条の５	１週単位の非定型的変形労働時間制	×	○
33条１項・２項	災害等超勤	○	○
33条３項	臨時公務超勤	○（注２）	○（注２）
34条	休憩	○（注３）	○
35条～38条の２第１項	休日、超勤、事業場外労働	○	○
37条３項	時間外勤務代替休暇	○（注４）	○
38条の２第２項～38条の４	事業場外労働の定、裁量労働制	×	○
39条１項～５項・９項・10項	年次有給休暇	○	○
39条４項	時間単位の年休	○（注５）	○
39条６項～８項	年休時季指定の定	×	○
40条・41条	労働時間、休憩の特例、等	○	○
41条の２	高度プロフェッショナル制度	×	○
42条～74条	年少者、妊産婦等、技能者養成、等	○	○
75条～88条	災害補償	×（注６）	×（注６）
89条～93条	就業規則	×	○
94条～101条	寄宿舎、監督機関	○	○
102条	司法警察権	×（注７）	○
103条～121条	雑則、罰則、等	○	○

（注１）　使用者は、労働組合又は労働者の過半数を代表する者との協定によることなく、１ヶ月単位の変形労働時間制を定めることができるとの読替えが行われている（法58条４項）。

（注２）　労基法第33条第３項自体において、同法別表１に掲げる事業に従事する地方公務員は、臨時公務超勤の対象から除かれている。

（注３）　労働組合又は労働者の過半数を代表する者との協定ではなく、条例の定めるところにより休憩時間一斉付与を行わないことができるとの読替えが行われている（法58条４項）。

（注４）　使用者は、労働組合又は労働者の過半数を代表する者との協定によることなく、月60時間を超える時間外勤務の割増賃金の代替休暇（時間外勤務代休時間）を付与することができるとする読替えが行われている（法58条4項）。

（注５）　使用者は、労働組合又は労働者の過半数を代表する者との協定によることなく、時間を単位として年休を与えることができるとする読替えが行われている（法58条4項）。

（注６）　地公災法第２条第１項に規定する者以外の職員（常時勤務に服することを要しない職員）には、適用される（法58条３項ただし書き後段）。

（注７）　地公労法非適用職員のうち、地方公共団体の行う労基法別表第１第１号から第10号まで及び第13号から第15号までの事業に従事する職員には、適用される（法58条３項ただし書き前段）。これに対し、地公労法適用職員については、地公企法第39条等で労基法第102条を適用除外する法第58条を適用除外しているため、すべての職員に労基法第102条が適用される。

労働者との類似性にかんがみ労働基準法のほとんど全てを適用することとし、そのため労働基準法の一部等を適用除外する法第58条を、労基法第14条第２項及び第３項並びに第75条から第88条までに係る部分を除き、適用除外している（地公企法39条等）。この結果、地方公務員については、地公労法非適用職員と地公労法適用職員とで２つの労働基準法の適用体系が出来上がっているといえる。これを、労働基準法の条文別に整理すると前頁の**表４**のとおりである。

第２節　給　与

１　給与の意義と種類

旧憲法時代には、官公吏は、国又は地方公共団体に対し無定量の勤務に服するものとされ、俸給は、その身分に応じて相応の体面を保持するために恩恵的に与えられるものという考え方が一般的であった。しかし、現在の公務員制度のもとでは、公務員の給与も民間企業従事者の賃金と同じく、職員が国又は地方公共団体に対して提供した勤務に対する反対給付として支給される報酬であると考えられている。したがって、地方公務員の給与は、労基法第11条において「賃金とは、賃金、給料、手当、賞与その他名称の如何を問わず、労働の対償として使用者が労働者に支払うすべてのものをいう。」と規定している賃金と本質的に変わるところがなく、その名称の如何を問わず職務に対する報酬の全てを指すものである。

職員に支給される給与は、給料と諸手当に区分することができる。

①　給料とは、給料表に基づいて支給される職員の正規の勤務時間に対する報酬であり、職員の職務の複雑、困難及び責任の度合いに応じて支給される。諸手当に対する意味で本俸とか基本給とも呼ばれる。なお、給料の調整額も給料に含まれるものであり、給料と同一に取り扱われる。

②　諸手当とは、給料に加給される従たる給与である。特殊な勤務又は正規の勤務時間外の勤務に対する給与上の調整、あるいは、生計費の増嵩に対する補給等のために、給料の補充的な給与として支給されるものである。諸手当の種類は、扶養手当、地域手当、住居手当、初任給調整手当、通勤手当、単身赴

任手当、特殊勤務手当、特地勤務手当、へき地手当、時間外勤務手当、宿日直手当、管理職員特別勤務手当、夜間勤務手当、休日勤務手当、管理職手当、期末手当、勤勉手当、寒冷地手当、特定任期付職員業績手当、任期付研究員業績手当、義務教育等教員特別手当、定時制通信教育手当、産業教育手当、農林漁業普及指導手当、災害派遣手当（武力攻撃災害等派遣手当及び新型インフルエンザ等緊急事態派遣手当を含む。）及び退職手当とされている（自治法204条２項）。これらの手当のうち、扶養手当、地域手当、住居手当、通勤手当、単身赴任手当、特地勤務手当、へき地手当、期末手当、寒冷地手当は、職員の生計費を補填しようとする生活給的な性格を有し、その他の手当は、職務の特殊性等に基づく職務給的な性格を有するものといえる。

２　給与決定の諸原則

地方公務員の給与の決定に関しては、地方公務員法上、職務給の原則、均衡の原則及び条例主義の原則が定められている。

⑴　職務給の原則

法第24条第１項は、「職員の給与は、その職務と責任に応ずるものでなければならない。」と規定する。これは、職員の給与についても、成績主義の原則に基づき、その職員の職務の複雑、困難及び責任の度合いに応じて決定されるべきであるという考え方によるものである。これを職務給の原則と呼んでいるが、後述するように、職務給の原則は、給料表における等級区分に最も端的に示され、また上述した諸手当のなかでも、特殊勤務手当、管理職手当、勤勉手当等多くの職務給的性格の手当が存するところであり、現行給与制度は、職務給の原則を主として、生活給の原則を従として成り立っているといえる。

なお、地公労法適用職員については、地公企法第39条等により、本条の職務給の原則は適用除外され、同法第38条第２項により、同趣旨の職務給の原則が規定されているが、そこでは特に「その職務に必要とされる技能」が職務の内容として例示され、また、「職員の発揮した能率」が考慮事項として付加されている。

⑵　均衡の原則

法第24条第２項は、「職員の給与は、生計費並びに国及び他の地方公共団体の職員並びに民間事業の従事者の給与その他の事情を考慮して定められなければならない。」と規定する。これは、法第14条の勤務条件に関する情勢適応の原則を、給与の決定原則の一つとして、より具体的に示したものである。その趣旨は、１つには、同項に規定する諸事情、とりわけ生計費を考慮することにより職員の生活水準を世間一般並みに保障することである。２つには、民間や他の公務並みの給与を支給することにより適材を確保しようとすることであり、３つには、職員の給与の財源の負担者である国民や住民からみて公務員の給与が世間一般水準並みであることが、その理解を得られやすいということである。この均衡の原則の実際の運用においては、地方公務員の給与は、国家公務員の給与に準ずることによって均衡の原則が実現されるものと解されている。それは、国家公務員の給与には、人事院勧告によって既に生計費と民間賃金についての考慮が組み込まれているので、地方公共団体の職員の給与を国家公務員の給与に準ずることとすれば、生計費と民間賃金の実態と国家公務員の給与と他の地方公共団体の職員の給与との均衡が図られることとなるという考え方である。このような考え方に基づき、実際の地方公務員の給与改定に当たっては、国家公務員の給与に関する人事院の勧告を踏まえて、人事委員会を置く地方公共団体にあっては人事委員会が法第26条に基づいて行う報告及び勧告を尊重して、人事委員会を置かない地方公共団体にあっては給与決定に関する諸原則に基づき、職員の給与改定を行っているところである。

なお、地公労法適用職員については、地公企法第39条等により、本条の均衡の原則は適用されず、同法第38条第３項により、同趣旨の均衡の原則が規定されているが、そこでは特に「当該地方公営企業の経営の状況」が考慮事項として付加されている。

⑶　条例主義の原則

地方公務員の給与は、勤務条件法定主義により、条例で定めなければならないとされ（法24条５項）、条例に基づかずにはいかなる金銭又は有価物も職員に支給してはならないとされている（法25条１項）。また、地方公共団体は、法律又はこれに基づく条例に基づかずには、いかなる給与又は給付も職員に支給することができないとされている（自治法204条の2）。これを給与に関する条例主義の原則という。この原則がとられている趣旨は、1つには、職員の給与を地方公共団体の最高法形式である条例によって決めることにより、職員の給与を条例に基づく権利として保障することである。そのことが、職員の労働基本権制限の代償措置の1つともなっているのである。いま1つは、給与の財源が住民の税金であることにかんがみ、議会が定める条例で職員の給与を決定することにより、その透明性を確保するとともに住民の意向を反映することができるようにしているのである。

地公労法適用職員については、条例主義は、基本的には排除され（地公企法39条1項等）、給与の種類と基準のみを条例で定めることとされており（同法38条4項）、給料表、手当の内容等の具体的な事項は、労働組合との団体交渉の結果締結される労働協約あるいはその結果を反映した企業管理規程等によって定められることとなる（地公労法7条等）。

3　給与条例と給料額の決定

(1)　給料表

給与条例では、職員の職種別に複数の給料表が設けられている。行政職給料表、公安職給料表、教育職給料表、研究職給料表、医療職給料表等である。それぞれの給料表には、職務の複雑、困難及び責任の度合いに応じ、複数の職務の等級が設けられ、そのそれぞれの等級のなかに多くの号給が設けられている。この号給は、一般的に、同一の級にあっても、経験を積めば仕事の熟練度が増し公務能率が向上すると考えられるという職務給的要素と、我が国の社会構造から一定の年齢までは加齢に伴い生計費が増嵩することに対応する必要があるという生活給的要素の双方の要請に基づくものであり、同一等級内で低い号給から高い号給に給料額が逓増する構造となっている。法第25条第4項は、「給料表には、職員の職務の複雑、困難及び責任の度に基づく等級ごとに明確な給料額の幅を定めていなければならない」と規定している。国家公務員の行政職俸給表㈠では、職務の級の数は10級であり、号俸数は、10級が最小で21号俸まで、

２級が最大で125号俸までとなっている。地方公共団体の場合その規模や行政組織等が異なるため、例えば行政職給料表の職務の等級についてみると、都道府県では10等級制の団体が約３分の１、９等級制の団体が約３分の２となっており、市町村ではその規模や行政組織等に応じてより簡素なものとなっている。

⑵　給料表に基づく給料額の決定

給与条例及びこれに基づく人事委員会規則等で、等級別基準職務表、初任給、昇格、昇給等の基準が定められ、これらに基づき任命権者が個々の職員の職務の級と号給を決めることにより、職員の具体的な給料額が決定される。

まず、個々の職員をいずれの級に格付けするかは、等級別基準職務表に定められた職務の複雑、困難及び責任の度合いに応じ、かつ、等級別定数の範囲内で決定される。等級別基準職務表と等級別定数は、それが組み合わされることにより、その地方公共団体の職制の確立とそれに応じた定数の管理を可能とするものであり、地方公共団体の人事管理上あるいは組織管理上、さらには予算管理上も、極めて重要な意義を有するものである。このため、法は、等級別基準職務表を必要的条例事項とし（25条３項２号）、さらに、等級別基準職務表には、職員の職務を等級ごとに分類する際に基準となるべき職務の内容を定めていなければならないとしている（同条５項）。また、任命権者は、給料表の等級及び職員の職の属する職制上の段階ごとに職員の数を、毎年、地方公共団体の長に報告しなければならず（58条の３第１項）、長は、毎年、その報告を取りまとめ、公表しなければならないとしている（同条２項）。平成27年４月10日付総務省自治行政局公務員部長通知の別紙として、等級別基準職務表（例）と等級及び職制上の段階ごとの職員数の公表（例）が示されている。また、人事委員会規則等では、職員の職務の級の決定に必要な資格として級別資格基準表が定められており、試験区分、学歴免許等の区分に応じそれぞれの級に決定するために必要な経験年数等が定められている。新たに職員となった者の給料の級及び号給は、初任給基準表によって決定される。初任給基準表では、新採用職員の試験区分と学歴免許区分に応じ決定される級と号給が定められており、国家公務員の行政職俸給表㈠初任給基準表では、総合職（大卒）の場合２級１号俸、一般職（高卒）の場合1級5号俸とされている。また、新たに採用された者が公務その他の前歴を有するときは、経験年数に応ずる号給の調整を行うことができるとされている（前歴換算）。昇給は、職員の現に受けている給料の号給を同一級の上位の号給に変更することである。昇給は、規則で定める日前1年間における職員の勤務成績に応じて行うものとされ、昇給の号給数は、その1年間の全部を良好な成績で勤務した職員の昇給の号給数を4号給とすることを標準に決定することとされ、国家公務員の場合、勤務成績が極めて良好である職員は8号俸、勤務成績が特に良好である職員は6号俸、勤務成績が良好である職員は4号俸、勤務成績がやや良好でない職員は2号俸、勤務成績が良好でない職員は昇給なしとされている。

このように、職員の給料は、給与条例及びそれに基づく人事委員会規則等にその決定基準が定められているのであるが、地方公共団体は、実際にもこれらの基準に反する運用が行われることがないよう留意する必要がある。なかでも、昇給期間を全職員一律に短縮させたり（いわゆる一斉昇短）、一定の号給に達した職員に対し一律に次期昇給期間を短縮させる（いわゆる運用昇短）ことは、給与条例に反し、条例に基づかない給与の支給を禁止した自治法第204条の2及び法第25条第1項の規定に反し違法であるとの行政実例が示されており（昭50.8.16自治給発51）、「厳に行わないこと」とされている（平17.9.28総行給発119）。また、職務の内容と責任に実質的変更がないにもかかわらず、上位の級に格付けすること（いわゆる「わたり」）は、等級別基準職務表の存在意義をなくし、給料表を年功序列的な通し号俸として運用しようとするものであり、職務給の原則をなし崩しにするおそれがある。そのような措置は、職務給の原則に反する極めて不適切な給与制度の運用であり「必要な是正措置を講ずること」とされている（上記総行給発119）。

4　給与支給の諸原則

地方公務員法は、給与決定の諸原則に加え、職員の生活の糧である給与が確実に職員に支給されることとなるよう、給与の支給についても給与支給の三原則と一定期日払いの原則を定めるとともに、給与支払いの秩序を維持するため重複給与支給の禁止を定めている。

⑴　通貨払い・直接払い・全額払いの原則（給与支給の三原則）

「職員の給与は、法律又は条例により特に認められた場合を除き、通貨で、直接職員に、その全額を支払わなければならない。」（法25条２項）。なお、地公労法適用職員は、本規定の適用はないが、労基法第24条第１項により、同一の原則が適用されている（地公企法39条等）。

①　通貨払いの原則　　通貨とは強制通用力を有する貨幣であり、したがって、現物給与や小切手により給与を支払うことは原則としてできない。財務会計上も、小切手による給与の支給は、退職手当を除き禁止されている（自治法施行令165条の４第３項）。

②　直接払いの原則　　職員の給与は直接本人に支払わなければならない。したがって、職員の委任を受けた者に給与を支払うことは、直接払いの原則に反する。ただし、使者に対し支払うことは差し支えないと解されている（昭23.12.4基収4093）ので、例えば、職員がやむを得ない事由により給与を受け取れない場合に、職員と生計を一にする同居の家族は、職員の手足である使者として職員の給与の支払いを受けることができる。

③　全額払いの原則　　給与は、その全額が支払われなければならないが、法律又は条例で多くの例外が認められている。法律によるものとしては、所得税の源泉徴収、共済組合の掛け金等があり、条例によるものとしては、公舎の使用料、互助会の掛け金、団体生命保険料、職員団体又は労働組合の組合費等が定められることが多い。

かつて、給与の口座振込みが給与支払いの三原則との関係で、特に通貨払いの原則と直接払いの原則との関係で問題となったが、給与の口座振込みは、それが、①職員の意思に基づいており、②職員が指定する本人名義の口座に振り込まれ、③振り込まれた金額全額が所定の給与支払日に払い出し得る状態にあれば差し支えないと解されており、現在の金融口座取引の実情からして、まったく問題ないといえよう。

また、職員が欠勤した場合、その勤務しなかった時間の給与は条例に基づき減額して支給される（いわゆる賃金カット）が、これは、ノーワーク・ノーペイの原則により、勤務を提供していない時間に相当する給与請求権が発生していないのであって、全額払いの原則に反するものではない。問題は、その給与の減額を直近の給与支払日に行えなかった場合に、後の給与支払日に支払われるべき給与から減額する（過払いの給与返還請求権を自働債権とし、後の期日に支給される給与を受働債権として相殺する）ことが、全額払いの原則に反するかどうかである。最高裁は、「過払いのあった時期と賃金の清算調整の実を失わない程度に合理的に接着した時期においてなされ、また、あらかじめ労働者にそのことが予告されるとか、その額が多額にわたらないとか、要は労働者の経済生活の安定をおびやかすおそれのない場合でなければならない」としている（昭44.12.18最高裁一小）。なお、過払い後３ヶ月目に行われた減額は、合理的に接着した時期とはいえないとされている（昭50.3.6最高裁一小）。

⑵　一定期日払いの原則

地方公務員法は、労基法第24条第２項を適用し、職員の給与は、毎月一回以上、一定の期日を定めて支払わなければならないとしている（法58条３項）。ただし、臨時に支払われる給与については、この限りでない。地方公共団体では、この原則に従い、給与条例で通常毎月１回の給与支給日が定められている。

⑶　重複給与の支給禁止

法第24条第３項は、「職員は、他の職員の職を兼ねる場合においても、これに対して給与を受けてはならない。」と規定する。これは、職員に支給される給与は、一定の勤務時間において提供した勤務の対価であり、同一勤務時間に二以上の職務を遂行することは、物理的に不可能であるからである。通常は、主たる職について給与を支給し、従たる職には支給しないとすることとなるが、双方の職の上司と人事当局で、いずれで給料、諸手当のどの部分を支給することとするか予め協議しておくことが必要である。なお、この規定は、一般職の職を兼ねる場合の禁止規定であり、一般職である以上は異なる地方公共団体の職を兼ねる場合も適用になる。その反面、一般職と特別職との兼務の場合には適用にならないが、給与は勤務に対する反対給付であることから、必要な調整を行うことが、適当である。まず、一般職の職員が特別職の職員を兼ねその職務に従事した場合には、特別職として勤務したために一般職として勤務しなかった時間に対する給与は減額するのが妥当である（昭26.3.12地自公発71）。また、特別職の公務員が一般職の職員を兼ねる場合、一般職の職員としての給与を支給することは差し支えないが、特別職の給料又は報酬の支給については、国家公務員の特別職の職員の給与に関する法律第14条を参考に条例で調整措置を講ずることが適当である（昭30.9.14自丁公発153）。すなわち、原則として、特別職としての給与は支給しないが、兼ねる一般職の職員の給与よりも特別職の職員の給与の方が多い場合には、その差額を特別職の給与として支給することとするのである。

５　非常勤地方公務員等の報酬又は給与

地方自治法は、第８章「給与その他の給付」において、原則として常勤の地方公務員に給料と手当を支給する（法204条１項及び２項）が、非常勤の地方公務員には原則として報酬を支給することを基本的な体系として定めている。すなわち、

① 議会の議員、委員会の非常勤の委員、非常勤の監査委員、自治紛争処理委員、審査会、審議会及び調査会等の委員その他の構成員、専門委員、監査専門委員、投票管理者、開票管理者、選挙長、投票立会人、開票立会人及び選挙立会人その他普通地方公共団体の非常勤の職員（短時間勤務職員及びフルタイムの会計年度任用職員を除く）には、自治法第203条第１項又は第203条の２第１項の規定により、報酬が支給される。これら非常勤の地方公務員への報酬は、議会の議員を除き、条例で定めた場合を除きその勤務日数に応じ支給される（203条の２第２項）。議会の議員については、期末手当を支給することもできるとされている（203条３項）。

② これに対し短時間勤務職員（任期付短時間勤務職員及び再任用短時間勤務職員）及びフルタイムの会計年度任用職員は、非常勤ではあるが、地方自治法第204条に基づき、給料及び手当を支給することとされている（新法22条の４に基

づく定年前再任用短時間勤務職員も、同様となる。)。また、パートタイムの会計年度任用職員は、非常勤ではあるが、期末手当の支給対象とされている（自治法203条の２第４項)。これらのうち、会計年度任用職員への給与や報酬の支給の詳細については、第２章第４節「９　会計年度任用職員」の「⑷　会計年度任用職員制度」の⑤（80～82頁）を、短時間勤務職員への給与の支給については、73頁及び96頁を参照されたい。

なお、都道府県知事、市町村長、副知事、副市町村長は、特別職であるが常勤であるので、自治法第204条の規定により、給料と手当を支給することとなるが、手当については、それぞれの手当の性格から、支給できるものは自ずから限られる。これら常勤の特別職又は非常勤の地方公務員の給与や報酬も、全て条例で定めなければならない（自治法203条４項、203条の２第５項、204条３項、204条の２)。その際、金額も大きく、一部の手当を支給することもできる知事、市町村長等の常勤の特別職や議会の議員等の非常勤の特別職の給料、手当又は報酬の決定については、透明な手続で住民の意向を正しく反映し公正を期するため、特別職報酬等審議会を条例で設置し、予めこれに諮問することが広く行われており、また適当である。

第３節　勤務時間その他の勤務条件

１　勤務時間その他の勤務条件に関する原則

地方公務員法は、給与以外の職員の勤務時間その他の勤務条件についても、均衡の原則及び条例主義の原則を採用している。すなわち、「職員の勤務時間その他職員の給与以外の勤務条件を定めるに当つては、国及び他の地方公共団体の職員との間に権衡を失しないように適当な考慮が払われなければならない。」とされ（法24条４項)、また、「職員の給与、勤務時間その他の勤務条件は、条例で定める。」とされている（同条５項)。これを、勤務条件条例主義という（国家公務員及び地方公務員を通じて説明するときは、勤務条件法定主義と呼ぶ。)。また、地方公務員には、労働条件の最低基準を定めた労働基準法が原則として適用される（法58条３項）ため、その勤務時間その他の勤務条件についても、地方公務員に適用される労働基準法に定める基準を遵守する必要がある。要するに、職員の勤務時間その他の勤務条件については、均衡の原則を考慮しつつ、労働基準法を遵守して、条例又は条例に基づく規則で定めることとなるのである。

なお、地公労法適用職員については、これらの地方公務員法の勤務条件条例主義の規定は適用除外されている（地公企法39条１項等）ので、その勤務時間その他の勤務条件は、団体交渉に基づく労働協約又はそれを反映した企業管理規程等で定められることとなる（地公労法７条等）。

２　勤務時間の原則と特例等

労基法第32条第１項は、「使用者は、労働者に、休憩時間を除き１週間について40時間を超えて、労働させてはならない。」と規定し、また同条第２項は、「使用者は、１週間の各日については、労働者に、休憩時間を除き１日について８時間を超えて、労働させてはならない。」と規定している。これが、労働者の１日又は１週間当たりの勤務時間の最低基準である。地方公務員については、平成20年の人事院勧告に基づく国家公務員の取扱いに準じ、平成21年４月から、１日につき７時間45分、１週につき38時間45分の勤務時間を基本とするよう通知されている（平20.11.14総務事務次官通知）。労基法上の最低基準に対しては、労基法自体において、職務の内容又は勤務上の臨時の必要により、以下のとおりいくつかの特例が認められている。

⑴　変形８時間制

職員のなかには、交代制勤務を余儀なくされる警察職員、消防職員、公立病院の看護師等のように、勤務の性格上正規の勤務時間を一律に１日８時間あるいは週40時間以内で定めることが適当でないものもある。このような場合には、１ヶ月以内の一定の期間を平均して１週間の勤務時間が40時間を超えないときは、特定の日又は特定の週に１日８時間、１週40時間を超えて勤務させることができる（労基法32条の２）。変形８時間制を定めたときは、その範囲内で特定の日又は週に８時間又は40時間を超えて労働させても、正規の勤務時間内の勤務であるから、三六協定の締結や時間外勤務手当の支給の必要はない。なお、労基法第32条の２は、変形８時間制の実施に労働組合との協定の締結を要すると規定しているが、地公労法非適用職員については、勤務条件条例主義がとられているため、条例又はそれに基づく規則で定めることとするための読替えがされている（法58条４項）。

⑵　公益上の必要による特例

特定の事業で、公衆の不便を避けるために必要なもの、その他特殊の必要があるものについては、労働基準法施行規則で勤務時間の原則について特例を定めることが認められている（労基法40条１項）。地方公共団体におけるこの種の特例としては、地方公営企業の電車に乗務する職員で予備の勤務に就くものについては、その性質上予め日又は週を特定することは困難であるから、同法第32条の２第１項の規定にかかわらず、変形８時間制を採用できることとされている（労基法施行規則26条）。

⑶　管理監督職員等の特例

管理監督の地位にある職員及び機密の事務に従事する職員は、労働基準法上は労働時間、休憩及び休日に関する規定が適用除外されている（労基法41条２号）。ここで管理監督又は機密の事務に従事する職員の範囲は、概ね管理職手当の支給対象となっている職員の範囲と一致するが、労使関係における管理職員等（法52条３項ただし書き）の範囲とは、必ずしも一致しない。

⑷　監視又は断続的勤務の職員の特例

守衛、水路番、メーター監視員のように一定の部署にあって監視の業務に従事するもの、あるいは運転手、学校用務員等手待時間の多いものは、いずれも単位時間当たりの勤務密度が薄いので、労働基準監督機関の許可を得た場合には、労働基準法上の労働時間、休憩及び休日に関する規定の適用を除外される（労基法41条３号）。

⑸　災害等の場合の特例

災害その他避けることができない事由により臨時の必要が生じた場合は、労基法第32条等の正規の勤務時間を延長し、又は休日に勤務させることができる。この場合には、地方公共団体の当局は、予め労働基準監督機関の許可を得る必要があり、また、事態急迫のために許可を得る暇がないときは、事後に遅滞なく届け出なければならない（労基法33条1項）。

⑹　公務のために臨時の必要がある場合の特例

公務のために臨時の必要がある場合においては、労基法別表第1に掲げる事業を除く官公署の事業に従事する地方公務員については、同法第32条等の労働時間を延長し、又は同法35条の休日に労働させることができる（労基法33条3項）。この場合には、使用者たる地方公共団体が公務のために臨時の必要があると判断すれば、三六協定を締結することなく、超過勤務を命ずることができるのである。これに対し、労基法別表第1に掲げる事業に従事する職員については、超勤を命ずるためには、次に述べる三六協定を締結する必要がある（なお、同表第12号の「教育」事業に従事する公立学校の教職員については、三六協定なしで超勤を命ずることができる読替えがあることについては、前掲21頁の（注1）参照）。

もっとも、近時の働き方改革の推進のなかで、⑺で述べるように三六協定による時間外労働についても労働基準法で上限が定められたことを踏まえ、同法の適用のない国家公務員についても、超過勤務命令ができる上限を定める人事院規則の改正が行われ、平成31年4月1日から施行された。このため、国家公務員との均衡を図るため、平成31年4月1日から、労基法別表第一に掲げる事業を除く事業に従事する地方公務員についても、超過勤務命令ができる時間の上限について、

①　原則として1ヶ月について45時間、かつ、1年について360時間以下

②　他律的業務（人事院規則では、「業務量、業務の実施時期その他の業務の遂行に関する事項を自ら決定することが困難な業務」とされている。）の比重が高い部署については、ア）1ヶ月100時間未満、イ）1年720時間以下、ウ）1ヶ月ごとに区分した各期間に当該各期間の直前の1ヶ月、2ヶ月、3ヶ月、4ヶ月及び5ヶ月の期間を加えたそれぞれの期間の1ヶ月当たりの平均時間が80時間以下、エ）1年のうち1ヶ月において45時間を超えて超過勤務を命ずる月数が6ヶ月以下

とするように、通知がなされた（平31.2.1総行公8。詳細は、本書第7版の参考資

料７－１～７－３を参照されたい。)。

⑺　三六協定による特例

労働基準法第36条第１項は、使用者は、当該事業場の労働者の過半数で組織する労働組合がある場合には当該労働組合と、それがない場合には労働者の過半数を代表する者との間で書面による協定を締結し、労働基準監督機関に届け出た場合には、その協定で定めるところにより、同法第32条等の正規の労働時間を延長し、又は休日に労働させることができるとする。「働き方改革を推進するための関係法律の整備に関する法律（平成30年法律第71号。平成31年４月１日より、順次施行。)」は、労基法第36条第２項以下を大幅に改正し、従来は労基法施行規則や告示に任されていた協定事項や労働時間の延長の限度基準を、法律で明記した。まず、協定事項（同条２項関係）としては、協定の対象となる労働者の範囲（１号)、対象期間（２号)、労働時間を延長し、又は休日に労働させることができる場合（３号）及び対象期間における１日、１ヶ月及び１年のそれぞれの期間について労働時間を延長して労働させることができる時間又は労働させることができる休日の日数（４号)、とされている。次に、限度時間については、同条第３項で、同条第２項第４号の労働時間を延長して労働させることができる時間は、通常予見される時間外労働の範囲内において限度時間を超えない時間に限るとされ、同条第４項でその限度時間は、１ヶ月について45時間及び１年について360時間とするとの原則を定め、更に、同条第５項で、通常予見することができない業務量の大幅な増加等に伴い臨時的に第３項の限度時間を超えて労働させる必要がある場合は、１ヶ月について労働時間を延長して労働させ及び休日に労働させることが時間を100時間未満で、１年について労働時間を延長して労働させることができる時間を720時間を超えない範囲内で協定で定めることができるとされている（この場合、１ヶ月に45時間を超えることができる月数を１年について６ヶ月以内で定めなければならない。同項後段)。そして、同条第６項で、使用者は、協定で労働時間を延長して労働させ及び休日に労働させる場合であっても、１ヶ月におけるその時間が100時間未満であること、また、対象期間の初日から1ヶ月ごとに区分した各期間に当該各期間の直前の1ヶ月、2ヶ月、3ヶ月、4ヶ月及び5ヶ月の期間を加えたそれぞれの期間における労働時間を延長して労働させ、及び休日において労働させた時間の1ヶ月当たりの平均時間が80時間を超えないことという要件を満たさなければならない、とされている。この第6項に違反した使用者は、6ヶ月以下の懲役又は30万円以下の罰金に処せられる（労基法119条1号）。

なお、(5)及び(6)で述べたように、労働基準法自体で、災害その他避けることのできない事由に基づき（労基法33条1項）、あるいは労基法別表第一に掲げる事業に従事していない地方公務員に対して公務上の臨時の必要に基づき（労基法33条3項）、労働時間を延長し又は休日に労働させる場合には、三六協定の締結は、必要ないが、それぞれの場合について説明した手続や制限に従って超過勤務を命じなければならない。

3　休　憩

(1)　休憩時間の意義

労働者を長時間継続的に勤務させることは、職員の疲労度を高め、かえって能率を阻害させる要因にもなる。そこで、労働基準法は、一定の時間以上にわたる勤務にはその途中に休憩時間を与えることとして、労働者の保護を図っている。同法は、勤務時間が6時間を超え8時間の場合までの場合は少なくとも45分、8時間を超える場合には少なくとも1時間の休憩時間を勤務時間の途中で与えなければならないとしている（労基法34条1項）。地方公共団体の場合、通常は月曜から金曜まで1日につき7時間45分の勤務時間が割り振られているため、途中に45分間の休憩時間を与えればよいこととなる。休憩時間の例外として、地方公営企業の電車やバス等の乗務員で、長距離にわたり継続して乗務する職員については、休憩時間を与えないことができるとされている（労基法40条、労基法施行規則32条1項）。また、短距離の乗務員でも、業務の性質上休憩を与えることができないと認められる場合で、手待時間が休憩時間に相当するときは、休憩時間を与えないことができるとされている（労基法施行規則32条2項）。

⑵　一斉休憩の原則と自由利用の原則

休憩時間は、原則として一斉に与えなければならない（労基法34条２項）。しかし、労基法別表第１の事業に従事していない職員及び同表第４号、第８号、第10号、第11号、第13号及び第14号に掲げる事業に従事する職員には、一斉に与えなくてもよいこととされている（労基法40条、労基法施行規則31条）。

休憩時間は労働者が権利として労働から離れることを保障されたものであるから、当然のこととして自由利用が保障されている（労基法34条３項）。しかし、警察職員、消防職員等については、何時でも不測の事態に対応できるよう、自由利用の原則は適用除外されている（労基法40条、労基法施行規則33条）。また、休憩時間は勤務時間ではなく、自由使用が原則であるとしても、それは勤務の途中に与えられるものであるから、事業場の規律保持上の必要等から一定の制限を加えることは、休憩の目的を損なわない限り差し支えないと考えられる。例えば、休憩時間中の飲酒を控えるよう命令することは、可能であると解する。

４　休　日

⑴　週休制

労基法第35条第１項は、使用者は労働者に対して、毎週少なくとも１回の休日を与えなければならないとしている。これが、週休制である。この週休日は、勤務時間を割り振られていない日であり、給与の支給対象にもなっていない。ところで、一般に休日と呼ばれるものの中には、この週休日のほかに国民の祝祭日等がある。労働基準法上与えなければならないとされているのは、前者であり、これを国民の祝祭日等と区別するため「労基法上の休日」と呼ぶこともある。もっとも今日では、多くの企業で週休２日制を採用しているので、地方公共団体の場合も週休２日制の下、条例又は条例に基づく規則において、通常は土曜日と日曜日を「週休日（勤務時間を割り振らない日）」と、正規の勤務時間においても勤務することを要しない国民の祝祭日等を「休日」と、区別して表現しているのが通例である。なお、年末年始については、国民の祝祭日等としての休日と位置付けていることが多い。

週休日は、給与の支給対象となっていないので、週休日に勤務させることは時間外勤務となり、時間外勤務手当を支払わなければならない。これに対して、国民の祝祭日等は、給与支給の対象となっている日であるから、法定勤務時間内であれば時間外勤務手当の支給を要しない。ただ、週休日に勤務した場合との実質的な均衡を考慮して、休日勤務手当の支給又は代休の付与が行われる。

なお、労働基準法上、週休制の原則に対しては、例外として４週間を通じて４日の休日を与える方法が認められている（労基法35条２項）。これを、変形週休制という。例えば、交代制勤務の場合等、ある週休日から始まる１週間以内に休日を与えることが困難なときに、次の１週間に２日の休日を与えるといった方法である。

⑵　週休日の振替

労働基準法上は、１週間に１日の休日を与えることだけが要求されており、休日を特定することまでは必要でない。したがって、一応特定の日を休日としながら、必要な場合、その休日に勤務を命じられた職員について他の勤務日に休日を振り替えることができる。地方公共団体の場合、この週休日の振替がどの期間内の勤務日に振り替えることができるかについては、通常条例に基づく規則で決められているが、その運用に当たっては、少なくとも労働基準法が要求している１日分の週休については、週休日の趣旨からして、可能な限り元の休日に近接した日とすることが望ましい。

５　休　暇

休暇には、年次有給休暇、病気休暇、特別休暇及び介護休暇の４種の休暇がある。

⑴　年次有給休暇

年次有給休暇は、労働者の疲労の回復を図り、労働力の維持培養の目的から、事由を限定せず毎年与えられる有給の休暇である。労働基準法上は、使用者は、６ヶ月間継続勤務し勤務すべき日の８割以上出勤した労働者に対しては10日間の有給休暇を与えなければならないとし（労基法39条１項）、１年６ヶ月以上継続勤務した労働者に対しては、雇入れから６ヶ月を超える継続勤務年数が１年のときは１日、２年のときは２日、３年のときは４日、４年のときは６日、５

年のときは８日、６年以上のときは10日を加算した日数を与えなければならないとしている（同条２項）。

これに対して、地方公共団体の条例等で定められている内容は、国家公務員に準じて、採用の初年度においても勤務の月数割りで休暇を与え、翌年からは直ちに20日間の年次有給休暇を与えている。このように地方公務員の年次有給休暇は、労働基準法の定める基準に比べ、職員にとって有利になっている。また、年次有給休暇の付与単位については、地方公務員の場合、国家公務員と同様、半日単位、１時間単位での取得を認めているのが大部分である。

使用者は、年次有給休暇を労働者の請求する時季に与えなければならない。ただし、請求された時季に年次有給休暇を与えることが事業の正常な運営を妨げることとなる場合においては、他の時季に与えることができる（労基法39条５項）。これが使用者の時季変更権と呼ばれるもので、それとの関連で労働者の年次有給休暇を請求する権利の性格をどう考えるかが、労働法学上大きな論点となってきた。学説は、大きくみれば条文の文字どおりの請求権説と形成権説に分かれていたが、最高裁は、「労働者がその有する休暇日数の範囲内で、〔中略〕休暇の時季指定をしたときは、客観的に同条４項（注、現５項）ただし書きの事由が存在し、かつ、これを理由として使用者が時期変更権を行使しないかぎり、上記の指定によって年次有給休暇が成立し、当該労働日における就労義務が消滅するものと解するのが相当である。すなわち、これを端的にいえば、休暇の時季指定の効果は、使用者の適法な時期変更権の行使を解除条件として発生するものであって、年次休暇の成立要件として、労働者による休暇の請求や承認の観念を容れる余地はない」として（昭48.3.2最高裁二小）、形成権説に近い考え方（時季指定権説）をとっている。

年次有給休暇の繰越し、すなわち職員の年次有給休暇が年末になっても未行使で残っている場合にこれを繰り越せるかが問題となる。これについては、年次有給休暇の権利は、労基法第115条の「請求権」として２年間の消滅時効にかかり（昭23.7.15基収2437）、その消滅時効の起算点はその年の分は当該年の１月１日である（昭36.12.11自治丁公発105）ことから、翌年に限り繰り越すことができる（昭28.8.15自行公発180）とされている。また、時効の中断については、年休取得簿に取得日数を記載している程度では中断事由とならず（昭24.9.21基収3000）、使用者がその一部の請求を残部のなかの一部であることを承認したと認められる事実がない限り、時効の中断は生じないと解されている（昭23.7.20基収2483）ので、実際に年次有給休暇が２年を超えて累積することはほとんど考えられない（この点は、令和２年４月１日施行の改正民法で「時効の中断」が「時効の更新」に変更された後も同様と考えられる。）。なお、労働基準法上繰越しを要求できるのは、同法に規定する最低の日数分だけであるから、条例等でこれを超えて付与している日数の繰越しは各地方公共団体の任意である。実際には、条例に基づく規則で残日数全部の繰越しを認めている例が多い。

⑵　病気休暇

病気休暇は、職員が負傷又は疾病のため療養する必要があり、その勤務しないことがやむを得ないと認められる場合に、医師の証明に基づき、必要最小限度の期間与えられる。公務又は公務通勤による負傷又は疾病の場合は、その期間限定はないが、私事による負傷又は疾病の場合、引き続き90日を超えない範囲内で認められる。

⑶　特別休暇

特別休暇は、特定の事由に基づいて認められる休暇であり、労働基準法に基づくものと条例に基づくものとがある。

⒜　労働基準法に基づく特別休暇

①　産前産後休暇　　６週間（多胎妊娠の場合は14週間）以内に出産する予定の女性職員から請求があった場合及び産後８週間を経過しない女性職員は就業させてはならず（労基法65条１項・２項）、そのために認められる特別休暇である。

②　育児時間　　生後満１年に達しない生児を育てる女性職員に対しては、１日２回各々少なくとも30分の育児時間を与えなければならない（労基法67条）。これも、地方公共団体の場合は、特別休暇として位置付けられている。

③　生理休暇　　生理日の就業が著しく困難な女性職員が休暇を請求した場

合には、その者を生理日に就業させてはならず（労基法68条）、そのために認められる特別休暇である。

(b)　条例に基づく特別休暇

地方公共団体が条例又は条例に基づく規則で認めている特別休暇は、地方公共団体により若干の差異はあるが、概ね次のとおりである。参考までに、それぞれの特別休暇の国家公務員の場合の付与可能休暇日数を付記する。

①　結婚休暇　　５日

②　出生サポート休暇　　５日、体外受精等の場合は10日

③　妻の出産休暇　　２日

④　育児参加休暇　　５日

⑤　子の看護休暇　　年５日、子が２人以上の場合は年10日

⑥　忌引休暇　　親族の区分に応じ１日から７日

⑦　父母の祭日　　１日

⑧　夏季休暇　　３日

⑨　ボランティア休暇　　５日

⑩　骨髄液提供休暇　　必要期間

⑪　短期介護休暇　　年５日、要介護者が２人以上の場合は年10日

以上のほか、地方公共団体によっては、感染症による交通遮断、非常災害による職員の現住居の滅失、選挙権その他公民としての権利を行使する場合等職務に専念する義務の特例に関する条例に基づく規則に定める場合（第３章第６節２参照）を、特別休暇として定めているところも少なくない。休暇と職務専念義務は裏腹の関係にあり、一定の事由に基づいて勤務しないことについて、それを服務規律の面からみれば職務専念義務の免除であるといえるし、勤務条件の面からみれば休暇であるといえるので、どちらの条例で定めるのが正しく、どちらかの条例で定めるのが誤りということはない。ただ、これらの事由は、どちらかといえば社会的あるいは自然的事情により職員が職務に従事できないことを余儀なくされ、地方公共団体の当局もこれを受忍せざるを得ない場合であって、上記①から⑨のように職員側の都合により職務に従事しない場合

と、事柄の性格を異にすると考えられる。行政実例も、職務専念義務の特例条例に基づく人事委員会規則で定める場合として、感染症による交通遮断、非常災害による職員の現住居の滅失、選挙権その他公民としての権利を行使する場合等を示している（昭26.7.13地自公発297）。国家公務員については、その後導入された裁判員としての裁判所への出頭を含め、これらの事由によるものをすべて特別休暇に位置付けている。年末年始は、特別休暇としている団体もあるが、休日としている例が多い。また、労基法第37条第３項に基づく代替休暇は、地方公務員の場合、職務専念義務の免除の性格を有する時間外勤務代休時間とされている。なお、組合休暇については、職員団体制度の一環として理解することが適当であるので、第７章で説明する。

⑷　介護休暇

高齢化の進行等に伴い、職員が家族を介護する必要がある場合が増加し、そのような場合には、職業生活と介護の二重の負担がかかることとなり、職員の職務遂行に影響を与え、離職に至ることもある。このような場合には、一定期間職務からの離脱を認めることにより、離職を抑制して職務復帰後の十全な勤務を期待することが、職員の勤務条件の確保の観点からも公務全体としての能率の発揮という観点からも、有益であると考えられる。介護休暇は、このような背景と趣旨で、民間企業における介護休暇の導入状況も勘案のうえ、平成６年から国家公務員及び地方公務員を通じ導入されたものである。

介護休暇は、職員が配偶者（事実上婚姻関係のあるものを含む）、父母、子、配偶者の父母その他規則で定める者で負傷、疾病又は老齢により２週間以上にわたり日常生活に支障がある場合に、職員がその介護をするために認められる。

規則で定める者としては、職員と同居の祖父母、孫、兄弟姉妹等が想定されている。

介護休暇の期間は、要介護者が介護を必要とする状態が引き続いている場合において、一回の連続する６ヶ月の期間内において必要と認められる期間とし、その付与単位は、１日又は１時間とされている。国家公務員の場合、１時間を単位とする介護休暇は、１日を通じ、始業の時刻から連続し、又は終業の時刻まで連続した４時間の範囲内とされている。

介護休暇は、民間企業の実態、国家公務員との均衡等から、無給とすべきである。

６　育児休業

(1)　地方公務員の育児休業等に関する法律制定経緯

地方公務員の育児休業等に関する法律（平3.12.24法律110。以下、「育休法」という）は、民間企業において育児休業制度が普及しつつある当時の状況にかんがみ、地方公務員に育児休業等に関する制度を設けて子を養育する職員の継続的な勤務を促進し、もって職員の福祉を増進するとともに、地方公共団体の行政の円滑な運営に資することを目的として制定されたものである。

育児休業については、これ以前に旧「義務教育諸学校等の女子教育職員及び医療施設、社会福祉施設等の看護婦、保母等の育児休業に関する法律」（昭50法律62）により、主として人材確保の観点から、官民を通じて女性の専門職員について部分的に導入されていたところである。しかし、その後より本格的な育児休業制度を求める声が官民ともに高まり、平成３年に至り、主として民間の労働者を対象とする「育児休業等に関する法律」（平成７年以降は「育児休業、介護休業等育児又は家族介護を行う労働者の福祉に関する法律」）と、国家公務員を対象とする「国家公務員の育児休業等に関する法律」と、地方公務員を対象とする「地方公務員の育児休業等に関する法律」がセットで制定されたのである。

(2)　育児休業制度の概要

職員（育休法18条１項の短時間勤務職員、臨時的に任用される職員その他その任用状況がこれらに類する職員として条例で定める職員を除く）は、任命権者の承認を受けて、その３歳に満たない子を養育するため、当該子が３歳に達する日まで、育児休業をすることができる。育児休業の承認を受けようとする職員は、育児休業をしようとする期間の初日及び末日を明らかにして、任命権者に対し、承認を請求するものとする。任命権者は、当該請求に係る期間についてその職員の業務を処理するための措置を講ずることが著しく困難である場合を除き、これを承認しなければならない（育休法２条）。育児休業の期間は、原則として１

回に限り、延長することができる（同法３条）。

育児休業をしている職員は、その職を保有するが、職務に従事しない（育休法４条１項）。また、育児休業期間中は、給与を支給されない（同条２項）。ただし、期末手当、勤勉手当及び期末特別手当については、それぞれの基準日に育児休業をしている職員が、基準日以前６ヶ月以内に勤務した期間がある場合には、その期間に応じた手当が支給される（同法７条）。育児休業から職務に復帰した後の給与等については、育児休業期間を勤務したものとみなして号給調整を行うなど、国家公務員の育児休業の場合を基準とした措置をとることとされている（同法８条）。また、小学校就学の始期に達するまでの子を養育する職員は、任命権者の承認を受けて、一定の要件の下にその希望する日及び時間帯において勤務する「育児短時間勤務」をすることができ（同法10条）、さらに、任命権者は、小学校就学の始期に達するまでの子を養育するために１日の勤務時間の一部（２時間を超えない範囲内の時間に限る）を勤務しない「部分休業」を承認することもできるとされている（同法19条）。

なお、育児休業中の職員の業務を処理するため必要がある場合には、育児休業期間を任期の限度とする任期付採用、又は１年以内の臨時的任用を行うことができるとされており（育休法６条）、育時短時間勤務の場合及び部分休業の場合は、短時間勤務職員の任期を定めた採用もできることとされている（同法18条及び任期付職員法５条３項３号）。

７　修学部分休業

法第26条の２第１項は、任命権者は、職員（臨時的に任用される職員その他の法律により任期を定めて任用される職員及び非常勤職員を除く。以下、８、９及び10において同じ。）が申請した場合において、公務の運営に支障がなく、かつ、当該職員の公務に関する能力の向上に資すると認めるときは、条例で定めるところにより、当該職員が、大学その他の条例で定める教育施設における修学のため、当該修学に必要と認められる期間として条例で定める期間中、１週間の勤務時間の一部について勤務しないことを承認することができると規定している。これを「修学部分休業」と呼んでいるが、これは、地方分権の進展に伴い、地方公共団体において様々な課題に迅速かつ的確に対応できる職員がますます求められる一方、地方公共団体が職員に命令を出して行う研修については、自ずと財政的な制約もあることから、職員が無給の休業時間を活用して、自発的に公務に関わる能力の向上に取り組むことは、公務運営の観点からも合理性を有するものと評価できることから平成16年に制度化されたものである。しかしながら、このような性格の休業制度を公務員制度中に設けることは、国家公務員制度を含めても全く新しい制度であることから、完全な休業とはせず、勤務を継続しつつその勤務時間の一部について勤務しないことができる部分休業の制度とされたのである。

修学部分休業に関し、その対象となる教育施設の範囲は、「大学その他の条例で定める教育施設」とされており、職員の修学部分休業に関する条例（例）（平16.8.1総行公発55）によれば、学校教育法による大学、高等専門学校、専修学校、各種学校のほか、職員がその施設で修学することにより公務に関する能力の向上が期待される教育施設を条例で定めることが想定されている。「公務に関する能力の向上」とは、職員の能力の向上のうち、公務能率の向上に資するものであって、ひいては地方公共団体の利益となるものを指す。

修学部分休業として休業できる１週間の勤務時間の一部については、１週間当たりの通常の勤務時間の２分の１を超えない範囲内で承認することができると運用されている。

修学部分休業の承認を受けて勤務しない時間については、減額して給与を支給することが法律上定められており（法26条の２第３項）、前記条例（例）でも、給料及び一定の手当の減額規定が用意されている。

８　高齢者部分休業

法第26条の３第１項は、任命権者は、高年齢として条例で定める年齢に達した職員が申請した場合において公務の運営に支障がないと認めるときは、条例で定めるところにより、当該職員が当該条例で定める年齢に達した日以後の日で当該申請において示した日からその定年退職日までの期間中、１週間の勤務時間の一部について勤務しないことを承認することができると規定する。これを、高齢者部分休業と呼んでいる。高齢者部分休業は、加齢に伴う諸事情によりフルタイムの勤務を定年まで継続することを希望しない者について、勤務時間を減じつつ、定年まで勤務することを可能とする制度であり、これにより、高齢者部分休業を選択した職員の、例えば地域ボランティアへの参加など、新たな生活設計を可能とするとともに、高齢者部分休業により勤務しない時間における業務を若年層の任期付短時間勤務職員が代替することにより新たな地域雇用の創出にも貢献することが期待できるとして平成16年に導入されたものである。休業できる１週間当たりの時間の上限及び給与の取扱いについての考え方は、修学部分休業と基本的に同様である。

なお、総務省は、令和３年改正法による定年引上げに関連し、「地方公務員法の一部を改正する法律の運用について」（令和３年８月31日総行公第89号、総行女第40号、総行給第55号、総務省自治行政局公務員部長通知）において、高齢者部分休業制度の活用を呼びかけ、同制度の導入に必要な条例の未設定の団体については、条例の制定を検討するとともに、すでに制度を導入している団体にあっても、定年引上げに際して、高齢期職員の多様な働き方のための選択肢の１つとして職員に周知するなど、制度が活用されるよう配慮いただきたいとしている。ちなみに、令和２年４月１日時点で高齢者部分休業制度の条例を制定している団体は、都道府県で24（51.1％）、指定都市で７（35％）、市区町村で217（12.6％）にとどまっており、部分休業の取得者数も、令和元年度において186人にとどまっている。

９　自己啓発等休業

法第26条の５第１項は、任命権者は、職員が申請した場合において、公務の運営に支障がなく、かつ、当該職員の公務に関する能力の向上に資すると認めるときは、条例で定めるところにより、当該職員が、３年を超えない範囲内の期間、大学等課程の履習又は国際貢献活動のための休業をすることを承認することができると規定している。これを、「自己啓発等休業」と呼んでいる。この自己啓発等休業制度は、人事院からの意見の申出（平成18年８月８日）を受けて「国家公務員の自己啓発等休業に関する法律」（平19.5.16法律45）が制定されたことを踏まえ、地方公務員についても、職員の自発的な大学等の課程の履習又は国際貢献活動を可能とするために、地方公務員法の一部を改正する法律（平19.5.16法律46）により、導入されたものである。

自己啓発等休業をしている職員は、その職を保有するが、職務に従事しないものとされ（法26条の５第２項）、自己啓発等休業期間中、給与の支給を受けることができない（同条３項）。

自己啓発等休業の承認は、当該職員が休職又は停職の処分を受けた場合は、その効力を失う（法26条の５第４項）。また、任命権者は、当該職員が当該承認に係る大学等課程の履修又は国際貢献活動を取りやめたことその他条例で定める事由に該当すると認めるときは、当該自己啓発等休業の承認を取り消すものとされている（同条５項）。

10　配偶者同行休業

配偶者同行休業とは、職員が、外国で勤務等をする配偶者と生活を共にすることを可能とする休業制度である。法第26条の６第１項は、任命権者は、職員が申請した場合において、公務の運営に支障がないと認めるときは、条例の定めるところにより、当該職員の勤務成績その他の事情を考慮した上で、３年を超えない範囲内で条例で定める期間、配偶者同行休業（職員が、外国での勤務その他の条例で定める事由により外国に住所又は居所を定めて滞在するその配偶者と、当該住所又は居所において生活を共にするための休業をいう）をすることを承認することができると規定する。この配偶者同行休業制度は、日本再興戦略（平成25年６月14日閣議決定）において、女性の採用・登用の促進や男女の仕事と子育て等の両立支援の具体策の一つとして「配偶者の転勤に伴う離職への対応」が掲げられたことから、同年８月の人事院の意見の申出を受け、国家公務員の配偶者同行休業に関する法律が制定されることとなること等を踏まえ、同じ公務員の休業制度として、地方公務員法を改正し、同様の制度が設けられたものである。配偶者同行休業の期間は、法第26条の６第１項の条例で定める期間の範囲内で、１回に限り延長することができる（同条第２項・第３項）。

配偶者同行休業をしている職員は、その職を保有するが職務に従事しないものとされ、配偶者同行休業期間中、給与を支給されない（法26条の６第11項による法26条の５第２項・第３項の準用）。

配偶者同行休業の承認は、当該職員が休職若しくは停職の処分を受けた場合又は当該配偶者が死亡し若しくは当該職員の配偶者でなくなった場合は、その効力を失う（法26条の６第５項）。また、任命権者は、当該職員が当該配偶者と生活を共にしなくなったことその他条例で定める事由に該当すると認めるときは、当該配偶者同行休業の承認を取り消すものとされている（同条６項）。

なお、配偶者同行休業中の職員の業務を処理するため必要がある場合には、任命権者は、配偶者同行休業期間を任期の限度とする任期付き任用又は１年以内の臨時的任用を行うことができるとされている（法26条の６第７項・第８項）。

第６章　職員の利益の保護

第１節　勤務条件に関する措置要求

１　措置要求制度の目的と性格

地方公務員は、民間企業における労働者と異なり、団体交渉権等の労働基本権に制約を受けている。そのため、地方公務員法では、職員の給与、勤務時間等の勤務条件を条例で定めることとするとともに（法24条５項）、地方公共団体に対し勤務条件の内容が社会一般の情勢に適応するように、随時、適当な措置を講ずべきことを義務付けている（法14条）。また、最も主要な勤務条件である給与については、給料表に関する人事委員会の勧告権を認めている（法26条）。このように地方公務員法は、地方公務員の労働基本権制限の代償措置を定め、地方公務員の勤務条件が適正に管理運営されることを担保しているが、これらの措置については職員の意思が関与する余地がない。このため、地方公務員法は、職員が職員団体を結成し、地方公共団体の当局と勤務条件に関し交渉することを認める（法52条１項、55条１項）とともに、第46条において職員が人事委員会又は公平委員会に対して勤務条件に関する措置要求をすることができる権利を認めている。

したがって、勤務条件に関する措置要求の制度は、地方公務員に対する労働基本権制限の代償措置の１つとして、職員がその勤務条件に関する諸権利を充分に確保することができるように、職員に認められた保障請求権である。地方公務員法は、第49条以下で職員に不利益処分に対する審査請求を行う権利を認めているが、それは職員の身分に関する保障請求権であり、勤務条件に関する措置要求と不利益処分に対する審査請求の双方を併せ、職員の保障請求権と呼んでいる。

２　措置要求の対象

措置要求の対象は、「勤務条件」である。勤務条件とは、法第24条第５項及び第46条に例示されている給与及び勤務時間のように、職員が地方公共団体に対し勤務を提供するについて存する諸条件で、職員が自己の勤務を提供し、又はその提供を継続するかどうかの決心をするに当たり一般的に当然考慮の対象となるべき利害関係事項であるものを指すと解されている（昭35.9.19自治丁公発40、昭33.7.3法一発19）。その主要なものとしては、①職員の給料、諸手当の給与に関する事項、②休憩時間、休日等を含めた勤務時間に関する事項、③旅費、費用弁償等の給与以外の給付に関する事項、④休暇に関する事項、⑤職員のための福利厚生に関する事項、⑥庁舎の設備、採光等の執務環境に関する事項、等が挙げられる。なお、服務に関することは、一般的には措置要求の対象とならないが、服務に関することが同時に勤務条件に関するものであれば、勤務条件に関する措置の要求をすることができるのはいうまでもないとされている（昭27.4.2地自公発95）。具体的には、職務専念義務の免除がこれに該当する場合があると考えられる（平6.9.13最高裁三小参照）が、それ以外の服務事項で勤務条件にも該当するものは、考えられない。また、いわゆる管理運営事項は、勤務条件に当たらず措置要求の対象とならない。したがって、職員の定数の増減に関する事項（昭33.10.23自丁公発149）、予算額の増減自体に関する事項（昭34.9.9自丁公発112）、人事評価制度に関する事項（勤務評定について昭33.5.8自丁公発62）等は、措置要求の対象とならない。もっとも、定数や予算の増減により職員の勤務時間や勤務形態に変更が生ずる場合、あるいは人事評価の実施により給与制度の運用に変更が生ずる場合には、その勤務時間や勤務形態、給与制度の運用については、勤務条件として措置要求の対象となる。

また、措置要求は、当該職員個人の勤務条件に関する事項ばかりではなく、自己の勤務条件に具体的な関連を有する限り、広く当該地方公共団体の職員の勤務条件一般について措置要求をすることができるものである（昭26.10.9地自公発444）。しかし、他の職員の特殊勤務手当の増額を求める要求のごとく、他の職員の固有の勤務条件について、措置要求することはできない（同行政実例及び昭26.12.27地自公発569）。また、現行の勤務条件を変更しないという不作為を内容とするものについても措置要求をすることができると解されている（昭

33.11.17自丁公発167)。

３　措置要求権者

勤務条件に関する措置要求を行うことができるのは「職員」である。したがって、条件付採用期間中の職員や臨時的任用職員も措置要求を行うことができるが、職員でない者、職員であったが既に退職した者は、措置要求をすることはできない（昭29.11.19自丁公発195)。また、職員であっても、地公労法適用職員については、団体交渉権があり、かつ、職員の苦情を適当に解決するために苦情処理共同調整会議を設けることとされている（地公労法13条）ので、地方公務員法の措置要求に関する規定は適用除外されている（地公企法39条等)。

また、職員が個人で措置要求を行うことができることはいうまでもないが、職員が共同して措置要求を行うこともできるとされている（昭26.11.21地自公発516)。職員が他の職員の固有の勤務条件を措置要求することができないことは既に述べたが、職員が、他の職員から民法上の代理権の受権に基づいて措置要求の代理行為を行うことは、措置要求に関する人事委員会又は公平委員会の規則に別段の定めがなくても支障がないとされている（昭32.3.1自丁公発32)。しかし、職員団体は職員ではないので、職員団体が措置要求をすることは認められず、また、職員団体を職員の代理人に選任することもできない（昭26.10.24地自公発482)。このことと関連するが、当局が組合との交渉に応ずるよう求めることは、交渉は勤務条件そのものではないので措置要求の対象にならないとされている（昭43.6.21自治公一発22)。

４　措置要求の審査機関

勤務条件に関する措置要求を審査する機関は、当該職員の勤務する地方公共団体の人事委員会又は公平委員会である。なお、公平委員会の事務を他の地方公共団体の人事委員会に委託している場合又は他の地方公共団体と共同して公平委員会を設置している場合には（法７条４項)、それぞれ受託人事委員会又は共同設置された公平委員会が審査機関となる。また、県費負担教職員については、任命権者の属する地方公共団体の人事委員会が審査機関となるとされている（地教行法施行令７条)。

５　審査・判定

措置要求がなされた場合には、人事委員会又は公平委員会は、その事案の審査を行い、事案を判定し、その結果に基づいて、自らの権限に属する事項については、それを実行し、その他の事項については権限を有する機関に対し必要な勧告を行うこととなる（法47条）。判定には、措置要求を全部認めない判定と全部又は一部を認める判定があるが、法第47条に基づき自ら実行し又は勧告をするのは、全部又は一部を認める判定をした場合であることは当然である。なお、審査に先立つ調査の段階で、措置要求の要件を欠くことが判明し、その補正が不可能である場合には、審査に入るまでもなく却下することとなる。

審査の方法は、不利益処分に対する審査請求の審査とは異なり、措置要求者からの要求があっても、必ずしも口頭審理による必要はなく、審査機関が必要と認める方法により行うことができる（法47条。なお、法50条１項参照）。

判定の結果、人事委員会又は公平委員会が行う勧告は、法的拘束力を持つものではないが、措置要求制度の趣旨にかんがみ、勧告を受けた機関は、これを尊重しそれを実施するために必要な措置を講ずべきである。

措置要求の判定に不服のある職員は、その取消しを求めて裁判所に提訴できるか。この点については、判定に基づく勧告が法的拘束力を持つものでないこと等を理由に否定する見解が多いが、最高裁は、法第46条は、「職員の勤務条件につき人事委員会又は公平委員会の適法な判定を要求し得べきことを職員の権利乃至法的利益として保障する趣旨」と解されるから、職員の措置要求に対し、違法に却下した場合や、違法な審査手続でなされた棄却決定又は裁量権の限界を超えてなされた棄却決定は、職員の右権利ないし法的利益を侵害することとなるので、このような場合になされた人事委員会の判定は、取消訴訟の対象とする行政処分に当たるとしている（昭36.3.28最高裁三小）。

第２節　不利益処分に関する審査請求

１　審査請求制度の目的

地方公務員法は、第49条から第51条の２において、職員に対する不利益処分に関する審査請求の制度を定めている。地方公務員は全体の奉仕者としての責務を負うが、この責務を全うさせるために、任命権者の誤った処分や外部からの不当な圧力によって公務員としての地位が脅かされることのないよう種々の配慮がなされている。すなわち、免職、休職その他の不利益な処分は、地方公務員法又は条例に定められた事由に該当しない限り行うことができないとされ（法27条）、また、このような処分を行う場合には、その手続及び効果を条例で定めなければならないとされている（法28条３項、29条４項）。そして、さらにこの身分保障の実効性を担保するために、違法又は不当な処分がなされた場合には、中立公平な人事委員会又は公平委員会に対し、その処分の取消し等を求めるための審査請求の制度を設けているのである。このように、審査請求制度は、職員の身分保障を担保するための制度であるが、同時にこのような制度の存在によって職員をして安んじて職務に専念せしめ、もって公務の能率的運営を確保することを目的とするものでもあるといえる。

２　不利益処分の説明書の交付

(1)　不利益処分の意義

法第49条第１項は、「任命権者は、職員に対し、懲戒その他その意に反すると認める不利益な処分を行う場合においては、その際、当該職員に対し、処分の事由を記載した説明書を交付しなければならない。」と規定する。ここでいう「その意に反すると認める不利益な処分」に懲戒処分としての免職、停職、減給及び戒告並びに分限処分としての免職、休職、降任及び降給が含まれることは明らかである。これら以外に、何が不利益処分に該当するかについては、個々具体的に判断することとなるが、その基準としては、①任命権者の具体的な「処分」があること、②その処分が本人の意思に反すること、③その処分によって職員に直接不利益を与えるものであることの３つの要件を満たす必要がある。例えば、①の関係では、昇給が行われなかったことは具体的な処分があったとはいえないとして審査請求の対象とならないとされ（昭29.7.19自丁公発122。この場合、勤務条件に関する措置要求の対象にはなる。昭和34.3.27自丁公発40）、②の関係では、依願免職は本人の意に反しないので審査請求の対象とならないが、退職の意思表示が真正なものでない場合には審査請求の対象となるとされている（昭27.12.23自行公発112）。これに対し、③の職員にとって不利益であるかどうかについては、問題となることが多い。公立学校の校長及び教員の転任について、法制意見は、転任であるからといって、一律に不利益処分に該当しないと断定することはできないとし、職員の職務の性質、当該学校の営造物としての規模及び当該学校に対する社会的評価の程度は、転任が不利益な処分に当たるか否かを判定するについての一要素たるを失わないとしている（昭26.7.20法務府法意一発44）。一方、「本件転任処分は、吹田二中教諭として勤務していた被上告人らを同一市内の他の中学校教諭に補する旨配置換えを命じたものにすぎず、被上告人らの身分、俸給等に異動を生ぜしめるものでないことはもとより、客観的また実際的見地からみても、被上告人らの勤務場所、勤務内容等においてなんらの不利益を伴うものでない」とする判例がある（昭61.10.23最高裁一小）。具体的なケースごとの判断によらざるを得ないということである。このように、その意に反する不利益処分であるかどうかは必ずしも一律に断じ難く、任命権者側と職員側とで認識を異にすることもあり得るので、法第49条第２項は、「職員は、その意に反して不利益な処分を受けたと思うときは、任命権者に対し処分の事由を記載した説明書の交付を請求することができる。」とし、その場合、任命権者は15日以内に説明書を交付しなければならないとして（法49条３項）、職員の利益の保護を図っている。もっとも、職員の主張が全く主観的で、不利益処分でないことが客観的に明白であるときは、処分説明書を交付する必要はないとする説が有力である（橋本勇著『新版逐条地方公務員法（第４次改訂版）』等）。

⑵　説明書の交付

不利益処分の説明書は、「処分を行う場合においては、その際」交付しなければならないとされているので、処分辞令と同時に交付しなければならない。しかし、処分説明書は処分辞令そのものではないので、処分そのものは処分辞令書の交付によって効力を生じ、処分説明書が交付されなかったとしても、処分の効力には影響を及ぼさない（昭39.4.15自治公発21）。ただ、処分説明書は、救済手段の教示の機能を果たすものでもあるので、これを欠いた場合は、行政不服審査法（以下、「行服法」という）により、処分を受けた職員は処分庁である任命権者に対しても審査請求書を提出することができることとなり（行服法83条１項）、任命権者は、当該処分が審査請求ができる処分であるときは、速やかに審査請求書を審査庁（人事委員会又は公平委員会）に送付しなければならず（同条３項）、その送付があったときは、初めから当該審査庁に審査請求がされたものとみなされることとなっている（同条４項）。

処分説明書には、処分の事由（法49条１項）、人事委員会又は公平委員会に対して審査請求をすることができる旨及び審査請求をすることができる期間（同条４項）を記載しなければならない。処分事由としては、処分の対象となった行為その他の事実と処分の根拠となった条文を記載する。要は、処分を受けた職員が処分理由を明確に理解できる程度に記載すれば十分である。審査請求をすることができる人事委員会又は公平委員会及び審査請求をすることができる期間については、**3**で述べる。

⑶　管理監督職勤務上限年齢制による降任等の場合の説明書の不交付

令和３年改正法は、法第49条（不利益処分に関する説明書の交付）の第１項に、「ただし、他の職への降任等に該当する降任をする場合又は他の職への降任等に伴い降給をする場合は、この限りでない。」とのただし書きを追加する改正を行った（新法49条１項）。「この限りでない」という規定は、解釈に曖昧さを残しやすいが、このただし書きの趣旨は、管理監督職勤務上限年齢制による他の職への降任等は、任命権者に裁量の余地のない客観的な要件である年齢によって行われるものであるので、新法第49条第１項本文の任命権者の側からする処分の事由を記載した説明書の交付を要しないこととしたものと考えられる（地方公務員月報令和２年７月号掲載の総務省自治行政局公務員部の法案の継続審査段階の担当職員による解説記事では、「第１項ただし書において、処分事由説明書の交付の対象としないこととするものである」と説明されている。)。この点、令和３年国公法等改正法は、国公法第89条（職員の意に反する降給等の処分に関する説明書の交付）の第１項について、ただし書き追加方式ではなく、同項の「降給」から「他の官職への降任等に伴う降給」を、「降任」から「他の官職への降任等に該当する降任」を、それぞれ括弧書きで除く、すなわち、それぞれ新国公法第89条第１項の降給又は降任に当たらないとする改正を行っている（新国公法89条１項)。両法条の改正は、基本的には同じ趣旨に出るものと考えられるが、このような改正方式の相違が、それぞれの第２項に規定する職員の側からの説明書の交付請求の可否について相違を生じさせないか、このような異なる改正方式をとった理由を含め、より丁寧な説明が必要なように考えられる。

３　審査請求

(1)　行政不服審査法との関係

法第49条の２第１項は、「前条第１項に規定する処分を受けた職員は、人事委員会又は公平委員会に対してのみ審査請求をすることができる。」と規定する。すなわち、同項は、地方公務員法上の不利益処分に関する審査請求の審査は、処分庁の最上級行政庁等を審査機関とするのではなく、専門的中立的な機関である人事委員会及び公平委員会の専属的管轄とすることを明らかにしているのである。

次に、法第49条の２第２項は、「前条第１項に規定する処分を除くほか、職員に対する処分については、審査請求をすることができない。職員がした申請に対する不作為についても、同様とする。」と規定する。すなわち、職員に対する不利益処分以外の処分又は不作為は、地方公共団体内部（特別権力関係内部）の問題であり、職員の利益の保護を図る必要のある不利益処分を除き、行政庁の判断を尊重することとされているのである。

さらに、法第49条の２第３項は、「第１項に規定する審査請求については、行政不服審査法第二章の規定を適用しない。」と規定する。これは、行政不服審査の手続の主要部分であるが、そのうち審査請求をすることができる期間並びに審理及び審理の結果執るべき措置については地方公務員法に特別規定があり（法49条の３、50条）、また、審査請求の手続及び審査の結果執るべき措置について必要な事項は人事委員会規則又は公平委員会規則で定めることとされているため（法51条）、適用除外とされているのである。

なお、条件付採用期間中の職員及び臨時的に任用された職員については、法第49条第１項及び第２項並びに行政不服審査法の規定は適用されないこととされており（法29条の２第１項）、審査請求をすることができないこととなっている。

⑵　審査請求権者

不利益処分に関する審査請求を行うことができるのは、「前条第１項に規定する処分を受けた職員」、すなわち不利益処分を受けた職員である。職員でない者は、不利益処分を受けることもあり得ず審査請求を行うことはできないが、分限免職又は懲戒免職を受け既に職員でなくなっている者は、本制度の性質上当然その処分についての審査請求を行うことができる（昭26.11.27地自公発522）。審査係属中に職員が退職した場合においても、退職によって請求の利益が失われないものについては、審査を行わなければならない（昭37.2.6自治丁公発10）。また、職員の代理人による審査請求についてこれを肯定する行政実例がある（昭28.6.29自行公発126）が、これは不利益処分を受けた職員が精神疾患のため入院加療中に代理人を選任して審査請求書を提出したという事案であり、このようなやむを得ない事情のある場合はともかく、一般的に審査請求自体につき代理人によることを認めることは適当でない。審査請求自体は、不利益処分を受けた職員本人が行い、必要があれば審理に際して代理人を選任することが適当である。

なお、職員であっても、条件付採用期間中の職員及び臨時的任用職員は不利益処分に関する審査請求ができないとされている（法29条の２第１項による同法49条及び行政不服審査法の適用除外）ほか、人事委員会や公平委員会の所管に属しない地公労法適用職員についても不利益処分に関する審査請求はできないこととされている（地公企法39条等による法49条及び行政不服審査法の適用除外）。

⑶　審査請求をすることができる期間

不利益処分に関する審査請求は、処分があったことを知った日の翌日から起算して３月以内にしなければならず、処分があった日の翌日から起算して１年を経過したときは、することができない（法49条の３）。すなわち、原則として、職員は、処分があったことを知った日（通常は辞令交付日）から３月以内に審査請求を行わなければならないが、何らかの事情で処分があったことを知らなかった場合、又は、後になって知った場合であっても、処分があった日の翌日から起算して１年を経過したときは審査請求をすることはできないのである。

⑷　審査機関

審査請求の審査機関は、当該職員の属する地方公共団体の人事委員会又は公平委員会である。公平委員会については、共同設置又は他の地方公共団体の人事委員会への委託が認められている（法７条４項）ので、その場合には当該共同設置の公平委員会、又は委託先の人事委員会が審査機関となる。なお、県費負担教職員については、任命権者の属する地方公共団体の人事委員会が審査機関となるとされている（地教行法施行令７条）。

⑸　審査及び審査の結果執るべき措置

人事委員会又は公平委員会は、審査請求書が提出されたときは、まず、その記載事項及び添付書類並びに処分の内容、請求人の資格及び審査請求の期限等を調査し、これらが審査請求の要件に適合しているかどうか、すなわち、その審査請求を受理すべきかどうかを決定する（昭26. 7. 26地自乙発278、不利益処分についての不服申立てに関する規則準則６条参照）。調査の結果、請求に係る処分が不利益処分でないことが判明した場合、請求人が審査請求をすることができない者であることが判明した場合、審査請求期間を徒過して請求がなされていた場合、補正すべき事項の補正を命じたにもかかわらずこれに応じなかった場合には、人事委員会又は公平委員会は、その審査請求を却下しなければならない。

審査請求を受理したときは、人事委員会又は公平委員会は、直ちにその事案を審査しなければならない。この場合、処分を受けた職員から請求があったときは、口頭審理を行わなければならず、またその職員から請求があったときは公開口頭審理を行わなければならない（法50条１項）。また、人事委員会又は公平委員会は、必要がある場合は、裁決を除き、審査に関する事務の一部を委員又は事務局長に委任することができる（同条２項）。

審査請求を審査した結果に基づき、人事委員会又は公平委員会は、処分を承認し、処分を修正し、又は処分を取り消すこととなる（法50条３項）。処分の承認は、任命権者が行った処分が適法かつ妥当なものであると判断された場合に、処分の修正は、処分は適法ではあるがその量定が不適当であると判断された場合に、処分の取消しは、違法又は著しく不適当であると判断された場合に、それぞれ行われる。人事委員会又は公平委員会は、処分を修正する場合、処分をより重く修正することはできない。審査請求は、職員の利益保護のための制度であり、職員の不利益に修正することはその職権を逸脱することになるからである。また、人事委員会又は公平委員会が、分限処分を懲戒処分に改めたり、懲戒処分を分限処分に改めることは、原処分を修正する権限の範囲を超えるものであって、許されない（昭27.11.11自行公発93、昭33.8.25法制局一発25）。

人事委員会又は公平委員会の裁決は、形成的効力を有するものと解されており（昭27.1.9地自公発１）、処分の取消し又は修正の裁決があったときは、任命権者の別段の行為を待つまでもなく、原処分の行われた時点に遡って、処分の効力がなくなり、又は修正された処分があったことになる。

処分の取消し又は修正を行った場合に、人事委員会又は公平委員会は、必要と認める場合には、任命権者にその職員が受けるべきであった給与その他の給付を回復するため必要でかつ適切な措置をさせる等その職員がその処分によって受けた不当な取扱いを是正するための指示をしなければならない（法50条３項）。任命権者が、この指示に故意に従わなかった場合には１年以下の懲役又は50万円以下の罰金に処せられる（法60条３号）。

⑹　不利益処分に関する審査請求と訴訟の関係

職員に対する不利益処分については、人事委員会又は公平委員会に審査請求を行い、これに対する裁決を経た後でなければ、取消しの訴えを提起することはできない（法51条の２）。これが審査請求前置（又は訴願前置）主義といわれるものである。行政事件訴訟法においては、第８条第１項本文で「処分の取消しの訴えは、当該処分につき法令の規定により審査請求をすることができる場合においても、直ちに提起することを妨げない。」と、自由選択主義が原則的に採用されているが、同項ただし書きでは、「ただし、法律に当該処分についての審査請求に対する裁決を経た後でなければ処分の取消しの訴えを提起することができない旨の定めがあるときは、この限りでない。」と例外的に、法律で審査請求前置主義をとることを認めている。法第51条の２は、この例外に当たる。

しかし、審査請求前置は一種の出訴制限であり、その弊害を少なくするため、次の場合には、裁決を経ずに処分の取消しの訴えを提起することができるとされている（行訴法８条２項）。

①　審査請求があった日から３ヶ月を経過しても裁決がないとき。

②　処分、処分の執行又は手続の続行により生ずる著しい損害を避けるため緊急の必要があるとき。

③　その他裁決を経ないことにつき正当な理由があるとき。

なお、処分に重大かつ明白な瑕疵があるとしてその無効を確認する訴訟については、法第51条の２の規定するところではないため、審査請求前置主義の適用はない。また、不利益処分の審査請求ができない条件付採用期間中の職員、臨時的任用職員及び地公労法適用職員は、直接、処分の取消しの訴えを提起できる。

不利益処分の審査請求に対する裁決がなされ、その裁決を不服とする職員は、原処分の取消しの訴え又は裁決の取消しの訴えのいずれか、又はいずれをも提起することができるが、行政事件訴訟法は原処分主義を採用しており、原処分の違法は処分の取消しの訴えによってのみ主張することができ、裁決の取消しの訴えにおいては、処分の違法を理由として取消しを求めることができないとされている（行訴法10条２項）ため、裁決の取消しの訴えにおいては、裁決の手続上の違法その他裁決固有の違法のみしか主張できないこととなる。処分の取消しの訴えでは処分者が被告となり、裁決取消しの訴えでは人事委員会又は公平委員会が被告となる。

なお、人事委員会又は公平委員会の裁決に対し、任命権者その他の地方公共団体の機関は、出訴することはできない（昭27.1.9地自公発１）。これは、地方公共団体の機関同士の訴訟となり、機関訴訟は法律に定める場合に限って認められ（行訴法42条）、不利益処分に関する審査請求の裁決については、機関訴訟の対象とするなんらの法律の規定がないからである。

第７章　地方公務員の労働基本権

第１節　憲法第28条と労働基本権

憲法第28条は、「勤労者の団結する権利及び団体交渉その他の団体行動をする権利は、これを保障する。」と規定する。いわゆる労働三権、団結権、団体交渉権及び争議権を保障する規定である。団結権とは、労働条件の維持・改善を目的として使用者と対等の交渉力を有する団体を作る権利である。すなわち、労働条件を使用者と労働者の間の労働契約のみに任せることにより労働者に不利なものとなることを避けるため、労働条件について使用者と交渉することを目的とする団体（労働組合）を結成する権利である。団体交渉権とは、労働者の団体が使用者と労働条件について交渉する権利である。すなわち、労働組合として使用者と労働条件について交渉を行う権利であり、その結果締結される労働協約は労働契約を拘束する効力を有し、労働協約に定められた労働条件の規準に違反する労働契約の部分は、無効とされる（労組法16条）。争議権とは、労働者が使用者に対し、労働条件の維持・改善を目的として団結して同盟罷業その他の争議行為を行う権利である。すなわち、団体交渉を労働組合に有利に進めるための手段として、労働の提供の拒否等を行う権利であり、労組法第１条第２項は、正当な争議行為は刑事免責されると定めている。

公務員も、憲法第28条の勤労者であるので、労働基本権の保障に関する憲法の規定は適用されるが、一方、同じく憲法上の規定である「公共の福祉」（13条）の要請や公務員が「全体の奉仕者」である（15条２項）こと等から、公務員の種類に応じてその労働基本権について一定の制限が課されている。

第２節　公務員の労働基本権の制限

１　労働基本権制限の沿革

(1)　旧労働組合法及び労働関係調整法による制限

第二次世界大戦終結後、我が国を占領管理することとなった連合軍総司令部は、当初、日本民主化政策の１つとして、労働組合の保護育成を積極的に進めた。その一環として労使関係法令の整備が行われ、昭和20年には旧労働組合法（昭20.12.22法律51、同21年３月１日施行、（注１）参照）が、昭和21年には労働関係調整法（昭21.9.27法律25、同年10月13日施行）が制定された。

制定当初の旧労働組合法は、その第４条第１項において「警察官吏、消防職員及監獄ニ於テ勤務スル者ハ労働組合ヲ結成シ又ハ労働組合ニ加入スルコトヲ得ズ」として、これらの職員の団結を禁止するとともに、同条第２項において、その他の公務員について「命令ヲ以テ別段ノ定ヲ為スコトヲ得」と定めていた。しかしながら、この命令は定められなかった。その後制定された労働関係調整法は、その第38条（現行削除）において「警察官吏、消防職員、監獄において勤務する者その他国又は公共団体の現業以外の行政又は司法の事務に従事する官吏その他の者は、争議行為をなすことはできない。」として、非現業の官公吏について争議行為を禁止したが、現業職員についてはそのような規定は置かれなかった。なお、昭和22年には国家公務員法（昭22.10.21法律120、同年11月１日施行）が制定されたが、同法には職員の労働基本権の制限についての規定は置かれていなかった。したがって、当時の国家公務員については、労働関係調整法の下で現業以外の職員について争議行為の制限が行われており、地方公務員法制定前の地方公務員についても同じ状況であった（注２）。

（注１）　この労働組合法は後に全文改正されたので、現行の労働組合法とはその内容を全く異にする。このため、現行の労働組合法と区別するため旧労働組合法と呼ばれる。

（注２）　このような経緯から、かつて現業公務員に争議権が認められた時期があったことは明らかであるが、非現業公務員にそのような時期があったかどうかは、

必ずしも、明らかではない。これを肯定する説は、旧労働組合法第4条第２項に基づく政令が定められなかったことを根拠に、同法が施行された昭和21年3月1日から非現業公務員の争議行為を禁止する労調法が施行された昭和21年10月13日までの間は、非現業公務員にも争議権が認められていたとする。しかし、旧労働組合法は争議権に関する法律ではなく、同法に基づく政令が制定されなかったことの反対解釈として公務員にも争議権が認められていたとすることには、無理がある。むしろ、当時は未だ憲法制定前であり、官公吏の争議を想定しない旧労働争議調停法（大正15法律57、昭21.10.13廃止）や、官公吏が職務を離れることを本属長官又は指揮監督者の許可にかからしめていた旧官吏服務規律や府県（市町村）吏員服務規律がなお効力を有していた時代であったこと等を総合的に勘案すると、当時非現業公務員を含めて国家が公務員の争議権を認めていたと解するのは、困難であると考える。ポツダム宣言の受諾により、公務員を含め全労働者に争議権が認められていたとする主張も、あまりに実定法から遊離する解釈であると考えられる。

⑵　マッカーサー書簡と政令第201号

連合軍総司令部の労働組合保護政策と労働法制の整備の下、労働組合の数は急増し新たなナショナルセンターが生まれる等労働者の組織化が急速に進む一方、終戦後の社会経済の混乱と国民生活の窮乏の影響を受け労働運動の過激化が顕著になった。そのなかで、官公労組は労働運動の中心的役割を果たすようになり、昭和21年の年末闘争では全官共闘を作り、260万人の官公労働者を結集して越冬資金等を要求し、翌22年に入ると目標を吉田内閣打倒、民主人民政府樹立へと転化させ、１月13日「ゼネスト宣言」を発表し２月１日を期してゼネストに突入する方針を明らかにした。これに対し、政府は、ゼネストの回避に全力をあげ、中労委の調停案も示されたが、労働側は納得せず、ゼネスト回避の途は全く失われ危機的様相を示すに至った。ここにおいて、１月31日午後２時30分マッカーサー元帥は、声明書を発表するとともに、スト中止を指令し、これを受けた全官共闘の伊井弥四郎議長が「労働者諸君、１歩退却・２歩前進」とスト中止を伝えるラジオ放送を行い、空前の規模を有する2.1ゼネストはかろうじて回避された。しかしながら、その後も官公労働運動は衰えをみせず、翌23年の３月闘争を経て、８月７日にゼネストが予定されることとなった。ここに至り、連合軍総司令部は労働政策の転換を図り、昭和23年７月22日連合国最高司令官の芦田内閣総理大臣宛書簡（いわゆる「マッカーサー書簡」）を発した。この書簡は、①公務員は一切の争議行為及び団体交渉を禁止されるべきこと、②鉄道、煙草専売等の政府事業については公共企業体を組織し、その労働関係については調停・仲裁の制度を設けるべきこと、を主な内容とするものであった。

マッカーサー書簡を受けた政府は、直ちに「昭和23年７月22日附内閣総理大臣宛連合國最高司令官書簡に基く臨時措置に関する政令」（昭23.7.31政令201。以下、「政令第201号」という）を発して、現業・非現業、国・地方を問わず、全ての公務員について、拘束的性質を帯びた団体交渉及び争議行為を禁止した。また、同政令は、この制約の違反者に対して、刑罰を科することとしていた。

⑶　国家公務員法の改正と公共企業体労働関係法の制定

政令第201号を制定した後、政府はマッカーサー書簡を具体化するため、関係法令の整備に着手した。

まず、国家公務員法を大改正し、争議行為を禁止するとともにそのあおり、そそのかし等の行為に対し罰則を設け、同時に中央人事行政機関として従来の全国人事委員会に代えて人事院を設置することとした。この改正国家公務員法は、昭和23年12月３日から施行された。

さらに、国鉄、専売を新たに公共企業体として政府から分離独立させ、それらの職員の労働関係を規律するため、公共企業体労働関係法（昭23法律257）を制定し、昭和24年６月１日から施行した。これによって、国鉄及び専売公社の職員は国家公務員でなくなり、争議行為は引き続き禁止されたものの、労働協約締結権を含む団体交渉権が認められることとなった。

⑷　地方公務員法の制定

地方公務員については、依然として、政令第201号の制限の下で、労働組合法及び労働関係調整法が適用されていたが、ようやく昭和25年に至り地方公務員法が制定され、26年２月13日から施行された。同法は、国家公務員法と同じく、職員の争議行為を禁止するとともに、そのそそのかし、あおり等の行為に罰則を設けた。

(5)　公共企業体労働関係法の改正と地方公営企業労働関係法の制定

昭和27年のサンフランシスコ講和条約締結の際の占領下の諸政令の見直しに伴い、公共企業体労働関係法の適用対象に日本電信電話公社も加えられ、さらに、政府の行う事業のうち、郵便事業、国有林野事業、印刷事業、造幣事業及びアルコール専売事業についても同法の適用対象とし、その職員の労働関係について三公社と同様の取扱いとすることとした。ここに、三公社五現業が同法の適用対象となり、法律の名称も公共企業体等労働関係法と改められた。

また、地方公営企業の職員の労働関係について、地方公営企業労働関係法（昭27.7.31法律289、同年10月1日施行）が制定され、公共企業体等の職員に準じた取扱いがなされることとなった。すなわち、地方公営企業職員については、争議行為は禁止され、労働協約締結権を含む団体交渉権が認められた。なお、地方公共団体の単純労務職員の労働関係については、同法の附則第4項（現5項）の規定により、その労働関係その他身分取扱いに関する特別の法律が制定施行されるまでの間は、地方公営企業労働関係法の規定が準用されることとされた。その結果、単純労務職員も争議行為は禁止され、労働協約締結権を含む団体交渉権が認められた。

(6)　公共企業体等労働関係法等の改正

公共企業体等労働関係法は、長い間三公社五現業の労使関係を律する法律として重要な役割を担ってきたが、第二次臨時行政調査会（昭和56年3月16日～昭和58年3月15日）の答申に基づく行政改革により、アルコール専売事業が廃止され、また、日本専売公社、日本電信電話公社、日本国有鉄道のいずれもが民営化されたため、昭和62年4月1日から「国営企業労働関係法」と改められ、残りの四現業にのみ適用されてきた。しかし、その後独立行政法人制度の発足に伴い、特定独立行政法人の職員の労働関係を従来の国営企業の職員と同じ扱いとすることとなり、また、印刷事業と造幣事業も特定独立行政法人に移管されたことから、国営企業として残っているのは、国有林野事業のみとなったため、平成14年に「特定独立行政法人等の労働関係に関する法律」と、さらに国有林野事業の一般会計への移行に伴い平成25年に「特定独立行政法人の労働関係に関する法律」と改められ、さらに平成26年の独立行政法人通則法の改正に伴い、平成27年４月から「行政執行法人の労働関係に関する法律」と改められて今日に至っている。なお、日本郵政公社は、暫定的に同法の適用対象とされていたが、平成19年10月に民営化された。また、地方公営企業労働関係法は、同様に地方独立行政法人制度の発足に伴い、特定地方独立行政法人の職員の労働関係も対象とすることとなり、平成16年４月１日から「地方公営企業等の労働関係に関する法律」と改められて今日に至っている。

２　地方公務員の労働基本権制限の職種別態様

以上のように、公務員の労働基本権は大きな変化を経てきており、地方公務員の労働基本権も、その時の国家公務員の労働基本権の動向に応じ制度的変遷を経てきている。ただ、地方公務員法及び地方公営企業労働関係法制定以降は、国家公務員に比べると比較的に安定した制度として維持されてきているといえよう。あえて、大きな変化として挙げることができるとすれば、地方独立行政法人制度の発足に伴う地方公営企業労働関係法の地方公営企業等の労働関係に関する法律への改正であろう。

以下、地方公務員の職種別にその労働基本権の制限の態様を素描する。

⑴　地公労法非適用職員

地公労法非適用職員、すなわち企業職員、単純労務職員及び特定地方独立行政法人の職員以外の地方公務員については、そのうち警察職員及び消防職員とそれ以外の職員とで労働基本権の取扱いに大きな相違がある。

⒜　警察職員及び消防職員

警察職員及び消防職員については、争議権はもとより（法37条）、勤務条件の維持改善を図ることを目的とし、かつ当局と交渉する団体を結成し、又はこれに加入してはならない（法52条５項）とされ、団結権及び団体交渉権のいずれも認められていない。

⒝　警察職員及び消防職員以外の職員

警察職員及び消防職員以外の職員は、争議権は認められていない（法37条）

が団結権については職員団体を結成できることとされ（法52条１項・３項）、また団体交渉権については、当局と交渉することはできるが団体協約（労働協約）を締結することは認められていない（法55条１項・２項）。

⑵　地公労法適用職員

地公労法適用職員のうち、企業職員と特定地方独立行政法人の職員は、争議権は認められていない（地公労法11条）が、団結権については労働組合法に基づく労働組合を結成することができ（同法５条）、また団体交渉権についても当局と団体交渉を行って労働協約を締結することができる（同法７条）。単純労務職員（地方公営企業及び特定地方独立行政法人に勤務する者を除く）については、基本的に企業職員と同じ取扱い、すなわち、労働組合を結成でき、労働協約締結権を含む団体交渉を行うことができ、争議行為は禁止されるが（地公労法附則５項前段による地公労法及び地公企法38条及び39条の準用）、労働組合でない地方公務員法上の職員団体を結成することもできるとされている（地公労法附則５項後段による地公企法39条の読替え）。

以上の、地方公務員の職種別の労働基本権の制限の態様を表で示せば、**表５**のとおりである。

表５　地方公務員の労働基本権の制限の態様

	職　　種	団結権	団交権	争議権
地公労法非適用職員	警察職員及び消防職員	×	×	×
	警察・消防職員以外の職員	○	△	×
地公労法適用職員	企業職員	○	○	×
	特定地方独立行政法人職員	○	○	×
	単純労務職員（注）	○（注）	○（注）	×

（注）企業職員又は特定地方独立行政法人の職員である単純労務職員は、地公労法本則により団結権及び団体交渉権を認められているので、それによることとなる。ここでいう単純労務職員は、企業職員及び特定地方独立行政法人の職員でない単純労務職員のことであり（地公労法附則５項）、これらの一般行政機関に勤務する単純労務職員は、本文で述べたとおり労働組合を結成し団体交渉を行うこともでき、また職員団体を結成し交渉を行うこともできる。

３　消防職員委員会

２で述べたとおり、消防職員は職員団体を結成することも、またこれに加入することもできず、団結権が否定されている。このため、消防組織法（昭22.12.23法律226、以下、「消組法」という）では、各消防本部に消防職員の意思疎通を図るための組織として、消防職員委員会を設けることとされている（消組法17条）。消防職員委員会は、次に掲げる事項に関して消防職員から提出された意見を審議させ、その結果に基づき消防長に対して意見を述べさせ、もって消防事務の円滑な運営に資するために設置される。

①　消防職員の給与、勤務時間その他の勤務条件及び厚生福利に関すること

②　消防職員の職務遂行上必要な被服及び装備品に関すること

③　消防の用に供する設備、機械器具その他の施設に関すること

消防職員委員会は、委員長及び委員をもって組織され、委員長は消防長に準ずる職のうち市町村の規則で定めるものにある消防職員のうちから消防長が指名する者をもって充て、委員は消防職員のうちから消防長が指名する。

この消防職員委員会は、平成７年に、既に我が国の少なからぬ消防本部において自主的に採用されていた消防業務の運営への職員参加の仕組みを、法律上の制度として一般化したものであるが、その制度化の背景には、消防職員の団結禁止についての日本政府とILO（国際労働機関）との長年にわたる議論のやりとりがあった。

ILO第87号条約（結社の自由及び団結権の保護に関する条約）は、その第２条で「労働者及び使用者は、事前の認可を受けることなしに、自ら選択する団体を設立し、及びその団体の規約に従うことのみを条件としてこれに加入する権利をいかなる差別もなしに有する。」と結社の自由の大原則を規定するとともに、その第９条第１項で「この条約に規定する保障を軍隊及び警察に適用する範囲は、国内法令で定める。」と規定し、軍隊及び警察について特例を認めている。同条約と日本の公務員の労働基本権との関係については、ILO結社の自由委員会の労働組合権侵害の申立手続を通じ、同条約の批准前から多くの問題点が組合側から提起され、日本政府としてはそれらの問題点に対応して国内の公務員

労働法制を改正して、昭和40年に同条約を批准したところである。消防職員の団結禁止についても同条約批准以前から、組合側から問題点の１つとして結社の自由委員会に申立てが行われていた。その１回目は、昭和29年の第60号事件であり、これに対しILOの結社の自由委員会は、要旨次のような報告を行った。

〔結社の自由委員会第12次報告〕

国家公務員法及び地方公務員法では、警察、消防、海上保安庁及び監獄の職員には、組合の結成・加入権は付与されない。したがって、警察及びこれに類する若干の公務については例外であるが、すべての公務員及び職員は日本の法制の下で団結する権利を与えられている。以上により、委員会は、すべての政府労働者が団結権を拒否されているとする本申立てはこれ以上審理を必要としないと決定すべきことを理事会に勧告する。

その後、国内では労働問題懇談会にILO第87号条約の批准の可否について諮問が行われ、同懇談会条約小委員会は、ILO第87号条約を批准する場合に、消防職員等の団結禁止が条約に抵触するかどうかについて、昭和33年９月24日、要旨次のような報告を行った。

〔労働問題懇談会条約小委員会報告〕

条約第９条は、軍隊及び警察についてはその適用を除外し、各国の国内法令の規制にこれをゆだねているが、本条約において軍隊と並んで警察を除外している趣旨は国の治安確保についての警察作用の特殊性を考慮したものと解され、従って、我が国における消防、海上保安及び監獄の作用は、その歴史的な経緯、現行の法制からみて、条約にいう警察に包含されるものと解することを妥当と考える。

その後、ILOでは、組合側による消防、海上保安庁等の団結権否定に関する２回目の申立て（179号事件）が行われ、これに対し結社の自由委員会は、昭和36年上記の労働問題懇談会条約小委員会の報告を引用のうえ、要旨次のとおりの報告を行った。

〔結社の自由委員会第54次報告〕

第87号条約第９条の規定によれば、この条約に規定する保障を軍隊及び警察に適用する範囲は国内法令で定めることとされている。第60号事件においては、前記の職務を「警察及び警察と同視すべき若干の職務」とみて、本委員会は、これらの職務に関する申立てについては、それ以上審議する必要はないとの結論を下した。本事件において、申立ては、第60号事件について検討した申立てと全く同一であるので、本委員会は、事件のこの点についてはこれ以上審議する必要はないと決定するよう理事会に勧告する。

このような経過を踏まえて日本政府は、ILO第87号条約の批准のための国内法制の整備に際し、地方公務員法による消防職員の団結禁止の規定はそのままにして、昭和40年にILO第87号条約を批准したのである。

ところで、ILOには各国が批准した条約について、各国の政労使がその適用状況を年次報告し、それを学識経験者からなる条約勧告適用専門家委員会が検討し、その結果を総会の条約勧告適用委員会で審議し、条約違反ありと判断すればその国を違反国リストに登載して条約の履行を迫るという条約適用監視手続がある。第87号条約についても批准後この手続がとられたのであるが、その中で組合側が再度消防職員の団結禁止を第87号条約違反として報告するようになり、昭和48年に至り条約勧告適用専門家委員会は、要旨次のような意見を示した。

〔昭和48年３月の条約勧告適用専門家委員会の意見〕

　消防職員の団結権については、本委員会は、消防職員の職務が軍隊及び警察に関する本条約９条に基づいてこの種の労働者を除外することを正当化するような性質のものであるとは考えない。したがって、本委員会は、政府がこの種の労働者についても団結権が認められるよう適当な措置をとることを希望する。

これは明らかに従前の結社の自由委員会の見解と異なるものであり、日本政府として反論を行い、その年のILO総会の条約勧告適用委員会においては、日本の国内努力による解決を待つという趣旨の報告が行われるに止めた。その後、日本政府としては、ILOに対し繰り返し日本の消防の実情、従来の経緯等を明らかにして、日本の消防が第87号条約第９条の警察に含まれるとの政府見解についての理解を求めてきた。そして、平成７年に至り、この問題について団結権を付与するのではなく、消防職員の意思疎通を図る仕組みとして消防職員委員会制度を設けることで政府と労働側の合意が成立し、同年のILO総会で、この解決策について各国政労使とILO事務局の賛同を得て、同年秋、消防組織法を改正して、消防職員委員会制度が導入されたのである。

このような経緯からも明らかなように、消防職員委員会制度は、ILOにおける消防職員の団結権問題を解決するために導入されたものではあるが、その本質は消防職員の意思疎通に関する制度であり、もともと少なからぬ消防本部で自主的に行われていた消防活動に必要な装備や施設設備等の運用改善に関する職員参加の仕組みを母体とするものである。したがって、それは、職員団体でも労使交渉でもなく、限られた範囲ではあるが職員の経営参加を促し、そのことによって「消防事務の円滑な運営に資する」ことを目的とする意思疎通制度である。このことは、消防組織法上も、①職員から提出される意見は勤務条件だけでなく消防の用に供する施設設備等の消防活動に必要な最小限の管理運営事項も対象となっていること、②消防職員委員会の委員長や委員は消防長の指名によるものとされ、そのような指名に基づく合議機関として個々の職員から提出された意見を審議することとされていることから、明白である。各消防本部においては、制度の趣旨を正確に理解し、適確な運用に努めなければならない。

第３節　争議行為の禁止

１　争議行為等の禁止

法第37条第１項は、「職員は、地方公共団体の機関が代表する使用者としての住民に対して同盟罷業、怠業その他の争議行為をし、又は地方公共団体の機関の活動能率を低下させる怠業的行為をしてはならない。又、何人も、このような違法な行為を企て、又はその遂行を共謀し、そそのかし、若しくはあおってはならない。」として、争議行為等を禁止している。また、地公労法第11条第１項は、「職員及び組合は、地方公営企業等に対して同盟罷業、怠業その他の業務の正常な運営を阻害する一切の行為をすることができない。また、職員並びに組合の組合員及び役員は、このような禁止された行為を共謀し、唆し、又はあおつてはならない。」として、ほぼ同様の表現で争議行為を禁止するとともに、同条第２項で「地方公営企業等は、作業所閉鎖をしてはならない。」と当局側の争議行為であるロックアウトも禁止している。争議行為については、労働関係調整法（昭21.9.27法律25、以下、「労調法」という）第７条に「同盟罷業、怠業、作業所閉鎖その他労働関係の当事者が、その主張を貫徹することを目的として行ふ行為及びこれに対抗する行為であつて、業務の正常な運営を阻害するもの」との定義があるが、これは同法に基づく労働争議の調整の対象となる争議行為を定義しているのであり、地方公共団体において禁止されている争議行為の定義としては、目的をこのように限定する必要はなく、地公労法第11条に定めているとおり、地方公共団体の業務の正常な運営を阻害する一切の行為が争議行為である。したがって、当事者の主張――多くの場合は勤務条件に関するものであろう――を貫徹することを目的とするものでなくても、例えば、いわゆる同情スト、政治スト等も地方公共団体の業務の正常な運営を阻害する以上、争議行為に該当する。なお、争議行為である以上、職員の団体行動として行われる必要があり、職員個人が独自に業務の正常な運営を阻害する行為を行っても、それは職務専念義務等に違反することになるにしても、争議行為には該当しない。

法第37条第１項は、争議行為の外に、地方公共団体の機関の活動能率を低下させる怠業的行為も禁止している。これは、争議行為として例示されている怠業とは異なり、正常な業務の運営を阻害するには至らないが、地方公共団体の執務能率を低下させるものを想定していると考えられる。

また、法第37条第１項後段は、何人に対しても職員の争議行為等の計画・助長行為を禁止し、地公労法第11条第１項後段も、職員並びに組合員及び役員が争議行為の計画・助長行為をすることを禁じている。これらの計画・助長行為のうち、まず「企てる」とは、争議行為等の実行計画の作成、そのための会議の主催などをいうものであり、「共謀する」とは、２人以上の者が共同で、争議行為等を実行するため謀議をしたり、その計画作成することなどをいう。また、「そそのかす」とは、人に対し争議行為等を実行する決意をあらたに生じさせる慫慂行為をすることであり、「あおる」とは、文書、図画、言動等により職員に対し争議行為等を実行する決意を生ぜしめるような、又は既に生じている決意を助長させるよう勢のある刺激を与えることである。法第37条第１項後段に違反して争議行為等の計画・助長行為を行った者は、３年以下の禁錮又は100万円以下の罰金に処せられる（法62条の２）。地公労法第11条第１項後段違反については、罰則規定はない。職員であれば懲戒処分の対象となることは、いうまでもない。なお、法第62条の２の罰則規定は、強制労働の廃止に関する条約（ILO第105号条約）の締結のための関係法律の整備に関する法律（令和３年法律第75号、令和３年６月16日公布）第６条による地方公務員法の改正により、従来地方公務員法第61条第４号で３年以下の「懲役」又は100万円以下の罰金とされていた罰則が削除され、新たに同法第62条の２（新設）で３年以下の「禁錮」又は100万円以下の罰金と改められたものである（令和３年７月６日施行）。

２　争議行為の形態

このように地方公務員の争議行為は禁止されているので、地方公共団体において行われる争議行為は、全て違法であり、あってはならないことであるが、かつては、春闘時の民間労組の賃上げストに呼応する形で、あるいは人事委員会勧告後の賃金確定闘争という形で、禁止されている争議行為が少なからず行われていた。これらの違法な争議行為の主要な形態は、以下のとおりである。

⑴　同盟罷業

同盟罷業とは、労働者が集団で労働の提供を拒否することにより使用者の業務の正常な運営を阻害する行為であり、いわゆるストライキである。地方公共団体では、通常次のような形態で行われる。

⒜　勤務時間内職場集会

職員が勤務時間内に職務を放棄して集会を行う形態の同盟罷業であり、最も多くみられる争議行為の形態である。

⒝　年次有給休暇闘争

一般に、年休闘争といわれるもので、職員が年次有給休暇を集団的に取得することにより職務放棄を行い、業務の正常な運営に支障を与える行為であり、同盟罷業に当たる。最高裁は、前述の年休の時季指定権に関する判決（昭48.3.2）のなかで「いわゆる一斉休暇闘争とは、〔中略〕その実質は、年次休暇に名を藉りた同盟罷業にほかならない。したがって、その形式いかんにかかわらず、本来の年次休暇権の行使ではないのであるから、これに対する使用者の時季変更権の行使もありえず、一斉休暇の名の下に同盟罷業に入った労働者の全部について、賃金請求権が発生しないことになる」と判示している。なお、「一斉」とは、文字どおり全員一斉でなくても、およそその事業場の業務の正常な運営を害する限り、いわゆる割休スト、指名ストであっても争議行為に該当する。

⒞　超勤拒否闘争

超勤拒否闘争には、超過勤務命令を拒否する場合と三六協定の締結を拒否する場合とがある。職員が集団として超過勤務命令を拒否し業務の正常な運営が阻害されれば同盟罷業として争議行為となる。また、労基法別表第１の事業に従事する職員については、これに超過勤務を命ずるためには三六協定の締結が必要であるが、組合が自らの主張を貫徹するために三六協定の締結を拒否し、このために業務の正常な運営が阻害されたときは、三六協定締結拒否が同盟罷業となり争議行為となる（昭63.12.8最高裁一小）。

⑵　怠　業

職員が職務に従事しながら、集団的、意図的に作業能率を低下させ正常な業務運営を阻害する行為、いわゆるサボタージュである。地方公共団体の場合、あまり用いられないが、かつて、地方公営企業の公営交通において、順法闘争と称して、あえて非能率な運行を行い、正常な旅客運送を阻害する闘争が行われたことがある。

以上のほか、ピケッティング、座込み等種々の戦術の実力行使があるが、業務の正常な運営を阻害する限り、それぞれの状況により、同盟罷業、怠業その他の争議行為のいずれかに当たることとなる。また、リボン闘争やプレート着用闘争については、職務専念義務に違反するとする最高裁判決（第３章第６節１参照）があるが、これが業務の正常な運営を阻害することとなり、あるいは地方公共団体の機関の活動能率を低下させることとなれば、法第37条の問題ともなる。

３　憲法第28条と争議行為禁止の合憲性（判例沿革）

公務員の争議行為等を禁止する４つの法律、すなわち、国家公務員法、公共企業体等労働関係法（現在の行政執行法人の労働関係に関する法律）、地方公務員法及び地方公営企業労働関係法（現在の地方公営企業等の労働関係に関する法律）の争議行為等禁止規定が、憲法第28条に違反しないかという問題は、戦後の憲法学、行政法学、労働法学の大きな論点であり、また社会問題でもあり続けた。公共部門の労働事件に関する裁判では、常にこの点が問題となってきたともいえる。この問題について、最高裁の判例は、合憲との結論は一貫して維持しているが、その論拠には時代によって変遷がみられ、それに伴って争議行為等の禁止が合憲とされる範囲にも変遷があった。大きく分けると、昭和20年代から30年代と、昭和40年代前半と、昭和48年の全農林警職法事件判決以降の３つの時期に分けてみることが、判例の動向を分析するのに適している。

⑴　昭和20年代から30年代

この時期の判例は、争議行為禁止の論拠を「公共の福祉」と「公務員の全体の奉仕者」に求めていた。その代表的判例が、国鉄弘前機関区事件判決（昭28.4.8最高裁大）である。同判決は、「憲法28条が保障する勤労者の団結する権利及び団体交渉その他の団体行動をする権利も公共の福祉のために制限を受けるのは已むを得ない」とし、「殊に国家公務員は、国民全体の奉仕者として公共の利益のために勤務し、且つ職務遂行に当つては全力を挙げてこれに専念しなければならない性質のものであるから、団結権、団体交渉権等についても一般の勤労者とは違つて特別の取扱を受けることがあるのは当然である」として、公務員の争議行為を禁止した政令第201号は合憲であるとした。これは、国鉄公社化前で、国鉄職員も国家公務員であった当時の事案であるが、その論旨は、その後公共企業体等労働関係法が制定され国鉄が公共企業体となった後も、同法第17条による争議行為の禁止について、国鉄三鷹事件判決（昭30.6.22最高裁大）や国鉄檜山丸事件判決（昭38.3.15最高裁二小）に引き継がれている。なお、国鉄檜山丸事件判決では、公共企業体職員の争議行為に労組法第１条第２項の刑事免責の規定の適用を否定した。

⑵　昭和40年代前半

この時期は、基本的人権についての学説の発展を反映し、単純な「公共の福祉」論が姿を変えていく時期である。こうした動向の現れが和歌山県教組事件判決（昭40.7.14最高裁大）であった。同判決は、直接的には争議行為に関するものではないが、勤労者の団結権等が「公共の福祉のために制限を受けるのはやむを得ない」とし、その「制限の程度は、勤労者の団結権等を尊重すべき必要と公共の福祉を確保する必要とを比較考量し、〔中略〕決定されるべきである」として、制限の程度が、その合憲性に影響を与え得ることを示した。しかし、同判決は具体的な制限の程度を決定することは、基本的には立法府の裁量に属するものであるとした。

和歌山県教組事件判決の考えを一歩進め、同判決のとる司法消極主義の立場を離れて、法律の争議行為禁止規定の内容の適否を審査したうえでこれを限定的に解釈したのが全逓東京中郵事件判決（昭41.10.26最高裁大）である。同判決は、憲法第15条を根拠として公務員に対し労働基本権の全てを否定するようなことは許されないとしたうえで、勤労者の労働基本権も国民生活全体の利益の保障という見地からの制約を当然の内在的制約として内包しているものであるとし、その制約が合憲であるかどうかは、

①　制限が合理性の認められる必要最小限にとどめられるべきこと

②　制限は、国民生活への重大な障害を避けるために必要やむを得ない場合であること

③　制限違反に対し課される不利益は必要な限度を超えないこと、特に刑事制裁を科すことは必要やむを得ない場合に限ること

④　制限に対してはこれに見合う代償措置が講じられていること

の４つの条件を考慮にいれて決定する必要があるとした。そのうえで、公共企業体等労働関係法第17条に違反して争議行為を行った者に対して民事上の責任を追及することは憲法に違反しないが、刑事制裁については労組法第１条第２項が適用除外されていないので、争議行為としての正当性の限界を超えないものである限りこれを科さない趣旨であると判示した。

この全逓中郵事件判決の考え方をより徹底させ、公務員の争議行為禁止規定を極めて限定的に解釈し、刑事罰の適用について大幅に制限を加えたのが、東京都教組事件判決（昭44.4.2最高裁大）である。同判決は、全逓中郵事件判決の４条件を基本的に維持するとし、地方公務員法が一切の争議行為を禁止し、これを共謀し、そそのかし、あおる等の行為をした者を全て処罰する趣旨のものであれば、違憲の疑いを免れないとした。そこで、同判決は公務員の争議行為を、①禁止された争議行為で違法性の強いもの、②禁止された争議行為で違法性の比較的弱いもの、③実質的には禁止された争議行為に該当しないものの３つに区分し、禁止外の争議行為の存在を認める限定解釈を施し、さらに、争議行為に対するあおり行為等が処罰されるのは、争議行為が違法性が強く、かつ、あおり行為等自体も違法性が強い場合に限られるとし、争議行為に通常随伴する指令の配付伝達のような行為は処罰の対象にならないと判示した。これが、「二重のしぼり論」と呼ばれるものである。

⑶　全農林警職法事件判決（昭48.4.25最高裁大）以降

東京都教組事件判決が示した限定解釈論は、争議行為の違法性に強弱等の区別を認め、それによって争議行為禁止規定の適用の有無等を判断しようとするものであった。しかしながら、同判決では、争議行為の違法性を測る基準として「争議行為を禁止することによって保護しようとする法益」と「労働基本権を尊重し保障することによって実現しようとする法益」との比較考量によるべき旨を示しただけであったため、係争中の争議行為が実際に地方公務員法で禁止される争議行為であるのか否か、また、違法性の高い争議行為であるのか否か、したがってまた罰則を適用すべきであるか否かにつき、下級審の判断が区々に分かれ、具体的な争議行為事案の判断に混乱を生じさせることとなった。このようななかで、最高裁は、全農林警職法事件判決において、以下のような判示を行い東京都教組事件判決を実質的に変更した。

〔全農林警職法事件判決要旨〕

公務員は、憲法第28条にいう勤労者であるが、次に掲げるとおり公務員の職務には公共性があり、法律によって勤務条件が定められ、身分が保障されており、かつ、適切な代償措置が講じられているから、公務員の争議行為及びあおり行為等を禁止するのは、勤労者を含めた国民全体の共同利益の見地から、やむを得ない制限であり、憲法第28条に違反しない。また、罰則も合憲である。

①　公務員の地位の特殊性と公共性、身分保障関係

ｉ）　憲法第15条の示すとおり、公務員の使用者は国民全体であり、公務員が争議行為に及ぶことは、その地位の特殊性と職務の公共性と相容れず、争議行為による公務の停廃は国民の共同利益に重大な影響を及ぼす。

ⅱ）　公務員の給与その他の勤務条件は、私企業のごとく労使間の自由な交渉により定められるものではなく、国民の代表による国会の制定した法律、予算によって定められることとなっている。

ⅲ）　私企業の場合は、使用者がロックアウトをもって争議行為に対抗する手段があるが、公務員の場合はこれが認められていない。

ⅳ）　私企業の場合は、市場の抑制力が働くが、公務員の場合にはその機能の働く余地がない。

②　代償措置関係

ｉ）　公務員は、法定の勤務条件を享受し、かつ、法律等による身分保障を受けながら、一般的に、団結権を有し、交渉権が認められている。

ⅱ）　中央人事行政機関として準司法機関的性格を持つ人事院を設けている。

③　罰則関係

公務員の争議行為をあおる等の行為を行う者は、単なる争議行為参加者に比べて社会的責任が重く、これが責任を問い、かつ違法な争議行為を防ぐため罰則を設けることは、十分に合理性があり、東京都教組事件判決の多数意見であ

るいわゆる「限定解釈」は、基準が不明確であり、犯罪構成要件の保障的機能を失わせることになるので許されない。

この全農林警職法事件判決の考え方は、そのまま地方公務員に関する岩手県教組事件判決（昭51.5.21最高裁大）に引き継がれ、東京都教組事件判決は変更された。

〔岩手県教組事件判決要旨〕

全農林警職法事件判決における法理は、地方公務員の争議権の制限についても妥当するものであり、地方公務員法第37条第１項、第61条第４号の規定は、あえて原判決のいうような限定解釈を施さなくてもその合憲性を肯定することができる。

①　地方公務員も憲法第28条の労働基本権の保障を受けるが、地方公務員が争議行為に及ぶことは、次のようなその地位の特殊性と職務の公共性と相容れない。

ⅰ）　地方公共団体の住民全体の奉仕者として実質的にはこれに対して労務提供義務を負うという特殊な地位を有すること。

ⅱ）　その労務の内容は、直接公共の利益のための活動の一環をなすという公共的性質を有すること。

②　地方公務員の勤務条件が、法律及び地方公共団体の議会の制定する条例によって定められ、また、その給与が地方公共団体の税収等の財源によってまかなわれるところから、私企業における労働者の場合のように団体交渉による労働条件の決定という方式が当然には妥当せず、争議権も、団体交渉の裏付けとしての機能を発揮する余地に乏しく、かえって議会における民主的な手続によってされるべき勤務条件の決定に対して不当な圧力を加え、これをゆがめるおそれがある。

③　労働基本権の制限の代償措置として、地方公務員法上、国家公務員とほぼ同様の勤務条件に関する利益を保障する定めがあり（殊に法24条ないし26条）、また、人事院制度に対応するものとして、これと類似の性格を持ち、かつ、これと同様の、又はこれに近い職務権限を有する人事委員会又は公平委員会が設

けられている。

④　地方公務員法にいう争議行為の共謀、そそのかし、あおり等の行為こそが法の禁止する争議行為の遂行を現実化させる直接の働きをするものであるから、これを刑罰で阻止することには、なんら不当はない。地方公務員法第61条第４号の規定の解釈につき、争議行為に違法性の強いものと弱いものとを区別して、前者のみが同条同号にいう争議行為に当たるものとし、更にまた、争議行為をあおる等の行為についても、争議行為に通常随伴する行為は可罰性を有しないものと解さなければならない理由はなく、このような解釈を是認することはできないものである。いわゆる都教組事件についての当裁判所の判決は、上記判示と抵触する限度において、変更すべきものである。

その後　最高裁においては、全逓名古屋中郵事件判決（昭52.5.4最高裁大）において、公共企業体等労働関係法第17条について、全逓東京中郵事件を変更し、限定解釈を施すことなく全面的に合憲であるとし、労組法第１条第２項の刑事免責規定の適用を否定する判示があり、また、昭和63年12月８日には、第一小法廷が地公労法第11条第１項による企業職員の争議行為の禁止について、同年12月９日には、第二小法廷が地公労法附則第４項（現５項）による単純労務職員の争議行為の禁止について（いずれも、懲戒処分事案）、それぞれ憲法第28条に違反せず全面的に合憲である旨を判示した。

以上により、国家公務員の現業及び非現業並びに地方公務員の現業（企業職員と単純労務職員）及び非現業のすべてについて、争議行為の禁止規定と関連の罰則がある場合はその罰則も全面的に合憲であるということが、最高裁判決として確定されたのである。ところで、これらの判決は、すべて基本的には、現行の公務員の労働基本権の制限が憲法に違反しないとしたものであり、公務員に労働基本権を付与することができないとしたものではない。むしろ、これらの判決の中で、全農林警職法事件判決（昭48.4.25最高裁大）は、公務員の勤務条件に関連し、「政府にいかなる範囲の決定権を委任するかは、まさに国会みずからが立法をもって定めるべき労働政策の問題である」と述べている。しかし、これをもって、最高裁が公務員に如何なる範囲で労働基本権を認めるかはすべて国会における立法政策に任されているとしたと考えるのは妥当でない。これらの判決の中で、全逓名古屋中郵事件判決（昭52.5.4最高裁大）は、公務員の労働基本権についての国会の立法裁量に関し更に一歩踏み込んで、以下のような注目すべき判断を示している。同判決は、全農林警職法事件判決と岩手県教組事件判決の合憲論拠を総括したうえで、「これを言い換えるならば、国会が、その立法、財政の権限に基づき、一定範囲の公務員〔中略〕の勤務条件に関し、職員との交渉によりこれを決定する権限を使用者としての政府その他の当局に委任し、さらにはこれらの職員に対し争議権を付与することも、憲法上の権限行使の範囲内にとどまる限り、違憲とされるわけはないのである。現行法制が、非現業の公務員、現業公務員〔中略〕に区分し、それぞれ程度を異にして労働基本権を保障しているのも、まさに右の限度における国会の立法裁量に基づくものにほかならない」としている。問題は、そこで示されている「憲法上の権限行使の範囲内にとどまる限り」といい、また「右の限度における国会の立法裁量」という留保が、国会がその立法権に基づいて公務員に労働基本権を与える以上は違憲とされることはないという意味であるかどうかであるが、そのような形式的な意味であるとすれば、単に「国会が法律で定める限り」とすれば足りるはずであり、またそのような違憲立法審査権を自ら否定するような判決を最高裁がわざわざ書くはずがない。とすると、最高裁は、ここでこのような留保を付することにより、公務員への労働基本権の付与につき憲法上一定の限界があることを想定し、その範囲内であれば国会により労働協約締結権や争議権を与える法律を制定しても憲法に違反することはないと言っていることになる。世上、公務員にどの範囲で労働基本権を認めるかは、全て立法政策の問題であるという主張が行われやすく、後述「補節」の民主党政権下の公務員の労働基本権制限見直し議論における政府の関係調査会等もそのような前提で議論を進めていたが、最高裁は、必ずしもそのような前提に立っておらず、むしろ公務員の労働基本権をどのような範囲で認めるかについては憲法上一定の制約があるとの趣旨の見解を示しているということは、この問題を論ずる際に忘れてはならない視点であるといえよう。それでは、憲法秩序の中に組み込まれている公務員への労働基本権付与の限界は那辺にあるのか、その限界を画す憲法原理があるとすれば何であるのかということになるが、筆者は、それは憲法秩序に内在する社会契約原理に基づく限界であると考えている（憲法前文第二センテンス及び憲法15条１項参照）。そのことにより、公務員のうち公権力の行使に携わる公務員については、争議権と労働協約締結権を認めることは、憲法上も許されていないと考えられる（この見解の詳細については、猪野「労使関係制度見直しの問題点と課題（二）」自治研究86巻６号37～41頁参照）。

なお、争議行為の禁止とは別に非現業公務員の労働協約締結権の否認についてその合憲性を判断した最高裁判決としては、昭和53年3月28日の第三小法廷判決があるが、同判決は、前記全農林事件判決等を引用し、争議行為禁止の論拠である勤務条件法定主義と財政民主主義を労働協約締結権否認の論拠としている。

第４節　地公労法非適用職員の団結権及び交渉権

１　団結権

⑴　職員団体の目的

法第52条第１項は、職員団体とは、「職員がその勤務条件の維持改善を図ることを目的として組織する団体又はその連合体をいう」と規定する。ここでいう「勤務条件」とは、職員が地方公共団体に対し勤務を提供するについて存する諸条件で、職員が自己の勤務を提供し、又はその提供を継続するかどうかの決心をするに当たり、一般的に当然考慮の対象となるべき利害関係事項であるもの（昭33.7.3法一発19）である。ところで、労組法第２条では、労働組合とは、労働者が主体となって自主的に労働条件の維持改善その他経済的地位の向上を図ることを主たる目的として組織する団体又はその連合体をいうと規定されており、労働組合が他に従たる目的を有することを認めている。これに対し、法第52条第１項の規定上は、「主たる」目的とされていないが、労働組合と同様、職員団体が勤務条件の維持改善以外の従たる目的を持つことを禁止すべき特別の理由はない。したがって、職員団体の目的は、職員の勤務条件の維持改善を図ることを主たる目的としていれば足りるものであり（昭40.8.12自治公発35）、職員団体が親睦的、社交的あるいは文化的目的等を従たる目的として併せ持つことは差し支えない。

⑵　職員団体の組織

⒜　職員団体を組織する職員

職員団体は、「職員」が組織する団体である（法52条１項）。企業職員及び特定地方独立行政法人の職員は、法第52条の適用は除外されているので本条第１項の職員ではない。地公労法附則第５項の単純労務職員は、同項により本条も準用されているのでここでいう職員であり、職員団体も組織することができる。また、法第52条第２項は、同条第１項の「職員」とは、警察職員及び消防職員以外の職員をいうと規定する。これらの職員は、同条第５項により職員団体を結成し、又はこれに加入してはならないとされているからであり、警察職員又は消防職員が職員団体を結成し、又はこれに加入した場合には、法第52条第５項違反として懲戒処分の対象となる。

⒝　職員団体の構成員

職員団体は、法第52条第１項の「職員」が組織する団体であるが、それは職員団体の構成員の主体が「職員」でなければならないということであり、若干の「職員」以外の者が加入していても職員団体でなくなるものではない。すなわち、職員団体の構成員としては、「職員」が主たる構成員であれば足りるものであり（昭40.8.12自治公発35）、企業職員、国家公務員、民間企業の勤労者等も非「職員」として職員団体に加入することができる。この場合、どの程度の割合の者が「職員」であることを要するかについては、「職員」が主体として組織するという以上は、少なくとも構成員の過半数は「職員」である必要があるといえよう。なお、このような職員団体は、職員団体の登録を受けることはできない（法53条４項）。

⒞　オープンショップ制

法第52条第３項本文は、「職員は、職員団体を結成し、若しくは結成せず、又はこれに加入し、若しくは加入しないことができる。」と規定する。すなわち、職員の身分と職員団体との関係について、地方公務員法は、クローズドショップ制（特定の労働組合に加入している者のみが採用され、除名あるいは脱退等により組合員資格を失った者は解雇される）やユニオンショップ制（採用に当たっては特定の労働組合の組合員であることは必要としないが、いったん採用された者は一定期間内に特定の労働組合に加入しなければ解雇され、また、除名あるいは脱退等により組合員資格を失った者は解雇される）を否定し、いわゆるオープンショップ制をとることを明らかにしているのである。これは、平等取扱いの原則（法13条）、任用における能力実証主義（法15条）、職員の身分保障（法27条による免職事由の法定）等からして当然のことであるが、念のため規定しているものである。

(d)　管理職員等と一般職員との区分

法第52条第３項ただし書きは、①重要な行政上の決定を行う職員、②重要な行政上の決定に参画する管理的地位にある職員、③職員の任免に関して直接の権限を持つ監督的地位にある職員、④職員の任免、分限、懲戒若しくは服務、職員の給与その他の勤務条件又は職員団体との関係についての当局の計画及び方針に関する機密の事項に接し、そのためにその職務上の義務と責任とが職員団体の構成員としての誠意と責任とに直接に抵触すると認められる監督的地位にある職員、⑤その他職員団体との関係において当局の立場に立って遂行すべき職務を担当する職員（以下、「管理職員等」という）と管理職員等以外の職員とは、同一の職員団体を組織することができず、管理職員等と管理職員等以外の職員とが組織する団体は、この法律にいう「職員団体」ではない、と規定する。これは、管理職員等が一般職員の職員団体に加入することを認めるとその職員団体は御用組合化するおそれがあり、また、一般職員が管理職員等の職員団体に加入することを認める場合には一般職員の職員団体の切崩しが行われるおそれがあるので、管理職員等と一般職員とは同一の職員団体を組織することができないとしたものである。

管理職員等の範囲は、人事委員会規則又は公平委員会規則で定められる（法52条４項）。具体的には、上記①及び②については本庁の部長、次長、課長が、

③については人事担当部課長及び出先機関の長が、④については課長補佐及び人事、給与、服務、職員団体、予算、庁中取締り又は法規審査担当の係長、部の主管課又は出先機関を統括する課の庶務担当の係長、出先機関の次長・課長が、⑤については人事、給与又は服務担当の主事、法規審査担当の主事、職員団体担当の主事、秘書及び守衛長がそれぞれ該当するであろう。

⑶　職員団体の登録

(a)　職員団体の登録要件

地方公務員法は、職員団体が自主的かつ民主的に組織されていることを公証する制度として、職員団体の登録制度を設けている。法第53条第１項では、職員団体は、条例で定めるところにより、理事その他の役員の氏名及び条例で定める事項を記載した申請書に規約を添えて人事委員会又は公平委員会に登録を申請することができるとされている。そして、この規約には、少なくとも、①名称、②目的及び業務、③主たる事務所の所在地、④構成員の範囲及びその資格の得喪に関する規定、⑤理事その他の役員に関する規定、⑥法第53条第３項に規定する事項を含む業務執行、会議及び投票に関する規定、⑦経費及び会計に関する規定、⑧他の職員団体との連合に関する規定、⑨規約の変更に関する規定及び⑩解散に関する規定が記載されていなければならない（法53条２項）。

さらに、職員団体が登録される資格を有し、及び引き続き登録されているためには、規約の作成又は変更、役員の選挙その他これらに準ずる重要な行為が、すべての構成員が平等に参加する機会を有する直接かつ秘密の投票による全員の過半数（役員の選挙については、投票者の過半数）によって決定される旨の手続を定め、かつ、現実に、その手続によりこれらの重要な行為が決定されることが必要とされている（法53条３項本文）。ただし、連合体である職員団体にあっては、すべての構成員が平等に参加する機会を有する構成団体ごとの直接かつ秘密の投票による投票者の過半数で代議員を選挙し、すべての代議員が平等に参加する機会を有する直接かつ秘密の投票によるその全員による過半数（役員の選挙については、投票者の過半数）によって決定される旨の手続を定め、かつ、現実に、その手続により決定されることをもって足りる（同項ただし書き）。

また、職員団体が原則として同一の地方公共団体の法第52条第１項の「職員」のみをもって組織されていることも登録要件の一つとされている（法53条４項）。これは、「職員」の勤務条件がその職員の所属する地方公共団体の条例で定められることから、その地方公共団体の「職員」のみで組織される職員団体が当局と交渉する職員団体として、また登録による後述の便宜を与える職員団体として、最も適切な団体であるとされているのである。ただし、免職処分を受けて１年以内又は争訟中の者及び非職員である役員を構成員とすることは、例外として認められている（同項ただし書き）。

そして、人事委員会又は公平委員会は、登録を申請した職員団体が以上に掲げた登録要件を具備しているときは、条例で定めるところにより、規約及び申請書の記載事項を登録し、当該職員団体にその旨を通知することとされている（法53条５項前段）。職員団体の登録に関する条例（案）の準則によれば、人事委員会は、登録の申請を受けた日から30日以内に、登録をした旨又はしない旨を、申請をした職員団体に通知しなければならないとしている（昭41.6.21自治公発48）。このような所定の期間内に登録機関が通知をしないとき又は登録をしない旨を通知したときは、これに不服のある職員団体は、行政不服審査法に基づく審査請求をすることができる。

(b)　職員団体の登録の効果

登録を受けた職員団体については、登録を受けない職員団体に比し、次のような付加的利便が認められている。第１に、地方公共団体の当局は、登録を受けた職員団体から適法な交渉の申入れがあった場合は、その申入れに応ずべき地位に立つものとされている（法55条１項）。すなわち、交渉の申入れに応ずることを法律上の義務としているのである。第２に、登録を受けた職員団体は、法人となる旨を人事委員会又は公平委員会に申し出ることにより法人となることができるものとされている（職員団体等に対する法人格の付与に関する法律３条１項３号）。第３に、職員は、任命権者の許可を受けて登録を受けた職員団体の役員としてその業務に専ら従事することができるとされている（法55条の２第１項ただし書き）。

(c)　職員団体の登録の効力の停止及び取消し

ⅰ）　登録の効力の停止及び取消しの事由及び手続

登録を受けた職員団体が職員団体でなくなったとき、登録要件を具備しなくなったとき又は規約若しくは申請書の記載事項に変更が生じたにもかかわらず届出をしなかったときは、人事委員会又は公平委員会は、条例で定めるところにより、60日を超えない範囲内で当該職員団体の登録の効力を停止し、又は当該職員団体の登録を取り消すことができる（法53条６項）。登録の停止は、軽度の登録資格違反の場合に、当該職員団体が必要な補完措置をとることを期待して一時的にこれを登録を受けない職員団体と同様の地位に置くこととするものである。停止期間中に違反状態が治癒されれば、登録機関は停止を解除するが、停止期間中に違反状態が治癒されないときには、登録機関は登録の取消しをしなければならない。登録の停止を行うか登録の取消しを行うかはそれぞれの場合の登録資格違反の状況に応じて、登録機関が裁量によって決定すべきものである。登録の取消しは、職員団体に重大な影響を与える処分であるので、その手続に慎重を期するため、人事委員会又は公平委員会は、職員団体の登録の取消しに係る聴聞の期日における審理を、当該職員団体から請求があったときは、公開して行われなければならないとされている（法53条７項）。また、職員団体の登録の取消しは、当該処分の取消しの訴えを提起することができる期間内及び当該取消しの訴えの提起があったときはその訴訟の継続中は、取消しの効力を生じないとされている（法53条８項）。

ⅱ）　登録の効力の停止及び取消しの効果

登録の効力を停止された職員団体は、その期間中は、登録を受けない職員団体と同じ地位に置かれる。すなわち、その職員団体から交渉の申入れを受けた地方公共団体の当局は、その申入れに応ずべき法律上の地位には立たないものであり（法55条１項参照）、また、その期間中に申請があった在籍専従の許可や登録職員団体としての法人格の取得を認めることはできないものである。ただし、停止前に既に認められている在籍専従職員の地位に影響を及ぼすものではなく、また、既に取得している法人格を失うことにもならない。

これに対して、登録が取り消されたときは、地方公共団体の当局がその職員団体からの交渉申入れに対しこれに応ずべき法律上の地位に立たなくなること、新たな在籍専従の許可や法人格の取得ができなくなることは当然として、既に認められている在籍専従の許可も取り消され（法55条の２第４項)、既に取得している登録職員団体としての法人格も失うこととなる。

⑷　役員選出の自由

法第53条第５項後段は、人事委員会又は公平委員会が職員団体の登録に際し、「職員でない者の役員就任を認めている職員団体を、そのゆえをもつて登録の要件に適合しないものと解してはならない。」と規定している。「役員」とは執行権を持つ機関の構成員及び監査権限を持つ機関の構成員をいうものであり、通常は委員長、副委員長及び書記長の組合三役と中央執行委員及び監事であるが、このような規定が置かれているのは、職員団体の役員は必ずしも職員団体の構成員に限られるものでなく、したがって、同一の地方公共団体の「職員」で組織される登録職員団体であっても、役員は「職員」でないものが就任することはあり得ることであるので、そのことゆえに登録要件なしとすることのないよう、念のため明らかにしているのである。

このような規定が置かれている背景には、ILO第87号条約の代表者選出自由の原則がある。同条約第３条第１項は、「労働者団体及び使用者団体は、その規約及び規則を作成し、自由にその代表者を選び、その管理及び活動について定め、並びにその計画を策定する権利を有する」と規定し、また、同条第２項は、「公の機関は、この権利を制限しまたはこの権利の合法的な行使を妨げるようないかなる干渉をも差し控えなければならない」と規定している。昭和40年の同条約批准前の地方公務員法の解釈としては、職員団体の役員もすべて職員の中から選任すべきものと解されており、また、このことは、当時の公共企業体等労働関係法第４条第３項で明文で規定されていた。そこで、国鉄当局が、昭和32年の春闘で免職されて職員でなくなった者を役員に選任した組合との団交を拒否したことから、総評と機関車労組が労働組合権の侵害としてILOに提訴したのが、いわゆるILO第179号事件であり、この事件を契機として昭和40

年、我が国がILO第87号条約を批准し、併せて関係の国内公務員労働法制の改正が行われたのである。法第53条第５項後段も、役員選出の自由を保障する趣旨で、この改正により明文化されたのである。

⑸　職員団体の法人格

ⓐ　地方公務員法旧第54条による法人格取得

平成20年12月の改正以前の法旧第54条により、登録を受けた職員団体は、法人となる旨を人事委員会又は公平委員会に申し出ることにより法人となることができるとされていた。したがって、職員団体が地方公務員法により法人格を取得するためには、当該団体が職員団体であること及び当該職員団体が登録されていることが必要であった。

職員団体は、法人格を取得することにより規約の目的の範囲内において、権利能力を有することになる。すなわち、職員団体自身の名前で財産を取得し、契約を締結することができる等、経済活動を行ううえでの便宜を得ることができる。

ⓑ　法人格付与法による法人格の取得

このように、地方公務員法上職員団体が法人格を取得するためには、登録職員団体であることが必要であったため、他の地方公共団体の職員、企業職員、国家公務員、民間企業の労働者等が加入している職員団体は、登録職員団体になれないため法人格の取得もできなかった。しかし、これらの職員団体も団体である以上自らの名前で財産を取得したり、契約を締結したりする必要はある。このような事情は、国家公務員法上の職員団体も同じである。そこで、労働団体の要請に応じ、国家公務員法及び地方公務員法上登録を受けることができない職員団体と併せて職員団体ではない一定の連合団体に対し、職員団体等に対する法人格の付与に関する法律（昭53.6.21法律80、以下、「法人格付与法」という）により法人格を取得する途を開いた。

同法により法人格を取得できる団体は、①国家公務員法上の非登録職員団体、②地方公務員法上の非登録職員団体、③国家公務員法上の職員団体と地方公務員法上の職員団体の連合団体及び④国家公務員法上の職員団体又は地方公務員法上の職員団体と労働組合法上の労働組合の連合団体（ただし、国公法108条の２第１項又は法52条１項の適用される職員が総構成員の過半数を占めていることを必要とする）であった。法人格付与法は、①を国家公務員職員団体と、②を地方公務員職員団体と、③及び④を混合連合団体と呼び、①から④までを総称して「職員団体等」と呼んでいた。そして、法人格付与法旧第３条第１項により、職員団体等は、その規約について認証機関の認証を受けたうえで、職員団体等の主たる事務所の所在地で登記することにより法人となることができるとされていた。

(c)　公益法人改革に伴う法人格付与制度の整理

平成20年12月の一般社団法人及び一般財団法人に関する法律等の施行に伴い、民法上の法人関係規定の大部分（旧民法38条から84条）が削除され、一般の法人は、一般社団法人及び一般財団法人に関する法律の適用を受けることとなったが、公務員法上の法人である職員団体等については、基本的に旧民法と同様の取扱いとすることとされた。このため、地方公務員法上の登録職員団体については、旧第54条中の民法準用規定に代わり、独自に旧民法中の公益法人並みの法人関係規定を整備する必要が生じたが、そのような膨大な規定を地方公務員法中に追加することは、法の条文全体のバランスを失することとなる。このため、同様の事情を抱えていた法人格付与法による法人格取得団体と合わせて、法人格マターに関する法律である法人格付与法において法人関係規定を整備することとなり、同時に登録職員団体に対する法人格付与の根拠規定を地方公務員法から法人格付与法に移すこととなった。この結果、地方公務員についていえば、法第54条は削除され、法人格付与法第３条第１項第３号に地方公務員の登録職員団体への法人格付与の根拠規定が置かれた（申出によることは、従前と同じ）。これに伴い、登録職員団体以外の職員団体を「職員団体等」として、従前どおり認証機関の認証を受け、設立の登記をすることにより法人格を取得するとした（法人格付与法３条２項）。そのうえで、法人格付与法の第11条以下で、登録職員団体とその他の職員団体等に共通の法人関係規定が適用される仕組みとされた。

なお、登録職員団体以外の職員団体等の認証要件や認証機関は、従前どおりである。すなわち、認証の要件として、規約に法人格を有する団体として取り扱うにふさわしい記載事項の記載があること、規約に一定の重要事項が民主的にして公正な手続で決定されるべき旨の定めがあること等が要求されている（法人格付与法５条等）。また、規約の認証機関は、①国家公務員職員団体並びに②国家公務員が主たる構成員である混合連合団体及び③全国的な組織を有する混合連合団体でこれを構成する団体に国家公務員法にいう職員団体を含むものについては、人事院等、④地方公務員職員団体並びに⑤上記②及び③以外の混合連合団体については、その構成員の状況に応じ政令で定める人事委員会又は公平委員会とされている（法人格付与法９条及び職員団体等に対する法人格の付与に関する法律第９条第４号及び第７号の人事委員会又は公平委員会を定める政令）。

２　交渉権

法第55条第１項では、地方公共団体の当局は、登録を受けた職員団体から勤務条件等に関し適法な交渉の申入れがあったときは、その申入れに応ずべき地位に立つものとすると規定する。これは、前述のように同一の地方公共団体の「職員」で組織される職員団体が当該地方公共団体の当局と交渉する団体として最も適切であることから、そのような要件を具備している登録職員団体からの適法な交渉の申入れについては、これに応ずることを地方公共団体の法律上の義務としたものである。これに対し、非登録職員団体からの適法な交渉の申入れに対しては、当局はその申入れに応ずべき法律上の義務はないが、職員の勤務条件の維持改善を図るという職員団体の目的に照らし、できる限り申入れに応ずることが望ましい運用といえよう。なお、同条第11項は、職員は、職員団体に属していないという理由で、勤務条件等に関し、不満を表明し、又は意見を申し出る自由を否定されてはならないと規定する。職員のこのような自由は法律の規定を待つまでもなく当然のことであるが、職員団体に勤務条件等についての交渉権を認めることとの対比において、職員が職員団体に加入していないがゆえに、勤務条件等について不満を表明し、又は意見を申し出ることができないと誤解されることがないように、念のために明らかにしたものである。

⑴　交渉事項

ⓐ　勤務条件等

地方公共団体の当局と職員団体との交渉の対象となる事項は、職員の給与、勤務時間その他の勤務条件及びこれに付帯する社交的又は厚生的活動を含む適法な活動に係る事項とされている（法55条１項）。ここで勤務条件とは、職員が地方公共団体に対し勤務を提供するについて存する諸条件で、職員が自己の勤務を提供し、又はその提供を継続するかどうかの決心をするに当たり一般的に当然考慮の対象となるべき利害関係事項であると解されている（昭33.7.3法一発19）。具体的には、地公労法第７条で団体交渉の対象とされている事項と同様に、給与、勤務時間、休憩、休日及び休暇に関する事項、昇任、降任、転任、免職、休職、先任権及び懲戒の基準に関する事項、労働安全衛生に関する事項等であり、その他旅費、執務環境等がある。これに対し、勤務条件に付帯する社交的又は厚生的活動を含む適法な活動に係る事項としては、勤務条件の範囲が広いため、あまり考えられないが、職員団体主催の運動会等への地方公共団体の協力に関すること等が考えられる。

ⓑ　管理運営事項

次に、法第55条第３項は、「地方公共団体の事務の管理及び運営に関する事項は、交渉の対象とすることができない。」と規定する。これが管理運営事項と呼ばれるものであるが、これは、地方公共団体の当局がその本来の職務権限として、自らの判断と責任に基づいて執行すべき事務であると解されている（昭40.8.12自治公発35）。そのような事項は、地方公共団体が住民の負託を受けて専らその行政上の責任において執行すべきもので、職員団体と責任を分かち合うことができないものであるからである。具体的には、組織に関する事項、行政の企画・立案・執行に関する事項、予算の編成・執行に関する事項、議案の提出に関する事項、職員の定数・配置に関する事項、昇任、降任、転任、免職、休職、懲戒処分等の個別の任命権の行使に関する事項、公租公課に関する事項、争訟に関する事項、財産・公の施設の設置・取得・管理・処分に関する事項などが該当する。ただし、これらの管理運営事項の処理の結果として影響を受けることがある勤務条件については、管理運営事項自体は交渉の対象とならないがその勤務条件は交渉の対象となる。例えば、個別の転任発令は管理運営事項であり交渉の対象とならないが、転任の結果としての通勤手当支給や職員住宅の貸与は交渉事項となる。

⑵　交渉の当局

法第55条第４項は、「職員団体が交渉することのできる地方公共団体の当局は、交渉事項について適法に管理し、又は決定することのできる地方公共団体の当局とする。」と規定する。ここで、「交渉事項について適法に管理し、又は決定することのできる」とは、法令、条例、規則その他の規程等により、当該事項について企画・立案し、決定し、執行・管理する等の権限を有することをいう。したがって、地方公共団体の内部では、条例や規則等で各機関の所掌事務が定められており、例えば、教育職員の勤務条件については教育委員会が、議会事務局の職員の勤務条件については議長が交渉の当局となるのであり、一般的には長がこれらの部局の職員の勤務条件について交渉の当局となることはない。したがって、教育委員会の職員と長部局の職員とが混在する職員団体の場合には、教育委員会の職員の勤務条件については教育委員会が当局となり、長部局の職員の勤務条件については長が交渉の当局となる。最もその位置付けに注意を要するのは、地公労法適用職員の労働組合と地公労法非適用職員の職員団体が連合して交渉を求めてくる場合である（いわゆる三者共闘、市労連交渉等）が、このような連合は職員団体でも労働組合でもなく、したがって、このような交渉は地方公務員法上の交渉でも地方公営企業等の労働関係に関する法律上の団体交渉でもなく、出席者のいずれが当局となるかにつき混乱を招きやすく、また、その結果として何らかの取決めをした場合にそれが書面協定か労働協約か単なる備忘録かという疑義を生ずることにもなるので、できるだけ求めに応じないことが望ましい。どうしても求めに応ぜざるを得ないとすれば、交渉ではなく事実上の話合いに過ぎないとの位置付けを明確にしたうえで、実際の話合いの場においては、それぞれの当局とそれぞれの職員団体又は労働組合との間の共通認識の醸成に努めるにとどめ、具体的な勤務条件に関する交渉は、改めてそれぞれの事項についての当局とそれぞれの職員団体又は労働組合との間の交渉又は団体交渉によることとすべきである。

なお、退職手当について一部事務組合を設置してその事務を処理している場合に、その組合が単に退職手当の計算事務を共同処置しているのではなく、退職手当条例の制定を含め退職手当に関する一切の事務を共同処理しているのであれば、その一部事務組合の管理者が、加入市町村の職員団体との退職手当に関する交渉の当局となる（昭45. 11. 29公務員第一課長決定）。

⑶　交渉手続

(a)　予備交渉

「交渉は、職員団体と地方公共団体の当局があらかじめ取り決めた員数の範囲内で、〔中略〕行なわなければならない。交渉に当たつては、職員団体と地方公共団体の当局との間において、議題、時間、場所その他必要な事項をあらかじめ取り決めて行なうものとする。」（法55条５項）。このあらかじめの取決めを予備交渉と呼んでいる。予備交渉は、秩序ある交渉を確保するための条件として法律上定められたものであり、予備交渉を行わない場合及び予備交渉が整わなかった場合には、本来の交渉に応ずる必要はない。予備交渉において決定すべき事項については、以下のとおりである。

ｉ）　員数　　当局側、職員団体側それぞれの交渉に当たる者の員数である。法律上何人までといった限定はないが、議題を能率的に交渉するために必要かつ充分な員数であればよく、通常は、双方それぞれ５名から10名といったところが適当である。実際には、職員団体側が多数の者を動員し、集団によって圧力をかけようとする交渉が見受けられるが、このような交渉は正常な交渉ではない。「団体交渉」という用語が、「集団交渉」を意味すると誤解されている傾向もあるが、団体交渉とは、団体を代表する者による交渉（Collective Bargaining）を意味し、集団で交渉することを意味するものではない。なお、予備交渉では、交渉に当たる者の氏名まで取り決めることは法律上は求められていないが、予備交渉の際に、又はその後本交渉までの間に出席者名簿を交換するような慣行を確立することが望ましい。

ⅱ）　議題　　交渉の議題は、職員の勤務条件又はこれに付帯する社交的又は厚生的事項である。交渉議題として出されてくるものには種々のものがあるので、予備交渉で十分その内容を整理しておく必要がある。勤務条件といえないものや管理運営事項は、交渉議題からはずし、また、全庁的な重要事項と職場要求的な細目的事項を区分して、上級レベルの交渉では重要事項のみを議題とし、細目的な事項については交渉のレベルを変えて交渉するようにして、交渉の能率と実効を図る必要がある。

ⅲ）　時間　　交渉の日時と交渉時間（交渉開始時間と終了時間）を決めておく必要がある。交渉時間は、議題によって長短はあるが、あまりに長時間の交渉や深夜に及ぶ交渉は、心身に有害で他の執務にも影響を及ぼすので、常識的にみて合意に達し得る合理的な時間、２ないし３時間程度で設定するのが適当である。それで合意に達しないならば、一旦交渉を打ち切り、論点を整理し直して、予備交渉を経て、再度の交渉を行う方がより効率的である。

ⅳ）　場所　　交渉の場所は、通常は庁舎内の会議室等である。庁舎管理権は、当局側にあるので、交渉にふさわしい場所を当局側の責任をもって提供し、室内のレイアウト等も不正常な交渉を招かないよう配慮する必要がある。なお、他の公務との関係等で、庁舎内に適当な場所を確保できないときは、庁舎外の場所を定めても差し支えない。

ⅴ）　その他必要な事項　　その他記録の取扱い、交渉員名簿の交換等必要なことを適宜定めることとなるが、次項の規定により職員団体から交渉の委任を受けた者を除き、第三者（オブザーバー、オルグ等）が出席する可能性があるときには、その出席を認めないことを明確に取り決めておくべきである。そのような者が出席することにより、自由な交渉に圧力を加え、当事者間の円滑な意思疎通を妨げることとなるおそれがあるからである。

⒝　交渉に当たる者

交渉は、予備交渉で取り決めた員数の範囲内で「職員団体がその役員の中から指名する者と地方公共団体の当局の指名する者との間において行なわなければならない。」（法55条５項）。この場合において、「特別の事情があるときは、職員団体は、役員以外の者を指名することができるものとする。ただし、その指名する者は、当該交渉の対象である特定の事項について交渉する適法な委任を当該職員団体の執行機関から受けたことを文書によつて証明できる者でなければならない。」（同条６項）。職員団体が指名することができる「役員」とは、通常は組合三役と中央執行委員及び監事であるが、役員以外の者を指名できる「特別の事情があるとき」とは、例えば、特殊の勤務に従事している職員の勤務条件が議題とされている場合に、役員でないが当該職員の中から交渉に当たる者を選ぶ必要がある場合、交渉事項について職員団体側に十分な知識経験がないため、役員でないが特に知識経験を有する弁護士等の第三者を交渉に当たる者とすることが必要な場合などである。特別の事情は、第一次的には職員団体が判断するが、その判断には客観性がなければならず、例えば、単に上部団体の役員であるからという理由だけでその者を交渉に当たる者に指名することはできない。当局の指名する者は、通常は議題につき権限を有するその部下職員であり、例えば知事が当局の場合は、副知事、総務部長、人事課長等が指名されるのが普通であるが、職員以外の者、例えば専門的な法律事項について弁護士を指名することもできる。

(c)　交渉の打切り

交渉は、次の３つの事由のいずれかに該当したときは、これを打ち切ることができる（法55条７項）。このような事由が生じたときは、交渉が本来の目的を達し得ないことが明らかであるので、当局側、職員団体側いずれからでも、一方的に打切りを宣言し、退席することができるのである。

ⅰ）　法第55条第５項又は第６項の規定に適合しないこととなったとき。

予備交渉の取決事項に反することとなったとき、例えば、予備交渉で定めた員数以上のものが出席してきたとき、あらかじめ定めた議題以外の議題が持ち出されてきたとき、予備交渉で定めた時間の終期を超えたときなどと、交渉に当たる者に関する規定に反することとなったとき、例えば、交渉の席に第三者が出席してきたとき、職員団体が指名した役員でない者が適法な委任を受けたことを文書で証明しなかったときなどである。

ⅱ）　他の職員の職務の遂行を妨げることとなったとき。

ⅲ）　地方公共団体の事務の正常な運営を阻害することとなったとき。

交渉が喧騒にわたり、シュプレヒコールや座込み、ピケ等によりⅱ）やⅲ）のごとき事態を生ずるとすれば、それは本来の交渉とは言い難い不正常な交渉であり、当局としては速やかに交渉を打ち切り、必要があれば庁舎管理権の適切な発動により、事態の正常化を図らなければならない。

(d)　勤務時間中の交渉

法第55条に規定する適法な交渉は、勤務時間中においても行うことができる（法55条８項）。官民を問わず組織内組合が多いという我が国の労働運動の現実に配慮し、職員の団結権と交渉権を尊重する趣旨で、勤務時間中に交渉を行う便宜を認めたものであり、職員団体の交渉に当たる役員が職員である場合には、法第35条に規定する法律による職務専念義務の免除に該当する。

(4)　書面協定

交渉の結果合意に達したときは、「職員団体は、法令、条例、地方公共団体の規則及び地方公共団体の機関の定める規程にてい触しない限りにおいて、当該地方公共団体の当局と書面による協定を結ぶことができる。」（法55条９項）。法第55条の交渉、すなわち地公労法非適用職員の行う交渉は団体協約を締結する権利を含まないものである（法55条２項）。その理由は、これらの職員の勤務条件は勤務条件法定主義により民主的統制の下に条例で定めることとされているので、拘束的な性格を有する団体協約（労働協約）でその勤務条件を定めることは不必要でもあるし、不適当でもあるからである。したがって、職員団体と当局とが行う交渉は、勤務条件に関する話合い（Negotiation）をその本質とするものであり、そこで達した合意については、紳士的、道義的な約束としてその実現に努めることが期待されているものであるといえよう。このような見地から、法第55条第10項は、「前項の協定は、当該地方公共団体の当局及び職員団体の双方において、誠意と責任をもつて履行しなければならない。」と規定し、その道義的責任を明らかにしているのである。また、書面協定が、法令、条例等に抵触することを許されないのも、交渉及びその結果としての書面協定が拘束性のないものであるからであり、法令、条例等に抵触する書面協定は、その限りで無効である。したがって、現行の条例を改正する必要のある勤務条件の改善について書面協定を締結する場合には、条例に抵触する協定とならないよう、「改善に努める」あるいは「条例の改正に努める」といった表現に止める必要があり、議会に条例改正案を提出すれば、それが議会で否決されたとしても、当局としての道義的責任は果たされたこととなる。なお、書面協定は必ず締結しなければならないものではなく、合意に達した事項が口頭の約束で誠意をもって守られていくという成熟した労使関係にあるような場合には、あえて書面協定を結ぶ必要もないのである。

３　職員団体のための職員の行為の制限とその特例

地方公務員は、本来、全体の奉仕者として公共の利益のために勤務し、かつ、職務に専念する義務を負うものである（法30条等）から、勤務時間中に組合活動を行うことはできないのが原則である。ただ、官民を問わず組織内組合が多いという我が国の労働運動の実態に配慮し、職員の団結権と交渉権を尊重する趣旨で、地方公務員法上勤務時間中の組合活動を一定の場合に認めている。その１つが、前述の勤務時間中の適法な交渉（法55条８項）であり、いま１つがここで説明する在籍専従制度（法55条の２）である。したがって、これらの規定は、勤務時間中に組合活動を行うことができないという原則に対し、当局が職員団体活動のために特に便宜を提供し得ることを限定して認めた例外規定であり、その拡大解釈や濫用を行わないよう厳格な運用に努めなければならない。

(1)　在籍専従制度

「職員は、職員団体の業務にもつぱら従事することができない。ただし、任命権者の許可を受けて、登録を受けた職員団体の役員としてもつぱら従事する場合は、この限りでない。」（法55条の２第１項）。在籍専従の許可は、「任命権者が相当と認める場合に与えることができるもの」とされており（同条２項）、許可が任命権者の自由裁量処分であることが明確にされている。したがって、職員から在籍専従の許可申請があった場合、任命権者は、自由な立場で、当該職員を職務に従事させないことによる事務管理上の都合等を勘案のうえ、許可するかどうかを決定すればよいのである。

在籍専従の期間は、職員としての在職期間を通じて５年を超えることができない（法55条の２第３項）。ただし、平成９年法律第８号により法附則第20項が追加され、当分の間、法第55条の２第３項中「５年」とあるのは「７年以下の範囲内で人事委員会規則又は公平委員会規則で定める期間」とするとされている。

在籍専従の許可は、「当該許可を受けた職員が登録を受けた職員団体の役員として当該職員団体の業務にもつぱら従事する者でなくなつたときは、取り消されるものとする。」（法55条の２第４項）。在籍専従の許可は、職務専念義務の特例であり、一定の要件の下に例外的に認められるものであるので、その要件が満たされなくなったときは、当然取り消されなければならない。これを取り消さずに放置しているとすれば、当該職員が職務専念義務に違反するだけでなく、任命権者も服務上の監督を行う義務に違反することとなる。

在籍専従の許可を受けた職員は、「その許可が効力を有する間は、休職者とし、いかなる給与も支給されず、また、その期間は、退職手当の算定の基礎となる勤続期間に算入されないものとする。」（法55条の２第５項）。在籍専従の許可を受けた職員は、休職者とされることから、職を保有するが職務に従事しないこととなり、職務専念義務が免除される。本項は、法第35条に規定する法律により職務専念義務が免除される場合に該当する。また、給与は、職員として本来の職務に従事したことへの対価である以上、職員団体の業務にもっぱら従事する職員に給与を支給すべきでないことは当然であり、また、退職手当についても、それが職員としての勤務に対する一種の報償としての性格を有することにかんがみ、退職手当の算定の基礎となる勤続期間には算入しないこととされているのである。

⑵　組合活動への給与の不支給

法第55条の２第６項は、「職員は、条例で定める場合を除き、給与を受けながら、職員団体のためその業務を行ない、又は活動してはならない。」と規定する。組合活動は、憲法で認められた労働基本権に基づくものではあるが、公務ではなく、私的活動であるので、これに対する給与の支給は、基本的にはあり得ないからである。したがって、条例で例外を定めることができるとされているが、それは特別の合理的な理由がある場合に限られるべきである。この特例については、「職員団体のための職員の行為の制限の特例に関する条例（案）」準則が示されている（昭41. 6. 21自治公発48）が、この準則では、次の２つの場合に限って、職員が給与を受けながら職員団体のためその業務を行い、又は活動することができるとされている。

① 法第55条第８項の規定に基づき、適法な交渉を行う場合

② 時間外勤務代休時間、休日及び休日の代休日並びに年次有給休暇及び休職の期間

これらのうち、①については、勤務時間中に適法な交渉を行うことができることは地方公務員法上も規定されていることでもあり、職員団体の最も本来的な活動でもあることから、在籍専従職員を除く適法な交渉に当たる職員について給与を支給しても差し支えないとされたのである。②については、これらの日又は時間は、給与の支給対象にはなっているがもともと職務に従事する必要のない場合であるので、それらの時間を組合活動に利用したとしても給与を減額しないことを明らかにしたものである。

この特例条例に定める場合を除き、組合活動に対しては給与を支給してはならない。在籍専従職員が無給であることは既に述べたが、運用上認められている組合休暇も無給でなければならない。組合休暇とは、国家公務員の組合業務への短期従事制度（人事院規則17－２第６条）に対応して、行政指導として認められているもので、登録職員団体のために必要不可欠な業務ないし活動に従事する必要がある場合に、休暇条例により年間30日以内で与えられる無給の休暇である（昭43. 10. 15自治公一発35）。無給であるとはいえ、職員には職務専念義務があり、勤務時間中の組合活動は原則として許されないので、組合休暇の付与は、登録職員団体の執行機関、監査機関、議決機関及び諮問機関の構成員と

して当該機関の業務に従事する場合並びに登録職員団体の加入する上部団体のこれらの機関に相当する機関の業務で当該登録職員団体の業務と認められるものに従事する場合に限定して運用することとされている。

４　不利益取扱いの禁止

法第56条は、「職員は、職員団体の構成員であること、職員団体を結成しようとしたこと、若しくはこれに加入しようとしたこと又は職員団体のために正当な行為をしたことの故をもつて不利益な取扱を受けることはない。」と規定する。職員が職員団体を結成し、適法な交渉をはじめとする職員団体活動を行うことは、憲法によって保障された権利であり、当局がこれを理由に不利益な取扱いを行ってはならないことは、あえて法律の規定を待つまでもなく当然のことである。これが地方公務員法に規定された趣旨は、「地方公務員法の実施について」（昭26.1.10地方自治庁通知）によれば、「労働組合法第７条に定める不当労働行為の禁止とその趣旨を同じくするもので、職員団体の結成権を保護しようとするものである」とされている。すなわち、地方公務員法制定当時、職員団体制度に不慣れな当局が職員団体やその活動に不当な干渉を行わないよう念のため戒めた規定であるといってよいであろう。本条も地公労法適用職員には適用除外されているので、ここでいう「職員」とは、地公労法非適用職員のことである。地公労法適用職員については、労働組合法上の不当労働行為制度によることとなる。ただし、単純労務職員には本条も準用されている（地公労法附則５項）ので、単純労務職員の職員団体に関しては本条により、労働組合に関しては不当労働行為制度によることとなる。なお、警察職員及び消防職員には職員団体を結成し又はこれに加入する権利自体が認められていないので、本条の適用はないものであり、これらの職員が職員団体を結成し又はこれに加入するときは法第52条第５項違反として懲戒処分の対象となる。

本条により保護される職員団体のための行為は、「正当な行為」である。したがって、地方公務員法に違反する行為、例えば、争議行為、禁止された政治的行為、職務専念義務に違反する行為、信用失墜行為等や地方公務員法以外の法令に違反する行為は、たとえ職員団体のために行ったとしても、本条の適用はなく、懲戒処分等の対象となる。

本条に違反する不利益な取扱いに対しては、罰則規定はない。地方公共団体の当局が本条に違反することのないよう自ら戒めることが期待されているといってよいであろうが、その不利益取扱いが懲戒処分等の不利益処分であるときは、不利益処分の不服申立ての対象となり、勤務条件について不利益な取扱いをするものであるときは、勤務条件に関する措置要求の対象となることは、いうまでもない。

第５節　地公労法適用職員の団結権及び団体交渉権

１　概　要

地公労法適用職員、すなわち企業職員、単純労務職員及び特定地方独立行政法人の職員の労働関係については、地公企法第39条及び地方独立行政法人法第53条により法第37条、第52条から第56条まで及び第58条が適用除外され、地方公営企業等の労働関係に関する法律によることとされ、原則として労働組合法及び労働関係調整法が適用される。その結果、本章第２節**２**で述べたように、団結権については労働組合法上の労働組合を結成でき、団体交渉権については労働協約締結権を含む団体交渉を行うことができるが、争議行為は禁止されている。また、団結権及び団体交渉権についても、労働組合法及び労働関係調整法に対する特則が地方公営企業等の労働関係に関する法律で規定され、同法に定めのないものについて労働組合法及び労働関係調整法の定めるところによるとされている（地公労法４条）。なお、単純労務職員には、法第52条から第56条も準用されている（地公労法附則５項）ため、職員団体を結成し、地方公務員法上の交渉を行うこともできるが、その場合については、第４節で述べたところによることとなる。以下、代表的地公労法適用職員である企業職員の団結権と団体交渉権について概説する。

２　団結権

企業職員は、労働組合を結成し、若しくは結成せず、又はこれに加入し、若しくは加入しないことができる（地公労法５条１項）。これは、企業職員に労働組合法上の労働組合を結成する権利を認めると同時に、企業職員についても法第13条（平等取扱い原則）、第15条（任用における能力実証主義）等が適用されることから、職員の身分を労働組合員であることと関係付けるクローズドショップ制やユニオンショップ制を否定し、オープンショップ制によることを明らかにしているのである。

労働組合とは、労働者が主体となって自主的に労働条件の改善その他経済的地位の向上を図ることを主たる目的として組織する団体又はその連合体をいうが、次のいずれかに該当するものは、労働組合ではないとされている（労組法２条）。

①　使用者の利益を代表する者の参加を許すもの

②　団体の運営のための経費につき使用者の経理上の援助を受けるもの。ただし、勤務時間中の有給での協議又は交渉、最小限の広さの事務所の供与等を除く

③　共済事業その他福利事業のみを目的とするもの

④　主として政治運動又は社会活動を目的とするもの

上記①は、管理職員等の参加する団体を職員団体としない法第52条第３項と趣旨を同じくするが、管理職員等の範囲は人事委員会規則又は公平委員会規則で定めるのに対応し、利益代表者の範囲は労働委員会が告示することとされている（地公労法５条２項）。労働組合は、労働委員会に証拠を提出して上記労組法第２条及び第５条第２項の組合規約要件に適合することを立証しなければ、労働組合法に規定する法人登記手続、不当労働行為事件の審査手続に参与することができない（労組法５条１項）。

企業職員には勤務条件の措置要求及び不利益処分の不服申立ての制度が適用されないが、不当労働行為について労働委員会に申立てを行うことができる。不当労働行為とは使用者による組合活動の妨害行為をいうものであり、差別待遇、団交拒否、支配介入及び労働委員会に関連しての差別待遇の４つがある（労組法７条）。労働委員会は、申立てを受け、理由があると認めるときは救済命令を発する（労組法27条の12）。

企業職員の労働組合にも在籍専従職員の制度があり（地公労法６条）、その期間、取消要件、専従職員の給与不支給や退職金の扱い等は、職員団体の場合と同様である。組合休暇についても、職員団体の場合と同じ要件の下で認められる（昭43.10.15自治公一発35）。

３　団体交渉権

⑴　団体交渉事項

労働組合は、企業職員に関する次に掲げる事項について、団体交渉の対象とし、これに関し労働協約を締結することができる（地公労法７条）。

①　賃金その他の給与、労働時間、休憩、休日及び休暇に関する事項

②　昇職、降職、転職、免職、休職、先任権及び懲戒の基準に関する事項

③　労働に関する安全、衛生及び災害補償に関する事項

④　①から③に掲げるもののほか、労働条件に関する事項

ただし、地方公営企業等の管理及び運営に関する事項は、団体交渉の対象とすることはできない（地公労法７条ただし書き）。その考え方や内容は、職員団体の交渉の場合の管理運営事項と同様である。したがって、昇任、降任、転任という個別の任用行為や個別の免職、休職及び懲戒処分は管理運営事項として団体交渉の対象とならない。なお、②中「先任権」の基準が団体交渉の対象とされているが、これはアメリカの地方公共団体で税収不足等により複数の職員を一時解雇（レイオフ）し、あるいは一時解雇された職員を再任用する場合に、在職年数の長短等によりより遅く一時解雇され、またより早く再任用される基準のことをいう（注１）。先任権は、我が国では、まだ使われていないが、法第17条の２第３項（旧法では17条５項）にも同趣旨の規定がある。

（注１）　米国の地方公共団体における先任権の基準については、第４章第２節２の（注１）記載の文献を参照されたい。

⑵　労働協約

企業職員の労働組合は、当局と団体交渉の結果合意に達したときは、労働協約を締結することができる（地公労法７条）。労働協約は、書面を作成し労使双方が署名又は記名押印することによって効力を生ずる（労組法14条）。労働協約

の有効期間は３年以内とされ、有効期間の定めのない労働協約は、90日前に予告をすることによって解約することができる（労組法15条）。労働協約で定めた労働条件の基準に違反する労働契約の部分は無効とされ、この場合において無効となった部分は労働協約の基準によることとなる（労組法16条）。すなわち、労働協約は、個々の労働契約に対する規範的効力を有する。企業職員の場合、地方公務員法の任用に関する規定（法15条から22条まで）が全面的に適用されているので、その身分は行政行為である任用行為に基づいており、契約によっているのではないが、その労働条件については、労組法第16条により労働協約の定めるところによることとなる。以上が、労働組合法上の労働協約の基本的枠組みであるが、企業職員の従事する地方公営企業は、民間類似の事業とはいえ地方公共団体が経営する事業であるので、労働協約と地方公共団体特有の条例、予算等による民主的統制との関係を調整する観点から、労働組合法に対するいくつかの特例規定を置いている。

(a)　条例との関係

地方公共団体の長は、地方公営企業において当該地方公共団体の条例に抵触する内容を有する協定が締結されたときは、その締結後10日以内に、その協定が条例に抵触しなくなるために必要な条例の改正又は廃止にかかる議案を議会に付議して、その議決を求めなければならない（地公労法８条１項）。この協定は、当該条例の改正又は廃止がなければ、条例に抵触する限度において、効力を生じない（同条４項）。例えば、企業職員の給与についてもその種類と基準だけは条例で定めることとされている（地公企法38条４項）ので、新たな種類の手当を創設する労働協約を定めた場合、長は、企業職員の給与の種類と基準を定める条例を改正する議案を議会に提出しなければならず、その改正条例案が議会で議決され条例が改正されなければ、当該協約は効力を生じない。長としては、改正議案を議会に提出する義務はあるが、議会は賛否いずれの議決も可能であり、議会がこれを否決したときは、条例に抵触する限度で協定の効力が生じないことが確定することとなる。なお、地公労法第８条から第10条では「協定」という用語を用いているが、これは労働協約だけでなく書面による協定、例えば労基法第24条第１項や第36条の書面協定を含める意味で用いられている。

(b)　規則その他の規程との関係

長その他の地方公共団体の機関は、地方公営企業において、長その他の地方公共団体の機関の定める規則その他の規程に抵触する内容を有する協定が締結されたときは、速やかに、その協定が規則その他の規程に抵触しなくなるために必要な規則その他の規程の改正又は廃止のための措置をとらなければならない（地公労法９条)。これらの規則や規程は長や機関限りで定めるものであるので、労働協約に応じて規則や規程を改める義務を定めたものであるが、企業職員の労働条件のうち、給料表、諸手当の具体的内容、勤務時間、休日、休暇等その大部分は、企業管理規程で定められており、これらの事項につき労働協約に応じ企業管理規程を定めなければならないということは、極めて大きな意味を有することである。

(c)　予算との関係

地方公営企業の予算上又は資金上、不可能な資金の支出を内容とするいかなる協定も、当該地方公共団体の議会によって所定の行為がなされるまでは、当該地方公共団体を拘束せず、かつ、いかなる資金もそのような協定に基づいて支出されてはならない（地公労法10条１項)。そのような協定をしたときは、長は、その締結後10日以内に、事由を付してこれを議会に付議して、その承認を求めなければならず（同条２項)、議会の承認があったときは、当該協定は、それに記載された日付にさかのぼって効力を発生する（同条３項)。

このような予算上又は資金上不可能な支出を内容とする協定が締結される典型的な例としては、既定の予算では不足を生ずるベアや手当の増額等を行う協定を締結した場合であるが、そのような場合には、長は、当該協定の承認案件を議案として議会に提出し、議会は、企業職員の給与の決定基準（地公企法38条）に照らし妥当な協定であるかどうかを含め十分審議し、これを承認するかどうかを決定することになる。議会がこれを承認する場合には、その実行に必要な補正予算案も可決するのが通常である。この点に関連し、補正予算の議決を受ければ、もはや協定は予算上又は資金上支出不可能ではなくなることや、必要な補正予算の審議により議会の予算統制権は確保されるという理由で、議会には協定を実施するために必要な補正予算案だけを提出し、協定は予算の説明資料とすれば足りるとする見解がある。しかし、このような便宜的な取扱いを認める見解は、地公労法第10条第２項が「前項の協定をしたときは」、「これを当該地方公共団体の議会に付議して、その承認」を求めると規定している文言に反するだけでなく、協定そのものに対する議会の認識と評価を低いものとし、ひいては議会の協定に対する予算面からの統制権を適切に行使できなくするおそれがある。したがって、地方公共団体の長は、地方公営企業において予算上又は資金上不可能な資金の支出を内容とする協定が締結されたときは、地公労法第10条に規定するとおり、協定自体を承認案件として議会に付議し、その承認を求めなければならない（昭49.10.15自治公一発42）。その際、付される「事由」としては、協定締結に至った経緯、当該協定締結の必要な理由等、議会がその協定を妥当なものとして承認するかどうかを判断するために必要な情報を客観的にまとめて事由として付すこととなる。

⑶　斡旋、調停、仲裁

企業職員に適用される労働関係調整法においては、民間企業の労働争議について労働委員会による公的な調整として、斡旋、調停、仲裁の３つの方法が法定されている。企業職員は争議行為を禁止されているので、本来の意味での労働争議の調整という意味ではなく、団体交渉がまとまらないという意味での労使の紛争を調整する手段として、労働委員会による斡旋、調停、仲裁を活用することができ、また一定の場合その調整によることが義務付けられる。

①　斡旋　　当事者の申請又は労働委員会の職権により、労働委員会の斡旋員の媒介により当事者間の自主的な解決を促進することを目的とする最も簡便な調整手続であり、労働関係調整法がそのまま適用される（労調法10条～16条）。

②　調停　　調停は、当事者の自主的申請により開始されるのはもちろん、労働委員会の職権又は知事若しくは厚生労働大臣の請求により開始されることもある（地公労法14条）。調停は、労働委員会の委員からなる調停委員会が行い、

調停案を受諾するかどうかは、当事者の任意である。

③　仲裁　　仲裁は調停と異なり、仲裁裁定は労働協約と同一の効力を有することとなる（労調法34条）。したがって、一般の労働組合の場合は当事者双方の意思に基づかない限り開始されないが（労調法30条）、地方公営企業の場合、その公共性にかんがみ、当事者一方の申請、労働委員会の職権、知事又は厚生労働大臣の請求によっても開始される（地公労法15条）。地方公営企業とその職員との間に発生した紛争に係る仲裁裁定に対しては、当事者は、双方とも最終決定としてこれに服従しなければならない（地公労法16条１項）とされ、仲裁裁定が条例等に抵触したり、予算上資金上不可能な資金の支出を内容としたりするものであるときは、それぞれ地公労法第８条、第９条、第10条が準用される（地公労法16条２項、３項）。

４　苦情処理共同調整会議

地方公営企業及び組合は、職員の苦情を適当に解決するため、地方公営企業を代表する者及び職員を代表する者各同数をもって構成する苦情処理共同調整会議を設けなければならない（地公労法13条１項）。苦情処理共同調整会議の組織その他苦情処理に関する事項は、団体交渉で定める（同条２項）。企業職員には、勤務条件の措置要求及び不利益処分の不服申立ての制度がないこともあり、地方公営企業の公共性にかんがみ、職員の苦情を迅速かつ平和的に解決し、もって労使間の紛争が生じないようにすることが望ましいので、このような会議の設置が義務付けられているのである。本条では、労働組合が組織されていない場合は、苦情処理共同調整会議の設置は義務付けていないが、そのような地方公営企業においても、任意の苦情処理のための制度又は組織を設けることは、もとより差し支えない。

補節　公務員の労働基本権制限見直し議論

前節までで述べたように、公務員の労働基本権については、職種別に労働三権の全部又は一部が制限されているが、その中心である公務員の争議行為の禁止及び非現業公務員の労働協約締結権の否認については、これを合憲とする最高裁判決が定着してきている。しかしながら、平成13年以降10年間近く、公務員の労働基本権の制限のあり方を再検討しようとする機運が生じ、特に平成21年９月の民主党政権成立以降はその動きが加速され、非現業公務員に労働協約締結権等を付与するための政府提出法案が相次いで国会に提出されるに至った。これまでも、官公労働組合とそれを支持母体とする一部の政党や一部の学識経験者が、非現業公務員の労働基本権の制限の見直しを主張し、そのための法改正運動に取り組むことはあったが、そのための具体的な法案が国会に政府から提出されたのは、マッカーサー書簡に基づき公務員の労働基本権が制限されて以降初めてのことであった。もっとも、結果としてこれらの法案は、国会で実質的な審議が行われることなく、平成24年11月16日の衆議院解散により全て廃案となり、公務員の労働基本権の制限は現行のままということになったところであるが、問題の重要性にかんがみ、ここで、この公務員の労働基本権制限見直し議論の経緯と顛末を、その背景と内容を含め整理をしておくこととする。

1　公務員の労働基本権制限見直し議論の経緯

まず、この公務員の労働基本権制限見直し議論の経緯と顛末を、国家公務員と地方公務員の別に時系列で整理しておくこととする。この問題は、基本的には国家公務員と地方公務員に共通のものであるが、現実には国家公務員に関する検討が先行し、地方公務員に関する検討がそれを後追いするという経過をたどったことと、地方公務員には消防職員の団結権という固有の問題があるほか、問題に関係する団体が国家公務員よりも広範囲に及ぶといった相違があるため、分けて整理する方が分かりやすいからである。

(1)　国家公務員の労働基本権制限見直し議論の経緯

①　平13.12　公務員制度改革大綱（閣議決定、能力実績主義導入等）

②　平17.12　行政改革の重要方針（閣議決定、労働基本権を含む公務員制度についても検討を行う）

③　平18. 7　行政改革推進本部専門調査会設置

④　平19．4　「専門調査会における議論の整理」取りまとめ

⑤　平19．6　国家公務員法改正（能力実績主義導入等成立）

＜平19．7　参院選　衆参ねじれへ＞

⑥　平19．10　専門調査会報告「公務員の労働基本権のあり方について」

⑦　平20．6　国家公務員制度改革基本法成立

⑧　平20．10　労使関係制度検討委員会設置

＜平21．8　衆院選　民主党政権へ＞

⑨　平21．12　労使関係制度検討委員会報告「自律的労使関係制度の措置に向けて」

＜平22．7　参院選　衆参逆ねじれへ＞

⑩　平22．11　国家公務員の労働基本権（争議権）に関する懇談会設置

⑪　平22．12　国家公務員制度改革推進本部事務局「自律的労使関係制度に関する改革素案（たたき台）」公表

⑫　平22．12　国家公務員の労働基本権（争議権）に関する懇談会報告

⑬　平23．4　国家公務員制度改革基本法等に基づく改革の「全体像」について（国家公務員制度改革推進本部決定）

⑭　平23．6　国家公務員制度改革関連四法案国会提出

⑮　平24．11　衆議院解散により国家公務員制度改革関連四法案廃案

＜平24．12　衆院選　自民党政権へ＞

⑵　地方公務員の労働基本権制限見直し議論の経緯

①　平20．6　国家公務員制度改革基本法成立（附則２条）

②　平21．7　衆議院解散により地方公務員法等の改正案（能力実績主義導入等）廃案

＜平21．8　衆院選　民主党政権へ＞

③　平22．1　消防職員の団結権のあり方に関する検討会設置

＜平22．7　参院選　衆参逆ねじれへ＞

④　平22．12　消防職員の団結権のあり方に関する検討会報告

⑤　平23. 6　「地方公務員の労使関係制度に係る基本的な考え方」提示（総務省）
⑥　平23. 12　「地方公務員の新たな労使関係制度に係る主な論点」提示（総務省）
⑦　平24. 3　「地方公務員の新たな労使関係制度の考え方について」提示（総務省）
⑧　平24. 5　「地方公務員制度改革について（素案）」公表（総務省）
⑨　平24. 5　地方公務員の新たな労使関係制度に関する決議（全国知事会）
⑩　平24. 11　「地方公務員の自律的労使関係制度に関する会議」報告書
⑪　平24. 11　「国と地方の協議の場」で地方六団体の同意を得られず
⑫　平24. 11　地方公務員制度改革関連二法案を国会に提出
⑬　平24. 11　衆議院解散により地方公務員制度改革関連二法案廃案
＜平24. 12　衆院選　自民党政権へ＞

２　公務員の労働基本権制限見直し議論の背景と内容

⑴　国家公務員の労働基本権制限見直し議論の背景と内容

この公務員労働基本権制限見直し議論の発端は、平成13年12月の公務員制度改革大綱の閣議決定に遡る。政府は、同大綱に基づき能力実績主義に基づく国家公務員法の改正作業に着手したが、官公労働組合や当時の野党は、能力実績主義を導入する以上は公務員の労働基本権の制限を見直すべきであると主張し、改正作業は暗礁に乗り上げるに至った。本来、能力実績主義の徹底と労働基本権の見直しは、制度的には相関関係に立つものではないのであるが、現実の政治折衝過程では取引関係となり、政労協議の対象とされた。その結果、平成17年末に至り、行政改革に関する重要方針の中で「公務員の労働基本権〔中略〕を含めた公務員制度についても〔中略〕検討を行う」こととされ、翌18年７月に政府の行政改革推進本部に「国及び地方公共団体の事務及び事業の内容及び性質に応じた公務員の労働基本権のあり方」等を調査することを任務として専門調査会（座長　佐々木毅学習院大学教授）が設置された。同調査会は、平成19年10月に「公務員の労働基本権のあり方について」と題する報告を行い、そのなかで非現業公務員に労働協約締結権を付与するとし、その理由や留意点等を述べているが、その論拠は必ずしも明確なものではなく、全体として「責任ある労使関係を構築するためには、〔中略〕労使が自律的に勤務条件を決定するシステムへの変革を行わなければならない」という政治学的なドグマに基づく報告であるということができる（その詳細については、猪野「労使関係制度見直しの問題点と課題（一）」自治研究86巻５号33～36頁参照）。むしろ留意すべきは、それに先立ち審議途中の平成19年４月に、「専門調査会における議論の整理」と称して、非現業公務員に労働協約締結権を付与する旨の結論を実質的に先出しする取りまとめを行っていたことである。これは、当時発足後半年を経て支持率の著しく低下した第一次安倍内閣が、来る７月の参議院選挙対策として公務員制度改革の実績をアピールするため前述の能力実績主義の導入に再就職規制を追加した法改正を実現するため、労働協約締結権の付与という方向を示し野党の国会審議における妥協を引き出すためのものであった。その結果、能力実績主義の導入等を内容とする国家公務員法の改正案は、同年６月に国会で成立したが、自民党は参議院選挙で大敗し、第一次安倍内閣は総辞職した。その後、平成20年１月の公務員制度の総合的な改革に関する懇談会報告を経て、平成20年６月に国家公務員制度改革基本法が成立したが、同法第12条は、先の専門調査会で示された方向に沿って、「政府は、協約締結権を付与する職員の範囲の拡大に伴う便益及び費用を含む全体像を国民に提示し、その理解のもとに、国民に開かれた自律的労使関係制度を措置するものとする」と規定した。これは、国会に提出された政府案では、「政府は、国家公務員の労働基本権のあり方については、協約締結権を付与する職員の範囲の拡大に伴う便益及び費用を含む全体像を国民に提示してその理解を得ることが必要不可欠であることを勘案して検討する」とされていたものを、当時の衆参ねじれの国会における法案処理のための妥協として、第一次安倍内閣を引き継いだ福田内閣が野党の要求により修正に応じた結果である。そして同法は、第４条第１項で、第12条を含む国家公務員制度の改革について、「このために必要な措置については、この法律の施行後５年以内を目途として講ずるものとする。この場合において、必要となる法制上の措置については、この法律の施行後３年以内を目途として講ずるものとする」と規定した。これらの同法で示されたスケジュールに従い、平成20年10月に国家公務員制度改革推進本部に「労使関係制度検討委員会」（座長　今野浩一郎学習院大学教授）が設置され、鳩山内閣成立後の平成21年12月に「自律的労使関係制度の措置に向けて」と題する報告書を取りまとめた。同報告は、労働協約締結権を付与する場合の方式として、①労使合意を直接的に反映することをより重視する観点と民間の労働法制により近い制度とする観点から選択肢を組み合わせたモデルケース（パターンⅠ）、②現行公務員制度の基本原則を前提としつつ、労使合意を尊重するモデルケース（パターンⅡ）、③労使合意に基づきつつ国会の関与をより重視する観点から選択肢を組み合わせたモデルケース（パターンⅢ）の３論を併記した。その後、国家公務員制度改革推進本部事務局における成案取りまとめ作業が大詰めを迎えた平成22年11月に至り、同本部に急遽「国家公務員の労働基本権（争議権）に関する懇談会」（座長　今野浩一郎学習院大学教授）が設置され、１ヶ月足らずの審議の後、翌12月に同名の懇談会報告が取りまとめられた。同懇談会報告は、公務員への争議権の付与は立法政策として許容されるとしたうえで、公務員に争議権を与える場合の留意点を中心に議論を取りまとめ、政府において、争議権の付与自体の是非、付与の範囲や、付与するまでの間における検討のあり方等について、適切に判断すべきであるとした。同懇談会報告自体は、争議権の付与の是非自体については言及していないが、実質的に将来における公務員への争議権の付与を許容した内容であるといえよう。そして一方で、国家公務員制度改革推進本部事務局は、同懇談会報告の直前に、労働協約締結権の付与につき「自律的労使関係制度に関する改革素案（たたき台）」を発表した。この「たたき台」は、公務員に労働協約締結権を付与するとしながら、「政府全体で統一的に定めるべき勤務条件は、〔中略〕法令で定めることとする」とし、その説明として「現行法令により統一的に定められている事項については法令を所管することになる使用者機関による中央交渉事項」とすると、現行と大差ない勤務条件法定主義との併存（したがって、国会の関与）が示されている。これは、先の労使関係制度検討委員会報告のパターンⅢの方式であり、公務員の究極の使用者が国民であるというその地位の特殊性からしても、本来の公務員の勤務関係を私法上の契約と観念することができないことからしても、必然的にもたらされる結論である。とすると、現行の勤務条件法定主義の下での職員団体と当局の交渉と実質的にどのような相違があるのか、労働協約締結権を付与することにより屋上屋の制度となるだけではないのか、国民に対し新たな労使関係制度の費用に優る便益を説明できるのか、そもそも公務員制度としての合理性の評価に耐え得るのかということが当然問題になる。しかしながら、衆議院選挙のマニフェストで公務員の労働基本権の回復を掲げた民主党の内閣は、有力な支持母体である官公労働組合や連合との関係を優先し、同月末にはこのたたき台を「自律的労使関係制度に関する改革素案」に格上げし、そのなかの「Ⅳ　自律的労使関係制度の便益・費用」の最後の部分で、「自律的労使関係制度の措置によって、一定の便益及び費用が生じるのではなく、新たな制度の下での双方の努力や労使関係の成熟によって変わるものである」と、国家公務員制度改革基本法が求める制度設計としての便益と費用の提示から新制度運用による便益の増大（費用の減少）に論理のすり替えを行い、平成23年４月に国家公務員制度改革推進本部において「国家公務員制度改革基本法等に基づく改革の『全体像』について」を決定した。この全体像は、自律的労使関係制度の措置のほか、幹部職員人事の一元管理、退職管理の一層の適正化等を含む総合的なものであるが、その主たる目的が非現業公務員への労働協約締結権の付与とそれに伴う人事院の廃止と公務員庁の設置等の体制再編にあることは、一目瞭然である。その後この「全体像」をベースに政府部内で法案の調整が行われ、同年６月「国家公務員制度改革関連四法案」（次頁の**図６**参照）が国会に提出された。このうち、国家公務員の労働関係に関する法律案第17条においては、労働協約の効力に関し、法律の制定・改廃を要する勤務条件に関する団体協約については速やかに必要な法律案を国会に提出する義務を内閣に課すにとどめており、また、第18条においては、当該法律案が国会で法律とならなかった場合等には当該協約は

図６　国家公務員制度改革関連四法案の概要（内閣官房行政改革推進事務局資料）

改革の方針

時代の変化に対応して、国民のニーズに合致した、効率的で質の高い行政サービスを実現し、縦割り行政や天下りの弊害を除去すると共に、公務員がやりがいを持って存分に能力を発揮できる環境をつくるため、公務員制度の全般的かつ抜本的名改革を推進

⇒　①幹部人事の一元管理その他の人事制度の改革、②退職管理の一層の適正化、③自立的労使関係制度の措置

国家公務員等の一部を改正する法律案

○　国家公務員制度基本法に基づき内閣による人事管理機能の強化を図るため、幹部人事の一元管理等に係る措置を講ずる。

○　国家公務員の退職管理の一層の適正化を図るため、再就職等規制違反行為の監視機能を強化する等の措置を講ずる。

○　自律的労使関係制度の措置等に伴う人事院及び人事院勧告制度の廃止、人事行政の公正の確保を図るための人事公正委員会の設置等の所要の措置を講ずる。

国家公務員の労働関係に関する法律案

自立的労使関係制度を措置するため、非現業国家公務員の労働基本権を拡大し、団体交渉の対象事項、当事者及び手続、団体協約の効力、不当労働行為事件の審査、あっせん、調停及び仲裁等について定める。

公務員庁設置法案

国家公務員の任免、勤務条件等に関する制度並びに団体交渉及び団体協約に関する事務その他の国家公務員の人事行政に関する事務等を担う公務員庁を設置。

国家公務員法等の一部を改正する法律等の施行に伴う関係法律の整備等に関する法律案

上記三法案の施行に伴う関係法律の規定の整備等

効力を失うとされており、「自律的労使関係制度」とは名ばかりのものとなっている。これらの法案は、その後国会で実質的な審議が行われることなく会期ごとに継続審議扱いとなり、平成24年11月16日の衆議院の解散により廃案となった。

⑵　地方公務員の労働基本権制限見直し議論の背景と内容

地方公務員の労働基本権制限見直し議論については、独自の要因は存在しない。ただ、国家公務員への能力実績主義の導入等に関する法律案に準じて、平成19年に同様の地方公務員法等の改正案を国会に提出していたところ、前者のみが先行して成立し、地方公務員法等の改正案はその後継続審議を繰り返し、平成21年７月21日の衆議院解散により廃案となった。その間、平成20年６月には国家公務員制度改革基本法が成立し、同法の附則第２条第１項で、「政府は、地方公務員の労働基本権の在り方について〔中略〕国家公務員の労使関係制度に係る措置に併せ、これと整合性をもって、検討する」とされたため、以後、地方公務員の労働基本権制限の見直しについても、同法第４条が定める改革実施スケジュールのなかで検討されることとなった。民主党内閣下で初の原口総務大臣は、就任後、国家公務員制度改革基本法では言及されていない消防職員の団結禁止の再検討を指示し、平成22年１月に総務省内に「消防職員の団結権のあり方に関する検討会」（座長　小川淳也総務大臣政務官）が設置され、同年12月に同名の検討会報告書が取りまとめられた。同報告書は、消防職員の団結権を回復する場合のパターンを整理すれば、大きく、①パターンＡ：団結権を回復し、一般行政職員と同様に当局との交渉を行う、②パターンＢ：団結権を回復し、当局との交渉に代わる協議の仕組みを構築する、③パターンＣ：団結権を回復し、当局との交渉も協議も行わない、という３つに集約されるとしている。その後、国家公務員についての検討が進み、平成23年４月に改革の「全体像」が決定され、同年６月に国家公務員制度改革関連四法案が国会に提出されるに及び、総務省は、国家公務員についての新たな労使関係制度の内容をトレースし骨子風にまとめた「地方公務員の労使関係制度に係る基本的な考え方」を提示、公表した。これによると、企業職員等を除く地方公務員に労働協約締結権を付与し、人事委員会の勧告制度を廃止する一方、職員の給与、勤務時間その他の勤務条件は引き続き条例で定めることとされ、その他不当労働行為の禁止、労働委員会による交渉不調の場合の調整システムを設けること等が、示されている。すなわち、国家公務員の新たな労使関係制度と同様、現行の勤務条件法定主義と労働協約締結権を併存させるという屋上屋の構造となっていた。以降、総務省は、この基本的な枠組みを維持しつつ、「地方公務員の新たな労使関係制度に係る主な論点」の提示（平成23年12月)、「地方公務員の新たな労使関係制度の考え方について」の提示（平成24年３月)、「地方公務員制度改革について（素案)」の提示公表（平成24年５月）と徐々に改正内容の精度を高める作業を進めた。この、「地方公務員制度改革について（素案)」においては、新たな労使関係制度の導入に加え、前述の廃案となった能力実績主義の導入等のための地方公務員法等の改正内容も取り込まれていた。その後、「地方公務員の自律的労使関係制度に関する会議」（座長　渡辺章（財）労委協会理事長）の報告書の提出等を経て、平成24年11月15日の持ち回り閣議において「地方公務員法等の一部を改正する法律案」及び「地方公務員の労働関係に関する法律案」の地方公務員制度改革関連二法案が閣議決定され、国会に提出されたが、翌16日に衆議院が解散され、廃案となった。このうち、地方公務員の労働関係に関する法律案の第16条においては、労働協約の効力に関し、条例の制定改廃を要する勤務条件に関する団体協約については速やかに必要な条例案を議会に付議する義務を地方公共団体の長に課するにとどめており、また、第17条では、当該条例の制定又は改廃がされなかった場合等には当該協約は効力を失うとされており、国家公務員の場合と同様、「自律的労使関係制度」とは名ばかりのものとなっていた。また、この間、地方公務員の労働基本権制限の見直しを行うことは全国の地方公共団体に大きな影響を及ぼすため、総務省から見直し方針について地方六団体に意見が求められた。これに対し、地方六団体側から強い反対意見が表明され、最終的には平成24年11月８日の「国と地方の協議の場」で議題とされたが、地方六団体の賛同を得ることができなかった。それにもかかわらず、民主党内閣は、官公労働組合と連合への義理立てを優先し、衆議院の解散の前日に関連二法案を国会に提出したのである。

３　総括と展望

このように、全国の公務員制度関係者を10年間近く悩ませたこの公務員の労働基本権制限見直し議論は、何の成果もあげることができないまま終息することとなったのであるが、そのような結末となった主な原因は、次のように総括できるであろう。

第１は、責任ある労使関係の確立のためには自律的勤務条件決定システムが必要であるという政治学的ドグマが先行し、現行公務員労使関係制度の基礎にある公務員の地位の特殊性、公務員の勤務関係の法的特質といった公務員制度の本質に関する議論がなおざりにされ、最高裁判決の分析（前出274～276頁参照）を含め、憲法上及び行政法上の議論が不十分なまま、労働協約締結権の付与ありきの検討が進められたことである。第２は、その結果として、公務員制度の本質に根ざす現行の勤務条件法定主義の壁を乗り越えることができず、労働協約締結権を認めるとしながら、国会や議会により勤務条件を決定するという屋上屋的なシステムを選択せざるを得ないこととなり、制度としての便益と費用について合理的な説明が困難となったことである（これに対しては、現行でも企業職員等一部の公務員には労働協約締結権を認めながら条例で給与を決めているではないかとの反論があり得るが、これらの公務員について条例で定められる勤務条件は、給与の種類と基準のみであり、それ以外の給与の具体的内容や給与以外の勤務条件は、すべて労働協約及びそれに基づく就業規則で定められており、今回の労働協約締結権と勤務条件法定主義との併存とは、その本質を異にする）。第３に、そのような合理性の説明が困難な改正であることに加え、議論の端緒が公務員への能力実績主義の導入という公務員の労働基本権と相関関係に立たない事柄に対する政治的要求として持ち出されたという経緯があったため、不透明な政労協議や国会対策レベルでの政治的取引としてその検討方向が決定され、公の場での検討に際しても特定の政治学的ドグマ主導の検討が行われ、国民的重要課題であるにもかかわらず事前に国民に公明正大に公開される透明な形での検討が行われなかったことである。これらをまとめて一口で言えば、無理筋な話を無理な方法と理屈で通そうとしたため、必然的に国民から遊離した議論となり、盛上りを欠いたまま失速したということである。

それでは、このような経緯を踏まえると、今後、公務員の労働基本権の制限を見直すということは、あり得ないのであろうか。確かに、政権交替という最大の機会を活かすことができなかったことを考えると、今回のような形での公務員労働基本権制限の見直しは、もはやあり得ないであろう。しかしながら、現行の公務員労使関係制度も、我が国特有の大陸法系と英米法系の交錯という事情のなかで形成されてきた歴史の産物であり、それが唯一絶対の他の選択を許さないものであるというわけでもない。それには、メリットも多い反面、デメリットもある。それは、現行公務員制度全体のメリットとデメリットに連動している。したがって、重要なことは、今回のように、勤務条件法定主義やその基本にある公務員の勤務関係の法的性格、身分保障等の、現行の公務員制度のバックボーンをそのままにしておいて、労働協約締結権のみを上乗せして認めるという御都合主義的な見直しを考えるのではなく、現下の厳しい社会経済情勢に適合すべく、現行制度のメリットは生かしながらデメリットを解消するという、公務員制度の本質に遡った見直しを考えなければならないということである。それが今回の見直し議論の公的検討の開始に当たって、専門調査会への諮問にあった「国及び地方公共団体の事務及び事業の内容及び性質に応じた公務員の労働基本権のあり方その他の公務員に係る制度に関する専門の事項を調査」することであったはずである。それは、公務員が従事している事務や事業が公務員以外の者が代替できない行政固有のものであるか、民間でも代替できる、すなわち契約労働者でも従事可能なものであるか否かといった観点からの検討が期待されたものであったはずである。しかしながら、現実の専門調査会や労使関係制度検討委員会での議論では、この点は、使用者の利益を代表する職務に従事する公務員には労働協約締結権を与えるべきでないといった労使関係上の議論に矮小化され、公務員をその従事する事務や事業により再分類し、それに応じてその勤務関係やその法的性格を再構成し、その結果としてそれぞれの労働基本権のあり方を見直すという議論は、真剣には行われなかった。それは、組織の分断と弱体化につながるという組合的自己保存本能が働いたためであろうと考えられる。しかし、いま求められている公務員制度改革は、そのような私的利害関係を超えて、真に国民的視点から、どのような事務や事業に従事している公務員であれ労働基本権に一定の制限はあるもののすべて強固な身分保障の下で原則として法定の勤務条件を享受するという画一的取扱いが、果たして能率的な行政執行という観点から妥当であるのか、そのような画一的な公務員制度でなく、より弾力的な対応が可能な仕組みに改めるべきでないか、ということが問われているのではないかと考えられる。そのような観点からの公務員制度改革の一環として、行政固有の領域ではないと考えられる事務や事業に従事する公務員を私法上の契約に基づく身分保障のない契約公務員とし、その労働三権を認めるという見直しであれば、今後の行政組織のあるべき姿として、国民の納得を得られるのではないか。もっとも、これには、官公労働組合をはじめとする関係者の反対も根強いものがあると考えられ、その実現には、本格的な長期安定政権による時間をかけた努力が必要となるであろう。そのような観点からの公務員労使関係制度見直しの基本的枠組みと、その実施上の留意点などにつき、猪野「労使関係制度見直しの問題点と課題（二）」（自治研究86巻６号）で述べているが、それは、労働基本権のあり方にとどまらず、任用の形式（行政処分か契約か）、身分保障の有無、政治的行為の制限のあり方、外国人任用の可否等、公務員制度の根本に関わる構造的見直しにつながる議論となるであろう。

４　その後

平成24年12月に自民党政権となって１年半後の平成26年４月25日に、平成19年に国会に提出され廃案となっていた地方公務員法等の改正案と同様の内容の「地方公務員法及び地方独立行政法人法の一部を改正する法律」が成立し、同年５月14日に公布された（本書第６版巻末の参考資料１及び２参照）。また、平成29年５月11日に「地方公務員法及び地方自治法の一部を改正する法律」が成立し、同月17日に公布された（巻末の参考資料１及び２参照）。さらに、令和３年６月４日に「地方公務員法の一部を改正する法律」が成立し、同月11日に公布された（巻末の参考資料6－1から6－3参照）。これらにより、当面は、能力・実績主義の人事管理の確立、臨時・非常勤職員の任用・勤務条件の適正確保及び60歳代前半の高齢職員の能力の活用が地方公共団体における人事行政の最重要課題となる。それらの徹底のうえに立って、3で述べた公務員制度の構造的改革が検討されることを期待したい。

〔参考資料１〕

地方公務員法及び地方自治法の一部を改正する法律（平成29年法律第29号）
新旧対照条文（地方公務員法及び地方自治法部分のみ）

○地方公務員法（昭和二十五年法律第二百六十一号）（第一条関係）（下線部分は今回改正部分）

改　正　案	現　　　行
目次 第一章・第二章　（略） 第三章　職員に適用される基準 第一節　（略） 第二節　任用（第十五条―第二十二条の三） 第三節　（以下略） 第四章・第五章　（略） 附則	目次 第一章・第二章　（略） 第三章　職員に適用される基準 第一節　（略） 第二節　任用（第十五条―第二十二条） 第三節　（以下略） 第四章・第五章　（略） 附則
（一般職に属する地方公務員及び特別職に属する地方公務員）	（一般職に属する地方公務員及び特別職に属する地方公務員）
第三条　地方公務員（地方公共団体及び特定地方独立行政法人（地方独立行政法人法（平成十五年法律第百十八号）第二条第二項に規定する特定地方独立行政法人をいう。以下同じ。）の全ての公務員をいう。以下同じ。）の職は、一般職と特別職とに分ける。	第三条　地方公務員（地方公共団体及び特定地方独立行政法人（地方独立行政法人法（平成十五年法律第百十八号）第二条第二項に規定する特定地方独立行政法人をいう。以下同じ。）のすべての公務員をいう。以下同じ。）の職は、一般職と特別職とに分ける。
２　（略）	２　（略）
３　（略）	３　特別職は、次に掲げる職とする。
一～二の二　（略）	一～二の二　（略）
三　臨時又は非常勤の顧問、参与、調査員、嘱託員及びこれらの者に準ずる者の職（専門的な知識経験又は識見を有する者が就く職であつて、当該知識経験又は識見に基づき、助言、調査、診断その他総務省令で定める事務を行うものに限る。）	三　臨時又は非常勤の顧問、参与、調査員、嘱託員及びこれらの者に準ずる者の職
三の二　投票管理者、開票管理者、選挙長、選挙分会長、審査分会長、国民投票分会長、投票立会人、開票立会人、選挙立会人、審査分会立会人、国民投票分会立会人その他総務省令	（新設）

で定める者の職	
四〜六　（略）	四〜六　（略）
（条件付採用）	（条件付採用及び臨時的任用）
第二十二条　職員の採用は、全て条件付のものとし、当該職員がその職において六月を勤務し、その間その職務を良好な成績で遂行したときに正式採用になるものとする。この場合において、人事委員会等は、人事委員会規則（人事委員会を置かない地方公共団体においては、地方公共団体の規則）で定めるところにより、条件付採用の期間を一年に至るまで延長することができる。	第二十二条　臨時的任用又は非常勤職員の任用の場合を除き、職員の採用は、全て条件付のものとし、その職員がその職において六月を勤務し、その間その職務を良好な成績で遂行したときに正式採用になるものとする。この場合において、人事委員会等は、条件付採用の期間を一年に至るまで延長することができる。
（削除）	2　人事委員会を置く地方公共団体においては、任命権者は、人事委員会規則で定めるところにより、緊急の場合、臨時の職に関する場合又は採用候補者名簿（第二十一条の四第四項において読み替えて準用する第二十一条第一項に規定する昇任候補者名簿を含む。）がない場合においては、人事委員会の承認を得て、六月を超えない期間で臨時的任用を行うことができる。この場合において、その任用は、人事委員会の承認を得て、六月を超えない期間で更新することができるが、再度更新することはできない。
（削除）	3　前項の場合において、人事委員会は、臨時的任用につき、任用される者の資格要件を定めることができる。
（削除）	4　人事委員会は、前二項の規定に違反する臨時的任用を取り消すことができる。
（削除）	5　人事委員会を置かない地方公共団体においては、任命権者は、緊急の場合又は臨時の職に関する場合においては、六月をこえない期間で臨時的任用を行うことができる。この場合におい

	て、任命権者は、その任用を六月をこえない期間で更新することができるが、再度更新することはできない。
（削除）	6　臨時的任用は、正式任用に際して、いかなる優先権をも与えるものではない。
（削除）	7　前五項に定めるものの外、臨時的に任用された者に対しては、この法律を適用する。
（会計年度任用職員の採用の方法等） 第二十二条の二　次に掲げる職員（以下この条において「会計年度任用職員」という。）の採用は、第十七条の二第一項及び第二項の規定にかかわらず、競争試験又は選考によるものとする。 一　一会計年度を超えない範囲内で置かれる非常勤の職（第二十八条の五第一項に規定する短時間勤務の職を除く。）（次号において「会計年度任用の職」という。）を占める職員であつて、その一週間当たりの通常の勤務時間が常時勤務を要する職を占める職員の一週間当たりの通常の勤務時間に比し短い時間であるもの 二　会計年度任用の職を占める職員であつて、その一週間当たりの通常の勤務時間が常時勤務を要する職を占める職員の一週間当たりの通常の勤務時間と同一の時間であるもの 2　会計年度任用職員の任期は、その採用の日から同日の属する会計年度の末日までの期間の範囲内で任命権者が定める。 3　任命権者は、前二項の規定により会計年度任用職員を採用する場合には、当該会計年度任用職員にその任期を明示しなければならない。 4　任命権者は、会計年度任用職員の任期が第二項に規定する期間に満たない	（新設）

場合には、当該会計年度任用職員の勤務実績を考慮した上で、当該期間の範囲内において、その任期を更新することができる。 5　第三項の規定は、前項の規定により任期を更新する場合について準用する。 6　任命権者は、会計年度任用職員の採用又は任期の更新に当たつては、職務の遂行に必要かつ十分な任期を定めるものとし、必要以上に短い任期を定めることにより、採用又は任期の更新を反復して行うことのないよう配慮しなければならない。 7　会計年度任用職員に対する前条の規定の適用については、同条中「六月」とあるのは、「一月」とする。	
（臨時的任用） 第二十二条の三　人事委員会を置く地方公共団体においては、任命権者は、人事委員会規則で定めるところにより、常時勤務を要する職に欠員を生じた場合において、緊急のとき、臨時の職に関するとき、又は採用候補者名簿（第二十一条の四第四項において読み替えて準用する第二十一条第一項に規定する昇任候補者名簿を含む。）がないときは、人事委員会の承認を得て、六月を超えない期間で臨時的任用を行うことができる。この場合において、任命権者は、人事委員会の承認を得て、当該臨時的任用を六月を超えない期間で更新することができるが、再度更新することはできない。 2　前項の場合において、人事委員会は、臨時的に任用される者の資格要件を定めることができる。 3　人事委員会は、前二項の規定に違反する臨時的任用を取り消すことができる。	（新設）

4　人事委員会を置かない地方公共団体においては、任命権者は、地方公共団体の規則で定めるところにより、常時勤務を要する職に欠員を生じた場合において、緊急のとき、又は臨時の職に関するときは、六月を超えない期間で臨時的任用を行うことができる。この場合において、任命権者は、当該臨時的任用を六月を超えない期間で更新することができるが、再度更新することはできない。 5　臨時的任用は、正式任用に際して、いかなる優先権をも与えるものではない。 6　前各項に定めるもののほか、臨時的に任用された職員に対しては、この法律を適用する。	
（給与に関する条例及び給与の支給） 第二十五条　（略） 2　（略） 3　（略） 一～四　（略） 五　前号に規定するものを除くほか、地方自治法第二百四条第二項に規定する手当を支給する場合には、当該手当に関する事項 六　非常勤の職その他勤務条件の特別な職があるときは、これらについて行う給与の調整に関する事項 七　（略） 4・5（略）	（給与に関する条例及び給与の支給） 第二十五条　（略） 2　（略） 3　給与に関する条例には、次に掲げる事項を規定するものとする。 一～四　（略） 五　前号に規定するものを除くほか、地方自治法第二百四条第二項に規定する手当を支給する場合においては、当該手当に関する事項 六　非常勤職員の職その他勤務条件の特別な職があるときは、これらについて行う給与の調整に関する事項 七　（略） 4・5（略）
（配偶者同行休業） 第二十六条の六　（略） 2～7　（略） 8　任命権者は、条例で定めるところにより、前項の規定により任期を定めて採用された職員の任期が申請期間に満	（配偶者同行休業） 第二十六条の六　（略） 2～7　（略） 8　任命権者は、条例で定めるところにより、前項の規定により任期を定めて採用された職員の任期が申請期間に満

たない場合には、当該申請期間の範囲内において、その任期を更新することができる。	たない場合にあつては、当該申請期間の範囲内において、その任期を更新することができる。
9　（略）	9　（略）
10　第七項の規定に基づき臨時的任用を行う場合には、第二十二条の三第一項から第四項までの規定は、適用しない。	10　第七項の規定に基づき臨時的任用を行う場合には、第二十二条第二項から第五項までの規定は、適用しない。
11　（略）	11　（略）
（定年退職者等の再任用）	（定年退職者等の再任用）
第二十八条の四　（略）	第二十八条の四　（略）
２～４　（略）	２～４　（略）
5　第一項の規定による採用については、第二十二条の規定は、適用しない。	5　第一項の規定による採用については、第二十二条第一項の規定は、適用しない。
第二十八条の五　任命権者は、当該地方公共団体の定年退職者等を、従前の勤務実績等に基づく選考により、一年を超えない範囲内で任期を定め、短時間勤務の職（当該職を占める職員の一週間当たりの通常の勤務時間が、常時勤務を要する職でその職務が当該短時間勤務の職と同種のものを占める職員の一週間当たりの通常の勤務時間に比し短い時間であるものをいう。以下同じ。）に採用することができる。	第二十八条の五　任命権者は、当該地方公共団体の定年退職者等を、従前の勤務実績等に基づく選考により、一年を超えない範囲内で任期を定め、短時間勤務の職（当該職を占める職員の一週間当たりの通常の勤務時間が、常時勤務を要する職でその職務が当該短時間勤務の職と同種のものを占める職員の一週間当たりの通常の勤務時間に比し短い時間であるものをいう。第三項及び次条第二項において同じ。）に採用することができる。
2　前項の規定により採用された職員については、前条第二項から第五項までの規定を準用する。	2　前項の規定により採用された職員の任期については、前条第二項から第四項までの規定を準用する。
3　（略）	3　（略）
第二十八条の六　第二十八条の四第一項本文の規定によるほか、地方公共団体の組合を組織する地方公共団体の任命権者にあつては当該地方公共団体が組織する地方公共団体の組合の定年退職者等を、地方公共団体の組合の任命権者にあつては当該地方公共団体の組合	第二十八条の六　第二十八条の四第一項本文の規定によるほか、地方公共団体の組合を組織する地方公共団体の任命権者にあつては当該地方公共団体が組織する地方公共団体の組合の定年退職者等を、地方公共団体の組合の任命権者にあつては当該地方公共団体の組合

を組織する地方公共団体の定年退職者等を、従前の勤務実績等に基づく選考により、一年を超えない範囲内で任期を定め、常時勤務を要する職に採用することができる。この場合においては、同項ただし書の規定を準用する。

2　（略）

3　前二項の規定により採用された職員については、第二十八条の四第二項から第五項までの規定を準用する。

（営利企業への従事等の制限）

第三十八条　職員は、任命権者の許可を受けなければ、商業、工業又は金融業その他営利を目的とする私企業（以下この項及び次条第一項において「営利企業」という。）を営むことを目的とする会社その他の団体の役員その他人事委員会規則（人事委員会を置かない地方公共団体においては、地方公共団体の規則）で定める地位を兼ね、若しくは自ら営利企業を営み、又は報酬を得ていかなる事業若しくは事務にも従事してはならない。ただし、非常勤職員（短時間勤務の職を占める職員及び第二十二条の二第一項第二号に掲げる職員を除く。）については、この限りでない。

2　（略）

（再就職者による依頼等の規制）

第三十八条の二　職員（臨時的に任用された職員、条件付採用期間中の職員及び非常勤職員（短時間勤務の職を占める職員を除く。）を除く。以下この節、第六十条及び第六十三条において同じ。）であつた者であつて離職後に営利企業等（営利企業及び営利企業以外の法人（国、国際機関、地方公共団体、

を組織する地方公共団体の定年退職者等を、従前の勤務実績等に基づく選考により、一年を超えない範囲内で任期を定め、常時勤務を要する職に採用することができる。この場合においては、同項ただし書及び同条第五項の規定を準用する。

2　（略）

3　前二項の規定により採用された職員の任期については、第二十八条の四第二項から第四項までの規定を準用する。

（営利企業への従事等の制限）

第三十八条　職員は、任命権者の許可を受けなければ、商業、工業又は金融業その他営利を目的とする私企業（以下この項及び次条第一項において「営利企業」という。）を営むことを目的とする会社その他の団体の役員その他人事委員会規則（人事委員会を置かない地方公共団体においては、地方公共団体の規則）で定める地位を兼ね、若しくは自ら営利企業を営み、又は報酬を得ていかなる事業若しくは事務にも従事してはならない。

2　（略）

（再就職者による依頼等の規制）

第三十八条の二　職員（臨時的に任用された職員、条件付採用期間中の職員及び非常勤職員（第二十八条の五第一項に規定する短時間勤務の職を占める職員を除く。）を除く。以下この節、第六十条及び第六十三条において同じ。）であつた者であつて離職後に営利企業等（営利企業及び営利企業以外の法

独立行政法人通則法（平成十一年法律第百三号）第二条第四項に規定する行政執行法人及び特定地方独立行政法人を除く。）をいう。以下同じ。）の地位に就いている者（退職手当通算予定職員であつた者であつて引き続いて退職手当通算法人の地位に就いている者及び公益的法人等への一般職の地方公務員の派遣等に関する法律（平成十二年法律第五十号）第十条第二項に規定する退職派遣者を除く。以下「再就職者」という。）は、離職前五年間に在職していた地方公共団体の執行機関の組織（当該執行機関（当該執行機関の附属機関を含む。）の補助機関及び当該執行機関の管理に属する機関の総体をいう。第三十八条の七において同じ。）若しくは議会の事務局（事務局を置かない場合には、これに準ずる組織。同条において同じ。）若しくは特定地方独立行政法人（以下「地方公共団体の執行機関の組織等」という。）の職員若しくは特定地方独立行政法人の役員（以下「役職員」という。）又はこれらに類する者として人事委員会規則（人事委員会を置かない地方公共団体においては、地方公共団体の規則。以下この条（第七項を除く。）、第三十八条の七、第六十条及び第六十四条において同じ。）で定めるものに対し、当該地方公共団体若しくは当該特定地方独立行政法人と当該営利企業等若しくはその子法人（国家公務員法（昭和二十二年法律第百二十号）第百六条の二第一項に規定する子法人の例を基準として人事委員会規則で定めるものをいう。以下同じ。）との間で締結される売買、貸借、請負その他の契約又は当該営利企業等若しくはその子法人に対して行われる行政手続法（平成五年法律第

人（国、国際機関、地方公共団体、独立行政法人通則法（平成十一年法律第百三号）第二条第四項に規定する行政執行法人及び特定地方独立行政法人を除く。）をいう。以下同じ。）の地位に就いている者（退職手当通算予定職員であつた者であつて引き続いて退職手当通算法人の地位に就いている者及び公益的法人等への一般職の地方公務員の派遣等に関する法律（平成十二年法律第五十号）第十条第二項に規定する退職派遣者を除く。以下「再就職者」という。）は、離職前五年間に在職していた地方公共団体の執行機関の組織（当該執行機関（当該執行機関の附属機関を含む。）の補助機関及び当該執行機関の管理に属する機関の総体をいう。第三十八条の七において同じ。）若しくは議会の事務局（事務局を置かない場合にあつては、これに準ずる組織。同条において同じ。）若しくは特定地方独立行政法人（以下「地方公共団体の執行機関の組織等」という。）の職員若しくは特定地方独立行政法人の役員（以下「役職員」という。）又はこれらに類する者として人事委員会規則（人事委員会を置かない地方公共団体においては、地方公共団体の規則。以下この条（第七項を除く。）、第三十八条の七、第六十条及び第六十四条において同じ。）で定めるものに対し、当該地方公共団体若しくは当該特定地方独立行政法人と当該営利企業等若しくはその子法人（国家公務員法（昭和二十二年法律第百二十号）第百六条の二第一項に規定する子法人の例を基準として人事委員会規則で定めるものをいう。以下同じ。）との間で締結される売買、貸借、請負その他の契約又は当該営利企業等若しくはその子法人

八十八号）第二条第二号に規定する処分に関する事務（以下「契約等事務」という。）であつて離職前五年間の職務に属するものに関し、離職後二年間、職務上の行為をするように、又はしないように要求し、又は依頼してはならない。	に対して行われる行政手続法（平成五年法律第八十八号）第二条第二号に規定する処分に関する事務（以下「契約等事務」という。）であつて離職前五年間の職務に属するものに関し、離職後二年間、職務上の行為をするように、又はしないように要求し、又は依頼してはならない。
2～8　（略）	2～8　（略）
（人事行政の運営等の状況の公表） 第五十八条の二　任命権者は、次条に規定するもののほか、条例で定めるところにより、毎年、地方公共団体の長に対し、職員（臨時的に任用された職員及び非常勤職員（短時間勤務の職を占める職員及び第二十二条の二第一項第二号に掲げる職員を除く。）を除く。）の任用、人事評価、給与、勤務時間その他の勤務条件、休業、分限及び懲戒、服務、退職管理、研修並びに福祉及び利益の保護等人事行政の運営の状況を報告しなければならない。	（人事行政の運営等の状況の公表） 第五十八条の二　任命権者は、次条に規定するもののほか、条例で定めるところにより、毎年、地方公共団体の長に対し、職員（臨時的に任用された職員及び非常勤職員（第二十八条の五第一項に規定する短時間勤務の職を占める職員を除く。）を除く。）の任用、人事評価、給与、勤務時間その他の勤務条件、休業、分限及び懲戒、服務、退職管理、研修並びに福祉及び利益の保護等人事行政の運営の状況を報告しなければならない。
2・3　（略）	2・3（略）
附　則	附　則
（削除）	（特別職に属する地方公務員に関する特例） 21　第三条第三項各号に掲げる職のほか、地方公共団体が、緊急失業対策法を廃止する法律（平成七年法律第五十四号）の施行の際現に失業者であつて同法の施行の日前二月間に十日以上同法による廃止前の緊急失業対策法（昭和二十四年法律第八十九号）第二条第一項の失業対策事業に使用されたもの及び総務省令で定めるこれに準ずる失業（以下「旧失業対策事業従事者」という。）に就業の機会を与えることを主たる目的として平成十三年三月三十一日まで

	の間に実施する事業のため、旧失業対策事業従事者のうち、公共職業安定所から失業者として紹介を受けて雇用した者で技術者、技能者、監督者及び行政事務を担当する者以外のものの職は、特別職とする。

○地方自治法(昭和二十二年法律第六十七号)(第二条関係)(下線部分は今回改正部分)

改　正　案	地方自治法等の一部を改正する法律（平成二十九年法律第五十四号）による改正後の規定（平成三十年四月一日施行）
第二百三条の二　普通地方公共団体は、その委員会の非常勤の委員、非常勤の監査委員、自治紛争処理委員、審査会、審議会及び調査会等の委員その他の構成員、専門委員、監査専門委員、投票管理者、開票管理者、選挙長、投票立会人、開票立会人及び選挙立会人その他普通地方公共団体の非常勤の職員（短時間勤務職員及び地方公務員法第二十二条の二第一項第二号に掲げる職員を除く。）に対し、報酬を支給しなければならない。	第二百三条の二　普通地方公共団体は、その委員会の委員、非常勤の監査委員その他の委員、自治紛争処理委員、審査会、審議会及び調査会等の委員その他の構成員、専門委員、監査専門委員、投票管理者、開票管理者、選挙長、投票立会人、開票立会人及び選挙立会人その他普通地方公共団体の非常勤の職員（短時間勤務職員を除く。）に対し、報酬を支給しなければならない。
②　前項の者に対する報酬は、その勤務日数に応じてこれを支給する。ただし、条例で特別の定めをした場合は、この限りでない。	②　前項の職員に対する報酬は、その勤務日数に応じてこれを支給する。ただし、条例で特別の定めをした場合は、この限りでない。
③　第一項の者は、職務を行うため要する費用の弁償を受けることができる。	③　第一項の職員は、職務を行うため要する費用の弁償を受けることができる。
④　普通地方公共団体は、条例で、第一項の者のうち地方公務員法第二十二条の二第一項第一号に掲げる職員に対し、期末手当を支給することができる。	(新設)
⑤　報酬、費用弁償及び期末手当の額並びにその支給方法は、条例でこれを定めなければならない。	④　報酬及び費用弁償の額並びにその支給方法は、条例でこれを定めなければならない。
第二百四条　普通地方公共団体は、普通地方公共団体の長及びその補助機関たる常勤の職員、委員会の常勤の委員(教育委員会にあつては、教育長)、常勤の監査委員、議会の事務局長又は書記長、書記その他の常勤の職員、委員会の事務局長若しくは書記長、委員の事務局長又は委員会若しくは委員の事務を補助する書記その他の常勤の職員そ	第二百四条　普通地方公共団体は、普通地方公共団体の長及びその補助機関たる常勤の職員、委員会の常勤の委員(教育委員会にあつては、教育長)、常勤の監査委員、議会の事務局長又は書記長、書記その他の常勤の職員、委員会の事務局長若しくは書記長、委員の事務局長又は委員会若しくは委員の事務を補助する書記その他の常勤の職員そ

の他普通地方公共団体の常勤の職員並びに短時間勤務職員及び地方公務員法第二十二条の二第一項第二号に掲げる職員に対し、給料及び旅費を支給しなければならない。	の他普通地方公共団体の常勤の職員並びに短時間勤務職員に対し、給料及び旅費を支給しなければならない。
② 普通地方公共団体は、条例で、前項の者に対し、扶養手当、地域手当、住居手当、初任給調整手当、通勤手当、単身赴任手当、特殊勤務手当、特地勤務手当（これに準ずる手当を含む。）、へき地手当（これに準ずる手当を含む。）、時間外勤務手当、宿日直手当、管理職員特別勤務手当、夜間勤務手当、休日勤務手当、管理職手当、期末手当、勤勉手当、寒冷地手当、特定任期付職員業績手当、任期付研究員業績手当、義務教育等教員特別手当、定時制通信教育手当、産業教育手当、農林漁業普及指導手当、災害派遣手当（武力攻撃災害等派遣手当及び新型インフルエンザ等緊急事態派遣手当を含む。）又は退職手当を支給することができる。	② 普通地方公共団体は、条例で、前項の職員に対し、扶養手当、地域手当、住居手当、初任給調整手当、通勤手当、単身赴任手当、特殊勤務手当、特地勤務手当（これに準ずる手当を含む。）、へき地手当（これに準ずる手当を含む。）、時間外勤務手当、宿日直手当、管理職員特別勤務手当、夜間勤務手当、休日勤務手当、管理職手当、期末手当、勤勉手当、寒冷地手当、特定任期付職員業績手当、任期付研究員業績手当、義務教育等教員特別手当、定時制通信教育手当、産業教育手当、農林漁業普及指導手当、災害派遣手当（武力攻撃災害等派遣手当及び新型インフルエンザ等緊急事態派遣手当を含む。）又は退職手当を支給することができる。
③ （略）	③ （略）
第二百四条の二　普通地方公共団体は、いかなる給与その他の給付も法律又はこれに基づく条例に基づかずには、これをその議会の議員、第二百三条の二第一項の者及び前条第一項の者に支給することができない。	第二百四条の二　普通地方公共団体は、いかなる給与その他の給付も法律又はこれに基づく条例に基づかずには、これをその議会の議員、第二百三条の二第一項の職員及び前条第一項の職員に支給することができない。
第二百五条　第二百四条第一項の者は、退職年金又は退職一時金を受けることができる。	第二百五条　第二百四条第一項の職員は、退職年金又は退職一時金を受けることができる。

〔参考資料２〕

地方公務員法及び地方自治法の一部を改正する法律（平成29年法律第29号）
附則（抄）

附　則

（施行期日）
第一条　この法律は、平成三十二年四月一日から施行する。ただし、次条及び附則第四条の規定は、公布の日から施行する。

（施行のために必要な準備等）
第二条　第一条の規定による改正後の地方公務員法（次項及び附則第十七条において「新地方公務員法」という。）の規定による地方公務員（地方公務員法第二条に規定する地方公務員をいう。同項において同じ。）の任用、服務その他の人事行政に関する制度及び第二条の規定による改正後の地方自治法（同項において「新地方自治法」という。）の規定による給与に関する制度の適正かつ円滑な実施を確保するため、任命権者（地方公務員法第六条第一項に規定する任命権者をいう。以下この項において同じ。）は、人事管理の計画的推進その他の必要な準備を行うものとし、地方公共団体の長は、任命権者の行う準備に関し必要な連絡、調整その他の措置を講ずるものとする。
２　総務大臣は、新地方公務員法の規定による地方公務員の任用、服務その他の人事行政に関する制度及び新地方自治法の規定による給与に関する制度の適正かつ円滑な実施を確保するため、地方公共団体に対して必要な資料の提出を求めることその他の方法により前項の準備及び措置の実施状況を把握した上で、必要があると認めるときは、当該準備及び措置について技術的な助言又は勧告をするものとする。

（臨時的任用に関する経過措置）
第三条　この法律の施行の日前に第一条の規定による改正前の地方公務員法（附則第十七条において「旧地方公務員法」という。）第二十二条第二項若しくは第五項の規定により行われた臨時的任用の期間又は同条第二項若しくは第五項の規定により更新された臨時的任用の期間の末日がこの法律の施行の日以後である職員（地方公務員法第四条第一項に規定する職員をいう。附則第十七条において同じ。）に係る当該臨時的任用（常時勤務を要する職に欠員を生じた場合に行われたものに限る。）については、なお従前の例による。

（政令への委任）
第四条　前二条及び附則第十七条に定めるもののほか、この法律の施行に関し必要な経過措置は、政令で定める。

〔参考資料３〕

総行公第８７号
総行給第３３号
平成29年６月28日

各都道府県知事
各政令指定都市市長　　殿
各人事委員会委員長

総務省自治行政局公務員部長
（公印省略）

地方公務員法及び地方自治法の一部を改正する法律の運用について（通知）

地方公務員法及び地方自治法の一部を改正する法律（平成29年法律第29号。以下「改正法」という。）の公布については、平成29年５月17日付け総行公第59号・総行給第23号総務大臣通知（以下「公布通知」という。）によりお知らせしたところですが、同通知により通知した事項のほか、下記の特に運用に当たって留意すべき事項を踏まえ、臨時・非常勤職員等について、制度の趣旨、勤務の内容に応じた任用・勤務条件を確保するため、改正法の施行に遺漏のないよう必要な対応を図っていただくことをお願いします。

各都道府県知事におかれては、貴都道府県内の市区町村等に対してもこの旨周知いただきますようお願いします。なお、地域の元気創造プラットフォームにおける調査・照会システムを通じて、各市区町村に対して本通知についての情報提供を行っていることを申し添えます。

本通知は、地方公務員法第59条（技術的助言）、地方自治法第245条の４（技術的な助言）及び改正法附則第２条（施行のために必要な準備等）に基づくものです。

記

Ⅰ　改正法の趣旨等

第１　改正法の趣旨

地方公務員の臨時・非常勤職員については、総数が平成28年４月現在で約64万人と増加しており、また、教育、子育て等様々な分野で活用されていることから、現状において地方行政の重要な担い手となっていること。このような中、臨時・非常勤職員の適正な任用・勤務条件を確保することが求められており、今般の改正を行うものであること。

改正法の内容としては、一般職の会計年度任用職員制度を創設し、任用、服務規律等の整備を図るとともに、特別職非常勤職員及び臨時的任用職員の任用要件の厳格化を行い、会計年度任用職員制度への必要な移行を図るものであること。併せて、会計年度任用職員については、期末手当の支給を可能とするものであること。
以上の改正に基づき、従来、制度が不明確であり、地方公共団体によって任用・勤務条件に関する取扱いが区々であったのに対し、統一的な取扱いが定められることにより、今後の制度的な基盤を構築するものであること。

第２　臨時・非常勤職員全体の任用根拠の明確化・適正化

１　任用根拠の明確化・適正化

個々具体の職の設定に当たっては、就けようとする職の職務の内容、勤務形態等に応じ、「任期の定めのない常勤職員」、「任期付職員」、「臨時・非常勤職員」のいずれが適当かを検討すべきであること。
その上で、臨時・非常勤の職として設定する場合には、当該職員の服務、勤務条件等が任用根拠に従って法令等で定められることにかんがみ、以下の区分ごとに任用根拠の趣旨に基づいて行うものとし、かつ、いずれの任用根拠に位置づけるかを明確にすること。

（１）会計年度任用職員（改正法による改正後の地方公務員法（以下「新地方公務員法」という。）第17条及び第22条の２）
（２）臨時的任用職員（新地方公務員法第22条の３）
（３）特別職非常勤職員（新地方公務員法第３条第３項）

特に、従来の特別職非常勤職員及び臨時的任用職員については、対象となる者の要件が厳格化されたことから、会計年度任用職員制度への必要な移行を進めることにより、臨時・非常勤職員全体として任用根拠の適正化を図るべきであること。
その際、以下の事項について、留意すること。

２　臨時・非常勤の職の設定に当たっての基本的な考え方

各地方公共団体においては、組織として最適と考える任用・勤務形態の人員構成を実現することにより、厳しい財政状況にあっても、住民のニーズに応える効果的・効率的な行政サービスの提供を行っていくことが重要であること。その際、ＩＣＴの徹底的な活用、民間委託の推進等による業務改革を進め、簡素で効率的な行政体制を実現することを目指すべきであること。
このため、臨時・非常勤の職の設定に当たっては、現に存在する職を漫然と存続するのではなく、それぞれの職の必要性を十分吟味した上で、適正な人員配置に努めるべきであること。

3　常勤職員と臨時・非常勤職員との関係

各地方公共団体における公務の運営においては、任期の定めのない常勤職員を中心とするという原則を前提とすべきであること。

この常勤職員が占める常時勤務を要する職と、非常勤の職については、改正法施行後は、以下のとおりとすること。

（1）常時勤務を要する職

以下の①及び②の要件をいずれも満たすものであること。

①　相当の期間任用される職員を就けるべき業務に従事する職であること（従事する業務の性質に関する要件）

②　フルタイム勤務とすべき標準的な業務の量がある職であること（勤務時間に関する要件）

（2）非常勤の職

常時勤務を要する職以外の職であり、「短時間勤務の職（上記（1）①を満たすが、上記（1）②は満たさないもの）」を含むものであること。

このため、「会計年度任用の職」は、非常勤の職のうち、常勤職員が行うべき業務（相当の期間任用される職員を就けるべき業務）に従事する「短時間勤務の職」を除いたものと定義され、その職務の内容や責任の程度については、常勤職員と異なる設定とすべきであること。また、標準的な業務の量に応じ、フルタイムの職と、パートタイムの職があること。

なお、任用根拠の見直しに伴い、職の中に常勤職員が行うべき業務に従事する職が存在することが明らかになった場合には、臨時・非常勤職員ではなく、任期の定めのない常勤職員や任期付職員の活用について、検討することが必要であること。

4　会計年度任用職員以外の独自の一般職非常勤職員の任用を避けるべきこと

上記第1のとおり、地方公務員の臨時・非常勤職員については、一般職の非常勤職員制度が不明確な中、制度の趣旨に沿わない任用が見受けられ、また、勤務条件に関する課題も指摘されているところであること。このため、その適正化を図る観点から、新地方公務員法上、一般職の会計年度任用職員を明確に定義し、任用や服務規律等を定めるとともに、それに伴って、期末手当の支給を可能とするものであること。

このような改正法の趣旨を踏まえると、一般職として非常勤職員を任用する場合には、会計年度任用職員として任用することが適当であり、会計年度任用職員以外の独自の一般職非常勤職員として任用することは、適正な任用・勤務条件を確保するという改正法の趣旨に沿わない不適当なもので、避けるべきであること。

5　会計年度任用職員制度への移行に当たっての考え方

特別職非常勤職員及び臨時的任用職員から会計年度任用職員制度に移行するに当たっては、これまで要綱等により事実上対応してきた任用・勤務条件について、任期の定めのない常勤職員との権衡の観点から改めて整理を行い、条例、規則等への位置づけを検討することが必要となること。

なお、単に勤務条件の確保等に伴う財政上の制約を理由として、特別職非常勤職員及び臨時的任用職員から会計年度任用職員制度への必要な移行について抑制を図ることは、適正な任用・勤務条件を確保するという改正法の趣旨に沿わないものであること。

第3　任期付職員の活用

地方公共団体の一般職の任期付職員の採用に関する法律第4条又は第5条に基づく任期付職員については、常勤職員が行うべき業務に従事する者として位置づけられ、3年ないし5年以内という複数年の任期を設定できるものであり、災害復旧・復興事業への対応をはじめ様々な分野で活用されていること。このため、今後とも職務の内容に応じて適切に活用いただきたいこと。

Ⅱ　地方公務員法の一部改正

第1　会計年度任用職員制度の創設

1　定義（第22条の2第1項）

「会計年度任用の職」を「一会計年度を超えない範囲内で置かれる非常勤の職（新地方公務員法第28条の5第1項に規定する短時間勤務の職を除く。）」と、当該「会計年度任用の職」を占める職員を会計年度任用職員と定義するものであること。

会計年度任用職員については、パートタイムのもの（一週間当たりの通常の勤務時間が常勤職員の一週間当たりの通常の勤務時間に比し短い時間であるもの）と、フルタイムのもの（一週間当たりの通常の勤務時間が常勤職員の一週間当たりの通常の勤務時間と同一の時間であるもの）の2つの類型を設けたところであること。

2　名称

会計年度任用職員の公募や任用に当たっては、当該職員の服務、勤務条件の内容等を明らかにするため、会計年度任用職員としての任用であることを明示すべきものであること。

一方、実際の公募に際し、個々の職に対して具体的にどのような呼称を用いるかについては、各地方公共団体において適切に判断すべきものであること。

3　採用方法（第22条の２第１項）

会計年度任用職員の採用方法については、常勤職員と異なり、競争試験を原則とするまでの必要はないと考えられるため、競争試験又は選考とし、具体的には、面接や書類選考等による適宜の能力実証によることが可能であること。

4　条件付採用（第22条の２第７項）

非常勤職員を含む全ての一般職の職員について条件付採用を適用することとした上、会計年度任用職員の条件付採用期間について、常勤職員が６月のところ、１月とする特例を設けるものとすること。
また、再度の任用の場合には、あくまで新たな職に改めて任用されたものと整理されるものであり、任期の延長とは異なることから、改めて条件付採用の対象とし、能力の実証を行うことが必要であること。

5　任期（第22条の２第２項）

会計年度任用職員の任期については、その採用の日から同日の属する会計年度の末日までの期間の範囲内で、任命権者が定めるものとすること。
この際、従来の取扱いと同様、当該非常勤の職と同一の職務内容の職が翌年度設置される場合、同一の者が、平等取扱いの原則や成績主義の下、客観的な能力の実証を経て再度任用されることはありうるものであること。

6　いわゆる「空白期間」の適正化（第22条の２第６項）

会計年度任用職員の任期の設定については、基本的には、各地方公共団体において適切に判断されるべきものであること。
しかしながら、退職手当や社会保険料等を負担しないようにするため、再度の任用の際、新たな任期と前の任期との間に一定の期間（いわゆる「空白期間」）を設けることは適切ではないこと。また、任用されていない者を事実上業務に従事させる場合、公務上重大な問題を生じるおそれがあること。
このため、新地方公務員法においては、任期について、国の期間業務職員に関する人事院規則も参考とし、「職務の遂行に必要かつ十分な任期を定めるもの」とする配慮義務に係る規定を設けたところであり、不適切な「空白期間」の是正を図るべきものであること。

7　営利企業への従事等の制限（第38条関係）

フルタイムの会計年度任用職員については、営利企業への従事等の制限の対象としたが、パートタイムの会計年度任用職員については、対象外としたものであること。これに対して、パートタイムの会計年度任用職員については、職務専念義務や信用失墜行為の禁止等の服務規律が適用となることに留意が必要であること。

なお、営利企業への従事等の制限以外の新地方公務員法上の服務については、上記を含め、会計年度任用職員に対して例外なく適用され、これに違反する場合には懲戒処分等の対象となるものであること。

8　職員団体・交渉

会計年度任用職員については、新地方公務員法に定める常勤職員と同様の勤務条件に関する交渉制度が適用され、これに伴う代償措置としては、勤務条件条例主義、人事委員会又は公平委員会に対する措置要求、審査請求等が認められるものであること。

9　勤務時間（第22条の２第１項）

会計年度任用職員の勤務時間の設定については、一般的に、職務の内容や標準的な職務量に応じ適切に行う必要があること。

また、会計年度任用職員について、フルタイムでの任用が可能であることを明確化したところであり、こうした任用は、柔軟な人事管理や勤務条件の改善による人材確保にも資するため、職務の内容等に応じて、積極的な活用を検討すべきであること。

なお、単に勤務条件の確保等に伴う財政上の制約を理由として、合理的な理由なく短い勤務時間を設定し、現在行っているフルタイムでの任用について抑制を図ることは、適正な任用・勤務条件を確保するという改正法の趣旨に沿わないものであること。

10　休暇・休業

会計年度任用職員の休暇については、労働基準法に定める年次有給休暇、産前産後休業、育児時間及び生理休暇を制度的に設けるとともに、国の非常勤職員との権衡から必要な休暇を設けるなど、確実に制度の整備を行うべきであること。

加えて、会計年度任用職員の育児休業については、地方公務員の育児休業等に関する法律が適用され、対象となる職員の要件等を条例で定めることが必要となることから、確実に育児休業に係る条例の整備を行うべきであること。

11　その他

（１）人事行政の運営等の公表（第58条の２関係）

フルタイムの会計年度任用職員については、その任用や勤務条件等に関し、任命権者から地方公共団体の長に対する報告や、長による公表等の対象に追加したものであること。

これは、フルタイムの会計年度任用職員は、給料、旅費及び一定の手当の支給対象となり、人件費の管理等の観点から適正な取扱いを確保する必要があることを勘案したものであり、公表等に当たってはその趣旨を踏まえて実施されたいこと。

（2）制度の周知

勤務条件をあらかじめ明示するという観点等から、現に任用されている臨時・非常勤職員に対し、会計年度任用職員に係る任用・勤務条件の内容等について周知を図るべきであること。

第2　特別職非常勤職員の任用及び臨時的任用の適正確保

1　特別職非常勤職員の任用の適正確保（第3条第3項関係）

特別職のうち「臨時又は非常勤の顧問、参与、調査員、嘱託員及びこれらに準ずる者の職」については、「専門的な知識経験又は識見を有する者が就く職であって、当該知識経験又は識見に基づき、助言、調査、診断その他総務省令で定める事務を行うもの」に限定するものとすること。これにより、当該限定された職以外の職については、当該任用根拠により任用することはできないものであること。

なお、投票管理者等については、従来は、「臨時又は非常勤の顧問、参与、調査員、嘱託員及びこれらに準ずる者の職」に該当するものとされていたが、その職権行使の独立性の高さなどの特殊性にかんがみ、独立の類型として整理し、明確化したものであること。

さらに、総務省としては、特別職非常勤職員として取り扱うべき職種等について、関係省庁等と調整を行った上で、今後明示する考えであること。

2　臨時的任用の適正確保（第22条の3関係）

臨時的任用については、国家公務員の取扱いを踏まえ、「常時勤務を要する職に欠員を生じた場合」に該当することを新たに要件に加え、その対象を限定することとしたこと。

したがって、臨時的任用職員については、フルタイムで任用され、常勤職員が行うべき業務に従事するとともに、給料、旅費及び一定の手当が支給されること。このため、「非常勤の職」に欠員を生じた場合には任用することができないことから、「常勤職員が行うべき業務以外の業務に従事する職」又は「パートタイムの職」への任用は認められないこと。

また、臨時的任用職員のいわゆる「空白期間」の取扱いについては、会計年度任用職員と考え方は同様であり、不適切な「空白期間」の是正を図るべきものであること。

さらに、臨時的任用の任期が改正法の施行日をまたがる場合に対応した経過措置については、施行日前に行われた臨時的任用のうち、「常時勤務を要する職に欠員を生じた場合」に限定しているものであること（改正法附則第３条）。

Ⅲ　地方自治法の一部改正

第１　会計年度任用職員に対する給付（第203条の２及び第204条関係）

フルタイムの会計年度任用職員については、給料、旅費及び一定の手当の支給対象とし、パートタイムの会計年度任用職員については、報酬、費用弁償及び期末手当の支給対象とするものであること。

会計年度任用職員に対する給与については、フルタイム、パートタイムにかかわらず、新地方公務員法第24条に規定する職務給の原則、均衡の原則等に基づき、従事する職務の内容や責任の程度、在勤する地域等に十分留意しつつ、地域の実情等を踏まえ適切に定めるべきものであること。

また、通勤に係る費用については、平成26年７月４日付総務省自治行政局公務員部長通知「臨時・非常勤職員及び任期付職員の任用等について」（総行公第59号）では費用弁償として支給できることを示していたが、通勤手当又は費用弁償として、適切に支給すべきものであること。加えて、時間外勤務手当又はこれに相当する報酬については、正規の勤務時間を超えて勤務することを命じた場合には、適切に支給すべきものであること。

さらに、期末手当については、適正な任用・勤務条件を確保するという改正法の趣旨や、国の非常勤職員において期末手当の支給が進んでいることを踏まえると、適切に支給すべきものであること。また、期末手当の具体的な支給方法については、常勤の職員との権衡なども踏まえつつ、制度の詳細について検討することとしていること。

また、今後、国の非常勤職員の取扱い等を踏まえ、支給すべき手当等について明示する考えであるが、それ以外の手当については支給しないことを基本とすべきであること。

第２　その他

「常勤の職員」（改正法による改正後の地方自治法（以下「新地方自治法」という。）第204条第１項）のうち一般職に属する職員については、新地方公務員法における「常時勤務を要する職」を占める職員と同義であり、「非常勤の職員」（新地方自治法第203条の２第１項）のうち一般職に属する職員については、新地方公務員法における「非常勤の職」を占める職員と同義であること。

これは、兼職禁止（新地方自治法第92条第２項、第141条第２項及び第196条第３

項）及び定数（新地方自治法第138条第６項、第172条第３項、第191条第２項及び第200条第６項）における「常勤の職員」及び「非常勤の職」についても同様であること。

Ⅳ　改正法附則

第１　施行期日

改正法は、原則として平成32年４月１日から施行されるものであること（改正法附則第１条）。

第２　施行のために必要な準備及び措置、総務大臣による技術的な助言又は勧告等

改正法の施行に当たっては、新地方公務員法の規定による地方公務員の任用、服務その他の人事行政に関する制度及び新地方自治法の規定による給与に関する制度の適正かつ円滑な実施を確保するため、任命権者が行う必要な準備及び地方公共団体の長が講ずるべき措置について、総務大臣が技術的な助言又は勧告をするものとされていること（改正法附則第２条第２項）。

これを踏まえ、公布通知及び本通知でお知らせした事項のほか、改正法の運用上の留意事項その他の円滑な施行のために必要と考えられる事項について、「会計年度任用職員制度の導入等に向けた事務処理マニュアル」（仮称）を定め、別途通知することを予定していること。

〔参考資料４〕

定年を段階的に65歳に引き上げるための国家公務員法等の改正についての意見の申出の骨子（平成30年８月10日人事院）

○　質の高い行政サービスを維持するためには、高齢層職員の能力及び経験を本格的に活用することが不可欠。定年を段階的に65歳まで引上げ
○　民間企業の高齢期雇用の実情を考慮し、60歳超の職員の年間給与を60歳前の７割水準に設定
○　能力・実績に基づく人事管理を徹底するとともに、役職定年制の導入により組織活力を維持
○　短時間勤務制の導入により、60歳超の職員の多様な働き方を実現

1　国家公務員の定年の引上げをめぐる検討の経緯

・　平成23年、人事院は、定年を段階的に65歳に引き上げることが適当とする意見の申出

　平成25年、政府は、当面、年金支給開始年齢に達するまで希望者を原則として常勤官職に再任用すること、年金支給開始年齢の段階的な引上げの時期ごとに段階的な定年の引上げも含め改めて検討を行うこと等を閣議決定

・　政府は、「経済財政運営と改革の基本方針2017」（閣議決定）において、「公務員の定年の引上げについて、具体的な検討を進める」とし、関係行政機関による検討会で人事院の意見の申出も踏まえ検討した結果、定年を段階的に65歳に引き上げる方向で検討することが適当とし、論点を整理。平成30年２月、人事院に対し、論点整理を踏まえ定年の引上げについて検討要請

・　「経済財政運営と改革の基本方針2018」（閣議決定）においても、「公務員の定年を段階的に65歳に引き上げる方向で検討する」等としている

2　定年の引上げの必要性

・　少子高齢化が急速に進展し、若年労働力人口が減少。意欲と能力のある高齢者が活躍できる場を作っていくことが社会全体の重要な課題。民間では定年を引き上げる企業も一定数見られ、再雇用者の大多数はフルタイム勤務

・　公務では平成26年度以降、義務的再任用の実施等から、再任用職員は相当数増加。行政職(一)の再任用職員について、ポストは係長・主任級が約７割、勤務形態は短時間勤務の者が約８割。このまま再任用職員の割合が高まると、職員の能力及び経験を十分にいかしきれず、公務能率の低下が懸念。職員側も、無年金期間が拡大する中、生活への不安が高まるおそれ

・　複雑高度化する行政課題に的確に対応し、質の高い行政サービスを維持していくためには、60歳を超える職員の能力及び経験を本格的に活用することが不可欠であり、定年を段階的に65歳に引き上げることが必要。これにより、採用から退職までの人事管理の一体性・連続性が確保され、雇用と年金の接続も確実に図られる

・　定年の引上げを円滑に進める観点からも引上げ開始前を含めフルタイム再任用拡大の取組が必要

3　定年の引上げに関する具体的措置

⑴　定年制度の見直し

・　一定の準備期間を確保しつつ定年を段階的に65歳に引き上げることとした上で、速やかに実施される必要
・　定年の段階的な引上げ期間中は、定年退職後、年金が満額支給される65歳までの間の雇用確保のため、現行の再任用制度（フルタイム・短時間）を存置
・　60歳以降の働き方等について、あらかじめ人事当局が職員の意向を聴取する仕組みを措置

⑵　役職定年制の導入

・　新陳代謝を確保し組織活力を維持するため、当分の間、役職定年制を導入
・　管理監督職員は、60歳に達した日後における最初の４月１日までに他の官職に降任又は転任（任用換）。任用換により公務の運営に著しい支障が生ずる場合には、例外的に、引き続き役職定年対象官職に留まること又は他の役職定年対象官職に任用することを可能とする制度を設定

⑶　定年前の再任用短時間勤務制の導入

・　60歳以降の職員の多様な働き方を可能とするため、希望に基づき短時間勤務を可能とする制度を導入。新規採用や若年・中堅層職員の昇進の余地の確保、組織活力の維持にも資する
・　短時間勤務職員が能力及び経験をいかすためには、それにふさわしい職務の整備や人事運用について検討が必要

⑷　60歳を超える職員の給与

・　「賃金構造基本統計調査」では、民間（管理・事務・技術労働者（正社員））の60歳台前半層の年間給与水準は60歳前の約70％。「職種別民間給与実態調査」でも、定年延長企業のうち、60歳時点で給与減額を行っている事業所の60歳を超える従業員の年間給与水準は60歳前の７割台
・　これらの状況を踏まえ、60歳を超える職員の年間給与について、60歳前の７割水準に設定。役職定年により任用換された職員の年間給与は任用換前の５割から６割程度となる場合がある
・　具体的には、60歳を超える職員の俸給月額は60歳前の70％の額とし、俸給月額の水準と関係する諸手当等は60歳前の７割を基本に手当額等を設定（扶養手当等の手当額は60歳前と同額）。また、役職定年により任用換された職員等の俸給は、任用換前の俸給月額の70％の額（ただし、その額は任用換後の職務の級の最高号俸の俸給月額を上限）
・　60歳を超える職員の給与の引下げは、当分の間の措置とし、民間給与の動向等も踏まえ、60歳前の給与カーブも含めてその在り方を引き続き検討

※　上記の諸制度について、定年の引上げが段階的に行われる間も、役職定年制等の運用状況、能力・実績に基づく人事管理の徹底の状況、職員の就労意識の変化等を踏まえ、新たな定年制度の運用の実情を逐次検証し、円滑な人事管理の確保等の観点から必要な見直しを検討

関連する給与制度についても、民間企業における定年制や高齢層従業員の給与の状況、職員の人員構成の変化が各府省の人事管理に与える影響等を踏まえ、必要な見直しを検討

4　定年の引上げに関連する取組

(1)　能力・実績に基づく人事管理の徹底等

・　職員の在職期間を通じて能力・実績に基づく人事管理を徹底するなど人事管理全体を見直す必要。人事評価に基づく昇進管理の厳格化等を進める必要。人事院としても必要な検討を行う

・　勤務実績が良くない職員等には降任や免職等の分限処分が適時厳正に行われるよう、人事評価の適正な運用の徹底が必要。人事院としても分限の必要な見直しと各府省への必要な支援を行う

・　採用時から計画的に職員の能力を伸ばし多様な職務経験を付与するよう努めるほか、節目節目で職員の将来のキャリアプランに関する意向把握等が肝要

(2)　定年の引上げを円滑に行うため公務全体で取り組むべき施策

・　スタッフ職が必要な役割を適切に果たし得る執行体制の構築や複線型キャリアパスの確立に努めた上で、60歳を超える職員が能力及び経験をいかせる職務の更なる整備を検討

・　定年の引上げ期間中も真に必要な規模の新規採用を計画的に継続できるよう措置

・　職員の自主的な選択としての早期退職を支援するため、退職手当上の措置や高齢層職員の能力及び経験を公務外で活用する観点から必要な方策を検討

〔参考資料５－１〕

国家公務員法等の一部を改正する法律案の概要
（令和３年通常国会）

令和３年４月　内閣人事局

平均寿命の伸長や少子高齢化の進展を踏まえ、豊富な知識、技術、経験等を持つ高齢期の職員に最大限活躍してもらうため、定年の65歳引上げについての国会及び内閣に対する人事院の「意見の申出」（平成30年８月）に鑑み、国家公務員の定年を引き上げる。

１．定年の段階的引上げ

現行60歳の定年を段階的に引き上げて65歳とする。

（ただし、職務と責任の特殊性・欠員補充の困難性を有する医師等については、66歳から70歳の間で人事院規則により定年を定める）

	現行	令和５年度～６年度	令和７年度～８年度	令和９年度～10年度	令和11年度～12年度	令和13年度～【完成形】
定年	60歳	61歳	62歳	63歳	64歳	65歳

（※）定年の引上げに併せて、現行の60歳定年退職者の再任用制度は廃止
（定年の段階的な引上げ期間中は、定年から65歳までの間の経過措置として現行と同様の制度を存置）

２．役職定年制（管理監督職勤務上限年齢制）の導入

①　組織活力を維持するため、管理監督職（指定職及び俸給の特別調整額適用官職等）の職員は、60歳（事務次官等は62歳）の誕生日から同日以後の最初の４月１日までの間に、管理監督職以外の官職に異動させる。

②　役職定年による異動により公務の運営に著しい支障が生ずる場合に限り、引き続き管理監督職として勤務させることができる特例を設ける。

３．60歳に達した職員の給与

人事院の「意見の申出」に基づき、当分の間、職員の俸給月額は、職員が60歳に達した日後の最初の４月１日（特定日）以後、その者に適用される俸給表の職務の級及び号俸に応じた額に７割を乗じて得た額とする。

（役職定年により降任、降給を伴う異動をした職員の俸給月額は、異動前の俸給月額の７割水準）

（※）検討条項として、政府は、①60歳前後の給与水準が連続的なものとなるよう、国家公務員の給与制度について、人事院において公布後速やかに行われる昇任・昇格の基準、昇給の基準、俸給表などについての検討の状況を踏まえ、定年引上げ完成の前（令和13年３月31日まで）に所要の措置を順次講ずること、②公布後速やかに評語の区分など人事評価について検討を行い、施行日までに所要の措置を講ずること、を規定

４．高齢期における多様な職業生活設計の支援

①　60歳以後定年前に退職した者の退職手当

60歳に達した日以後に、定年前の退職を選択した職員が不利にならないよう、当分の間、「定年」を理由とする退職と同様に退職手当を算定する。

②　定年前再任用短時間勤務制の導入

60歳に達した日以後定年前に退職した職員を、本人の希望により、短時間勤務の官職に採用（任期は65歳まで）することができる制度を設ける。

５．その他

・検察官、防衛省の事務官等についても、同様に定年の引上げ等を行う。
・施行日：令和５年４月１日

〔参考資料５－２〕

国家公務員法等の一部を改正する法律（令和３年法律第61号）
新旧対照条文（定年引上げ関係部分のみ）

○国家公務員法（昭和二十二年法律第百二十号）（抄）（第一条関係）

改　正　案	現　　行
第三目　定年による退職等	第二目　定年
（定年による退職）	（定年による退職）
第八十一条の六　職員は、法律に別段の定めのある場合を除き、定年に達したときは、定年に達した日以後における最初の三月三十一日又は第五十五条第一項に規定する任命権者若しくは法律で別に定められた任命権者があらかじめ指定する日のいずれか早い日（次条第一項及び第二項ただし書において「定年退職日」という。）に退職する。	第八十一条の二　職員は、法律に別段の定めのある場合を除き、定年に達したときは、定年に達した日以後における最初の三月三十一日又は第五十五条第一項に規定する任命権者若しくは法律で別に定められた任命権者があらかじめ指定する日のいずれか早い日（以下「定年退職日」という。）に退職する。
②　前項の定年は、年齢六十五年とする。ただし、その職務と責任に特殊性があること又は欠員の補充が困難であることにより定年を年齢六十五年とすることが著しく不適当と認められる官職を占める医師及び歯科医師その他の職員として人事院規則で定める職員の定年は、六十五年を超え七十年を超えない範囲内で人事院規則で定める年齢とする。	②　前項の定年は、年齢六十年とする。ただし、次の各号に掲げる職員の定年は、当該各号に定める年齢とする。 一　病院、療養所、診療所等で人事院規則で定めるものに勤務する医師及び歯科医師　年齢六十五年 二　庁舎の監視その他の庁務及びこれに準ずる業務に従事する職員で人事院規則で定めるもの　年齢六十三年 三　前二号に掲げる職員のほか、その職務と責任に特殊性があること又は欠員の補充が困難であることにより定年を年齢六十年とすることが著しく不適当と認められる官職を占める職員で人事院規則で定めるもの　六十年を超え、六十五年を超えない範囲内で人事院規則で定める年齢
③　（略）	③　前二項の規定は、臨時的職員その他の法律により任期を定めて任用される職員及び常時勤務を要しない官職を占める職員には適用しない。

附　則

第八条　令和五年四月一日から令和十三年三月三十一日までの間における第八十一条の六第二項の規定の適用については、次の表の上（左）欄に掲げる期間の区分に応じ、同項中「六十五年」とあるのはそれぞれ同表の中欄に掲げる字句と、同項ただし書中「七十年」とあるのはそれぞれ同表の下（右）欄に掲げる字句とする。

令和五年四月一日から令和七年三月三十一日まで	六十一年	六十六年
令和七年四月一日から令和九年三月三十一日まで	六十二年	六十七年
令和九年四月一日から令和十一年三月三十一日まで	六十三年	六十八年
令和十一年四月一日から令和十三年三月三十一日まで	六十四年	六十九年

②　令和五年四月一日から令和十三年三月三十一日までの間における国家公務員法等の一部を改正する法律（令和三年法律第　　　号。以下この条及び次条において「令和三年国家公務員法等改正法」という。）第一条の規定による改正前の第八十一条の二第二項第一号に掲げる職員に相当する職員として人事院規則で定める職員に対する第八十一条の六第二項の規定の適用については、前項の規定にかかわらず、次の表の上（左）欄に掲げる期間の区分に

附　則

（新設）

応じ、同条第二項ただし書中同表の中欄に掲げる字句は、それぞれ同表の下（右）欄に掲げる字句とする。

令和五年四月一日から令和七年三月三十一日まで	六十五年を超え七十年を超えない範囲内で人事院規則で定める年齢	年齢六十六年
令和七年四月一日から令和九年三月三十一日まで	七十年	六十七年
令和九年四月一日から令和十一年三月三十一日まで	七十年	六十八年
令和十一年四月一日から令和十三年三月三十一日まで	七十年	六十九年

③　令和五年四月一日から令和十三年三月三十一日までの間における令和三年国家公務員法等改正法第一条の規定による改正前の第八十一条の二第二項第二号に掲げる職員に相当する職員として人事院規則で定める職員に対する第八十一条の六第二項の規定の適用については、第一項の規定にかかわらず、次の表の上（左）欄に掲げる期間の区分に応じ、同条第二項中「六十五年」とあるのはそれぞれ同表の中欄に掲げる字句と、同項ただし書中「七十年」とあるのはそれぞれ同表の下（右）欄に掲げる字句とする。

令和五年四月一日から令和七年三月三十一日まで	六十三年	六十六年
令和七年四月一日から令和九年三月三十一日まで	六十三年	六十七年
令和九年四月一日から令和十一年三月三十一日まで	六十三年	六十八年
令和十一年四月一日から令和十三年三月三十一日まで	六十四年	六十九年

④ 令和五年四月一日から令和七年三月三十一日までの間における令和三年国家公務員法等改正法第一条の規定による改正前の第八十一条の二第二項第三号に掲げる職員に相当する職員として人事院規則で定める職員に対する第八十一条の六第二項の規定の適用については、第一項の規定にかかわらず、同条第二項中「、年齢六十五年」とあるのは「、六十年を超え六十五年を超えない範囲内で人事院規則で定める年齢」と、同項ただし書中「六十五年を超え七十年を超えない範囲内で人事院規則で定める年齢」とあるのは「年齢六十六年」とする。

⑤ 令和七年四月一日から令和十三年三月三十一日までの間における前項に規定する職員に対する第八十一条の六第二項の規定の適用については、第一項の規定にかかわらず、次の表の上（左）欄に掲げる期間の区分に応じ、同条第二項中「、年齢六十五年」とあるのはそれぞれ同表の中欄に掲げる字句と、

同項ただし書中「七十年」とあるのはそれぞれ同表の下（右）欄に掲げる字句とする。

令和七年四月一日から令和九年三月三十一日まで	、六十一年を超え六十五年を超えない範囲内で人事院規則で定める年齢	六十七年
令和九年四月一日から令和十一年三月三十一日まで	、六十二年を超え六十五年を超えない範囲内で人事院規則で定める年齢	六十八年
令和十一年四月一日から令和十三年三月三十一日まで	、六十三年を超え六十五年を超えない範囲内で人事院規則で定める年齢	六十九年

〔参考資料６－１〕

地方公務員法の一部を改正する法律（令和3年法律第63号）の概要

国家公務員の定年引上げに伴い、地方公務員の定年も60歳から65歳まで2年に1歳ずつ段階的に引き上げられることを踏まえ、地方公務員についても国家公務員と同様に以下の措置を講ずる。（令和3年6月11日公布）

Ⅰ 法律の内容

1. 役職定年制（管理監督職勤務上限年齢制）の導入

○ 組織の新陳代謝を確保し、組織活力を維持するため、役職定年制（管理監督職勤務上限年齢制）を導入する。

・ 役職定年の対象範囲及び役職定年年齢は、国家公務員との権衡を考慮した上で、条例で定める。

※ 役職定年の対象範囲は管理職手当の支給対象となっている職を、役職定年年齢は60歳を基本とする。

※ 職員の年齢別構成等の特別の事情がある場合には例外措置を講ずることができる。

2. 定年前再任用短時間勤務制の導入

○ 60歳に達した日以後定年前に退職した職員について、本人の希望により、短時間勤務の職に採用（任期は65歳まで）することができる制度を導入する。

3. 情報提供・意思確認制度の新設

○ 任命権者は、当分の間、職員が60歳に達する日の前年度に、60歳以後の任用、給与、退職手当に関する情報を提供するものとし、職員の60歳以後の勤務の意思を確認するよう努めるものとする。

Ⅱ その他

給与に関する措置

○ 国家公務員の給与及び退職手当について以下の措置が講じられることを踏まえ、地方公務員についても、均衡の原則（地方公務員法第24条）に基づき、条例において必要な措置を講ずるよう要請する。

・当分の間、60歳を超える職員の給料月額は、60歳前の7割水準に設定する。

・ 60歳に達した日以後に、定年前の退職を選択した職員が不利にならないよう、当分の間、「定年」を理由とする退職と同様に退職手当を算定する。

【施行期日】令和5年4月1日

〔参考資料6－2〕

地方公務員法の一部を改正する法律（令和３年法律第63号）
新旧対照条文（抄）

○地方公務員法（昭和二十五年法律第二百六十一号）

改　正　案	現　行
目次 　第一章・第二章　（略） 　第三章　職員に適用される基準 　　第一節　（略） 　　第二節　任用（第十五条―第二十二条の五） 　　第三節～第九節　（略） 　第四章・第五章　（略） 　附則	目次 　第一章　総則（第一条―第五条） 　第二章　人事機関（第六条―第十二条） 　第三章　職員に適用される基準 　　第一節　通則（第十三条・第十四条） 　　第二節　任用（第十五条―第二十二条の三） 　　**第三節～第九節　（略）** 　**第四章・第五章　（略）** 　附則
（条件付採用） 第二十二条　職員の採用は、全て条件付のものとし、当該職員がその職において六月の期間を勤務し、その間その職務を良好な成績で遂行したときに、正式のものとなるものとする。この場合において、人事委員会等は、人事委員会規則（人事委員会を置かない地方公共団体においては、地方公共団体の規則。第二十二条の四第一項及び第二十二条の五第一項において同じ。）で定めるところにより、条件付採用の期間を一年を超えない範囲内で延長することができる。	（条件付採用） 第二十二条　職員の採用は、全て条件付のものとし、当該職員がその職において六月を勤務し、その間その職務を良好な成績で遂行したときに正式採用になるものとする。この場合において、人事委員会等は、人事委員会規則（人事委員会を置かない地方公共団体においては、地方公共団体の規則）で定めるところにより、条件付採用の期間を一年に至るまで延長することができる。
（会計年度任用職員の採用の方法等） 第二十二条の二　次に掲げる職員（以下この条において「会計年度任用職員」という。）の採用は、第十七条の二第一項及び第二項の規定にかかわらず、競争試験又は選考によるものとする。 　一　一会計年度を超えない範囲内で置かれる非常勤の職（第二十二条の四	（会計年度任用職員の採用の方法等） 第二十二条の二　次に掲げる職員（以下この条において「会計年度任用職員」という。）の採用は、第十七条の二第一項及び第二項の規定にかかわらず、競争試験又は選考によるものとする。 　一　一会計年度を超えない範囲内で置かれる非常勤の職（第二十八条の五

第一項に規定する短時間勤務の職を除く。）（次号において「会計年度任用の職」という。）を占める職員であつて、その一週間当たりの通常の勤務時間が常時勤務を要する職を占める職員の一週間当たりの通常の勤務時間に比し短い時間であるもの	第一項に規定する短時間勤務の職を除く。）（次号において「会計年度任用の職」という。）を占める職員であつて、その一週間当たりの通常の勤務時間が常時勤務を要する職を占める職員の一週間当たりの通常の勤務時間に比し短い時間であるもの
二　会計年度任用の職を占める職員であつて、その一週間当たりの通常の勤務時間が常時勤務を要する職を占める職員の一週間当たりの通常の勤務時間と同一の時間であるもの	二　会計年度任用の職を占める職員であつて、その一週間当たりの通常の勤務時間が常時勤務を要する職を占める職員の一週間当たりの通常の勤務時間と同一の時間であるもの
２～７　（略）	**２～７　（略）**
（定年前再任用短時間勤務職員の任用） 第二十二条の四　任命権者は、当該任命権者の属する地方公共団体の条例年齢以上退職者（条例で定める年齢に達した日以後に退職（臨時的に任用される職員その他の法律により任期を定めて任用される職員及び非常勤職員が退職する場合を除く。）をした者をいう。以下同じ。）を、条例で定めるところにより、従前の勤務実績その他の人事委員会規則で定める情報に基づく選考により、短時間勤務の職（当該職を占める職員の一週間当たりの通常の勤務時間が、常時勤務を要する職でその職務が当該短時間勤務の職と同種の職を占める職員の一週間当たりの通常の勤務時間に比し短い時間である職をいう。以下同じ。）に採用することができる。ただし、条例年齢以上退職者がその者を採用しようとする短時間勤務の職に係る定年退職日相当日（短時間勤務の職を占める職員が、常時勤務を要する職でその職務が当該短時間勤務の職と同種の職を占めているものとした場合における第二十八条の六第一項に規定する定年退職日をいう。第三項及び第四項において同じ。）を経過し	（新設）

た者であるときは、この限りでない。 2　前項の条例で定める年齢は、国の職員につき定められている国家公務員法（昭和二十二年法律第百二十号）第六十条の二第一項に規定する年齢を基準として定めるものとする。 3　第一項の規定により採用された職員（以下この条及び第二十九条第三項において「定年前再任用短時間勤務職員」という。）の任期は、採用の日から定年退職日相当日までとする。 4　任命権者は、条例年齢以上退職者のうちその者を採用しようとする短時間勤務の職に係る定年退職日相当日を経過していない者以外の者を当該短時間勤務の職に採用することができず、定年前再任用短時間勤務職員のうち当該定年前再任用短時間勤務職員を昇任し、降任し、又は転任しようとする短時間勤務の職に係る定年退職日相当日を経過していない定年前再任用短時間勤務職員以外の職員を当該短時間勤務の職に昇任し、降任し、又は転任することができない。 5　任命権者は、定年前再任用短時間勤務職員を、常時勤務を要する職に昇任し、降任し、又は転任することができない。 6　第一項の規定による採用については、第二十二条の規定は、適用しない。	
第二十二条の五　地方公共団体の組合を組織する地方公共団体の任命権者は、前条第一項本文の規定によるほか、当該地方公共団体の組合の条例年齢以上退職者を、条例で定めるところにより、従前の勤務実績その他の人事委員会規則で定める情報に基づく選考により、短時間勤務の職に採用することができる。 2　地方公共団体の組合の任命権者は、	（新設）

前条第一項本文の規定によるほか、当該地方公共団体の組合を組織する地方公共団体の条例年齢以上退職者を、条例で定めるところにより、従前の勤務実績その他の地方公共団体の組合の規則（競争試験等を行う公平委員会を置く地方公共団体の組合においては、公平委員会規則）で定める情報に基づく選考により、短時間勤務の職に採用することができる。 3　前二項の場合においては、前条第一項ただし書及び第三項から第六項までの規定を準用する。	
（高齢者部分休業） 第二十六条の三　任命権者は、高年齢として条例で定める年齢に達した職員が申請した場合において、公務の運営に支障がないと認めるときは、条例で定めるところにより、当該職員が当該条例で定める年齢に達した日以後の日で当該申請において示した日から当該職員に係る定年退職日（第二十八条の六第一項に規定する定年退職日をいう。）までの期間中、一週間の勤務時間の一部について勤務しないこと（次項において「高齢者部分休業」という。）を承認することができる。 2　（略）	（高齢者部分休業） 第二十六条の三　任命権者は、高年齢として条例で定める年齢に達した職員が申請した場合において、公務の運営に支障がないと認めるときは、条例で定めるところにより、当該職員が当該条例で定める年齢に達した日以後の日で当該申請において示した日から当該職員に係る定年退職日（第二十八条の二第一項に規定する定年退職日をいう。）までの期間中、一週間の勤務時間の一部について勤務しないこと（次項において「高齢者部分休業」という。）を承認することができる。 **２　（略）**
（分限及び懲戒の基準） 第二十七条　全て職員の分限及び懲戒については、公正でなければならない。 2　職員は、この法律で定める事由による場合でなければ、その意に反して、降任され、又は免職されず、この法律又は条例で定める事由による場合でなければ、その意に反して、休職され、又は降給されることがない。	（分限及び懲戒の基準） 第二十七条　すべて職員の分限及び懲戒については、公正でなければならない。 2　職員は、この法律で定める事由による場合でなければ、その意に反して、降任され、若しくは免職されず、この法律又は条例で定める事由による場合でなければ、その意に反して、休職されず、又、条例で定める事由による場合でなければ、その意に反して降給されることがない。

3　（略）	3　（略）
（管理監督職勤務上限年齢による降任等） 第二十八条の二　任命権者は、管理監督職（地方自治法第二百四条第二項に規定する管理職手当を支給される職員の職及びこれに準ずる職であつて条例で定める職をいう。以下この節において同じ。）を占める職員でその占める管理監督職に係る管理監督職勤務上限年齢に達している職員について、異動期間（当該管理監督職勤務上限年齢に達した日の翌日から同日以後における最初の四月一日までの間をいう。以下この節において同じ。）（第二十八条の五第一項から第四項までの規定により延長された期間を含む。以下この項において同じ。）に、管理監督職以外の職又は管理監督職勤務上限年齢が当該職員の年齢を超える管理監督職（以下この項及び第四項においてこれらの職を「他の職」という。）への降任又は転任（降給を伴う転任に限る。）をするものとする。ただし、異動期間に、この法律の他の規定により当該職員について他の職への昇任、降任若しくは転任をした場合又は第二十八条の七第一項の規定により当該職員を管理監督職を占めたまま引き続き勤務させることとした場合は、この限りでない。	（新設）
2　前項の管理監督職勤務上限年齢は、条例で定めるものとする。	
3　管理監督職及び管理監督職勤務上限年齢を定めるに当たつては、国及び他の地方公共団体の職員との間に権衡を失しないように適当な考慮が払われなければならない。	
4　第一項本文の規定による他の職への降任又は転任（以下この節及び第四十九条第一項ただし書において「他の職	

への降任等」という。）を行うに当たつて任命権者が遵守すべき基準に関する事項その他の他の職への降任等に関し必要な事項は、条例で定める。	
（管理監督職への任用の制限） 第二十八条の三　任命権者は、採用し、昇任し、降任し、又は転任しようとする管理監督職に係る管理監督職勤務上限年齢に達している者を、その者が当該管理監督職を占めているものとした場合における異動期間の末日の翌日（他の職への降任等をされた職員にあつては、当該他の職への降任等をされた日）以後、当該管理監督職に採用し、昇任し、降任し、又は転任することができない。	（新設）
（適用除外） 第二十八条の四　前二条の規定は、臨時的に任用される職員その他の法律により任期を定めて任用される職員には適用しない。	（新設）
（管理監督職勤務上限年齢による降任等及び管理監督職への任用の制限の特例） 第二十八条の五　任命権者は、他の職への降任等をすべき管理監督職を占める職員について、次に掲げる事由があると認めるときは、条例で定めるところにより、当該職員が占める管理監督職に係る異動期間の末日の翌日から起算して一年を超えない期間内（当該期間内に次条第一項に規定する定年退職日（以下この項及び次項において「定年退職日」という。）がある職員にあつては、当該異動期間の末日の翌日から定年退職日までの期間内。第三項において同じ。）で当該異動期間を延長し、引き続き当該管理監督職を占める職員	（新設）

に、当該管理監督職を占めたまま勤務をさせることができる。
一　当該職員の職務の遂行上の特別の事情を勘案して、当該職員の他の職への降任等により公務の運営に著しい支障が生ずると認められる事由として条例で定める事由
二　当該職員の職務の特殊性を勘案して、当該職員の他の職への降任等により、当該管理監督職の欠員の補充が困難となることにより公務の運営に著しい支障が生ずると認められる事由として条例で定める事由
2　任命権者は、前項又はこの項の規定により異動期間（これらの規定により延長された期間を含む。）が延長された管理監督職を占める職員について、前項各号に掲げる事由が引き続きあると認めるときは、条例で定めるところにより、延長された当該異動期間の末日の翌日から起算して一年を超えない期間内（当該期間内に定年退職日がある職員にあつては、延長された当該異動期間の末日の翌日から定年退職日までの期間内。第四項において同じ。）で延長された当該異動期間を更に延長することができる。ただし、更に延長される当該異動期間の末日は、当該職員が占める管理監督職に係る異動期間の末日の翌日から起算して三年を超えることができない。
3　任命権者は、第一項の規定により異動期間を延長することができる場合を除き、他の職への降任等をすべき特定管理監督職群（職務の内容が相互に類似する複数の管理監督職であつて、これらの欠員を容易に補充することができない年齢別構成その他の特別の事情がある管理監督職として人事委員会規則（人事委員会を置かない地方公共団体においては、地方公共団体の規則）

で定める管理監督職をいう。以下この項において同じ。）に属する管理監督職を占める職員について、当該職員の他の職への降任等により、当該特定管理監督職群に属する管理監督職の欠員の補充が困難となることにより公務の運営に著しい支障が生ずると認められる事由として条例で定める事由があると認めるときは、条例で定めるところにより、当該職員が占める管理監督職に係る異動期間の末日の翌日から起算して一年を超えない期間内で当該異動期間を延長し、引き続き当該管理監督職を占めている職員に当該管理監督職を占めたまま勤務をさせ、又は当該職員を当該管理監督職が属する特定管理監督職群の他の管理監督職に降任し、若しくは転任することができる。

4　任命権者は、第一項若しくは第二項の規定により異動期間（これらの規定により延長された期間を含む。）が延長された管理監督職を占める職員について前項に規定する事由があると認めるとき（第二項の規定により延長された当該異動期間を更に延長することができるときを除く。）、又は前項若しくはこの項の規定により異動期間（前三項又はこの項の規定により延長された期間を含む。）が延長された管理監督職を占める職員について前項に規定する事由が引き続きあると認めるときは、条例で定めるところにより、延長された当該異動期間の末日の翌日から起算して一年を超えない期間内で延長された当該異動期間を更に延長することができる。

5　前各項に定めるもののほか、これらの規定による異動期間（これらの規定により延長された期間を含む。）の延長及び当該延長に係る職員の降任又は転任に関し必要な事項は、条例で定め

る。	
（定年による退職） 第二十八条の六　職員は、定年に達したときは、定年に達した日以後における最初の三月三十一日までの間において、条例で定める日（次条第一項及び第二項ただし書において「定年退職日」という。）に退職する。 ２～４　（略）	（定年による退職） 第二十八条の二　職員は、定年に達したときは、定年に達した日以後における最初の三月三十一日までの間において、条例で定める日（以下「定年退職日」という。）に退職する。 ２　前項の定年は、国の職員につき定められている定年を基準として条例で定めるものとする。 ３　前項の場合において、地方公共団体における当該職員に関しその職務と責任に特殊性があること又は欠員の補充が困難であることにより国の職員につき定められている定年を基準として定めることが実情に即さないと認められるときは、当該職員の定年については、条例で別の定めをすることができる。この場合においては、国及び他の地方公共団体の職員との間に権衡を失しないように適当な考慮が払われなければならない。 ４　前三項の規定は、臨時的に任用される職員その他の法律により任期を定めて任用される職員及び非常勤職員には適用しない。
（定年による退職の特例） 第二十八条の七　任命権者は、定年に達した職員が前条第一項の規定により退職すべきこととなる場合において、次に掲げる事由があると認めるときは、同項の規定にかかわらず、条例で定めるところにより、当該職員に係る定年退職日の翌日から起算して一年を超えない範囲内で期限を定め、	（定年による退職の特例） 第二十八条の三　任命権者は、定年に達した職員が前条第一項の規定により退職すべきこととなる場合において、その職員の職務の特殊性又はその職員の職務の遂行上の特別の事情からみてその退職により公務の運営に著しい支障が生ずると認められる十分な理由があるときは、同項の規定にかかわらず、条例で定めるところにより、その職員に係る定年退職日の翌日から起算して一年を超えない範囲内で期限を定め、

当該職員を当該定年退職日において従事している職務に従事させるため、引き続き勤務させることができる。ただし、第二十八条の五第一項から第四項までの規定により異動期間（これらの規定により延長された期間を含む。）を延長した職員であつて、定年退職日において管理監督職を占めている職員については、同条第一項又は第二項の規定により当該定年退職日まで当該異動期間を延長した場合に限るものとし、当該期限は、当該職員が占めている管理監督職に係る異動期間の末日の翌日から起算して三年を超えることができない。 一　前条第一項の規定により退職すべきこととなる職員の職務の遂行上の特別の事情を勘案して、当該職員の退職により公務の運営に著しい支障が生ずると認められる事由として条例で定める事由 二　前条第一項の規定により退職すべきこととなる職員の職務の特殊性を勘案して、当該職員の退職により、当該職員が占める職の欠員の補充が困難となることにより公務の運営に著しい支障が生ずると認められる事由として条例で定める事由	その職員を当該職務に従事させるため引き続いて勤務させることができる。
2　任命権者は、前項の期限又はこの項の規定により延長された期限が到来する場合において、前項各号に掲げる事由が引き続きあると認めるときは、条例で定めるところにより、これらの期限の翌日から起算して一年を超えない範囲内で期限を延長することができる。ただし、当該期限は、当該職員に係る定年退職日（同項ただし書に規定する職員にあつては、当該職員が占めている管理監督職に係る異動期間の末日）の翌日から起算して三年を超えることができな	2　任命権者は、前項の期限又はこの項の規定により延長された期限が到来する場合において、前項の事由が引き続き存すると認められる十分な理由があるときは、条例で定めるところにより、一年を超えない範囲内で期限を延長することができる。ただし、その期限は、その職員に係る定年退職日の翌日から起算して三年を超えることができな

い。	い。
3　前二項に定めるもののほか、これらの規定による勤務に関し必要な事項は、条例で定める。	（新設）
	（定年退職者等の再任用）
（削る）	第二十八条の四　任命権者は、当該地方公共団体の定年退職者等（第二十八条の二第一項の規定により退職した者若しくは前条の規定により勤務した後退職した者又は定年退職日以前に退職した者のうち勤続期間等を考慮してこれらに準ずるものとして条例で定める者をいう。以下同じ。）を、従前の勤務実績等に基づく選考により、一年を超えない範囲内で任期を定め、常時勤務を要する職に採用することができる。ただし、その者がその者を採用しようとする職に係る定年に達していないときは、この限りでない。 2　前項の任期又はこの項の規定により更新された任期は、条例で定めるところにより、一年を超えない範囲内で更新することができる。 3　前二項の規定による任期については、その末日は、その者が条例で定める年齢に達する日以後における最初の三月三十一日までの間において条例で定める日以前でなければならない。 4　前項の年齢は、国の職員につき定められている任期の末日に係る年齢を基準として定めるものとする。 5　第一項の規定による採用については、第二十二条の規定は、適用しない。
（削る）	第二十八条の五　任命権者は、当該地方公共団体の定年退職者等を、従前の勤務実績等に基づく選考により、一年を超えない範囲内で任期を定め、短時間勤務の職（当該職を占める職員の一週間当たりの通常の勤務時間が、常時勤

	務を要する職でその職務が当該短時間勤務の職と同種のものを占める職員の一週間当たりの通常の勤務時間に比し短い時間であるものをいう。以下同じ。）に採用することができる。 2　前項の規定により採用された職員については、前条第二項から第五項までの規定を準用する。 3　短時間勤務の職については、定年退職者等のうち第二十八条の二第一項から第三項までの規定の適用があるものとした場合の当該職に係る定年に達した者に限り任用することができるものとする。
（削る）	第二十八条の六　第二十八条の四第一項本文の規定によるほか、地方公共団体の組合を組織する地方公共団体の任命権者にあつては当該地方公共団体が組織する地方公共団体の組合の定年退職者等を、地方公共団体の組合の任命権者にあつては当該地方公共団体の組合を組織する地方公共団体の定年退職者等を、従前の勤務実績等に基づく選考により、一年を超えない範囲内で任期を定め、常時勤務を要する職に採用することができる。この場合においては、同項ただし書の規定を準用する。 2　前条第一項の規定によるほか、地方公共団体の組合を組織する地方公共団体の任命権者にあつては当該地方公共団体が組織する地方公共団体の組合の定年退職者等を、地方公共団体の組合の任命権者にあつては当該地方公共団体の組合を組織する地方公共団体の定年退職者等を、従前の勤務実績等に基づく選考により、一年を超えない範囲内で任期を定め、短時間勤務の職に採用することができる。この場合においては、同条第三項の規定を準用する。 3　前二項の規定により採用された職員

改正後	改正前
	については、第二十八条の四第二項から第五項までの規定を準用する。
（懲戒） 第二十九条　職員が次の各号のいずれかに該当する場合には、当該職員に対し、懲戒処分として戒告、減給、停職又は免職の処分をすることができる。 一　この法律若しくは第五十七条に規定する特例を定めた法律又はこれらに基づく条例、地方公共団体の規則若しくは地方公共団体の機関の定める規程に違反した場合 二・三　（略） 2　職員が、任命権者の要請に応じ当該地方公共団体の特別職に属する地方公務員、他の地方公共団体若しくは特定地方独立行政法人の地方公務員、国家公務員又は地方公社（地方住宅供給公社、地方道路公社及び土地開発公社をいう。）その他その業務が地方公共団体若しくは国の事務若しくは事業と密接な関連を有する法人のうち条例で定めるものに使用される者（以下この項において「特別職地方公務員等」という。）となるため退職し、引き続き特別職地方公務員等として在職した後、引き続いて当該退職を前提として職員として採用された場合（一の特別職地方公務員等として在職した後、引き続き一以上の特別職地方公務員等として在職し、引き続いて当該退職を前提として職員として採用された場合を含む。）において、当該退職までの引き続く職員としての在職期間（当該退職前に同様の退職（以下この項において「先の退職」という。）、特別職地方公務員等としての在職及び職員としての採用がある場合には、当該先の退職までの引き続く職員としての在職期間を含む。次項において「要請に応じた退	（懲戒） 第二十九条　職員が次の各号の一に該当する場合においては、これに対し懲戒処分として戒告、減給、停職又は免職の処分をすることができる。 一　この法律若しくは第五十七条に規定する特例を定めた法律又はこれに基く条例、地方公共団体の規則若しくは地方公共団体の機関の定める規程に違反した場合 **二・三　（略）** 2　職員が、任命権者の要請に応じ当該地方公共団体の特別職に属する地方公務員、他の地方公共団体若しくは特定地方独立行政法人の地方公務員、国家公務員又は地方公社（地方住宅供給公社、地方道路公社及び土地開発公社をいう。）その他その業務が地方公共団体若しくは国の事務若しくは事業と密接な関連を有する法人のうち条例で定めるものに使用される者（以下この項において「特別職地方公務員等」という。）となるため退職し、引き続き特別職地方公務員等として在職した後、引き続いて当該退職を前提として職員として採用された場合（一の特別職地方公務員等として在職した後、引き続き一以上の特別職地方公務員等として在職し、引き続いて当該退職を前提として職員として採用された場合を含む。）において、当該退職までの引き続く職員としての在職期間（当該退職前に同様の退職（以下この項において「先の退職」という。）、特別職地方公務員等としての在職及び職員としての採用がある場合には、当該先の退職までの引き続く職員としての在職期間を含む。次項において「要請に応じた退

職前の在職期間」という。）中に前項各号のいずれかに該当したときは、当該職員に対し同項に規定する懲戒処分を行うことができる。	職前の在職期間」という。）中に前項各号のいずれかに該当したときは、これに対し同項に規定する懲戒処分を行うことができる。
3　定年前再任用短時間勤務職員（第二十二条の四第一項の規定により採用された職員に限る。以下この項において同じ。）が、条例年齢以上退職者となつた日までの引き続く職員としての在職期間（要請に応じた退職前の在職期間を含む。）又は第二十二条の四第一項の規定によりかつて採用されて定年前再任用短時間勤務職員として在職していた期間中に第一項各号のいずれかに該当したときは、当該職員に対し同項に規定する懲戒処分を行うことができる。	3　職員が、第二十八条の四第一項又は第二十八条の五第一項の規定により採用された場合において、定年退職者等となつた日までの引き続く職員としての在職期間（要請に応じた退職前の在職期間を含む。）又はこれらの規定によりかつて採用されて職員として在職していた期間中に第一項各号の一に該当したときは、これに対し同項に規定する懲戒処分を行うことができる。
4　職員の懲戒の手続及び効果は、法律に特別の定めがある場合を除くほか、条例で定めなければならない。	4　職員の懲戒の手続及び効果は、法律に特別の定がある場合を除く外、条例で定めなければならない。
（再就職者による依頼等の規制）	（再就職者による依頼等の規制）
第三十八条の二　職員（臨時的に任用された職員、条件付採用期間中の職員及び非常勤職員（短時間勤務の職を占める職員を除く。）を除く。以下この節、第六十条及び第六十三条において同じ。）であつた者であつて離職後に営利企業等（営利企業及び営利企業以外の法人（国、国際機関、地方公共団体、独立行政法人通則法（平成十一年法律第百三号）第二条第四項に規定する行政執行法人及び特定地方独立行政法人を除く。）をいう。以下同じ。）の地位に就いている者（退職手当通算予定職員であつた者であつて引き続いて退職手当通算法人の地位に就いている者及び公益的法人等への一般職の地方公務員の派遣等に関する法律（平成十二年法律第五十号）第十条第二項に規定する退職派遣者を除く。以下「再就職者」	第三十八条の二　職員（臨時的に任用された職員、条件付採用期間中の職員及び非常勤職員（短時間勤務の職を占める職員を除く。）を除く。以下この節、第六十条及び第六十三条において同じ。）であつた者であつて離職後に営利企業等（営利企業及び営利企業以外の法人（国、国際機関、地方公共団体、独立行政法人通則法（平成十一年法律第百三号）第二条第四項に規定する行政執行法人及び特定地方独立行政法人を除く。）をいう。以下同じ。）の地位に就いている者（退職手当通算予定職員であつた者であつて引き続いて退職手当通算法人の地位に就いている者及び公益的法人等への一般職の地方公務員の派遣等に関する法律（平成十二年法律第五十号）第十条第二項に規定する退職派遣者を除く。以下「再就職者」

という。）は、離職前五年間に在職していた地方公共団体の執行機関の組織（当該執行機関（当該執行機関の附属機関を含む。）の補助機関及び当該執行機関の管理に属する機関の総体をいう。第三十八条の七において同じ。）若しくは議会の事務局（事務局を置かない場合には、これに準ずる組織。同条において同じ。）若しくは特定地方独立行政法人（以下「地方公共団体の執行機関の組織等」という。）の職員若しくは特定地方独立行政法人の役員（以下「役職員」という。）又はこれらに類する者として人事委員会規則（人事委員会を置かない地方公共団体においては、地方公共団体の規則。以下この条（第七項を除く。）、第三十八条の七、第六十条及び第六十四条において同じ。）で定めるものに対し、当該地方公共団体若しくは当該特定地方独立行政法人と当該営利企業等若しくはその子法人（国家公務員法　　　　第百六条の二第一項に規定する子法人の例を基準として人事委員会規則で定めるものをいう。以下同じ。）との間で締結される売買、貸借、請負その他の契約又は当該営利企業等若しくはその子法人に対して行われる行政手続法（平成五年法律第八十八号）第二条第二号に規定する処分に関する事務（以下「契約等事務」という。）であつて離職前五年間の職務に属するものに関し、離職後二年間、職務上の行為をするように、又はしないように要求し、又は依頼してはならない。	という。）は、離職前五年間に在職していた地方公共団体の執行機関の組織（当該執行機関（当該執行機関の附属機関を含む。）の補助機関及び当該執行機関の管理に属する機関の総体をいう。第三十八条の七において同じ。）若しくは議会の事務局（事務局を置かない場合には、これに準ずる組織。同条において同じ。）若しくは特定地方独立行政法人（以下「地方公共団体の執行機関の組織等」という。）の職員若しくは特定地方独立行政法人の役員（以下「役職員」という。）又はこれらに類する者として人事委員会規則（人事委員会を置かない地方公共団体においては、地方公共団体の規則。以下この条（第七項を除く。）、第三十八条の七、第六十条及び第六十四条において同じ。）で定めるものに対し、当該地方公共団体若しくは当該特定地方独立行政法人と当該営利企業等若しくはその子法人（国家公務員法（昭和二十二年法律第百二十号）第百六条の二第一項に規定する子法人の例を基準として人事委員会規則で定めるものをいう。以下同じ。）との間で締結される売買、貸借、請負その他の契約又は当該営利企業等若しくはその子法人に対して行われる行政手続法（平成五年法律第八十八号）第二条第二号に規定する処分に関する事務（以下「契約等事務」という。）であつて離職前五年間の職務に属するものに関し、離職後二年間、職務上の行為をするように、又はしないように要求し、又は依頼してはならない。
2～8　（略）	**2～8　（略）**
（不利益処分に関する説明書の交付） 第四十九条　任命権者は、職員に対し、懲戒その他その意に反すると認める不	（不利益処分に関する説明書の交付） 第四十九条　任命権者は、職員に対し、懲戒その他その意に反すると認める不

利益な処分を行う場合においては、その際、当該職員に対し、処分の事由を記載した説明書を交付しなければならない。ただし、他の職への降任等に該当する降任をする場合又は他の職への降任等に伴い降給をする場合は、この限りでない。	利益な処分を行う場合においては、その際、その職員に対し　処分の事由を記載した説明書を交付しなければならない。
2～4　（略）	2　職員は、その意に反して不利益な処分を受けたと思うときは、任命権者に対し処分の事由を記載した説明書の交付を請求することができる。 3　前項の規定による請求を受けた任命権者は、その日から十五日以内に、同項の説明書を交付しなければならない。 4　第一項又は第二項の説明書には、当該処分につき、人事委員会又は公平委員会に対して審査請求をすることができる旨及び審査請求をすることができる期間を記載しなければならない。
附　則	附　則
21　令和五年四月一日から令和十三年三月三十一日までの間における第二十八条の六第二項の条例で定める定年に関しては、国の職員につき定められている当該期間における定年に関する特例を基準として、条例で特例を定めるものとする。	（新設）
22　第二十八条の六第三項の規定に基づき地方公共団体における当該職員の定年について条例で別の定めをしている場合には、令和五年四月一日から令和十三年三月三十一日までの間における当該定年に関し、条例で特例を定めることができる。この場合においては、国及び他の地方公共団体の職員との間に権衡を失しないように適当な考慮が払われなければならない。	（新設）

23 任命権者は、当分の間、職員（臨時的に任用される職員その他の法律により任期を定めて任用される職員、非常勤職員その他この項の規定による情報の提供及び意思の確認を行わない職員として条例で定める職員を除く。以下この項において同じ。）が条例で定める年齢に達する日の属する年度の前年度（当該前年度に職員でなかつた者その他の当該前年度においてこの項の規定による情報の提供及び意思の確認を行うことができない職員として条例で定める職員にあつては、条例で定める期間）において、当該職員に対し、条例で定めるところにより、当該職員が当該条例で定める年齢に達する日以後に適用される任用及び給与に関する措置の内容その他の必要な情報を提供するものとするとともに、同日の翌日以後における勤務の意思を確認するよう努めるものとする。	（新設）
24 前項の情報の提供及び意思の確認を行わない職員として条例で定める職員は、国家公務員法附則第九条に規定する情報の提供及び意思の確認を行わない職員を基準として定めるものとする。	（新設）
25 附則第二十三項の条例で定める年齢は、国の職員につき定められている国家公務員法附則第九条に規定する年齢を基準として定めるものとする。	（新設）
26 地方公務員法の一部を改正する法律（令和三年法律第六十三号）による改正前の第二十八条の二第二項及び第三項の規定に基づく定年の引上げに伴う給与に関する特例措置により降給をする場合における第四十九条第一項の規定の適用については、同項ただし書中	（新設）

「又は他の職への降任等に伴い降給をする場合」とあるのは、「、他の職への降任等に伴い降給をする場合又は地方公務員法の一部を改正する法律（令和三年法律第六十三号）による改正前の第二十八条の二第二項及び第三項の規定に基づく定年の引上げに伴う給与に関する特例措置により降給をする場合」とする。	

〔参考資料6－3〕

地方公務員法の一部を改正する法律（令和3年法律第63号）
附則（抄）

附　則

（施行期日）
第一条　この法律は、令和五年四月一日から施行する。ただし、次条の規定は、公布の日から施行する。

（実施のための準備等）
第二条　この法律による改正後の地方公務員法（以下「新地方公務員法」という。）の規定による職員（地方公務員法第三条に規定する一般職に属する職員をいう。以下同じ。）の任用、分限その他の人事行政に関する制度の適正かつ円滑な実施を確保するため、任命権者（同法第六条第一項に規定する任命権者及びその委任を受けた者をいう。以下この項及び第三項並びに次条から附則第八条までにおいて同じ。）は、長期的な人事管理の計画的推進その他必要な準備を行うものとし、地方公共団体の長は、任命権者の行う準備に関し必要な連絡、調整その他の措置を講ずるものとする。
2　総務大臣は、新地方公務員法の規定による職員の任用、分限その他の人事行政に関する制度の適正かつ円滑な実施を確保するため、地方公共団体に対して必要な資料の提出を求めることその他の方法により前項の準備及び措置の実施状況を把握した上で、必要があると認めるときは、当該準備及び措置について技術的な助言又は勧告をするものとする。
3　任命権者は、この法律の施行の日（以下「施行日」という。）の前日までの間に、施行日から令和六年三月三十一日までの間に条例で定める年齢に達する職員（当該職員が占める職に係るこの法律による改正前の地方公務員法（以下「旧地方公務員法」という。）第二十八条の二第二項の規定に基づく定年が当該条例で定める年齢である職員に限る。）に対し、新地方公務員法附則第二十三項の規定の例により、当該職員が当該条例で定める年齢に達する日以後に適用される任用及び給与に関する措置の内容その他の必要な情報を提供するものとするとともに、同日の翌日以後における勤務の意思を確認するよう努めるものとする。
4　前項の条例で定める年齢は、国の職員につき定められている国家公務員法等の一部を改正する法律（令和三年法律第六十一号。次条及び附則第四条第四項において「令和三年国家公務員法等改正法」という。）附則第二条第二項に規定する年齢を基準として定めるものとする。

（定年前再任用短時間勤務職員等に関する経過措置）
第三条　新地方公務員法第二十二条の四及び第二十二条の五の規定は、施行日以後に退職した新地方公務員法第二十二条の四第一項に規定する条例年齢以上退職者について適用する。

2　前項に定めるもののほか、施行日から令和十四年三月三十一日までの間における新地方公務員法第二十二条の四及び第二十二条の五の規定の適用に関し必要な経過措置は、令和三年国家公務員法等改正法附則第三条第二項の規定を基準として、条例で定めるものとする。
3　平成十一年十月一日前に新地方公務員法第二十九条第二項に規定する退職又は先の退職がある新地方公務員法第二十二条の四第三項に規定する定年前再任用短時間勤務職員（以下「定年前再任用短時間勤務職員」という。）について、新地方公務員法第二十九条第三項の規定を適用する場合には、同項に規定する引き続く職員としての在職期間には、同日前の当該退職又は先の退職の前の職員としての在職期間を含まないものとする。
4　次条第一項若しくは第二項又は附則第六条第一項若しくは第二項の規定により採用された職員（次条第二項第四号に掲げる者に該当して採用された職員を除く。）として在職していた期間がある定年前再任用短時間勤務職員に対する新地方公務員法第二十九条第三項の規定の適用については、同項中「又は」とあるのは、「又は地方公務員法の一部を改正する法律（令和三年法律第六十三号）附則第四条第一項若しくは第二項若しくは附則第六条第一項若しくは第二項の規定によりかつて採用されて職員として在職していた期間若しくは」とする。
5　施行日前に旧地方公務員法第二十八条の三第一項又は第二項の規定により勤務することとされ、かつ、旧地方公務員法勤務延長期限（同条第一項の期限又は同条第二項の規定により延長された期限をいう。以下この項及び次項において同じ。）が施行日以後に到来する職員（次項において「旧地方公務員法勤務延長職員」という。）に係る当該旧地方公務員法勤務延長期限までの間における同条第一項又は第二項の規定による勤務については、新地方公務員法第二十八条の七の規定にかかわらず、なお従前の例による。
6　任命権者は、旧地方公務員法勤務延長職員について、旧地方公務員法勤務延長期限又はこの項の規定により延長された期限が到来する場合において、新地方公務員法第二十八条の七第一項各号に掲げる事由があると認めるときは、条例で定めるところにより、これらの期限の翌日から起算して一年を超えない範囲内で期限を延長することができる。ただし、当該期限は、当該旧地方公務員法勤務延長職員に係る旧地方公務員法第二十八条の二第一項に規定する定年退職日の翌日から起算して三年を超えることができない。
7　新地方公務員法第二十八条の二第一項の規定は、施行日において第五項の規定により同条第一項に規定する管理監督職を占めたまま引き続き勤務している職員には適用しない。
8　前三項に定めるもののほか、施行日から令和十四年三月三十一日までの間における新地方公務員法第二十八条の七第一項若しくは第二項の規定又は第五項若しくは第六項の規定による勤務に関し必要な経過措置は、令和三年国家公務員法等改正法附則第三条第九項の規定を基準として、条例で定めるものとする。
9　第五項から前項までに定めるもののほか、第五項又は第六項の規定による勤務に関し必要な事項は、条例で定める。

（定年退職者等の再任用に関する経過措置）

第四条　任命権者は、当該任命権者の属する地方公共団体における次に掲げる者のうち、条例で定める年齢（第四項において「特定年齢」という。）に達する日以後における最初の三月三十一日（以下「特定年齢到達年度の末日」という。）までの間にある者であって、当該者を採用しようとする常時勤務を要する職に係る旧地方公務員法第二十八条の二第二項及び第三項の規定に基づく定年（施行日以後に設置された職その他の条例で定める職にあっては、条例で定める年齢）に達している者を、条例で定めるところにより、従前の勤務実績その他の人事委員会規則（地方公務員法第九条第二項に規定する競争試験等を行う公平委員会（以下この項及び次条第二項において「競争試験等を行う公平委員会」という。）を置く地方公共団体においては公平委員会規則、人事委員会及び競争試験等を行う公平委員会を置かない地方公共団体においては地方公共団体の規則。以下同じ。）で定める情報に基づく選考により、一年を超えない範囲内で任期を定め、当該常時勤務を要する職に採用することができる。

一　施行日前に旧地方公務員法第二十八条の二第一項の規定により退職した者

二　旧地方公務員法第二十八条の三第一項若しくは第二項又は前条第五項若しくは第六項の規定により勤務した後退職した者

三　施行日前に退職した者（前二号に掲げる者を除く。）のうち、勤続期間その他の事情を考慮して前二号に掲げる者に準ずる者として条例で定める者

2　令和十四年三月三十一日までの間、任命権者は、当該任命権者の属する地方公共団体における次に掲げる者のうち、特定年齢到達年度の末日までの間にある者であって、当該者を採用しようとする常時勤務を要する職に係る新地方公務員法定年（新地方公務員法第二十八条の六第二項及び第三項の規定に基づく定年をいう。次条第三項及び第四項において同じ。）に達している者を、条例で定めるところにより、従前の勤務実績その他の人事委員会規則で定める情報に基づく選考により、一年を超えない範囲内で任期を定め、当該常時勤務を要する職に採用することができる。

一　施行日以後に新地方公務員法第二十八条の六第一項の規定により退職した者

二　施行日以後に新地方公務員法第二十八条の七第一項又は第二項の規定により勤務した後退職した者

三　施行日以後に新地方公務員法第二十二条の四第一項の規定により採用された者のうち、同条第三項に規定する任期が満了したことにより退職した者

四　施行日以後に新地方公務員法第二十二条の五第一項又は第二項の規定により採用された者のうち、同条第三項において準用する新地方公務員法第二十二条の四第三項に規定する任期が満了したことにより退職した者

五　施行日以後に退職した者（前各号に掲げる者を除く。）のうち、勤続期間その他の事情を考慮して前各号に掲げる者に準ずる者として条例で定める者

3　前二項の任期又はこの項の規定により更新された任期は、条例で定めるところにより、一年を超えない範囲内で更新することができる。ただし、当該任期の末日は、前二項の規定により採用する者又はこの項の規定により任期を更新する者の特定年齢到達年度の末日以前でなければならない。

4　特定年齢は、国の職員につき定められている令和三年国家公務員法等改正法附則第四条第一項に規定する年齢を基準として定めるものとする。

5　第一項及び第二項の規定による採用については、新地方公務員法第二十二条の規定は、適用しない。

第五条　地方公共団体の組合を組織する地方公共団体の任命権者は、前条第一項の規定によるほか、当該地方公共団体の組合における同項各号に掲げる者のうち、特定年齢到達年度の末日までの間にある者であって、当該者を採用しようとする常時勤務を要する職に係る旧地方公務員法第二十八条の二第二項及び第三項の規定に基づく定年（施行日以後に設置された職その他の条例で定める職にあっては、条例で定める年齢）に達している者を、条例で定めるところにより、従前の勤務実績その他の人事委員会規則で定める情報に基づく選考により、一年を超えない範囲内で任期を定め、当該常時勤務を要する職に採用することができる。
2　地方公共団体の組合の任命権者は、前条第一項の規定によるほか、当該地方公共団体の組合を組織する地方公共団体における同項各号に掲げる者のうち、特定年齢到達年度の末日までの間にある者であって、当該者を採用しようとする常時勤務を要する職に係る旧地方公務員法第二十八条の二第二項及び第三項の規定に基づく定年（施行日以後に設置された職その他の条例で定める職にあっては、条例で定める年齢）に達している者を、条例で定めるところにより、従前の勤務実績その他の地方公共団体の組合の規則（競争試験等を行う公平委員会を置く地方公共団体の組合においては、公平委員会規則。第四項及び附則第七条において同じ。）で定める情報に基づく選考により、一年を超えない範囲内で任期を定め、当該常時勤務を要する職に採用することができる。
3　令和十四年三月三十一日までの間、地方公共団体の組合を組織する地方公共団体の任命権者は、前条第二項の規定によるほか、当該地方公共団体の組合における同項各号に掲げる者のうち、特定年齢到達年度の末日までの間にある者であって、当該者を採用しようとする常時勤務を要する職に係る新地方公務員法定年に達している者を、条例で定めるところにより、従前の勤務実績その他の人事委員会規則で定める情報に基づく選考により、一年を超えない範囲内で任期を定め、当該常時勤務を要する職に採用することができる。
4　令和十四年三月三十一日までの間、地方公共団体の組合の任命権者は、前条第二項の規定によるほか、当該地方公共団体の組合を組織する地方公共団体における同項各号に掲げる者のうち、特定年齢到達年度の末日までの間にある者であって、当該者を採用しようとする常時勤務を要する職に係る新地方公務員法定年に達している者を、条例で定めるところにより、従前の勤務実績その他の地方公共団体の組合の規則で定める情報に基づく選考により、一年を超えない範囲内で任期を定め、当該常時勤務を要する職に採用することができる。
5　前各項の場合においては、前条第三項及び第五項の規定を準用する。

第六条　任命権者は、新地方公務員法第二十二条の四第四項の規定にかかわらず、当該任命権者の属する地方公共団体における附則第四条第一項各号に掲げる者のうち、特定年齢到達年度の末日までの間にある者であって、当該者を採用しようとする短時間勤務の職（新地方公務員法第二十二条の四第一項に規定する短時間勤務の職をいう。

附則第八条第二項を除き、以下同じ。）に係る旧地方公務員法定年相当年齢（短時間勤務の職を占める職員が、常時勤務を要する職でその職務が当該短時間勤務の職と同種の職を占めているものとした場合における旧地方公務員法第二十八条の二第二項及び第三項の規定に基づく定年（施行日以後に設置された職その他の条例で定める職にあっては、条例で定める年齢）をいう。次条第一項及び第二項において同じ。）に達している者を、条例で定めるところにより、従前の勤務実績その他の人事委員会規則で定める情報に基づく選考により、一年を超えない範囲内で任期を定め、当該短時間勤務の職に採用することができる。

2　令和十四年三月三十一日までの間、任命権者は、新地方公務員法第二十二条の四第四項の規定にかかわらず、当該任命権者の属する地方公共団体における附則第四条第二項各号に掲げる者のうち、特定年齢到達年度の末日までの間にある者であって、当該者を採用しようとする短時間勤務の職に係る新地方公務員法定年相当年齢（短時間勤務の職を占める職員が、常時勤務を要する職でその職務が当該短時間勤務の職と同種の職を占めているものとした場合における新地方公務員法第二十八条の六第二項及び第三項の規定に基づく定年をいう。次条第三項及び第四項において同じ。）に達している者（新地方公務員法第二十二条の四第一項の規定により当該短時間勤務の職に採用することができる者を除く。）を、条例で定めるところにより、従前の勤務実績その他の人事委員会規則で定める情報に基づく選考により、一年を超えない範囲内で任期を定め、当該短時間勤務の職に採用することができる。

3　前二項の場合においては、附則第四条第三項及び第五項の規定を準用する。

第七条　地方公共団体の組合を組織する地方公共団体の任命権者は、前条第一項の規定によるほか、新地方公務員法第二十二条の五第三項において準用する新地方公務員法第二十二条の四第四項の規定にかかわらず、当該地方公共団体の組合における附則第四条第一項各号に掲げる者のうち、特定年齢到達年度の末日までの間にある者であって、当該者を採用しようとする短時間勤務の職に係る旧地方公務員法定年相当年齢に達している者を、条例で定めるところにより、従前の勤務実績その他の人事委員会規則で定める情報に基づく選考により、一年を超えない範囲内で任期を定め、当該短時間勤務の職に採用することができる。

2　地方公共団体の組合の任命権者は、前条第一項の規定によるほか、新地方公務員法第二十二条の五第三項において準用する新地方公務員法第二十二条の四第四項の規定にかかわらず、当該地方公共団体の組合を組織する地方公共団体における附則第四条第一項各号に掲げる者のうち、特定年齢到達年度の末日までの間にある者であって、当該者を採用しようとする短時間勤務の職に係る旧地方公務員法定年相当年齢に達している者を、条例で定めるところにより、従前の勤務実績その他の地方公共団体の組合の規則で定める情報に基づく選考により、一年を超えない範囲内で任期を定め、当該短時間勤務の職に採用することができる。

3　令和十四年三月三十一日までの間、地方公共団体の組合を組織する地方公共団体の任命権者は、前条第二項の規定によるほか、新地方公務員法第二十二条の五第三項において準用する新地方公務員法第二十二条の四第四項の規定にかかわらず、当該地方公共団体の組合における附則第四条第二項各号に掲げる者のうち、特定年齢到達年度の末日までの間にある者であって、当該者を採用しようとする短時間勤務の職に係る新地方公務員法定年相当年齢に達している者（新地方公務員法第二十二条の五第一項の規定により当該短時間勤務の職に採用することができる者を除く。）を、条例で定めるところにより、従前の勤務実績その他の人事委員会規則で定める情報に基づく選考により、一年を超えない範囲内で任期を定め、当該短時間勤務の職に採用することができる。

4　令和十四年三月三十一日までの間、地方公共団体の組合の任命権者は、前条第二項の規定によるほか、新地方公務員法第二十二条の五第三項において準用する新地方公務員法第二十二条の四第四項の規定にかかわらず、当該地方公共団体の組合を組織する地方公共団体における附則第四条第二項各号に掲げる者のうち、特定年齢到達年度の末日までの間にある者であって、当該者を採用しようとする短時間勤務の職に係る新地方公務員法定年相当年齢に達している者（新地方公務員法第二十二条の五第二項の規定により当該短時間勤務の職に採用することができる者を除く。）を、条例で定めるところにより、従前の勤務実績その他の地方公共団体の組合の規則で定める情報に基づく選考により、一年を超えない範囲内で任期を定め、当該短時間勤務の職に採用することができる。

5　前各項の場合においては、附則第四条第三項及び第五項の規定を準用する。

第八条　施行日前に旧地方公務員法第二十八条の四第一項、第二十八条の五第一項又は第二十八条の六第一項若しくは第二項の規定により採用された職員（以下この項及び次項において「旧地方公務員法再任用職員」という。）のうち、この法律の施行の際現に常時勤務を要する職を占める職員は、施行日に、附則第四条第一項の規定（旧地方公務員法第二十八条の六第一項又は第二項の規定により採用された職員のうち地方公共団体の組合を組織する地方公共団体の任命権者により採用された職員にあっては附則第五条第一項の規定、旧地方公務員法第二十八条の六第一項又は第二項の規定により採用された職員のうち地方公共団体の組合の任命権者により採用された職員にあっては附則第五条第二項の規定）により採用されたものとみなす。この場合において、当該採用されたものとみなされる職員の任期は、附則第四条第一項並びに第五条第一項及び第二項の規定にかかわらず、施行日における旧地方公務員法再任用職員としての任期の残任期間と同一の期間とする。

2　旧地方公務員法再任用職員のうち、この法律の施行の際現に旧地方公務員法第二十八条の五第一項に規定する短時間勤務の職を占める職員は、施行日に、附則第六条第一項の規定（旧地方公務員法第二十八条の六第一項又は第二項の規定により採用された職員のうち地方公共団体の組合を組織する地方公共団体の任命権者により採用された職員にあっては前条第一項の規定、旧地方公務員法第二十八条の六第一項又は第二項の規定により採用された職員のうち地方公共団体の組合の任命権者により採用された職員にあっては前条第二項の規定）により採用されたものとみなす。この場合において、当該採用されたものとみなされる職員の任期は、附則第六条第一項並びに前条第一項及び第二項の規定にかかわらず、施行日における旧地方公務員法再任用職員としての任期の残任期間と同一の期間とする。

3　任命権者は、附則第四条第一項、第五条第一項若しくは第二項若しくは第六条第一項又は前条第一項若しくは第二項の規定により採用した職員のうち当該職員を昇任し、降任し、又は転任しようとする常時勤務を要する職に係る旧地方公務員法第二十八条の二第二項及び第三項の規定に基づく定年（施行日以後に設置された職その他の条例で定める職にあっては、条例で定める年齢）に達した職員以外の職員及び附則第四条第二項、第五条第三項若しくは第四項若しくは第六条第二項又は前条第三項若しくは第四項の規定により採用した職員のうち当該職員を昇任し、降任し、又は転任しようとする常時勤務を要する職に係る新地方公務員法第二十八条の六第二項及び第三項の規定に基づく定年に達した職員以外の職員を、当該常時勤務を要する職に昇任し、降任し、又は転任することができない。

4　附則第四条から前条までの規定が適用される場合における新地方公務員法第二十二条の四第四項の規定の適用については、同項中「経過していない定年前再任用短時間勤務職員」とあるのは、「経過していない定年前再任用短時間勤務職員、地方公務員法の一部を改正する法律（令和三年法律第六十三号。以下この項において「令和三年地方公務員法改正法」という。）附則第四条第一項、第五条第一項若しくは第二項、第六条第一項又は第七条第一項若しくは第二項の規定により採用した職員のうち当該職員を昇任し、降任し、又は転任しようとする短時間勤務の職に係る旧地方公務員法定年相当年齢（短時間勤務の職を占める職員が、常時勤務を要する職でその職務が当該短時間勤務の職と同種の職を占めているものとした場合における令和三年地方公務員法改正法による改正前の第二十八条の二第二項及び第三項の規定に基づく定年（令和三年地方公務員法改正法の施行の日以後に設置された職その他の条例で定める職にあつては、条例で定める年齢）をいう。）に達している職員及び令和三年地方公務員法改正法附則第四条第二項、第五条第三項若しくは第四項、第六条第二項又は第七条第三項若しくは第四項の規定により採用した職員のうち当該職員を昇任し、降任し、又は転任しようとする短時間勤務の職に係る新地方公務員法定年相当年齢（短時間勤務の職を占める職員が、常時勤務を要する職でその職務が当該短時間勤務の職と同種の職を占めているものとした場合における第二十八条の六第二項及び第三項の規定に基づく定年をいう。）に達している職員」とする。

5　任命権者は、基準日（附則第四条から前条までの規定が適用される間における各年の四月一日（施行日を除く。）をいう。以下この項において同じ。）から基準日の翌年の三月三十一日までの間、基準日における新地方公務員法定年（新地方公務員法第二十八条の六第二項及び第三項の規定に基づく定年（短時間勤務の職にあっては、当該短時間勤務の職を占める職員が、常時勤務を要する職でその職務が当該短時間勤務の職と同種の職を占めているものとした場合における同条第二項及び第三項の規定に基づく定年）をいう。以下この項において同じ。）が基準日の前日における新地方公務員法定年を超える職及びこれに相当する基準日以後に設置された職その他の条例で定める職（以下この項において「新地方公務員法定年引上げ職」という。）に、附則第四条第二項各号に掲げる者のうち基準日の前日において同日における当該新地方公務員法定年引上げ職に係る新地方公務員法定年に達している者（当該条例で定める職にあっては、条例で定める者）を、同項、附則第五条第三項若しくは第四項若しくは第六条第二項又は前条第三項若しくは第四項の規定により採用しようとする場合には、当該者は当該者を採用しようとする新地方公務員法定年引上げ職に係る新地方公務員法定年に達しているものとみなして、これらの規定を適用し、新地方公務員法定年引上げ職に、附則第四条第二項、第五条第三項若しくは第四項若しくは第六条第二項又は前条第三項若しくは第四項の規定により採用された職員のうち基準日の前日において同日における当該新地方公務員法定年引上げ職に係る新地方公務員法定年に達している職員（当該条例で定める職にあっては、条例で定める職員）を、昇任し、降任し、又は転任しようとする場合には、当該職員は当該職員を昇任し、降任し、又は転任しようとする新地方公務員法定年引上げ職に係る新地方公務員法定年に達しているものとみなして、第三項の規定及び前項の規定により読み替えて適用する新地方公務員法第二十二条の四第四項の規定を適用する。

6　附則第四条第一項若しくは第二項又は第六条第一項若しくは第二項の規定により採用された職員（附則第四条第二項第四号に掲げる者に該当して採用された職員を除く。次項において同じ。）は、定年前再任用短時間勤務職員とみなして、新地方公務員法第二十九条第三項の規定を適用する。この場合において、同項中「（第二十二条の四第一項の規定により採用された職員に限る。以下この項において同じ。）が、条例年齢以上退職者」とあるのは「が、地方公務員法の一部を改正する法律（令和三年法律第六十三号。以下この項において「令和三年地方公務員法改正法」という。）附則第四条第一項各号若しくは第二項第一号、第二号若しくは第五号に掲げる者となつた日若しくは同項第三号に掲げる者に該当する場合における条例年齢以上退職者」と、「又は」とあるのは「又は令和三年地方公務員法改正法による改正前の第二十八条の四第一項若しくは第二十八条の五第一項の規定によりかつて採用されて職員として在職していた期間、令和三年地方公務員法改正法附則第四条第一項若しくは第二項若しくは第六条第一項若しくは第二項の規定によりかつて採用されて職員として在職していた期間若しくは」とする。

7　平成十一年十月一日前に新地方公務員法第二十九条第二項に規定する退職又は先の退職がある附則第四条第一項若しくは第二項又は第六条第一項若しくは第二項の規定により採用された職員について、前項の規定により定年前再任用短時間勤務職員とみなして新地方公務員法第二十九条第三項の規定を適用する場合には、同項に規定する引き続く職員としての在職期間には、同日前の当該退職又は先の退職の前の職員としての在職期間を含まないものとする。

第九条　（略）

2　暫定再任用職員（附則第四条第一項若しくは第二項、第五条第一項から第四項まで、第六条第一項若しくは第二項又は第七条第一項から第四項までの規定により採用された職員をいう。第七項において同じ。）に対する附則第十四条の規定による改正後のへき地教育振興法（昭和二十九年法律第百四十三号）第五条の二第一項の規定の適用については、同項中「第二項」とあるのは、「第二項、地方公務員法の一部を改正する法律（令和三年法律第六十三号）附則第四条第一項若しくは第二項、第五条第一項から第四項まで、第六条第一項若しくは第二項若しくは第七条第一項から第四項まで」とする。

3～6　（略）

7　附則第四条から前条まで及び前各項に定めるもののほか、暫定再任用職員の任用その他暫定再任用職員に関し必要な事項は、条例で定める。

（その他の経過措置の政令への委任）
第十条　附則第三条から前条までに定めるもののほか、この法律の施行に関し必要な経過措置は、政令で定める。

（検討）
第十一条　政府は、国家公務員に係る管理監督職勤務上限年齢による降任等又は定年前再任用短時間勤務職員に関連する制度についての検討の状況に鑑み、必要があると認めるときは、地方公務員に係るこれらの制度について検討を行い、その結果に基づいて所要の措置を講ずるものとする。

第十二条～第十九条　（略）

〔参考資料６－４〕

総行公第８９号
総行女第４０号
総行給第５５号
令和３年８月 31 日

各都道府県知事
各政令指定都市市長
各人事委員会委員長
殿

総務省自治行政局公務員部長（公印省略）

地方公務員法の一部を改正する法律の運用について（通知）

地方公務員法の一部を改正する法律（令和３年法律第６３号。以下「改正法」という。）の公布については、令和３年６月１１日付け総行公第４７号総務大臣通知（以下「公布通知」という。）によりお知らせしたところですが、同通知により通知した事項のほか、下記の特に運用に当たって留意すべき事項を踏まえ、適切に取り扱われるようお願いします。

各都道府県知事におかれては、貴都道府県内の市区町村、一部事務組合及び広域連合等（以下「市区町村等」という。）に対してもこの旨周知いただきますようお願いします。なお、地域の元気創造プラットフォームにおける調査・照会システムを通じて、市区町村等に対して本通知についての情報提供を行っていることを申し添えます。

本通知は、地方公務員法第５９条（技術的助言）、地方自治法第２４５条の４（技術的な助言）及び改正法附則第２条（実施のための準備等）に基づくものです。

記

第１　改正法の趣旨

少子高齢化が進み、生産年齢人口が減少する我が国においては、複雑高度化する行政課題への的確な対応などの観点から、能力と意欲のある高齢期の職員を最大限活用しつつ、次の世代にその知識、技術、経験などを継承していくことが必要であるため、国家公務員について、定年が段階的に引き上げられるとともに、組織全体としての活力の維持や高齢期における多様な職業生活設計の支援などを図るため、管理監督職勤務上限年齢による降任及び転任並びに定年前再任用短時間勤務の制度が設けられたところ。

地方公務員については、国家公務員の定年を基準としてその定年を条例で定めることとされており、今般、定年の引上げに合わせて、管理監督職勤務上限年齢制や定年前再任用短時間勤務制の導入など、国家公務員と同様の措置を講ずる法律改正を行うものであること。

第２　定年の引上げ

地方公務員の定年は、国家公務員の定年を基準として条例で定めるものとされており、国家公務員の定年が段階的に引き上げられる期間においても同様に規定されていること（改正法による改正後の地方公務員法（以下「新地方公務員法」という。）第28条の６第２項及び附則第21項）。

国家公務員の定年の段階的な引上げは以下の表のとおり行われることとなっており、特別の合理的理由がない限り、各地方公共団体はこの内容により条例を定める必要があること。

期間	定年
令和　５年３月31日まで	60歳
令和　５年４月　１日から令和　７年３月31日まで	61歳
令和　７年４月　１日から令和　９年３月31日まで	62歳
令和　９年４月　１日から令和11年３月31日まで	63歳
令和11年４月　１日から令和13年３月31日まで	64歳
令和13年４月　１日から	65歳

第３　管理監督職勤務上限年齢制の導入

１　趣旨

管理監督職勤務上限年齢制（いわゆる「役職定年制」）は、職員の新陳代謝を計画的に行うことにより組織の活力を維持し、もって公務能率の維持増進を図ることを目的とするものであること。

具体的には、①管理監督職（いわゆる「役職定年制」の対象とする職として条例で定めるものをいう。以下同じ。）を占めている職員について、管理監督職勤務上限年齢に到達後、管理監督職以外の職等へ降任又は転任（降給を伴う転任に限る。）させるとともに、②管理監督職勤務上限年齢に達している者について、管理監督職に新たに任命できないこととするものであること。

２　管理監督職の範囲及び管理監督職勤務上限年齢

管理監督職の範囲及び管理監督職勤務上限年齢は、各地方公共団体の条例で定めるものであるが、条例を定めるに当たっては、国及び他の地方公共団体の職員との間に権衡を失しないように適当な考慮が払わなければならないこととされており（新地方公務員法第28条の２第３項）、組織の新陳代謝を確保し、組織活力を維持するという管理監督職勤務上限年齢制の趣旨に沿って、特に以下の事項に留意のうえ適切な措置を講じられたいこと。

（１）管理監督職勤務上限年齢制の対象となる管理監督職の範囲

①　②を除き地方自治法第 204 条第２項に規定する管理職手当を支給されるすべての職員の職及びこれに準ずる職（地方独立行政法人の職のうち地方自治法上の管理職手当を支給される職員の職に相当する職などが想定される。）を管理監督職勤務上限年齢制の対象となる管理監督職として、条例で定める必要があること。

②　国の制度との均衡の原則に則り、職務と責任に特殊性があること又は欠員の補充が困難であることにより管理監督職勤務上限年齢制を適用することが著しく不適当と認められる職については、管理監督職勤務上限年齢制の対象となる管理監督職の範囲から除外することが考えられるものであること。

（２）管理監督職勤務上限年齢の設定

①　条例で定めるものとされている管理監督職勤務上限年齢は、②を除き60歳とする必要があること。

②　国の制度との均衡の原則に則り、職務と責任に特殊性があること又は欠員の補充が困難であることにより管理監督職勤務上限年齢を60歳とすることが著しく不適当と認められる管理監督職については、61～64 歳とすることが考えられるものであること。

3　管理監督職勤務上限年齢による降任等の特例

２（１）及び（２）に記載した管理監督職からの除外や管理監督職勤務上限年齢の例外が、対象となっている職の性質（職務・責任の特殊性や欠員補充の困難性）に対応して特別の定めをするものであるのに対し、以下に記載する管理監督職勤務上限年齢による降任等の特例（以下「特例任用」という。）は、対象となっている職員又は職員グループの性質（職務遂行上の事情や降任等に伴う欠員補充の困難性）に対応して特別の定めをするものであること。

（１）職務の遂行上の特別の事情がある場合等の特例任用

職務の遂行上の特別の事情を勘案して、又は職務の特殊性から欠員の補充が困難となることにより、管理監督職を占める職員の降任等により公務の運営に著しい支障が生ずると認められる場合には、引き続き当該職員に、当該管理監督職を占めたまま勤務させることができるものであること（新地方公務員法第28条の５第１項）。

（2）特定管理監督職群に属する職員の特例任用

管理監督職を占める職員の他の職への降任等により、特定管理監督職群（職務の内容が相互に類似する複数の管理監督職であって、これらの欠員を容易に補充することができない年齢別構成その他の特別の事情がある管理監督職）の欠員の補充が困難となることにより公務の運営に著しい支障が生ずると認められる場合の特例であり、当該管理監督職を引き続き占めたまま勤務させることができるほか、当該特定管理監督職群に含まれる他の管理監督職への転任又は降任も可能であること（新地方公務員法第28条の5第3項）。

第4　定年前再任用短時間勤務制の導入

1　趣旨

定年の引上げ後においては、60歳以降の職員について、健康上、人生設計上の理由等により、多様な働き方を可能とすることへのニーズが高まると考えられる。

これに対応するため、職員の希望に基づき、一定年齢（国の職員につき定められている年齢（60歳）を基準として条例で定める年齢）に達した日以後に退職した職員について、従前の勤務実績等に基づく選考の方法により短時間勤務の職に採用できることとするものであること（新地方公務員法第22条の4第1項）。

なお、定年前再任用短時間勤務制は、定年引上げにより65歳までフルタイムで勤務することが原則となる中で、定年退職者等を採用する現行の再任用制度とは異なり、職員が短時間勤務を希望する場合に本人の意思により一旦退職した上で採用される仕組みであり、任命権者が定年前再任用短時間勤務を強要し、職員の意思に反して定年前再任用短時間勤務の職に採用することはできないものであること。

2　定年前再任用短時間勤務職員の任期

定年前再任用短時間勤務制においては、現行の短時間勤務の再任用制度と異なり、任期を1年以内の更新ではなく定年退職日相当日までとしていること。

第5　情報提供・意思確認制度の新設

今般の法改正により、定年の引上げ、管理監督職勤務上限年齢制など、60歳以降に適用される任用や給与がこれまでと異なるものとなることから、次年度に60歳に達する職員に対し、定年前再任用短時間勤務制や管理監督職上限年齢制、給与引下げの措置等の60歳に達する日以後に適用される任用、給与及び退職手当に関する措置の内容などについて丁寧な情報提供を行うとともに、職員が60歳に達する日の翌日以後の勤務の意思を確認するよう努めること（新地方公務員法附則第23項及び改正法附則第2条第3項）。

また、60 歳以降の勤務の意思を有していない職員については、別途、辞職の手続をとる必要があること。

第6　給与

地方公務員の給与は、各地方公共団体の条例で定めるものであるが、条例を定めるに当たっては、地方公務員法第 24 条第２項に規定する均衡の原則に基づき、国家公務員の給与の取扱いを考慮し、特に以下の事項に留意のうえ適切な措置を講じられたいこと。

1　給料

（1）　国家公務員において、当分の間、職員の俸給月額は、職員が 60 歳（現行の特例定年が定められている職員に相当する職員として人事院の規則で定める職員については、当該特例定年の年齢。）に達した日後における最初の４月１日（以下「特定日」という。）以後、当該職員に適用される俸給表の俸給月額のうち、当該職員の受ける号俸に応じた額に 100 分の 70 を乗じて得た額とされている（以下「俸給月額７割措置」という。）。また、管理監督職勤務上限年齢制により降任等をされた職員であって、引き続き同一の俸給表の適用を受ける職員については、当分の間、特定日以後、俸給月額７割措置を適用した上で、降任等される前の俸給月額の７割と降任等された後の俸給月額の７割との差額に相当する額を俸給として支給することとされている。

地方公共団体においては、原則としてこれらの国家公務員の取扱いに基づき、条例を定める必要があること。

（2）　なお、国家公務員において、定年引上げ前の定年年齢が 60 歳を超え 64 歳を超えない年齢とされている職員に相当する職員については、60 歳を超えても、特定日の前日までは俸給月額の 10 割が支給されることとされている。

（3）　また、①臨時的職員その他の法律により任期を定めて任用される職員及び常勤を要しない職員、②定年引上げ前の定年年齢が 65 歳とされている職員に相当する職員として人事院の規則で定める職員、③管理監督職を占める職員のうち、「職務の遂行上の特別の事情」又は「職務の特殊性による欠員補充の困難性」により、管理監督職勤務上限年齢を超えて、引き続き同職を占める職員等については、60 歳超の職員であっても上記に該当する職員である限りにおいて、俸給月額７割措置が適用されず、俸給月額の 10 割が支給されることとされている。

（4）　地方公共団体においては、（2）及び（3）の国家公務員の取扱いを考慮し、条例において措置を講じることが考えられるものであること。

2　退職手当

国家公務員において、職員が 60 歳（現行の特例定年が定められている職員に相当する職員については、当該特例定年の年齢）に達した日以後、その者の非違によることなく退職した者に対する退職手当の基本額は、当分の間、勤続期間を同じくする定年退職と同様に算定することとされている。また、定年の引上げに伴う俸給月額の改定は、国家公務員退職手当法第５条の２に規定する俸給月額の減額改定には該当しないものとして、減額前の俸給月額が退職日の俸給月額よりも多い場合に適用される退職手当の基本額の計算方法の特例（いわゆる「ピーク時特例」）の適用対象とすることとされている。

地方公共団体においては、これらの国家公務員の取扱いを考慮し、条例において適切な措置を講じられたいこと。

第７　その他

１　高齢期職員の職務のあり方

意欲と能力のある高齢期職員を、幅広い職域で最大限活用できるよう努めるとともに、職員が培ってきた多様な専門的知識や経験について、公務内で積極的に活用できる環境を整備することに留意いただきたいこと。また、加齢に伴う身体機能の低下が職務遂行に支障を来すおそれがある職種については、その職務の特殊性を踏まえ、職務内容や人事管理のあり方等について工夫するよう留意いただきたいこと。

なお、今後、高齢期職員の活躍事例を収集し、情報提供することを予定していること。

２　定年引上げに伴う中長期的観点からの定員管理

定年引上げに当たり、各行政分野における専門的な知見を継承し、必要な行政サービスを将来にわたり安定的に提供するためには、各地方公共団体において、一定の新規採用を継続的に確保することが必要であると考えられる。

各地方公共団体においては、地域の実情を踏まえ、定年引上げ開始前に、60 歳以降の職員の働き方を考慮して退職者数等の動向を見通した上で、各職種の業務量の推移や年齢構成の平準化を勘案しつつ、中長期的な観点から新規採用者数をはじめとする採用のあり方について検討する必要があること。その際、各地方公共団体において、必要な行政サービスを安定的に提供できる体制確保と中長期的に見た適正な定員管理の双方の観点から、定年引上げ期間中の一時的な調整のための定員措置の考え方を検討する必要があること。

なお、総務省としても、今後、地方公共団体の検討状況を踏まえ、定年引上げ期間中の一時的な調整のための定員措置の基本的な考え方を整理し、定年引上げに係る定員管理に関する留意点を示すことを予定していること。

３　能力・実績に基づく人事管理の徹底等

定年を引き上げる中、組織活力を維持し行政サービスの質を保つ目的のためにも、各地方公共団体においては、人事評価に基づく任用、給与、分限その他の人事管理の推進を図られたいこと。なお、人事評価の結果を給与等に十分に反映できていない地方公共団体にあっては、速やかに必要な措置を講じられたいこと。

4　高齢者部分休業制度の活用

高齢者部分休業制度は、定年退職後の人生設計のための準備や、経験や人脈の公務へのフィードバックが期待される社会的貢献への従事などの観点から、地方公務員法第26条の3第1項の規定に基づき認めることができることとしている制度であるが、制度導入に必要な条例を制定している地方公共団体は一部にとどまっているところであり、高齢期職員に多様な選択肢を示す観点からも、条例未制定団体については、条例制定について検討いただきたいこと。

また、すでに制度を導入している団体にあっても、その取得者数は低い水準にとどまっているが、高齢者部分休業制度は今般65歳への定年の引上げが行われるに際して、高齢期職員の多様な働き方のニーズに応えるための選択肢の一つとして考え得るものであるため、情報提供・意思確認制度に基づく情報提供の中でも選択肢の一つとして職員に周知いただくなど、制度が活用されるよう配慮いただきたいこと。

第8　施行期日等

1　施行期日

改正法は、令和5年4月1日から施行すること。ただし、実施のための準備等に係る規定は公布の日（令和3年6月11日）から施行するものとされていること（改正法附則第1条）。

2　実施のための準備等

（1）任命権者及び地方公共団体の長による準備等

任用、分限等の人事行政に関する制度の適切かつ円滑な実施を確保するため、任命権者（地方公務員法第6条第1項に規定する任命権者及びその委任を受けた者をいう。）は、長期的な人事管理の計画的推進その他必要な準備を行うものとされていること（改正法附則第2条第1項）。

また、地方公共団体の長は、任命権者の行う準備に関し必要な連絡、調整等の措置を講ずるものとされているが、加えて、法律施行に当たって必要な条例整備など、施行のための準備を計画的に実施されたいこと。

（2）人事委員会による人事委員会規則の制定等

新地方公務員法は、定年前再任用短時間勤務職員等の選考に用いる情報の内容や特定管理監督職群を定める場合のこれを構成する管理監督職の範囲を人事委員会規則で定めることとしている（第22条の4第1項等及び第28条の5第3項）。

また、各地方公共団体の人事委員会においては、地方公務員法の趣旨に則り、同法に規定する人事委員会の権限に基づき、今般の法改正に伴う定年引上げ、管理監督職勤務上限年齢制及び定年前再任用短時間勤務制等の運用並びにこれらの制度に関連する給与の取扱いについて、専門的な人事機関としての役割を適切に発揮されたいこと。

（3）総務大臣による技術的勧告等

法律施行に当たっては、新地方公務員法の規定による職員の任用、分限その他の人事行政に関する制度の適正かつ円滑な実施を確保するため、任命権者が行う必要な準備及び地方公共団体の長が講ずるべき措置について、総務大臣が技術的な助言又は勧告をするものとされていること（同法附則第2条第2項）。

同項に基づき、公布通知及び本通知に加えて、「定年引上げの実施に向けた質疑応答」を発出することとしており、質疑応答については今後も順次段階的に追加することとしていること。

3　定年の段階的引上げ期間中の定年退職者等の再任用

定年の引上げ後は、基本的に65歳まで常勤職員としての勤務が可能となることから、現行の再任用制度は廃止するが、定年の段階的な引上げ期間においても、年金受給開始年齢までの継続的な勤務を可能とするため、現行の再任用制度と同様の措置が暫定的に措置されていること（同法附則第4条から第9条まで）。

〔参考資料６－５〕

総 行 公 第 20 号
令和４年３月 18 日

各都道府県知事
各政令指定都市市長　殿
各人事委員会委員長

総務省自治行政局公務員部長（公印省略）

定年引上げに伴う条例例及び規則例等の整備について（通知）

地方公務員の定年の引上げ及びこれに伴う地方公務員法の一部を改正する法律（令和３年法律第63号。以下「改正法」という。）による制度改正により必要となる条例の規定整備例（以下「改正条例例」という。）及び人事委員会規則（人事委員会を置かない地方公共団体においては、公平委員会規則又は地方公共団体の規則。以下「規則」という。）の規定整備例（以下「改正規則例」という。）等を下記のとおり作成しましたので送付します。各地方公共団体におかれては、下記に記載した事項を参照のうえ、定年引上げを円滑に実施できるよう準備を進めていただくようお願いいたします。

各都道府県知事におかれては、貴都道府県内の市区町村、一部事務組合及び広域連合等（以下「市区町村等」という。）に対してもこの旨周知いただきますようお願いします。なお、地域の元気創造プラットフォームにおける調査・照会システムを通じて、市区町村等に対して本通知についての情報提供を行っていることを申し添えます。

本通知は、地方公務員法（昭和25年法律第261号。以下「法」という。）第59条（技術的助言）、地方自治法第245条の４（技術的な助言）及び改正法附則第２条（実施のための準備等）に基づくものです。

記

第１　改正条例例

１　職員の定年等に関する条例（案）（昭和56年10月８日自治公一第46号）を別紙１のとおり改正することとし、改正後の職員の定年等に関する条例（案）（以下「新定年等条例案」という。）は別紙２のとおりとなること。

改正条例例は、改正法により条例に委任された事項を規定したものであり、その概要は以下のとおりであること。

またそのほか、関連する人事院規則等の内容で、改正条例例に規定していない事項に関し、以下に留意点を示しているが、各地方公共団体においては、実情に応じ、条例、規則等で規定されたいこと。

(1) 構成・総則

① 新定年等条例案においては、職員の定年、管理監督職勤務上限年齢制及び定年前再任用短時間勤務制に関すること等について、次の構成により一括して規定することとしていること。

第一章 総則

第二章 定年制度

第三章 管理監督職勤務上限年齢制

第四章 定年前再任用短時間勤務制

第五章 雑則

② 地方公共団体の組合においては、新定年等条例案第1条を次のとおりとすること。

＜条文（例）＞

（趣旨）

第一条 この条例は、地方公務員法（昭和二十五年法律第二百六十一号。以下「法」という。）第二十二条の四第一項及び第二項、第二十二条の五第二項、第二十八条の二、第二十八条の五、第二十八条の六第一項から第三項まで並びに第二十八条の七の規定に基づき、職員の定年等に関し必要な事項を定めるものとする。

(2) 定年制度関係

① 定年制度に関しては、新定年等条例案で次のとおり規定していること。

・ 第1条において、改正法により新たに条例に委任する事項が設けられた改正法による改正後の法（以下「新法」という。）の規定を追加するなどの改正を行ったこと。

・ 第3条において、定年を年齢65年とするとともに、現行規定中65歳以下の定年を定めた部分を削除したこと。

・ 第4条において、特例任用との関係を調整するなどの改正を行ったこと。

・ 附則第3項から第5項において、定年引上げ期間中の定年を規定したこと。

② また、改正条例例で次のとおり規定していること。

・ 附則第2条において、改正条例例による改正前の職員の定年等に関する条例（案）による勤務延長職員の勤務延長期限の延長などに関する経過措置を置いていること。

③　そのほか、人事院規則等の内容を踏まえ、以下の点に留意されたいこと。

ア　定年に達している者の任用の制限

・　任命権者は、採用しようとする職に係る定年に達している者を、当該職に採用することができないこと。ただし、かつて職員であった者で、任命権者の要請に応じ、引き続き国家公務員、他の地方公共団体に属する地方公務員、特別職に属する地方公務員又は職員の退職手当に関する条例（案）（昭和28年9月10日自丙行発第49号自治庁行政部長通知）第7条第5項第4号に規定する特定地方公社等職員となっているもの（これらの職のうち一の職から他の職に一回以上引き続いて異動した者を含む。）を、当該職に係る定年退職日以前に採用する場合は、この限りでないこと。

・　任命権者は、昇任し、降任し、又は転任しようとする職に係る定年に達している職員を、当該職に係る定年退職日後に、当該職に昇任し、降任し、又は転任することができないこと。ただし、勤務延長職員を昇任し、降任し、又は転任する場合は、この限りでないこと。

　なお、勤務延長職員を異動させることは、一般的には適当な措置とは考えられないものであるが、特別の事情により異動させる必要がある場合には、あらかじめ人事委員会の承認を得ることとすべきであること。

・　上記の「異動」には、併任は含まれないものであること。

イ　人事異動通知書の交付

・　任命権者は、次のいずれかに該当する場合には、人事異動通知書を交付するものとすること。ただし、(ア)又は(カ)に該当する場合のうち、人事異動通知書の交付によらないことを適当と認めるときは、人事異動通知書に代わる文書の交付その他適当な方法をもって人事異動通知書の交付に代えることができること。

(ア)　職員が定年退職をする場合

(イ)　勤務延長を行う場合

(ウ)　勤務延長の期限を延長する場合

(エ)　勤務延長の期限を繰り上げる場合

(オ)　勤務延長職員を昇任し、降任し、又は転任したことにより、勤務延長職員ではなくなった場合

(カ)　勤務延長の期限の到来により職員が当然に退職する場合

ウ　職員への周知

・　各任命権者は、部内の職員に係る定年及び定年退職日を適当な方法によって

職員に周知すべきであること。

エ　報告

・　人事委員会又は地方公共団体の長は、定年に達した職員に係る勤務延長の状況に関し、各任命権者から定期的に報告を求め、その的確な把握に努められたいこと。

(3)　管理監督職勤務上限年齢制関係

①　管理監督職勤務上限年齢制に関しては、新定年等条例案で次のとおり規定していること。

・　第6条において、新法第28条の2第1項に規定する条例で定める職については、管理職手当を支給される職及びこれに準ずる職（医療業務に従事する医師及び歯科医師が占める職を除く）と規定していること。

なお、第6条第2号に規定する職（管理監督職に含まれる職）については、国及び他の地方公共団体の職員との間に権衡を失しないように適当な考慮を払ったうえで、これらの職を設けることが必要な場合に規定すること。

同条各号列記以外の部分中の括弧内に規定する職（管理監督職から除かれる職）については、その職務と責任に特殊性があること又は欠員の補充が困難であることにより新法第28条の2第1項本文の規定を適用することが著しく不適当と認められる職とすること。

〈参考〉

1．国において管理監督職に含まれる官職として予定しているものは以下のとおり。

(1)　内閣官房の室長に準ずる官職として人事院が定める官職
(2)　総務省の内部部局の室長に準ずる官職として人事院が定める官職
(3)　刑務所又は拘置所の看護課長、看護第一課長及び看護第二課長
(4)　大使館又は政府代表部の参事官並びに総領事館の総領事及び領事のうち、行政職俸給表㈠の適用を受ける職員でその職務の級が8級以上であるものの官職
(5)　税関又は沖縄地区税関の課長に準ずる官職として人事院が定める官職
(6)　国税局又は沖縄国税事務所の課長に準ずる官職として人事院が定める官職
(7)　植物防疫所若しくは那覇植物防疫事務所の統括植物検疫官又は動物検疫所若しくは動物検疫所支所の課長に準ずる官職として人事院が定める官職
(8)　地方整備局事務所の課長、北海道開発局の課長又は北海道開発局開発建設部の課長に準ずる官職として人事院が定める官職並びに地方運輸局運輸支局の首席運輸企画専門官、地方運輸局又は地方運輸局運輸支局の海事事務所の首席運輸企画専門官、地方運輸局運輸支局の首席海事技術専門官及び運輸監部又は地方運輸局運輸支局の海事事務所の首席海事技術専門官
(9)　海上保安学校の部長に準ずる官職として人事院が定める官職
(10)　行政職俸給表㈠の適用を受ける職員でその職務の級が7級であるものの官職のうち人事院が定める官職
(11)　専門行政職俸給表の適用を受ける職員でその職務の級が5級であるものの官職のうち人事院が定める官職
(12)　公安職俸給表㈠の適用を受ける職員でその職務の級が8級であるものの官職のうち人事院が定める官職
(13)　公安職俸給表㈡の適用を受ける職員でその職務の級が7級であるものの官職のうち人事院が定める官職
(14)　次に掲げる職員が占める官職であって、臨時的に置かれる官職（人事管理上の

必要性に鑑み、当該職員の退職の日に限り臨時的に置かれる官職及び管理監督職から除かれる官職のうち一部の官職（2．(1) 特例定年を措置する予定の官職〜(10)地方環境事務所の国立公園調整官）若しくは管理監督職勤務上限年齢が当該職員の年齢を超える管理監督職（新国家公務員法第81条の2第1項に規定する管理監督職をいう。以下同じ。）への昇任若しくは転任が予定されている職員又は任命権者の要請に応じ特別職に属する国家公務員となることが予定されている職員を引き続き任用するため、人事管理上の必要性に鑑み、14日を超えない期間内（人事管理上特に必要と認める場合は必要と認める期間内）において臨時的に置かれる官職を除く。）

- ➢ 行政職俸給表㈠の適用を受ける職員でその職務の級が7級以上であるもの
- ➢ 専門行政職俸給表の適用を受ける職員でその職務の級が5級以上であるもの
- ➢ 税務職俸給表の適用を受ける職員でその職務の級が7級以上であるもの
- ➢ 公安職俸給表㈠の適用を受ける職員でその職務の級が8級以上であるもの
- ➢ 公安職俸給表㈡の適用を受ける職員でその職務の級が7級以上であるもの
- ➢ 海事職俸給表㈠の適用を受ける職員でその職務の級が6級以上であるもの
- ➢ 教育職俸給表㈠の適用を受ける職員でその職務の級が4級以上であるもの
- ➢ 研究職俸給表の適用を受ける職員でその職務の級が5級以上であるもの
- ➢ 医療職俸給表㈡の適用を受ける職員でその職務の級が7級以上であるもの
- ➢ 医療職俸給表㈢の適用を受ける職員でその職務の級が6級以上であるもの
- ➢ 福祉職俸給表の適用を受ける職員でその職務の級が6級であるもの

(15) 行政執行法人の官職のうち、俸給の特別調整額支給官職に相当する官職として人事院が定める官職

(16) 上記に掲げる官職のほか、これらに相当する官職として人事院が定める官職

2．国において管理監督職から除かれる官職として予定しているものは以下のとおり。

(1) 特例定年を措置する予定の官職

(2) 病院、療養所、診療所その他の国の部局又は機関に勤務し、医療業務に従事する医師及び歯科医師が占める官職（2．(1) 特例定年を措置する予定の官職を除く。）

(3) 研究所、試験所等の長で人事院が定める官職

(4) 迎賓館長

(5) 宮内庁次長

(6) 金融庁長官

(7) 国税不服審判所長

(8) 海難審判所の審判官及び理事官

(9) 運輸安全委員会事務局の船舶事故及びその兆候に関する調査をその職務の内容とする事故調査官で人事院が定める官職

(10) 地方環境事務所の国立公園調整官

(11) 研究職俸給表の適用を受ける職員でその職務の級が3級であるものの官職

(12) 指定職俸給表の適用を受ける職員が占める官職であって、次に掲げるもの

- ➢ 人事管理上の必要性に鑑み、当該職員の退職の日に限り臨時的に置かれる官職
- ➢ 上記に掲げる官職のうち一部の官職（2．(1) 特例定年を措置する予定の官職〜(7) 国税不服審判所長）若しくは管理監督職勤務上限年齢が当該職員の年齢を超える管理監督職への昇任若しくは転任が予定されている職員又は任命権者の要請に応じ特別職に属する国家公務員となることが予定されている職員を引き続き任用するため、人事管理上の必要性に鑑み、14日を超えない期間内（人事管理上特に必要と認める場合は必要と認める期間内）において臨時的に置かれる官職

(13) 上記に掲げる官職のほか、職務と責任の特殊性により法第81条の2の規定を適用することが著しく不適当と認められる官職として人事院が定める官職

等

・ 第7条において、管理監督職勤務上限年齢を年齢六十年とし、同条ただし書

で定める管理監督職勤務上限年齢については、国及び他の地方公共団体の職員との間に権衡を失しないように適当な考慮を払ったうえで、その職務と責任に特殊性があること又は欠員の補充が困難であることにより管理監督職勤務上限年齢を60歳とすることが著しく不適当と認められる職(現行61～64歳の特例定年が措置されている職等）については、61歳～64歳の範囲内において管理監督職勤務上限年齢を措置することが考えられるものであること。

〈参考〉

国において管理監督職勤務上限年齢を62歳とする官職として予定しているものは以下のとおり。

- 事務次官（外交領事事務に従事する職員で人事院が定めるものが占める場合を除く。以下同じ。）、会計検査院事務総長、人事院事務総長及び内閣法制次長
- 外局（国家行政組織法（昭和23年法律第120号）第３条第３項の庁に限る。以下同じ。）の長官、警察庁長官及び消費者庁長官
- 会計検査院事務総局次長、内閣衛星情報センター所長、内閣審議官のうちその職務と責任が事務次官又は外局の長官に相当するものとして人事院が定める官職、内閣府審議官、地方創生推進事務局長、知的財産戦略推進事務局長、科学技術・イノベーション推進事務局長、公正取引委員会事務総長、警察庁次長、警視総監、カジノ管理委員会事務局長、金融国際審議官、デジタル審議官、総務審議官、外務審議官（外交領事事務に従事する職員で人事院が定めるものが占める場合を除く。）、財務官、文部科学審議官、厚生労働審議官、医務技監、農林水産審議官、経済産業審議官、技監、国土交通審議官、地球環境審議官及び原子力規制庁長官

国において管理監督職勤務上限年齢を63歳とする官職として予定しているものは以下のとおり。

- 研究所、試験所等の副所長（これに相当する官職を含む。）で人事院が定める官職
- 宮内庁の内部部局の官職のうち、次に掲げる官職
  - ➢ 式部副長及び式部官
  - ➢ 首席楽長、楽長及び楽長補
  - ➢ 主膳長
  - ➢ 主厨長
- 在外公館に勤務する職員及び外務省本省に勤務し外交領事事務に従事する職員で人事院が定めるものが占める官職
- 海技試験官

・　第８条において、他の職への降任等を行うに当たって遵守すべき基準を規定したこと。

・　第９条において、管理監督職勤務上限年齢による降任等及び管理監督職への任用の制限の特例（特例任用、特定管理監督職群）を規定したこと。

・　第10条において、異動期間を延長する場合等には、あらかじめ職員の同意を得なければならないことを規定したこと。

・　第11条について、異動期間を延長した場合において、当該異動期間の末日の到来前に当該異動期間の延長の事由が消滅したときは、他の職への降任等をすることを規定したこと。

※　法第27条第２項において、職員は、法で定める事由による場合でなければ、その意に反して降任されないことと規定されていることから、人事院規則11-

11（管理監督職勤務上限年齢による降任等）第５条の本人の意に反する降任に係る規定と同様の規定については新定年等条例案に設けていないこと。

② そのほか、人事院規則の内容を踏まえ、以下の点に留意されたいこと。

ア 異動期間が延長された管理監督職に組織の変更等があった場合

・ 新定年等条例案第９条第１項又は第２項の規定により異動期間が延長された管理監督職を占める職員が、組織の変更等により当該管理監督職の業務と同一の業務を行うことをその職務の主たる内容とする他の管理監督職を占める職員となる場合は、当該他の管理監督職を占める職員は、当該異動期間が延長された管理監督職を引き続き占めているものとみなすこと。

イ 新定年等条例案第９条第３項又は第４項の規定による任用

・ 新定年等条例案第９条第３項又は第４項の規定により特定管理監督職群に属する管理監督職を占める職員のうちいずれをその異動期間を延長し、引き続き当該管理監督職を占めたまま勤務をさせ、又は当該管理監督職が属する特定管理監督職群の他の管理監督職に降任し、若しくは転任するかは、任命権者が、人事評価の結果、人事の計画その他の事情を考慮した上で、最も適任と認められる職員を、公正に判断して定めるものとすること。

ウ 人事異動通知書の交付

・ 任命権者は、他の職への降任等をする場合には、人事異動通知書を交付して行わなければならないこと。

任命権者は、次のいずれかに該当する場合には、職員に人事異動通知書を交付しなければならないこと。

(ア) 新定年等条例案第９条第１項から第４項までの規定により異動期間を延長する場合

(イ) 異動期間の期限を繰り上げる場合

(ウ) 新定年等条例案第９条第１項から第４項までの規定により異動期間を延長した後、管理監督職勤務上限年齢が当該職員の年齢を超える管理監督職に異動し、当該管理監督職に係る管理監督職勤務上限年齢に達していない職員となった場合

エ 報告

・ 人事委員会又は地方公共団体の長は、新定年等条例案第９条第１項から第４項までの規定により異動期間が延長された管理監督職を占める職員に係る当該異動期間の延長の状況に関し、各任命権者から定期的に報告を求め、その的

確な把握に努められたいこと。

(4) 定年前再任用短時間勤務職員関係

① 定年前再任用短時間勤務職員関係については、新定年等条例案において次のとおり規定していること。

・ 第12条において、任命権者が年齢60年に達した日以後に退職をした者（年齢60年以上退職者）を短時間勤務の職に採用できること、また、第13条において、任命権者が地方公共団体の組合の年齢60年以上退職者を、短時間勤務の職に採用できることをそれぞれ規定していること。

※ 改正条例例附則第10条において、必要な経過措置を規定していること。

② 人事院規則の内容を踏まえ、以下の点に留意されたいこと。

ア 総則

・ 新定年等条例案第12条又は第13条第1項の規定による採用（以下「定年前再任用」という。）を行うに当たっては、法第13条に定める平等取扱いの原則及び法第15条に定める任用の根本基準の規定に違反してはならないこと。

・ 新定年等条例案第12条に規定する「年齢60年以上退職者」が法第52条第1項に規定する職員団体の構成員であったことその他法第56条に規定する事由を理由として定年前再任用に関し不利益な取扱いをしてはならないこと。

イ 定年前再任用希望者に明示する事項及び定年前再任用希望者の同意

・ 任命権者は、定年前再任用を行うに当たっては、あらかじめ、定年前再任用をされることを希望する者（以下「定年前再任用希望者」という。）に次に掲げる事項を明示し、その同意を得なければならないこと。当該定年前再任用希望者の定年前再任用までの間に、明示した事項の内容を変更する場合も、同様とすること。

(ア) 定年前再任用を行う職に係る職務内容

(イ) 定年前再任用を行う日

(ウ) 定年前再任用に係る勤務地

(エ) 定年前再任用をされた場合の給与

(オ) 定年前再任用をされた場合の一週間当たりの勤務時間

(カ) そのほか任命権者が必要と認める事項

・ この手続は、改正条例例の施行前にも行うことができるものであることを規定し、当該規定は改正条例例の公布の日から施行することを規定すること。

ウ　人事異動通知書の交付

・　任命権者は、次のいずれかに該当する場合には、職員に人事異動通知書を交付しなければならないこと。ただし、(ｲ)に該当する場合のうち、人事異動通知書の交付によらないことを適当と認めるときは、人事異動通知書に代わる文書の交付その他適当な方法をもって人事異動通知書の交付に代えることができること。

(ｱ)　定年前再任用を行う場合

(ｲ)　任期の満了により定年前再任用短時間勤務職員（新定年等条例案第 12 条又は第 13 条第 1 項の規定により採用された職員をいう。）が当然に退職する場合

エ　地方公共団体の組合の条例事項

・　地方公共団体の組合においては、新定年等条例案第 12 条及び第 13 条を以下のとおりとすること。

＜条文（例）＞

（定年前再任用短時間勤務職員の任用）

第十二条　任命権者は、年齢六十年に達した日以後に退職（臨時的に任用される職員その他の法律により任期を定めて任用される職員及び非常勤職員が退職する場合を除く。）をした者（以下この条及び次条において「年齢六十年以上退職者」という。）を、従前の勤務実績その他の規則（*※競争試験等を行う公平委員会を置く地方公共団体の組合においては、公平委員会規則*）で定める情報に基づく選考により、短時間勤務の職（当該職を占める職員の一週間当たりの通常の勤務時間が、常時勤務を要する職でその職務が当該短時間勤務の職と同種の職を占める職員の一週間当たりの通常の勤務時間に比し短い時間である職をいう。以下この条及び次条において同じ。）に採用することができる。ただし、年齢六十年以上退職者がその者を採用しようとする短時間勤務の職に係る定年退職日相当日（短時間勤務の職を占める職員が、常時勤務を要する職でその職務が当該短時間勤務の職と同種の職を占めているものとした場合における定年退職日をいう。）を経過した者であるときは、この限りでない。

第十三条　任命権者は、前条本文の規定によるほか、構成団体（*※組合を構成する地方公共団体*）の年齢六十年以上退職者を、従前の勤務実績その他の規則（*※競争試験等を行う公平委員会を置く地方公共団体の組合においては、公平委員会規則*）で定める情報に基づく選考により、短時間勤務の職に採用することができる。

2　前項の場合においては、前条ただし書の規定を準用する。

(5)　暫定再任用職員関係

①　暫定再任用職員関係については、

・　附則第３条において、任命権者は、旧条例定年及び新条例定年に達している者を、常時勤務を要する職に採用することができること、

・　附則第４条において、任命権者は、地方公共団体の組合の旧条例定年及び新条例定年に達している者を、常時勤務を要する職に採用することができること、
・　附則第５条において、任命権者は、旧条例定年及び新条例定年に達している者を、短時間勤務の職に採用することができること、
・　附則第６条において、任命権者は、地方公共団体の組合の旧条例定年及び新条例定年に達している者を、短時間勤務の職に採用することができること、

をそれぞれ規定していること。

また、

・　附則第７条及び第８条において、改正法附則第８条第３項及び第８条第４項により読み替えて適用する新法第22条の４第４項に規定する「条例で定める職」及び「条例で定める年齢」
・　附則第９条において、改正法附則第８条第５項に規定する「条例で定める職」及び「条例で定める者」

を規定していること。

②　そのほか、人事院規則等の内容を踏まえ、以下の点に留意されたいこと。

ア　総則

・　暫定再任用を行うに当たっては、法第 13 条に定める平等取扱いの原則及び法第 15 条に定める任用の根本基準の規定に違反してはならないこと。
・　定年退職者等が法第 52 条第１項に規定する職員団体の構成員であったことその他法第 56 条に規定する事由を理由として暫定再任用に関し不利益な取扱いをしてはならないこと。

イ　暫定再任用をされることを希望する者に明示する事項

・　任命権者は、暫定再任用を行うに当たっては、あらかじめ、暫定再任用をされることを希望する者に、次に掲げる事項を明示するものとすること。
　(ア)　暫定再任用を行う職に係る職務内容
　(イ)　暫定再任用を行う日及び任期の末日
　(ウ)　暫定再任用に係る勤務地
　(エ)　暫定再任用をされた場合の給与
　(オ)　暫定再任用をされた場合の一週間当たりの勤務時間
　(カ)　そのほか任命権者が必要と認める事項
・　手続は、改正条例例の施行前にも行うことができるものであることを規定し、当該規定は改正条例例の公布の日から施行することを規定すること。

ウ　人事異動通知書の交付

・　任命権者は、次のいずれかに該当する場合には、職員に人事異動通知書を交付しなければならないこと。ただし、(ウ)に該当する場合のうち、人事異動通知書の交付によらないことを適当と認めるときは、人事異動通知書に代わる文書の交付その他適当な方法をもって人事異動通知書の交付に代えることができること。

(ア)　暫定再任用を行う場合

(イ)　暫定再任用職員の任期を更新する場合

(ウ)　任期の満了により暫定再任用職員が当然に退職する場合

・　暫定再任用短時間勤務職員となった場合には、当該職員の１週間当たりの勤務時間数を人事異動通知書に明示するものとすること。

エ　地方公共団体の組合の条例事項

・　地方公共団体の組合においては、改正条例例附則第３条から第６条までを以下のとおりとすること。

<条文（例）>

（定年退職者等の再任用に関する経過措置）

第三条　任命権者は、次に掲げる者のうち、年齢六十五年に達する日以後における最初の三月三十一日（以下この条から附則第六条までにおいて「特定年齢到達年度の末日」という。）までの間にある者であって、当該者を採用しようとする常時勤務を要する職に係る旧条例定年（旧条例第三条に規定する定年をいう。以下同じ。）（施行日以後に新たに設置された職及び施行日以後に組織の変更等により名称が変更された職にあっては、当該職が施行日の前日に設置されていたものとした場合における旧条例定年に準じた当該職に係る年齢。次条第一項において同じ。）に達している者を、従前の勤務実績その他の規則 *(※競争試験等を行う公平委員会を置く地方公共団体の組合においては、公平委員会規則)* で定める情報に基づく選考により、一年を超えない範囲内で任期を定め、当該常時勤務を要する職に採用することができる。

一　施行日前に旧条例第二条の規定により退職した者

二　旧条例第四条第一項若しくは第二項、令和三年改正法附則第三条第五項又は前条第一項の規定により勤務した後退職した者

三　二十五年以上勤続して施行日前に退職した者（前二号に掲げる者を除く。）であって、当該退職の日の翌日から起算して五年を経過する日までの間にある者

四　二十五年以上勤続して施行日前に退職した者（前三号に掲げる者を除く。）であって、当該退職の日の翌日から起算して五年を経過する日までの間に、旧地方公務員法再任用（令和三年改正法による改正前の地方公務員法（昭和二十五年法律第二百六十一号）第二十八条の四第一項、第二十八条の五第一項又は第二十八条の六第一項若しくは第二項の規定により採用することをいう。）又は暫定再任用（この項若しくは次項、次条第一項若しくは第二項、附則第五条第一項若しくは第二項又は附則第六条第一項若しくは第二項の規定により採用することをいう。次項第

六号において同じ。）をされたことがある者

2　令和十四年三月三十一日までの間、任命権者は、次に掲げる者のうち、特定年齢到達年度の末日までの間にある者であって、当該者を採用しようとする常時勤務を要する職に係る新条例定年に達している者を、従前の勤務実績その他の規則*（※競争試験等を行う公平委員会を置く地方公共団体の組合においては、公平委員会規則）*で定める情報に基づく選考により、一年を超えない範囲内で任期を定め、当該常時勤務を要する職に採用することができる。

一　施行日以後に新条例第二条の規定により退職した者

二　施行日以後に新条例第四条第一項又は第二項の規定により勤務した後退職した者

三　施行日以後に新条例第十二条の規定により採用された者のうち、令和三年改正法による改正後の地方公務員法（以下「新地方公務員法」という。）第二十二条の四第三項に規定する任期が満了したことにより退職した者

四　施行日以後に新条例第十三条第一項の規定により採用された者のうち、新地方公務員法第二十二条の五第三項において準用する新地方公務員法第二十二条の四第三項に規定する任期が満了したことにより退職した者

五　二十五年以上勤続して施行日以後に退職した者（前各号に掲げる者を除く。）であって、当該退職の日の翌日から起算して五年を経過する日までの間にある者

六　二十五年以上勤続して施行日以後に退職した者（前各号に掲げる者を除く。）であって、当該退職の日の翌日から起算して五年を経過する日までの間に、暫定再任用をされたことがある者

3　前二項の任期又はこの項の規定により更新された任期は、一年を超えない範囲内で更新することができる。ただし、当該任期の末日は、前二項の規定により採用する者又はこの項の規定により任期を更新する者の特定年齢到達年度の末日以前でなければならない。

4　暫定再任用職員（第一項若しくは第二項、次条第一項若しくは第二項、附則第五条第一項若しくは第二項又は附則第六条第一項若しくは第二項の規定により採用された職員をいう。以下この項及び次項において同じ。）の前項の規定による任期の更新は、当該暫定再任用職員の当該更新直前の任期における勤務実績が、当該暫定再任用職員の能力評価及び業績評価の全体評語その他勤務の状況を示す事実に基づき良好である場合に行うことができる。

5　任命権者は、暫定再任用職員の任期を更新する場合には、あらかじめ当該暫定再任用職員の同意を得なければならない。

第四条　任命権者は、前条第一項の規定によるほか、構成団体*（※組合を構成する地方公共団体）*における同項各号に掲げる者のうち、特定年齢到達年度の末日までの間にある者であって、当該者を採用しようとする常時勤務を要する職に係る旧条例定年に達している者を、従前の勤務実績その他の規則*（※競争試験等を行う公平委員会を置く地方公共団体の組合においては、公平委員会規則）*で定める情報に基づく選考により、一年を超えない範囲内で任期を定め、当該常時勤務を要する職に採用することができる。

2　令和十四年三月三十一日までの間、任命権者は、前条第二項の規定によ

るほか、構成団体 *(※組合を構成する地方公共団体)* における同項各号に掲げる者のうち、特定年齢到達年度の末日までの間にある者であって、当該者を採用しようとする常時勤務を要する職に係る新条例定年に達している者を、従前の勤務実績その他の規則 *(※競争試験等を行う公平委員会を置く地方公共団体の組合においては、公平委員会規則)* で定める情報に基づく選考により、一年を超えない範囲内で任期を定め、当該常時勤務を要する職に採用することができる。

3　前二項の場合においては、前条第三項から第五項までの規定を準用する。

第五条　任命権者は、新地方公務員法第二十二条の四第四項の規定にかかわらず、附則第三条第一項各号に掲げる者のうち、特定年齢到達年度の末日までの間にある者であって、当該者を採用しようとする短時間勤務の職（新条例第十二条に規定する短時間勤務の職をいう。以下同じ。）に係る旧条例定年相当年齢（短時間勤務の職を占める職員が、常時勤務を要する職でその職務が当該短時間勤務の職と同種の職を占めているものとした場合における旧条例定年（施行日以後に新たに設置された短時間勤務の職及び施行日以後に組織の変更等により名称が変更された短時間勤務の職にあっては、当該職が施行日の前日に設置されていたものとした場合において、当該職を占める職員が、常時勤務を要する職でその職務が当該職と同種の職を占めているものとしたときにおける旧条例定年に準じた当該職に係る年齢）をいう。次条第一項において同じ。）に達している者を、従前の勤務実績その他の規則 *(※競争試験等を行う公平委員会を置く地方公共団体の組合においては、公平委員会規則)* で定める情報に基づく選考により、一年を超えない範囲内で任期を定め、当該短時間勤務の職に採用することができる。

2　令和十四年三月三十一日までの間、任命権者は、新地方公務員法第二十二条の四第四項の規定にかかわらず、附則第三条第二項各号に掲げる者のうち、特定年齢到達年度の末日までの間にある者であって、当該者を採用しようとする短時間勤務の職に係る新条例定年相当年齢（短時間勤務の職を占める職員が、常時勤務を要する職でその職務が当該短時間勤務の職と同種の職を占めているものとした場合における新条例定年をいう。次条第二項及び附則第十条において同じ。）に達している者（新条例第十二条の規定により当該短時間勤務の職に採用することができる者を除く。）を、従前の勤務実績その他の規則 *(※競争試験等を行う公平委員会を置く地方公共団体の組合においては、公平委員会規則)* で定める情報に基づく選考により、一年を超えない範囲内で任期を定め、当該短時間勤務の職に採用することができる。

3　前二項の場合においては、附則第三条第三項から第五項までの規定を準用する。

第六条　任命権者は、前条第一項の規定によるほか、新地方公務員法第二十二条の五第三項において準用する新地方公務員法第二十二条の四第四項の規定にかかわらず、構成団体 *(※組合を構成する地方公共団体)* における附則第三条第一項各号に掲げる者のうち、特定年齢到達年度の末日までの間にある者であって、当該者を採用しようとする短時間勤務の職に係る旧条例定年相当年齢に達している者を、従前の勤務実績その他の規則 *(※競争試験等を行う公平委員会を置く地方公共団体の組合においては、公平*

> *委員会規則）*で定める情報に基づく選考により、一年を超えない範囲内で任期を定め、当該短時間勤務の職に採用することができる。
> 2　令和十四年三月三十一日までの間、任命権者は、前条第二項の規定によるほか、新地方公務員法第二十二条の五第三項において準用する新地方公務員法第二十二条の四第四項の規定にかかわらず、構成団体 *（※組合を構成する地方公共団体）*における附則第三条第二項各号に掲げる者のうち、特定年齢到達年度の末日までの間にある者であって、当該者を採用しようとする短時間勤務の職に係る新条例定年相当年齢に達している者（新条例第十三条第一項の規定により当該短時間勤務の職に採用することができる者を除く。）を、従前の勤務実績その他の規則 *（※競争試験等を行う公平委員会を置く地方公共団体の組合においては、公平委員会規則）*で定める情報に基づく選考により、一年を超えない範囲内で任期を定め、当該短時間勤務の職に採用することができる。
> 3　前二項の場合においては、附則第三条第三項から第五項までの規定を準用する。

(6)　情報提供・意思確認関係

①　新定年等条例案附則第6項においては、職員が 60 歳に達する年度の前年度における情報提供・意思確認を規定していること。

②　改正条例例附則第 11 条においては、施行日前に情報提供・意思確認を実施する職員の年齢を規定していること。

③　そのほか、人事院規則の内容を踏まえ、以下の点に留意されたいこと。

ア　情報の提供及び意思の確認を行う時期

・　60 歳に達する日の属する年度の前年度に新定年等条例案附則第6項の規定による情報の提供及び意思の確認を行うことができない職員として条例で定める職員に対する情報の提供及び勤務の意思の確認は、条例で定める期間内に、できる限り速やかに行うものとすること。

イ　情報の提供

・　新定年等条例案附則第6項の規定により職員に提供する情報は、次に掲げる情報（(ア)、(ウ)及び(エ)に掲げる情報にあっては、当該職員が年齢60年等に達した日以後に適用される措置に関する情報に限る。）とすること。

(ア)　新法第 28 条の2から第 28 条の5までの規定による管理監督職勤務上限年齢による降任等に関する情報

(イ)　定年前再任用短時間勤務職員の任用に関する情報

(ウ)　年齢 60 年等に達した日後における最初の4月1日以後の当該職員の俸給月額を引き下げる給与に関する特例措置に関する情報

(エ)　当該職員が年齢 60 年等に達した日から定年に達する日の前日までの間に

非違によることなく退職をした場合における退職手当の基本額を当該職員が当該退職をした日に新法第 28 条の6第1項の規定により退職をしたものと仮定した場合における額と同額とする退職手当に関する特例措置に関する情報

(ｵ) そのほか勤務の意思を確認するため必要であると任命権者が認める情報

ウ　勤務の意思の確認

・ 任命権者は、新定年等条例案附則第6項の規定により職員の勤務の意思を確認する場合は、そのための期間を十分に確保するよう努めなければならないこと。

・ 勤務の意思の確認においては、次に掲げる事項を確認するものとすること。

(ｱ) 引き続き常時勤務を要する職を占める職員として勤務する意思

(ｲ) 年齢60年等に達する日以後の退職の意思

(ｳ) 定年前再任用短時間勤務職員として勤務する意向

(ｴ) そのほか任命権者が必要と認める事項

2　職員の再任用に関する条例（案）（平成 11 年 10 月 29 日自治高第9号）は廃止する。

3　その他、再任用制度の廃止等に伴い、以下の条例例等について別紙3のとおり改正する。

(1) 職員の育児休業等に関する条例（案）（平成4年2月 13 日自治能第 20 号）

(2) 職員の勤務時間、休暇等に関する条例（案）（平成6年8月5日自治能第 65 号）

(3) 人事行政の運営等の状況の公表に関する条例（例）（平成 16 年8月1日総行公第 55 号）

(4) 職員の降給に関する条例（例）（平成 26 年8月 15 日総行公第 67 号・総行経第 41 号）

4　退職手当及び退職管理に関する規定整備例については、今後制定が予定されている国家公務員に関する政令の公布後に、別途通知する。

第2　改正規則例

定年の引上げに伴い規則で定めるべき事項について、以下1～6を参考に、規則の新設又は既存の規則の改正を行うこと。

1　新法第 28 条の5第3項（新定年等条例案第9条第3項）に規定する「人事委員会規則（人事委員会を置かない地方公共団体においては、地方公共団体の規則）で定める管理監督職」について、職務の内容が相互に類似する複数の管理監督職であって、これらの欠員を容易に補充することができない年齢別構成その他特別の事情がある管理監督職を定めること。

<条文（例）>

（特定管理監督職群を構成する管理監督職）

第○条　職員の定年等に関する条例（昭和○○年○○県条例第○○号）第九条第三項に規定する人事委員会規則で定める管理監督職は、次の各号に掲げる区分ごとに、当該各号に定める職とする。

一　○○○の特定管理監督職群　○○○

二　○○○の特定管理監督職群　○○○

2　新法第22条の4第1項（新定年等条例案第12条）及び第22条の5第1項（新定年等条例案第13条第1項）に規定する「人事委員会規則で定める情報」（定年前再任用短時間勤務職員の採用に係る選考に用いる情報）について、定年前再任用希望者についての次に掲げる情報を定めること。

(1)　能力評価及び業績評価の全体評語その他勤務の状況を示す事実に基づく従前の勤務実績

(2)　定年前再任用を行う職の職務遂行に必要とされる経験又は資格の有無その他定年前再任用を行う職の職務遂行上必要な事項

<条文（例）>

（定年前再任用の選考に用いる情報）

第○条　職員の定年等に関する条例（昭和○○年○○県条例第○○号）第十二条及び第十三条第一項の人事委員会規則で定める情報は、定年前再任用（同条例第十二条又は第十三条第一項の規定により採用することをいう。以下この条において同じ。）をされることを希望する者についての次に掲げる情報とする。

一　能力評価及び業績評価の全体評語その他勤務の状況を示す事実に基づく従前の勤務実績

二　定年前再任用を行う職の職務遂行に必要とされる経験又は資格の有無その他定年前再任用を行う職の職務遂行上必要な事項

3　第1の1(4)②エに規定した新定年等条例案第12条及び第13条第1項に規定する地方公共団体の組合の規則（競争試験等を行う公平委員会を置く地方公共団体の組合においては、公平委員会規則）で定める情報について、定年前再任用希望者についての次に掲げる情報を定めること。

(1)　能力評価及び業績評価の全体評語その他勤務の状況を示す事実に基づく従前の勤務実績

(2)　定年前再任用を行う職の職務遂行に必要とされる経験又は資格の有無その他定年前再任用を行う職の職務遂行上必要な事項

<条文（例）>

（定年前再任用の選考に用いる情報）

第○条　職員の定年等に関する条例（昭和○○年○○県条例第○○号）第十二条及び第十三条第一項の規則（*※競争試験等を行う公平委員会を置く地方公共団体の組合においては、公平委員会規則*）で定める情報は、定年前再任用（同条例第十二条又は第十三条第一項の規定により採用することをいう。以下この条において同じ。）をされることを希望する者についての次に掲げる情報とする。
一　能力評価及び業績評価の全体評語その他勤務の状況を示す事実に基づく従前の勤務実績
二　定年前再任用を行う職の職務遂行に必要とされる経験又は資格の有無その他定年前再任用を行う職の職務遂行上必要な事項

4　附則に、改正条例例附則第２条第２項に規定する「人事委員会規則で定める職」及び「人事委員会規則で定める職員」を定めること。

<条文（例）>
（職員の定年等に関する条例の一部を改正する条例附則第二条第二項の人事委員会規則で定める職及び職員）
第○条　職員の定年等に関する条例の一部を改正する条例（令和○○年○○県条例第○○号。以下「改正条例」という。）附則第二条第二項の人事委員会規則で定める職は、次に掲げる職のうち、当該職が基準日（同項に規定する基準日をいう。以下この条において同じ。）の前日に設置されていたものとした場合において、基準日における新条例定年（改正条例附則第二条第二項に規定する新条例定年をいう。以下この条において同じ。）が基準日の前日における新条例定年（同日が令和五年三月三十一日である場合には、改正条例による改正前の職員の定年等に関する条例（昭和○○年○○県条例第○○号。以下「旧条例」という。）第三条に規定する定年に準じた年齢）を超える職（当該職に係る定年が職員の定年等に関する条例第三条第一項に規定する定年である職に限る。）とする。
一　基準日以後に新たに設置された職
二　基準日以後に組織の変更等により名称が変更された職
２　改正条例附則第二条第二項の人事委員会規則で定める職員は、前項に規定する職が基準日の前日に設置されていたものとした場合において、同日における当該職に係る新条例定年（同日が令和五年三月三十一日である場合には、旧条例第三条に規定する定年に準じた年齢）に達している職員とする。

5　附則に、改正条例例附則第10条に規定する「人事委員会規則で定める短時間勤務の職」、「人事委員会規則で定める者」及び「人事委員会規則で定める定年前再任用短時間勤務職員」を定めること。

<条文（例）>
（職員の定年等に関する条例の一部を改正する条例附則第十条の人事委員会規則で定める短時間勤務の職並びに人事委員会規則で定める者及び定年前再任用短時間勤務職員）

第○条　職員の定年等に関する条例の一部を改正する条例（令和○○年○○県条例第○○号。以下「改正条例」という。）附則第十条の人事委員会規則で定める短時間勤務の職は、次に掲げる職のうち、当該職が基準日（令和七年四月一日、令和九年四月一日、令和十一年四月一日及び令和十三年四月一日をいう。以下この条において同じ。）の前日に設置されていたものとした場合において、基準日における定年相当年齢（改正条例による改正後の職員の定年等に関する条例（昭和○○年○○県条例第○○号）第十二条に規定する短時間勤務の職（以下この条において「短時間勤務の職」という。）を占める職員が、常時勤務を要する職でその職務が当該短時間勤務の職と同種の職を占めているものとした場合における同条例第三条に規定する定年をいう。以下この条において同じ。）が基準日の前日における定年相当年齢を超える短時間勤務の職（当該職に係る定年相当年齢が同条例第三条第一項に規定する定年である短時間勤務の職に限る。）とする。

一　基準日以後に新たに設置された短時間勤務の職

二　基準日以後に組織の変更等により名称が変更された短時間勤務の職

2　改正条例附則第十条の人事委員会規則で定める者は、前項に規定する職が基準日の前日に設置されていたものとした場合において、同日における当該職に係る定年相当年齢に達している者とする。

3　改正条例附則第十条の人事委員会規則で定める定年前再任用短時間勤務職員は、第一項に規定する職が基準日の前日に設置されていたものとした場合において、同日における当該職に係る定年相当年齢に達している同条に規定する定年前再任用短時間勤務職員とする。

6　改正法附則第４条から第７条までに規定する「人事委員会規則で定める情報」（暫定再任用職員の採用に係る選考に用いる情報）を以下のとおり定めること。

(1)　能力評価及び業績評価の全体評語その他勤務の状況を示す事実に基づく従前の勤務実績

(2)　暫定再任用をしようとする職の職務遂行に必要とされる経験又は資格の有無その他暫定再任用を行う職の職務遂行上必要な事項

＜条文（例）＞

（暫定再任用の選考に用いる情報）

第○条　地方公務員法の一部を改正する法律（令和三年法律第六十三号。以下「令和三年改正法」という。）附則第四条から第七条までに規定する人事委員会規則で定める情報は、これらの規定に規定する者についての次に掲げる情報とする。

一　能力評価及び業績評価の全体評語その他勤務の状況を示す事実に基づく従前の勤務実績

二　暫定再任用（職員の定年等に関する条例の一部を改正する条例（令和○○年○○県条例第○○号）附則第三条第一項若しくは第二項、附則第四条第一項若しくは第二項、附則第五条第一項若しくは第二項又は附則第六条第一項若しくは第二項の規定により採用することをいう。以下この号において同じ。）を行う職の職務遂行に必要とされる経験又は資格

の有無その他暫定再任用を行う職の職務遂行上必要な事項

参考資料

（別紙１）

○職員の定年等に関する条例（案）（昭和五十七年自治公一第四十六号）新旧対照表

（下線部分は今回改正部分）

改　正　後	現　　行
目次 第一章　総則（第一条） 第二章　定年制度（第二条―第五条） 第三章　管理監督職勤務上限年齢制（第六条―第十一条） 第四章　定年前再任用短時間勤務制（第十二条・第十三条） 第五章　雑則（第十四条） 附則	（新設）
第一章　総則	（新設）
（趣旨） 第一条　この条例は、地方公務員法（昭和二十五年法律第二百六十一号。以下「法」という。）第二十二条の四第一項及び第二項、第二十二条の五第一項、第二十八条の二、第二十八条の五、第二十八条の六第一項から第三項まで並びに第二十八条の七の規定に基づき、職員の定年等に関し必要な事項を定めるものとする。	（趣旨） 第一条　この条例は、地方公務員法（昭和二十五年法律第二百六十一号　第二十八条の二第一項から第三項まで及び第二十八条の三の規定に基づき、職員の定年等に関し必要な事項を定めるものとする。
第二章　定年制度	（新設）
第二条　（略）	（定年による退職） 第二条　職員は、定年に達したときは、定年に達した日以後における最初の○月○日又は三月三十一日のいずれか早い日（以下「定年退職日」という。）に退職する。
（定年） 第三条　職員の定年は、年齢六十五年と	（定年） 第三条　職員の定年は、年齢六十年と

する。	する。ただし、次の各号に掲げる職員の定年は、当該各号に掲げる年齢とする。 一　別表第一に掲げる施設等において医療業務に従事する医師及び歯科医師　年齢六十五年 二　守衛、用務員、労務作業員、調理員、○○○及び○○○　年齢六十三年
2　前項の規定にかかわらず、別表第一に掲げる医療施設等において医療業務に従事する医師及び歯科医師の定年は、年齢○○○年とする。	2　前項の規定にかかわらず、別表第二に掲げる医療施設等において医療業務に従事する医師及び歯科医師の定年は、年齢○○○年とする。
（定年による退職の特例）	（定年による退職の特例）
第四条　任命権者は、定年に達した職員が第二条の規定により退職すべきこととなる場合において、次に掲げる事由があると認めるときは、同条の規定にかかわらず、当該職員に係る定年退職日の翌日から起算して一年を超えない範囲内で期限を定め、当該職員を当該定年退職日において従事している職務に従事させるため、引き続き勤務させることができる。ただし、第九条第一項から第四項までの規定により異動期間（第九条第一項に規定する異動期間をいう。以下この項及び次項において同じ。）（第九条第一項又は第二項の規定により延長された異動期間を含む。）を延長した職員であって、定年退職日において管理監督職（第六条に規定する職をいう。以下この条及び第三章において同じ。）を占めている職員については、第九条第一項又は第二項の規定により当該異動期間を延長した場合であって、引き続き勤務させることについて人事委員会の承認を得たときに限るものとし、当該期限は、当該職員が占めている管理監督職に係る異動期間の末日の翌日から起算して三年を超えることができない。	第四条　任命権者は、定年に達した職員が第二条の規定により退職すべきこととなる場合において、次の各号のいずれかに該当すると認めるときは、その職員に係る定年退職日の翌日から起算して一年を超えない範囲内で期限を定め、その職員を当該職務に従事させるため引き続いて勤務させることができる。

一　当該職務が高度の知識、技能又は経験を必要とするものであるため、当該職員の退職により生ずる欠員を容易に補充することができず公務の運営に著しい支障が生ずること	一　当該職務が高度の知識、技能又は経験を必要とするものであるため、その職員の退職により公務の運営に著しい支障が生ずるとき。
二　当該職務に係る勤務環境その他の勤務条件に特殊性があるため、当該職員の退職による欠員を容易に補充することができず公務の運営に著しい支障が生ずること	二　当該職務に係る勤務環境その他の勤務条件に特殊性があるため、その職員の退職による欠員を容易に補充することができないとき。
三　当該職務を担当する者の交替が当該業務の遂行上重大な障害となる特別の事情があるため、当該職員の退職により公務の運営に著しい支障が生ずること	三　当該職務を担当する者の交替がその業務の遂行上重大な障害となる特別の事情があるため、その職員の退職により公務の運営に著しい支障が生ずるとき。
2　任命権者は、前項の期限又はこの項の規定により延長された期限が到来する場合において、前項各号に掲げる事由が引き続きあると認めるときは、人事委員会の承認を得て、これらの期限の翌日から起算して一年を超えない範囲内で期限を延長することができる。ただし、当該期限は、当該職員に係る定年退職日（同項ただし書に規定する職員にあっては、当該職員が占めている管理監督職に係る異動期間の末日）の翌日から起算して三年を超えることができない。	2　任命権者は、前項の期限又はこの項の規定により延長された期限が到来する場合において、前項の事由が引き続き存すると認めるときは、人事委員会の承認を得て、一年を超えない範囲内で期限を延長することができる。ただし、その期限は、その職員に係る定年退職日の翌日から起算して三年を超えることができない。
3　任命権者は、第一項の規定により職員を引き続き勤務させる場合又は前項の規定により期限を延長する場合には、当該職員の同意を得なければならない。	3　任命権者は、第一項の規定により職員を引き続いて勤務させる場合又は前項の規定により期限を延長する場合には、当該職員の同意を得なければならない。
4　任命権者は、第一項の規定により引き続き勤務することとされた職員及び第二項の規定により期限が延長された職員について、第一項の期限又は第二項の規定により延長された期限が到来する前に第一項各号に掲げる事由がなくなったと認めるときは、当該職員の同意を得て、期日を定めて当該期	4　任命権者は、第一項の期限又は第二項の規定により延長された期限が到来する前に第一項の事由が存しなくなったと認めるときは、当該職員の同意を得て、期日を定めてその期

限を繰り上げるものとする。	限を繰り上げて退職させることができる。
5 （略）	5 前各項の規定を実施するために必要な手続は、人事委員会規則で定める。
第五条 （略）	（定年に関する施策の調査等） 第五条 知事は、職員の定年に関する事務の適正な運営を確保するため、職員の定年に関する制度の実施に関する施策を調査研究し、その権限に属する事務について適切な方策を講ずるものとする。
第三章 管理監督職勤務上限年齢制	（新設）
（管理監督職勤務上限年齢制の対象となる管理監督職） 第六条 法第二十八条の二第一項に規定する条例で定める職は、次の各号に掲げる職（別表第二に掲げる施設等において医療業務に従事する医師及び歯科医師が占める職を除く。）とする。 一 職員の給与に関する条例（昭和○○年○○県条例第○○号）第○条〔※地方自治法第二百四条第二項に規定する管理職手当を支給される職員の職等を規定する条文〕に規定する職 二 ○○○〔※前号に準ずる職〕	（新設）
（管理監督職勤務上限年齢） 第七条 法第二十八条の二第一項に規定する管理監督職勤務上限年齢は、年齢六十年とする。ただし、次の各号に掲げる管理監督職を占める職員の管理監督職勤務上限年齢は、当該各号に定める年齢とする。 一 ○○○ 年齢六十二年 二 ○○○ 年齢六十三年	（新設）

（他の職への降任等を行うに当たって遵守すべき基準） 第八条　任命権者は、法第二十八条の二第四項に規定する他の職への降任等（以下この章において「他の職への降任等」という。）を行うに当たっては、法第十三条、第十五条、第二十三条の三、第二十七条第一項及び第五十六条に定めるもののほか、次に掲げる基準を遵守しなければならない。 一　当該職員の人事評価の結果又は勤務の状況及び職務経験等に基づき、降任又は転任（降給を伴う転任に限る。）（以下この条及び第十条において「降任等」という。）をしようとする職の属する職制上の段階の標準的な職に係る法第十五条の二第一項第五号に規定する標準職務遂行能力（次条第三項において「標準職務遂行能力」という。）及び当該降任等をしようとする職についての適性を有すると認められる職に、降任等をすること。 二　人事の計画その他の事情を考慮した上で、管理監督職以外の職又は管理監督職勤務上限年齢が当該職員の年齢を超える管理監督職のうちできる限り上位の職制上の段階に属する職に、降任等をすること。 三　当該職員の他の職への降任等をする際に、当該職員が占めていた管理監督職が属する職制上の段階より上位の職制上の段階に属する管理監督職を占める職員（以下この号において「上位職職員」という。）の他の職への降任等もする場合には、第一号に掲げる基準に従った上での状況その他の事情を考慮してやむを得ないと認められる場合を除き、上位職職員の降任等をした職が属する職制上の段階と同じ職制上の段階又は当	（新設）

該職制上の段階より下位の職制上の段階に属する職に、降任等をすること。 （管理監督職勤務上限年齢による降任等及び管理監督職への任用の制限の特例） 第九条　任命権者は、他の職への降任等をすべき管理監督職を占める職員について、次に掲げる事由があると認めるときは、当該職員が占める管理監督職に係る異動期間（当該管理監督職に係る管理監督職勤務上限年齢に達した日の翌日から同日以後における最初の四月一日までの間をいう。以下この章において同じ。）の末日の翌日から起算して一年を超えない期間内（当該期間内に定年退職日がある職員にあっては、当該異動期間の末日の翌日から定年退職日までの期間内。第三項において同じ。）で当該異動期間を延長し、引き続き当該管理監督職を占める職員に、当該管理監督職を占めたまま勤務をさせることができる。 一　当該職務が高度の知識、技能又は経験を必要とするものであるため、当該職員の他の職への降任等により生ずる欠員を容易に補充することができず公務の運営に著しい支障が生ずること 二　当該職務に係る勤務環境その他の勤務条件に特殊性があるため、当該職員の他の職への降任等による欠員を容易に補充することができず公務の運営に著しい支障が生ずること 三　当該職務を担当する者の交替が当該業務の遂行上重大な障害となる特別の事情があるため、当該職員の他の職への降任等により公務の運営に著しい支障が生ずること 2　任命権者は、前項又はこの項の規定	（新設）

により異動期間（これらの規定により延長された期間を含む。）が延長された管理監督職を占める職員について、前項各号に掲げる事由が引き続きあると認めるときは、人事委員会の承認を得て、延長された当該異動期間の末日の翌日から起算して一年を超えない期間内（当該期間内に定年退職日がある職員にあっては、延長された当該異動期間の末日の翌日から定年退職日までの期間内。第四項において同じ。）で延長された当該異動期間を更に延長することができる。ただし、更に延長される当該異動期間の末日は、当該職員が占める管理監督職に係る異動期間の末日の翌日から起算して三年を超えることができない。

3　任命権者は、第一項の規定により異動期間を延長することができる場合を除き、他の職への降任等をすべき特定管理監督職群（職務の内容が相互に類似する複数の管理監督職であって、これらの欠員を容易に補充することができない年齢別構成その他の特別の事情がある管理監督職として人事委員会規則で定める管理監督職をいう。以下この項において同じ。）に属する管理監督職を占める職員について、当該特定管理監督職群に属する管理監督職の属する職制上の段階の標準的な職に係る標準職務遂行能力及び当該管理監督職についての適性を有すると認められる職員（当該管理監督職に係る管理監督職勤務上限年齢に達した職員を除く。）の数が当該管理監督職の数に満たない等の事情があるため、当該職員の他の職への降任等により当該管理監督職に生ずる欠員を容易に補充することができず業務の遂行に重大な障害が生ずると認めるときは、当該職員が占める管理監督職に係る異動期間の末日の翌日

から起算して一年を超えない期間内で当該異動期間を延長し、引き続き当該管理監督職を占めている職員に当該管理監督職を占めたまま勤務をさせ、又は当該職員を当該管理監督職が属する特定管理監督職群の他の管理監督職に降任し、若しくは転任することができる。 4　任命権者は、第一項若しくは第二項の規定により異動期間（これらの規定により延長された期間を含む。）が延長された管理監督職を占める職員について前項に規定する事由があると認めるとき（第二項の規定により延長された当該異動期間を更に延長することができるときを除く。）、又は前項若しくはこの項の規定により異動期間（前三項又はこの項の規定により延長された期間を含む。）が延長された管理監督職を占める職員について前項に規定する事由が引き続きあると認めるときは、人事委員会の承認を得て、延長された当該異動期間の末日の翌日から起算して一年を超えない期間内で延長された当該異動期間を更に延長することができる。	
（異動期間の延長等に係る職員の同意） 第十条　任命権者は、第九条第一項から第四項までの規定により異動期間を延長する場合及び同条第三項の規定により他の管理監督職に降任等をする場合には、あらかじめ職員の同意を得なければならない。	（新設）
（異動期間の延長事由が消滅した場合の措置） 第十一条　任命権者は、第九条の規定により異動期間を延長した場合において、当該異動期間の末日の到来前に当該異動期間の延長の事由が消滅したと	（新設）

きは、他の職への降任等をするものとする。		
第四章　定年前再任用短時間勤務制	（新設）	
（定年前再任用短時間勤務職員の任用） 第十二条　任命権者は、年齢六十年に達した日以後に退職（臨時的に任用される職員その他の法律により任期を定めて任用される職員及び非常勤職員が退職する場合を除く。）をした者（以下この条及び次条において「年齢六十年以上退職者」という。）を、従前の勤務実績その他の人事委員会規則で定める情報に基づく選考により、短時間勤務の職（当該職を占める職員の一週間当たりの通常の勤務時間が、常時勤務を要する職でその職務が当該短時間勤務の職と同種の職を占める職員の一週間当たりの通常の勤務時間に比し短い時間である職をいう。以下この条及び次条において同じ。）に採用することができる。ただし、年齢六十年以上退職者がその者を採用しようとする短時間勤務の職に係る定年退職日相当日（短時間勤務の職を占める職員が、常時勤務を要する職でその職務が当該短時間勤務の職と同種の職を占めているものとした場合における定年退職日をいう。）を経過した者であるときは、この限りでない。	（新設）	
第十三条　任命権者は、前条本文の規定によるほか、組合（○○○組合、○○○組合及び○○○組合をいう。）の年齢六十年以上退職者を、従前の勤務実績その他の人事委員会規則で定める情報に基づく選考により、短時間勤務の職に採用することができる。 2　前項の場合においては、前条ただし	（新設）	

書の規定を準用する。	
第五章　雑則	（新設）
（雑則） 第十四条　この条例の実施に関し必要な事項は、人事委員会規則で定める。	（新設）
附　則	附　則
1　（略）	（施行期日） 1　この条例は、昭和六十年三月三十一日から施行する。ただし、第六条の規定は、公布の日から施行する。
2　（略）	（経過措置） 2　第四条の規定は、地方公務員法の一部を改正する法律（昭和五十六年法律第九十二号。以下「改正法」という。）附則第三条の規定により職員が退職すべきこととなる場合について準用する。この場合において、第四条第一項中「第二条」とあるのは「地方公務員法の一部を改正する法律（昭和五十六年法律第九十二号）附則第三条」と、同項及び同条第二項中「その職員に係る定年退職日」とあるのは「昭和六十年三月三十一日」と読み替えるものとする。
（定年に関する経過措置） 3　令和五年四月一日から令和十三年三月三十一日までの間における第三条第一項の規定の適用については、次の表の上（左）欄に掲げる期間の区分に応じ、同項中「六十五年」とあるのはそれぞれ同表の下（右）欄に掲げる字句とする。	（新設）

令和五年四月一日から令和七年三月三十一日まで	六十一年
令和七年四月一日から令和九年三月三十一日まで	六十二年
令和九年四月一日から令和十一年三月三十一日まで	六十三年
令和十一年四月一日から令和十三年三月三十一日まで	六十四年

4　令和五年四月一日から令和十三年三月三十一日までの間において、職員の定年等に関する条例の一部を改正する条例（令和○○年○○県条例第○○号。以下この項から第六項までにおいて「令和四年改正条例」という。）による改正前の第三条第一項各号に掲げる職員であって、第三条第一項の規定を適用する職員については、前項の規定にかかわらず、次の各号に規定する定年とする。　（新設）

一　令和四年改正条例による改正前の第三条第一項第一号に掲げる職員については、次の表の上（左）欄に掲げる期 間の区分に応じ、第三条第一項中「六十五年」とあるのは同表の下（右）欄に掲げる字句とする。

令和五年四月一日から令和十三年三月三十一日まで	六十五年

二　令和四年改正条例による改正前の第三条第一項第二号に掲げる職員については、次の表の上（左）欄に掲げる期間の区分に応じ、第三条第一項中「六十五年」とあるのはそれぞれ同表の下（右）欄に掲げる字句とする。

令和五年四月一日から令和十一年三月三十一日まで	六十三年
令和十一年四月一日から令和十三年三月三十一日まで	六十四年

5　令和五年四月一日から令和十三年三月三十一日までの間において、令和四年改正条例による改正前の第三条第一項第一号に掲げる職員に対する第三条第二項の規定の適用については、次の表の上（左）欄に掲げる期間の区分に応じ、同項中「○○○年」とあるのはそれぞれ同表の下（右）欄に掲げる字句とする。[※次の表は第三条第二項中「○○○年」を定年七十年としている場合]

令和五年四月一日から令和七年三月三十一日まで	六十六年
令和七年四月一日から令和九年三月三十一日まで	六十七年
令和九年四月一日から令和十一年三月三十一日まで	六十八年
令和十一年四月一日から令和十三年三月三十一日まで	六十九年

（新設）

（情報の提供及び勤務の意思の確認）

6　任命権者は、当分の間、職員（臨時的に任用される職員その他の法律により任期を定めて任用される職員、非常勤職員並びに第三条第二項、令和四年改正条例による改正前の第三条第一項第一号及び同条第二項に掲げる職員を除く。以下この項において同じ。）が年齢六十年（第七条各号に掲げる職を占める職員にあっては当該各号に定める年齢。以下この項において同じ。）に達する日の属する年度の前年度（以下この項において「情報の提供及び勤務の意思の確認を行うべき年度」という。）（情報の提供及び勤務の意思の確認を行うべき年度に職員でなかった者で、当該情報の提供及び勤務の意思の確認を行うべき年度の末日後に採用された職員（異動等により情報の提供及

（新設）

び勤務の意思の確認を行うべき年度の末日を経過することとなった職員（以下この項において「末日経過職員」という。）を除く。）にあっては、当該職員が採用された日から同日の属する年度の末日までの期間、末日経過職員にあっては、当該職員の異動等の日が属する年度（当該日が年度の初日である場合は、当該年度の前年度））において、当該職員に対し、当該職員が年齢六十年に達する日以後に適用される任用及び給与に関する措置の内容その他の必要な情報を提供するものとするとともに、同日の翌日以後における勤務の意思を確認するよう努めるものとする。	
附　則（平一一・一〇・二九自治高第九号）	附　則（平一一・一〇・二九自治高第九号）
（施行期日） 第一条　（略）	（施行期日） 第一条　この条例は、平成十三年四月一日から施行する。
附　則（令和四・三・一八総行公第二〇号）	
（施行期日） 第一条　この条例は、令和五年四月一日から施行する。ただし、附則第十一条の規定は、公布の日から施行する。	（新設）
（勤務延長に関する経過措置） 第二条　任命権者は、施行日（この条例の施行の日をいう。以下同じ。）前にこの条例による改正前の職員の定年等に関する条例（昭和〇〇年〇〇県条例第〇〇号）（以下「旧条例」という。）第四条第一項又は第二項の規定により勤務することとされ、かつ、旧条例勤務延長期限（同条第一項の期限又は同条第二項の規定により延長された期限をいう。以下この項において同じ。）	（新設）

が施行日以後に到来する職員（以下この項において「旧条例勤務延長職員」という。）について、旧条例勤務延長期限又はこの項の規定により延長された期限が到来する場合において、この条例による改正後の職員の定年等に関する条例（以下「新条例」という。）第四条第一項各号に掲げる事由があると認めるときは、人事委員会の承認を得て、これらの期限の翌日から起算して一年を超えない範囲内で期限を延長することができる。ただし、当該期限は、当該旧条例勤務延長職員に係る旧条例第二条に規定する定年退職日の翌日から起算して三年を超えることができない。

2　任命権者は、基準日（施行日、令和七年四月一日、令和九年四月一日、令和十一年四月一日及び令和十三年四月一日をいう。以下この項において同じ。）から基準日の翌年の三月三十一日までの間、基準日における新条例定年（新条例第三条に規定する定年をいう。以下同じ。）が基準日の前日における新条例定年（基準日が施行日である場合には、施行日の前日における旧条例第三条に規定する定年）を超える職（基準日における新条例定年が新条例第三条第一項に規定する定年である職に限る。）及びこれに相当する基準日以後に設置された職その他の人事委員会規則で定める職に、基準日から基準日の翌年の三月三十一日までの間に新条例第四条第一項若しくは第二項の規定、地方公務員法の一部を改正する法律（令和三年法律第六十三号）（以下「令和三年改正法」という。）附則第三条第五項又は前項の規定により勤務している職員のうち、基準日の前日において同日における当該職に係る新条例定年（基準日が施行日である場合

には、施行日の前日における旧条例第三条に規定する定年）に達している職員（当該人事委員会規則で定める職にあっては、人事委員会規則で定める職員）を、昇任し、降任し、又は転任することができない。 3　新条例第四条第三項から第五項までの規定は、第一項の規定による勤務について準用する。	
（定年退職者等の再任用に関する経過措置） 第三条　任命権者は、次に掲げる者のうち、年齢六十五年に達する日以後における最初の三月三十一日（以下この条から附則第六条までにおいて「特定年齢到達年度の末日」という。）までの間にある者であって、当該者を採用しようとする常時勤務を要する職に係る旧条例定年（旧条例第三条に規定する定年をいう。以下同じ。）（施行日以後に新たに設置された職及び施行日以後に組織の変更等により名称が変更された職にあっては、当該職が施行日の前日に設置されていたものとした場合における旧条例定年に準じた当該職に係る年齢。次条第一項において同じ。）に達している者を、従前の勤務実績その他の人事委員会規則で定める情報に基づく選考により、一年を超えない範囲内で任期を定め、当該常時勤務を要する職に採用することができる。 一　施行日前に旧条例第二条の規定により退職した者 二　旧条例第四条第一項若しくは第二項、令和三年改正法附則第三条第五項又は前条第一項の規定により勤務した後退職した者 三　二十五年以上勤続して施行日前に退職した者（前二号に掲げる者を除く。）であって、当該退職の日の翌	（新設）

日から起算して五年を経過する日までの間にある者

四　二十五年以上勤続して施行日前に退職した者（前三号に掲げる者を除く。）であって、当該退職の日の翌日から起算して五年を経過する日までの間に、旧地方公務員法再任用（令和三年改正法による改正前の地方公務員法（昭和二十五年法律第二百六十一号）第二十八条の四第一項、第二十八条の五第一項又は第二十八条の六第一項若しくは第二項の規定により採用することをいう。）又は暫定再任用（この項若しくは次項、次条第一項若しくは第二項、附則第五条第一項若しくは第二項又は附則第六条第一項若しくは第二項の規定により採用することをいう。次項第六号において同じ。）をされたことがある者

2　令和十四年三月三十一日までの間、任命権者は、次に掲げる者のうち、特定年齢到達年度の末日までの間にある者であって、当該者を採用しようとする常時勤務を要する職に係る新条例定年に達している者を、従前の勤務実績その他の人事委員会規則で定める情報に基づく選考により、一年を超えない範囲内で任期を定め、当該常時勤務を要する職に採用することができる。

一　施行日以後に新条例第二条の規定により退職した者

二　施行日以後に新条例第四条第一項又は第二項の規定により勤務した後退職した者

三　施行日以後に新条例第十二条の規定により採用された者のうち、令和三年改正法による改正後の地方公務員法（以下「新地方公務員法」という。）第二十二条の四第三項に規定する任期が満了したことにより退職

した者

四　施行日以後に新条例第十三条第一項の規定により採用された者のうち、新地方公務員法第二十二条の五第三項において準用する新地方公務員法第二十二条の四第三項に規定する任期が満了したことにより退職した者

五　二十五年以上勤続して施行日以後に退職した者（前各号に掲げる者を除く。）であって、当該退職の日の翌日から起算して五年を経過する日までの間にある者

六　二十五年以上勤続して施行日以後に退職した者（前各号に掲げる者を除く。）であって、当該退職の日の翌日から起算して五年を経過する日までの間に、暫定再任用をされたことがある者

3　前二項の任期又はこの項の規定により更新された任期は、一年を超えない範囲内で更新することができる。ただし、当該任期の末日は、前二項の規定により採用する者又はこの項の規定により任期を更新する者の特定年齢到達年度の末日以前でなければならない。

4　暫定再任用職員（第一項若しくは第二項、次条第一項若しくは第二項、附則第五条第一項若しくは第二項又は附則第六条第一項若しくは第二項の規定により採用された職員をいう。以下この項及び次項において同じ。）の前項の規定による任期の更新は、当該暫定再任用職員の当該更新直前の任期における勤務実績が、当該暫定再任用職員の能力評価及び業績評価の全体評語その他勤務の状況を示す事実に基づき良好である場合に行うことができる。

5　任命権者は、暫定再任用職員の任期を更新する場合には、あらかじめ当該暫定再任用職員の同意を得なければな

らない。	
第四条　任命権者は、前条第一項の規定によるほか、組合（○○○組合、○○○組合及び○○○組合をいう。以下次項及び附則第六条において同じ。）における同項各号に掲げる者のうち、特定年齢到達年度の末日までの間にある者であって、当該者を採用しようとする常時勤務を要する職に係る旧条例定年に達している者を、従前の勤務実績その他の人事委員会規則で定める情報に基づく選考により、一年を超えない範囲内で任期を定め、当該常時勤務を要する職に採用することができる。 2　令和十四年三月三十一日までの間、任命権者は、前条第二項の規定によるほか、組合における同項各号に掲げる者のうち、特定年齢到達年度の末日までの間にある者であって、当該者を採用しようとする常時勤務を要する職に係る新条例定年に達している者を、従前の勤務実績その他の人事委員会規則で定める情報に基づく選考により、一年を超えない範囲内で任期を定め、当該常時勤務を要する職に採用することができる。 3　前二項の場合においては、前条第三項から第五項までの規定を準用する。	（新設）
第五条　任命権者は、新地方公務員法第二十二条の四第四項の規定にかかわらず、附則第三条第一項各号に掲げる者のうち、特定年齢到達年度の末日までの間にある者であって、当該者を採用しようとする短時間勤務の職（新条例第十二条に規定する短時間勤務の職をいう。以下同じ。）に係る旧条例定年相当年齢（短時間勤務の職を占める職員が、常時勤務を要する職でその職務	（新設）

が当該短時間勤務の職と同種の職を占めているものとした場合における旧条例定年（施行日以後に新たに設置された短時間勤務の職及び施行日以後に組織の変更等により名称が変更された短時間勤務の職にあっては、当該職が施行日の前日に設置されていたものとした場合において、当該職を占める職員が、常時勤務を要する職でその職務が当該職と同種の職を占めているものとしたときにおける旧条例定年に準じた当該職に係る年齢）をいう。次条第一項において同じ。）に達している者を、従前の勤務実績その他の人事委員会規則で定める情報に基づく選考により、一年を超えない範囲内で任期を定め、当該短時間勤務の職に採用することができる。

2　令和十四年三月三十一日までの間、任命権者は、新地方公務員法第二十二条の四第四項の規定にかかわらず、附則第三条第二項各号に掲げる者のうち、特定年齢到達年度の末日までの間にある者であって、当該者を採用しようとする短時間勤務の職に係る新条例定年相当年齢（短時間勤務の職を占める職員が、常時勤務を要する職でその職務が当該短時間勤務の職と同種の職を占めているものとした場合における新条例定年をいう。次条第二項及び附則第十条において同じ。）に達している者（新条例第十二条の規定により当該短時間勤務の職に採用することができる者を除く。）を、従前の勤務実績その他の人事委員会規則で定める情報に基づく選考により、一年を超えない範囲内で任期を定め、当該短時間勤務の職に採用することができる。

3　前二項の場合においては、附則第三条第三項から第五項までの規定を準用する。

第六条　任命権者は、前条第一項の規定によるほか、新地方公務員法第二十二条の五第三項において準用する新地方公務員法第二十二条の四第四項の規定にかかわらず、組合における附則第三条第一項各号に掲げる者のうち、特定年齢到達年度の末日までの間にある者であって、当該者を採用しようとする短時間勤務の職に係る旧条例定年相当年齢に達している者を、従前の勤務実績その他の人事委員会規則で定める情報に基づく選考により、一年を超えない範囲内で任期を定め、当該短時間勤務の職に採用することができる。 2　令和十四年三月三十一日までの間、任命権者は、前条第二項の規定によるほか、新地方公務員法第二十二条の五第三項において準用する新地方公務員法第二十二条の四第四項の規定にかかわらず、組合における附則第三条第二項各号に掲げる者のうち、特定年齢到達年度の末日までの間にある者であって、当該者を採用しようとする短時間勤務の職に係る新条例定年相当年齢に達している者（新条例第十三条第一項の規定により当該短時間勤務の職に採用することができる者を除く。）を、従前の勤務実績その他の人事委員会規則で定める情報に基づく選考により、一年を超えない範囲内で任期を定め、当該短時間勤務の職に採用することができる。 3　前二項の場合においては、附則第三条第三項から第五項までの規定を準用する。	（新設）
（令和三年改正法附則第八条第三項の条例で定める職及び年齢） 第七条　令和三年改正法附則第八条第三	（新設）

項の条例で定める職は、次に掲げる職とする。 一　施行日以後に新たに設置された職 二　施行日以後に組織の変更等により名称が変更された職 2　令和三年改正法附則第八条第三項の条例で定める年齢は、前項に規定する職が施行日の前日に設置されていたものとした場合における旧条例第三条に規定する定年に準じた当該職に係る年齢とする。	
（令和三年改正法附則第八条第四項の規定により読み替えて適用する新地方公務員法第二十二条の四第四項の条例で定める職及び年齢） 第八条　令和三年改正法附則第四条から第七条までの規定が適用される場合における令和三年改正法附則第八条第四項の規定により読み替えて適用する新地方公務員法第二十二条の四第四項の条例で定める職は、次に掲げる職とする。 一　施行日以後に新たに設置された短時間勤務の職 二　施行日以後に組織の変更等により名称が変更された短時間勤務の職 2　令和三年改正法附則第四条から第七条までの規定が適用される場合における令和三年改正法附則第八条第四項の規定により読み替えて適用する法第二十二条の四第四項の条例で定める年齢は、前項に規定する職が施行日の前日に設置されていたものとした場合において、当該職を占める職員が、常時勤務を要する職でその職務が前項に規定する職と同種の職を占めているものとしたときにおける旧条例定年に準じた前項に規定する職に係る年齢とする。	（新設）
（令和三年改正法附則第八条第五項の	

条例で定める職並びに条例で定める者及び職員）	
第九条　令和三年改正法附則第八条第五項の条例で定める職は、次に掲げる職のうち、当該職が基準日（附則第三条から第六条までの規定が適用される間における各年の四月一日（施行日を除く。）をいう。以下この条において同じ。）の前日に設置されていたものとした場合において、基準日における新条例定年が基準日の前日における新条例定年を超える職とする。	（新設）
一　基準日以後に新たに設置された職（短時間勤務の職を含む。）	
二　基準日以後に組織の変更等により名称が変更された職（短時間勤務の職を含む。）	
2　令和三年改正法附則第八条第五項の条例で定める者は、前項に規定する職が基準日の前日に設置されていたものとした場合において、同日における当該職に係る新条例定年に達している者とする。	
3　令和三年改正法附則第八条第五項の条例で定める職員は、第一項に規定する職が基準日の前日に設置されていたものとした場合において、同日における当該職に係る新条例定年に達している職員とする。	
（定年前再任用短時間勤務職員に関する経過措置）	
第十条　任命権者は、基準日（令和七年四月一日、令和九年四月一日、令和十一年四月一日及び令和十三年四月一日をいう。以下この条において同じ。）から基準日の翌年の三月三十一日までの間、基準日における新条例定年相当年齢が基準日の前日における新条例定年相当年齢を超える短時間勤務の職（基準日における新条例定年相当年齢	（新設）

が新条例第三条第一項に規定する定年である短時間勤務の職に限る。）及びこれに相当する基準日以後に設置された短時間勤務の職その他の人事委員会規則で定める短時間勤務の職（以下この条において「新条例原則定年相当年齢引上げ短時間勤務職」という。）に、基準日の前日までに新条例第十二条に規定する年齢六十年以上退職者（基準日前から新条例第四条第一項又は第二項の規定により勤務した後基準日以後に退職をした者を含む。）のうち基準日の前日において同日における当該新条例原則定年相当年齢引上げ短時間勤務職に係る新条例定年相当年齢に達している者（当該人事委員会規則で定める短時間勤務の職にあっては、人事委員会規則で定める者）を、新条例第十二条又は第十三条第一項の規定により採用することができず、新条例原則定年相当年齢引上げ短時間勤務職に、新条例第十二条又は第十三条第一項の規定により採用された職員（以下この条において「定年前再任用短時間勤務職員」という。）のうち基準日の前日において同日における当該新条例原則定年相当年齢引上げ短時間勤務職に係る新条例定年相当年齢に達している定年前再任用短時間勤務職員（当該人事委員会規則で定める短時間勤務の職にあっては、人事委員会規則で定める定年前再任用短時間勤務職員）を、昇任し、降任し、又は転任することができない。	
（令和三年改正法附則第二条第三項に規定する条例で定める年齢）	
第十一条　令和三年改正法附則第二条第三項に規定する条例で定める年齢は年齢六十年とする。	（新設）

（削る）	別表第一（第三条関係） 一　病院、療養所及び診療所 二　保健所 ○　○○○
別表第一（第三条関係） 一　○○○ ○　○○○	別表第二（第三条関係） 一　○○○ ○　○○○
別表第二（第六条関係） 一　病院、療養所及び診療所 二　保健所 ○　○○○	（新設）
（略）	（備考） この条例第三条第一項の定年年齢が六十年とされる職員の昭和五十八年度における勧奨退職年齢が年齢五十七年である地方公共団体において、昭和五十九年度以降二年ごとに年齢六十年に達するまで一年ずつ当該職員の退職年齢を引き上げるものとした場合のこの条例の附則は次のとおりである。
附　則	附　則
（略）	（施行期日） 1　この条例は、昭和六十年三月三十一日から施行する。ただし、第六条の規定は、公布の日から施行する。
（略）	（経過措置） 2　昭和六十年三月三十一日から昭和六十三年三月三十一日までの間における第三条第一項の適用については、同項中「年齢六十年」とあるのは、昭和六十年三月三十一日から昭和六十一年三月三十一日までの間においては「年齢五十八年」とし、昭和六十一年四月一日から昭和六十三年三月三十一日までの間においては「年齢五十九年」とする。

（略）	3　第四条の規定は、地方公務員法の一部を改正する法律（昭和五十六年法律第九十二号。以下「改正法」という。）附則第三条の規定により職員が退職すべきこととなる場合について準用する。この場合において、第四条第一項中「第二条」とあるのは「地方公務員法の一部を改正する法律（昭和五十六年法律第九十二号）附則第三条」と、同項及び同条第二項中「その職員に係る定年退職日」とあるのは「昭和六十年三月三十一日」と読み替えるものとする。

（別紙２）（別紙３）　（略）

〔参考資料６－６〕

総行公第２５号
総行女第１０号
総行給第２１号
令和４年３月３１日

各都道府県知事
各政令指定都市市長
各人事委員会委員長
殿

総務省自治行政局公務員部長（公印省略）

地方公務員の定年引上げに向けた留意事項について（通知）

地方公務員の定年の引上げ及びこれに伴う地方公務員法の一部を改正する法律（令和３年法律第63号。以下「改正法」という。）の運用については、令和３年８月31日付総行公第89号公務員部長通知（別紙）及び令和４年３月18日付総行公第20号公務員部長通知で留意すべき事項等をお知らせしたところですが、これに加え下記のとおり留意事項を通知します。

各地方公共団体におかれては、これを参照のうえ、令和４年度中の適切な時期に、翌年度に60歳に達する職員に対し、情報提供・意思確認を実施する必要があることにも留意し、令和５年度から各団体において定年引上げが確実かつ円滑に施行されるよう、条例・規則等の整備を計画的に進めるなど必要な準備の実施をお願いいたします。

なお、昨日公布された国家公務員法等の一部を改正する法律及び国会職員法及び国家公務員退職手当法の一部を改正する法律の施行に伴う関係政令の整備等及び経過措置に関する政令（令和４年政令第128号）の内容を踏まえた退職手当及び退職管理に関する条例等整備例については、別途通知する予定です。

各都道府県知事におかれては、貴都道府県内の市区町村、一部事務組合及び広域連合等（以下「市区町村等」という。）に対してもこの旨周知いただきますようお願いします。なお、地域の元気創造プラットフォームにおける調査・照会システムを通じて、市区町村等に対して本通知についての情報提供を行っていることを申し添えます。

本通知は、地方公務員法第59条（技術的助言）、地方自治法第245条の４（技術的な助言）及び改正法附則第２条（実施のための準備等）に基づくものです。

記

1　基本的な考え方

令和５年度の制度施行に向け、各団体においては、制度施行まで及び制度施行当初の各年度においてそれぞれ以下のような事項が生ずることを前提として、定年引上げに関する計画的な検討・準備を行う必要がある。

（令和４年度）

・既に施行されている改正法の規定（附則第２条）に基づき、令和５年度中に現行の定年年齢に達する職員に対し、情報提供・意思確認が開始される

（令和５年度）

・改正した条例に基づき定年が 61 歳に引き上げられ、また、改正法が本格施行される。
・60 歳に達した職員が定年前再任用短時間勤務を選択できるようになる
・60 歳に達した管理監督職職員が管理監督職勤務上限年齢制（以下「役職定年制」という。）の対象となる
・当該年度末には定年退職者が発生しない

（令和６年度）

・前年度に 60 歳に到達した職員が引き続き在職する
・（４月１日異動を原則とした場合）前年度に 60 歳に達した職員のうち定年前再任用短時間勤務職員として採用された職員の多くがその年度当初から定年前再任用短時間勤務職員として勤務を開始する
・（４月１日異動を原則とした場合）前年度に 60 歳に達した管理監督職職員の多くがその年度当初から役職定年制による降任等を受ける
・前年度の定年退職者が生じないことによる新規採用への影響等が生じ得る

2　各団体において令和４年度及び５年度に重点的に取り組むべき事項

（1）高齢期職員の活躍を推進するための取組

地方公務員の定年引上げに伴い、高齢期職員（60 歳以上の職員をいう。以下同じ。）の割合が相対的に高まり、役職定年制が導入される中、各団体においては、高齢期職員の幅広い職務における活躍を促し、かつ、その多様な知識や経験を公務内で積極的に活用するため、その役割を明確化し、本人のモチベーションを維持しながら組織への貢献を高める人事管理の在り方の検討など、環境整備を進める必要がある。これに当たっては、次の①～④にご留意いただきたい。

なお、総務省で開催した「地方公務員の定年引上げに伴う高齢期職員の活用に関する検討会」において、現行の再任用職員に対する人事管理の在り方や具体的な活躍事例を踏ま

え、再任用制度と改正法に基づく定年引上げ後の制度上の違い等を考慮しつつ、高齢期職員の活躍のための要点及び参考事例を取りまとめ、公表しているので（令和４年３月 31 日公表。www.soumu.go.jp/main_sosiki/kenkyu/teinen_koureiki_r03/index.html 参照。）、各団体での検討に当たって、参考としていただきたい。

① 高齢期職員の職務の検討

・ 各地方公共団体においては、高齢期職員のこれまでの経験や培ってきた知見や能力を踏まえつつ、直面する行政課題や必要な人員構成などに沿って、役職定年後職員（役職定年制による降任等を受けた職員をいう。以下同じ。）を含む高齢期職員の具体的な職務等の検討を行うこと。今後、高齢期職員が増加していくことを念頭に、組織運営上の課題となっている業務に従事させるほか、安易にスタッフ職を増加することなく、各部局の業務担当者として活用することも検討すること。

・ 高齢期職員に対し、具体的にどのような役割を求めるかについては、各団体において、その直面する行政課題や人員構成などにより検討すべきものではあるが、再任用制度における取組を参考にすると、次のとおり整理できること。

ア　これまで培ってきた知識や経験、専門性を活かせる業務担当者として配置し、即戦力として活躍してもらうこと

イ　アに加え、困難な業務に関し、自らが手本を示すなど、特定の業務に従事する若手職員の支援により次世代へ知見の伝承を行うこと

ウ　近年、働き方改革等を推進するために果たすべき役割が重要となっている管理職業務を組織的に支援するために、管理職の経験のある高齢期職員のマネジメント能力を活かし、担当部局における管理職のフォロー・サポートの役割を担ってもらうこと

エ　管理職経験で養った視点で見出した具体的な業務改善などの課題について、担当として取り組むこと

・ 役職定年後職員を充てる職については、各団体において個々の職員の知見や専門性に基づき高齢期職員に適した職務を検討した上で、職務の性格に応じて新たに最上位の非管理監督職を設けることも想定されること。

この場合、当該役職定年後職員の職に関して最上位の非管理監督職に対応する級の比率が上昇することが想定されるが、級別の職員構成については、引き続き、職務給の原則にのっとり職務実態に応じた厳格な管理に努める必要があり、当分の間、当該役職定年後職員について区分して管理するなど、適正な職員構成の検討をし、住民等への説明責任を適切に果たす必要があること。

・ 各団体においては、高齢期職員という一括りで人事管理を行うのではなく、高齢期職員が培った知識・経験等を組織に還元できるよう、個々の適性や能力に応じた人事配置を行うことが必要であり、また、面談等を通して、丁寧に本人の知識・経験等を確認し

たうえで、人事配置を行うことが望まれること。

・　なお、加齢に伴う身体機能の低下が職務遂行に大きな影響を与える職種に従事する職員については、その職務の特殊性を踏まえた対応を各団体において行う必要があるものと考えられるが、例えば消防分野については、総務省消防庁において研究会を開催しているところであり、これらの情報も併せて参考としていただきたいこと。

②　適切な情報提供・意思確認の実施

・　任命権者は、令和4年度中に、翌年度に60歳に達する職員に対し、60歳以後に適用される任用及び給与に関する措置の内容等必要な情報を提供するとともに、職員の勤務の意思を確認するものとされており、令和5年度以降も同様の措置を講ずるものとされていること。

・　この措置は、今般の制度改正により高齢期職員に適用される任用や給与に関する制度が大きく変わることも踏まえ、高齢期職員が個々のニーズに合った勤務形態を自ら選択できる環境を整えることを通じて、個々の高齢期職員のその後の職場等での活躍を図ろうとするものであること。

・　そのため、それぞれの職員が、60 歳以後の職務等に加え、勤務条件、給与などの処遇について正確に理解したうえで、自らの望む職業生活設計に沿った選択ができるよう配慮する必要があること。

・　具体的には、情報提供に当たっては、次の点に留意いただきたいこと。

ア　管理監督職勤務上限年齢制、定年前再任用短時間勤務制、給与や退職手当に関する取扱い（60歳超職員の給与水準が60歳時点の7割に設定されること、定年引上げに伴う給料月額の減額は退職手当算定におけるピーク時特例の対象となること等）など新たに高齢期職員に適用される制度の内容に加え、職員ごとに今後想定される職務や期待される役割、選択可能な任用の形態とこれに伴う処遇を可能な限り具体的な形で丁寧に示していただきたいこと

イ　制度の内容の理解が容易になるよう、パンフレット等の説明用資料を用意するなど、対象職員が理解しやすい方式を工夫していただきたいこと

・　また、意思確認については、情報提供制度で得られた情報を踏まえ、今後どのような形での勤務を望むかについて、職員が十分な時間を取って考慮し、その意思を表明する機会として活用する必要があること。

③　高齢期職員のモチベーションの維持のための取組や職場環境の整備

・　高齢期職員に活躍してもらうためには、期待される役割を本人が理解し、モチベーションを持続できる環境整備が重要である。そのため、60 歳を迎える職員に対して、その後の働き方や組織において期待される役割について理解を深めるための取組が必要であり、その手段の一つとして研修の実施があげられる。研修内容としては、定年引上

げの意義や勤務条件等の制度説明のほか、非管理職としての心構え（上司部下逆転の心構えなど）などが考えられること。
・　このほか、高齢期職員のモチベーション維持の観点からも、高齢期職員であっても人事評価の給与等への反映など業務の成果が目に見えるかたちとなるような工夫も重要となる。また、庁内公募制や特定分野に精通した職員を「スペシャリスト」として認定・登録する仕組みを導入することにより、高齢期職員の専門性を評価する取組も考えられること。
・　定年引上げ後における高齢期職員に係る新たな任用制度の周知・紹介を広く職場内で行うこと等により周囲の職員の理解を醸成することも重要であること。

④　高齢期職員の多様な事情に応じた対応
・　定年引上げ後は、高齢期職員について、健康上、人生設計上の理由等により、多様な働き方へのニーズが高まると考えられることから、次のような取組を積極的に検討すること。
ア　高齢期職員のニーズに対応して、また、意欲と能力のある高齢期職員の活用を図るため、改正法においては、国家公務員と同様に、職員の希望に基づき一定年齢に達した日以後に退職した職員について、短時間勤務の職に採用できることとされていることから（定年前再任用短時間勤務制）、各団体において、この趣旨に沿って必要な条例整備等を行い、また、短時間勤務に適した具体的な職務内容の検討を行ったうえで短時間勤務の職の設定を行うこと
イ　また、高齢者部分休業制度を活用して、定年退職後の人生設計のための準備や、経験や人脈の公務へのフィードバックが期待される社会的貢献への従事などを希望する職員に対応するため、条例を整備していない団体において、制度の導入を検討すること
ウ　さらに、年齢構成の適正化を通じた組織活力の維持等の観点からも、早期退職募集制度について、定年引上げ後も適用開始年齢を引き上げないこととしている国の取扱いを踏まえて規定の整備をするほか、引き続き適切な活用を図ること

（3）定員管理

定年引上げに伴う定員管理について、現在、総務省において、地方公共団体の実態を把握しながら、定年引上げ期間中の定員管理に係る留意点等について検討しており、改めて通知する予定であるが、各地方公共団体においても、今後の退職者数や各職種の年齢構成等の動向を把握し、必要な新規採用者数の検討に着手するなど、計画的に取組を進めていただきたい。

3　施行に向けた推進体制等

（1）推進体制の整備

本年1月時点の総務省による調査では、一定数の団体において、庁内での検討体制が整備されていないとの回答がされていたところ、現時点においても検討体制が整備されていない団体においては、速やかに検討・準備のための庁内体制を整備していただきたい。また、改正法附則第2条第1項において、地方公共団体の長が、各任命権者の行う準備に関し必要な連絡、調整等を講ずることとされていることを踏まえて、首長部局の人事担当を中心に、他の任命権者に属する部局（教育委員会事務局、警察本部、消防本部、地方公営企業法（昭和27年法律第292号）の規定が適用される地方公営企業など）を含めた検討体制についても併せて整備していただきたい。

（2）一部事務組合等における実施のための準備について

一部事務組合及び広域連合（定年制度等の対象となる職員が置かれているものに限る。以下「一部事務組合等」という。）並びに特定地方独立行政法人についても、適切な時期に条例整備等が行われるよう、施行のための準備を計画的に実施されたい。一部事務組合等の構成団体及び特定地方独立行政法人の設立団体においても、これらの準備に関し、必要な支援を検討していただきたい。

また、各都道府県の市区町村担当課にあっては、域内の一部事務組合等に対して情報提供を行うなど、必要な時期までに当該一部事務組合等における施行のための準備が完了するよう、適切にご対応いただきたい。

（3）各団体の準備状況のフォローアップ

各団体における準備状況、特に条例整備状況については、総務省において今後とも定期的に調査し、その結果を踏まえて必要な情報提供及び助言を行うこととしている。なお、各都道府県の市区町村担当課にあっては、（2）に記載した一部事務組合等に加え、域内の市区町村の準備状況についても、随時把握に努めていただきたい。

4　その他の留意事項

（1）定年引上げ期間中の雇用と年金の接続

地方公務員の雇用と年金を確実に接続するため、定年引上げ期間（令和5年4月1日から令和13年3月31日まで）に定年退職する職員（勤務延長後退職する職員及び常勤職員としての勤務に引き続き定年前再任用短時間勤務をした後、任期満了により退職する職員を含む。）が再任用を希望する場合は、「地方公務員の雇用と年金の接続について」（平成25年3月29日総務副大臣通知）に準じて、当該職員を公的年金の支給開始年齢に達するまでの間、再任用（改正法附則第4条から第7条までの規定による暫定再任用）するものとする。

（2）高齢期を見据えた研修・人事ローテーションの検討

定年引上げにより、職員の勤務期間が長期化する中で、職員がその勤務期間を通じて、知識や経験を蓄積し、それぞれの立場で、その知見や能力を十分生かし、組織に貢献し続ける働き方のできる人材育成や人事管理が求められる。

そのため、高齢期職員の活躍に向けた研修など65歳までの勤務を見据えた人材育成の充実が必要であり、役職定年年齢到達前後のみならず、50 代前半など少し早い段階に高齢期のキャリア形成について考える機会として設けること、階層別研修の機会を捉えて高齢期までを見据えたキャリア形成を意識する機会として設けることなどは、高齢期の働き方を意識してもらう点で効果的であると考えられる。また、デジタル化の推進や業務の進め方の変化に対応できるよう、知識等をアップデートできる機会を設けることも同様に効果的と考えられる。

さらに、役職定年後職員がこれまで培ってきた知識・経験を活用し、能力を最大限発揮して活躍していただくためには、例えば、若中年期において、管理・調整業務に偏ることなく、高齢期において担当業務に従事するために必要となる専門性が得られる業務を一定期間経験させるなど、人事ローテーション上工夫することも重要となるものと考えられる。

各団体における行政課題等の実情も踏まえつつ、職員本人への意識醸成も含め、高齢期の働き方を見据えて、どのように人材育成し、キャリア形成をさせていくのか、十分に検討していく必要がある。

（3）国における今後の検討事項等

国においては、今後、60 歳前後の給与を連続的なものとするための国家公務員の給与制度上の措置並びに高齢期職員の能力・実績に応じた処遇の在り方及び再任用短時間勤務職員の処遇の在り方の検討を人事院に要請するとともに、国家公務員の定年に関する制度の検証や 65 歳以降の任用の在り方などを今後の検討課題としているところであり、これらの国家公務員に関する制度の検討の状況に鑑み、地方公務員に関しても必要な検討を行う可能性があることについて、ご留意いただきたい。

著者紹介

猪野　積（いの　つもる）

昭和23年大分県中津市生まれ。昭和47年京都大学法学部卒業。同年自治省入省。新潟県行政管理課長・労政課長、自治省公務員第一課課長補佐、岡山県財政課長、自治省行政課理事官・公務員第二課定員管理指導官、岡山県総務部長、自治省消防庁消防課長、自治省公務員課長、徳島県副知事、自治省消防庁審議官、地域総合整備財団常務理事、平成国際大学法学部教授（行政法・地方自治法担当）、（一財）自治研修協会理事、総務省自治大学校客員教授、明治大学公共政策（専門職）大学院兼任講師、総務省「地方公務員の短時間勤務の在り方に関する研究会」座長代理等を歴任。日本公法学会会員、瑞宝中綬章受章。

〔主要著書〕

『行政法講義（総論）』（北樹出版）

『地方自治法講義』第１版～第５版（第一法規）

『諸外国の公務員制度』（第一法規）

『新地方自治法講座「条例と規則」』（1）（2）（編著、ぎょうせい）

『公務員研修講座・地方公務員制度と人事管理』（日本経営協会）

『地方公務員150講』（共著、東京法令出版）

サービス・インフォメーション

通話無料

①商品に関するご照会・お申込みのご依頼
TEL 0120（203）694／FAX 0120（302）640

②ご住所・ご名義等各種変更のご連絡
TEL 0120（203）696／FAX 0120（202）974

③請求・お支払いに関するご照会・ご要望
TEL 0120（203）695／FAX 0120（202）973

●フリーダイヤル（TEL）の受付時間は、土・日・祝日を除く 9：00～17：30です。

●FAXは24時間受け付けておりますので、あわせてご利用ください。

地方公務員制度講義〔第8版〕

平成19年11月30日　初版第1刷発行
平成22年2月25日　初版第2刷発行
平成23年4月20日　改訂版第1刷発行
平成24年2月15日　改訂版第2刷発行
平成25年4月30日　第3版第1刷発行
平成26年5月30日　第3版第2刷発行
平成26年11月20日　第4版第1刷発行
平成27年11月5日　第4版第2刷発行
平成28年4月25日　第5版第1刷発行
平成29年2月25日　第5版第2刷発行
平成29年11月5日　第6版第1刷発行
令和元年6月15日　第6版第2刷発行
令和2年2月20日　第7版第1刷発行
令和4年6月10日　第8版第1刷発行

著　者　猪　野　　積
発行者　田　中　英　弥
発行所　第一法規株式会社
〒107-8560　東京都港区南青山2-11-17
ホームページ　https://www.daiichihoki.co.jp/

地公制度・8改　ISBN978-4-474-07903-8　C2032（8）